대산종사 법어해의 1

대산종사 법어해의

편저 · 주성균

WON BOOK 원불교출판사

머리말

원기99년(2014) 4월 5일 대산종사탄생100주년 기념사업의 일환으로 『대산종사법어』가 오랜 기다림 끝에 세상에 나왔습니다. 대산 종사가 열반하신 지 21년 만에 이룬 성업이었습니다.

『대산종사법어』에 앞서 시봉진들이 수필(受筆)한 『대산종사수필법문』이 간행된 바 있습니다. 이 책은 몇 차례 대산 종사의 감인(鑑認)을 거쳐 원기79년(1994) 10월 29일 정식으로 간행할 것을 대산 종사가 서명 날인으로 증명하고, 본격적으로 편찬 작업에 착수하여 원기82년(1997년) 4월 『대산종사수필법문집』(전 3권)으로 간행한 것입니다. 이때 법문 편집 작업을 담당한 필자는 교정과 윤문 과정 없이 기록 보존용 자료집 형태로 완벽히 정리하지 못한 아쉬움이 내내 마음에 남아있었습니다. 당시에는 대산 종사가 '아직 공개하지 말라'는 법문도 있었고, 그 후 '누락한' 법문도 발견되었으며, '개인이 소장한' 법문도 여럿 있었습니다. 필자는 20여 년 동안 원자료를 보존하고 꾸준히 수집하며 지금껏 수행하는 마음으로 기록해 놓았습니다.

그 후 원불교100년기념성업회는 『대산종사수필법문집』에서 빠진 법문과 비공개 법문, 개인이 소장한 법문을 수합하여 공식 기관에서 발행할 것을 결의하고 개정판 『대산종사수필법문집』을 발행하였습니다. 비슷한 시기에 필자는 『대산종사수필법문집』을 핵심 저본으로 최대한 간결하게 스승님의 정수를 담아내는 법어 편찬사업에 참여하였습니다.

그리하여 원기99년 대산종사탄생100주년에 총 15편 699장의 『대산종사법어』를 출간하였습니다. 하지만, 200자 원고지 29,000여 장의 수필법문과 여기저기 흩어진 방대한 법문을 추리고 축약하고 주요 내용만 간략하게 정리하는 과정에서 법문이 나온 배경과 당시의 상황이 빠져 독자들이 이해하기 어렵다는 반응이 있었습니다. 특히 한자로 쓰인 한시나 인용한 고문(古文) 등 독해하기 어려운 점도 함께 드러났습니다.

이에 필자는 오랜 고민 끝에 용기를 내어 『대산종사법어』를 알기 쉽게 풀이하기로 서원을 세우고 스승님께 보은하는 마음으로 『대산종사법어 해의(解義)』를 10년의 세월 동안 정리하여 전 3권으로 발행하게 되었습니다. 이 책이 『대산종사법어』를 공부하는 데 오히려 누를 끼치지 않을까, 혹여 사족이 되지 않을까 반조하며 공부심을 일으켜 봅니다.

『대산종사법어 해의』는 전 3권을 1질로 하여 15편의 간략한 대의와 장마다 제목을 달고, 법어 원문을 싣고, 출처 / 배경 및 상황 / 용어 풀이 순으로 정리하였습니다. 최대한 객관적으로 서술하고자 하였으나 간혹 필자의 주관적인 내용이 있음을 양해 바랍니다.

10년 넘게 책을 발행하는 업에 종사하고 있지만, 한 권의 책이 나올 때마다 두려움과 설렘이 앞섭니다. 그러나 책이 세상에 나온 순간부터 그 책은 저자의 것이 아니라 이미 독자들의 몫입니다. 이 책 『대산종사법어 해의』도 독자 여러분이 읽고 가감 없이 감정(鑑定)하고 채찍질하여 일깨워 주시기를 바랍니다. 대산 종사의 체취를 느끼어 마음공부하는 데 작은 도움이 되신다면 필자로서는 더할 나위 없겠습니다.

끝으로 이 책이 세상에 나올 수 있도록 용기를 주신 선후배 동지 여러분께 감사드립니다.

원기109년(2024) 5월

주성균 합장

목차

제1 신심편 信心編

신심편은 대산 종사가 종법사에 즉위한 후 교단을 이끌며 후진들에게 소태산 대종사와 정산 종사에 대한 신성을 잇게 하고 진리와 스승과 법과 회상에 대한 신심을 발하게 하는 총 60장의 법문으로 이루어졌다.

❶ 4대 불이 신심

대산 종사 말씀하시기를 "도가의 큰 신심은 진리와 스승과 법과 회상과 내가 하나 되는 4대 불이 신심(四大不二信心)이니라." 〈신심편 1장〉

| 출처 |

사대불이신심

1. 진리와 내가 하나요.
2. 스승과 내가 하나요.
3. 회상과 내가 하나요.
4. 법과 내가 하나가 되어야 대성하리라.

〈『대산종사수필법문집』 1. p.106. 원기49년〉

| 배경 및 상황 |

대산 종사가 종법사에 추대되신 후 초기 법문으로 사대불이신심을 강조하였다. 진리와 스승과 법과 회상과 내가 하나가 되어야 대성한다고 하시며 "이상 네 가지를 다 갖춘 분은 이 회상의 온통 주인공이 될 것이요, 부분을 갖춘 분은 조각 주인공이 될 것이요, 하나도 갖추지 못한 분은 이 회상에 잠깐 다녀간 손님밖에 못될 것이니라."라고 하시며 종법사 재임 동안 일관하여 설하신 신심에 관한 대표적인 법문이다.

| 용어 풀이 |

○ **사대불이신심(四大不二信心)** 대산 종사가 밝힌 진리를 깨치는 데 필요한 네 가지 큰 신앙심. 진리와 내가 하나 되고, 스승과 내가 하나 되며, 법과 내가 하나 되고, 회상과 내가 하나 되는 확고하고 철저한 신앙심을 말한다.〈『정전대의』 수신

강요 1. 28. 77p〉

① 진리와 내가 하나 되는 신심: 일원상의 진리, 곧 인과보응의 이치와 불생불멸의 진리를 굳게 믿어 조금도 의심이 없고, 언제나 진리를 떠나지 않고 진리를 신앙하며 살아가는 신앙심이다.

② 스승과 내가 하나 되는 신심: 정사(正師) 이상의 진리를 깨친 스승을 믿고, 그 지도와 가르침에 순응하며 닮아가려고 노력하는 신앙심이다.

③ 법과 내가 하나 되는 신심: 일원상의 진리·삼학팔조·사은사요를 중심으로 한 모든 교리가 무상정법임을 믿고 수행해가는 신앙심이다.

④ 회상과 내가 하나 되는 신심: 원불교 회상이 장차 세계와 만생령을 구제할 수 있는 대도정법 회상임을 철저하게 믿어서, 영겁토록 이 회상에서 수행 정진할 굳센 서원을 세우는 신앙심이다.

○ **신심(信心)** 자기가 신앙하고 있는 종교의 교리를 의심 없이 믿는 마음. 특히 종교가에서는 진리와 스승에 대한 믿음을 가장 중요한 덕목으로 삼는다. 큰 신심이 있어야 진리와 스승의 가르침을 의심 없이 받아들여서 신앙과 수행을 잘할 수 있기 때문이다. 신심은 종교적으로나 일상생활에서 모든 일을 이루는 원동력이 된다.

❷ 정산 종사 열반 2주기 법문

대산 종사 말씀하시기를 "대종사 열반 후 정산 종사께서 법통을 계승하였을 때 '스승이며 법형이신 정산 종사께 몸과 마음을 다 바치고 영겁다생에 이 법을 받들어 융창시키겠나이다[心身奉獻師兄主 永劫多生奉法昌].' 하고 글을 올리니, '서원은 해와 달이 증명하고 인연은 사시와 더불어 함께하느니라[誓願與日月證明 因緣與四時同行].'는 답글을 주시며, '괴로움도 함께하고 즐거움도 함께하자.' 하시느니라." 〈신심편 2장〉

| 출처 |

정산 종사 2주기

대산 종법사님을 모시고 대중이 정성을 들이다.

〈식순〉

① 송가 ② 선정 ③ 삼귀의 ④ 심고 ⑤ 배례 ⑥ 법설 ⑦ 조가 ⑧ 추모담

스승과 제자 사이에 법을 건네려면,

1. 물을 논에 대는데 무슨 물건이나 그 물을 전해주는 것이 있어야 한다. 다 줄 수 있는 스승, 다 받을 수 있는 제자의 굳은 신(信)이 있어야 한다. 틈이 없어야 그것을 건넨다.

2. 여유 있는 생활과 생각을 가지라.

3. 정산師와 대산師와의 인연

어목(魚目)이라 대종사를 알아 뵙지 못했다. 16세까지는 모든 가르침에 정들지 못했다. 알아보지 못했다. 16세시에 은부(恩父) 법부(法父)의 결의를 맺었다. 그러다 대종사 열반에 드심에 정산師는 양부모시었다. 천하 세계를 살펴보아도 이 어른 같은 인물을 찾지 못하겠더라. 심신헌봉사형주(心身獻奉師兄主) 영겁다생봉법창(永劫多生奉法昌)하리라. 서원은 여일월(與日月)이 증명하고 인연은 사시로 여동행(與同行)할 것이니 동고동락하자는 회답을 주시더라.

〈『대산종사수필법문집』 1. p.74. 원기49년 1월 24일〉

정산 종사 열반 종재 법문

원기47년 3월 13일에 법제자 김대거(金大擧)는 재계하옵고 삼가 유아 선사(先師) 성령지하(聖靈之下)에 고백하옵나이다.

무상이 신속하와 천만의외로 법사님의 열반을 당하여 온 후 어느덧 7재(七齋)가 되오니 망극한 마음과 무상한 느낌을 더욱 금하지 못하겠사오며 이 마음의

붙일 곳을 다시 알지 못하겠나이다.

법사께서는 이 회상의 창립 초에 대종사님을 신봉하신 후부터 몸은 비록 나누어 계시었으나 대종사님 마음을 법사님 마음 삼으시고, 교단과 세계를 법사님 몸 삼으시사, 입문하신 이래 원기28년 대위(大位)에 오르신 후 20여 성상을 교단의 스승님이요, 저희들의 자모님으로서 오로지 이 일에 근심하시고 오로지 이 일에 힘쓰다가 사대경륜(四大經綸)을 최후 유촉으로 거듭 부촉하시고 삼동윤리를 최종 유게(遺偈)로 전해 주시었나이다.

사대경륜은 곧 교재정비(教材整備), 기관확립(機關確立), 정교동심(政教同心), 달본명근(達本明根)이온 바, 하나는 안으로 모든 경전과 교서와 법제를 완전히 마련하여 전 인류의 정신의 근본적 양식이 되게 하자는 것이요, 둘은 이미 세워진 모든 기관과 새로 세울 모든 기관을 때를 따라 더욱 충실히 확립하여 앞으로 우리가 세계에 진출할 체모를 대강 갖추자는 것이요, 셋은 가정·사회·국가·세계와 교단이 다 외정내교(外政內教)로써 합심합력하여 내외병치(內外竝治)로 나아가자는 것이요, 넷은 치국평천하의 근본이 수신에 있는 것이니 자신 수도에 더욱 정진하여 본래사를 요달하고 근본 이치를 밝히자는 것이오니, 이는 우리 교정(教政)의 기본 강령으로써 저희들이 교단을 세계적 대 교단으로 발전시켜 나가는데 근본 지표가 될 것이옵나이다.

또한 삼동윤리는 곧 동원도리(同源道理), 동기연계(同氣連契), 동척사업(同拓事業)이온 바, 첫째는 천하의 모든 종교가 한 울안에 한 진리임을 알려주심이고, 둘째는 시방의 일체생령이 한 집안의 한 권속임을 알려주심이요, 셋째는 세계의 모든 사업이 한 일터의 한 일임을 알려주심이오니, 천하의 모든 종교는 한 뿌리의 한 진리인 것을 알아서 종교인끼리 서로 화목해야 할 것이요, 전 인류는 모든 생령이 한 할아버지의 자손인 것을 알아서 서로 돕고 사랑해야 할 것이요, 세계의 사업가들은 세계의 모든 일이 한 일터의 한 일인 줄을 알아서 서로 해(害)하지 말고 협조하며 살아야 할 것이옵니다. 이는 일원대도를 풀어

주신 대 세계주의로서 이 이치를 깨치면 견성이요, 이대로 심신을 쓰면 여래행이니, 이가 바로 천하의 윤리요, 만고의 윤리이옵나이다.

저희는 이 사대경륜과 삼동윤리의 정신을 높이 받들어서 하루속히 다 같이 거듭나는 마음으로 이 대도 대업으로써 무량겁을 통하여 시방삼계 육도사생에게 빠짐없이 길이 전할 것을 성령지하에 다시 서약하오며, 또는 수년을 두고 힘을 밀어주시던 대전 신도안 내 방면에 교세를 신장하기 위하여 가능한 한 어떠한 기관 하나를 신도안에 설치하고 소당 사업을 촉진하는 한편, 앞으로 교세 발전의 기연을 성숙시키는 동시에 남아 있는 저희 대중이 서로 더욱 온화한 형제가 되어 일심 합력으로써 성업을 계승하여 전 인류와 일체생령의 복혜문로(福慧門路)를 길이 열어주겠사오니, 복유선사(伏惟先師) 성령이시여 ….

이 교단의 사업에 관한 염려를 놓으시고 제도에 피로하신 정신을 잠시 더 쉬시오며 영계에 계셔서도 끊임없이 저희를 호념하시와 마음의 전로(前路)를 더욱 소소히 밝혀 주시옵기를 복원하옵나이다.

심신헌봉사형주(心身獻奉師兄主) 영겁다생동법창(永劫多生同法創).

〈『대산종사수필법문집』 1. p.20. 원기47년 3월 13일〉

| 배경 및 상황 |

이 법어는 원기47년(1962) 3월 13일 정산 종사 열반 종재와 원기49년(1964) 1월 24일 정산 종사 열반 2주기 때 내린 대산 종사의 법문이다. 정산 종사 열반 종재 법문은 **'심신헌봉사형주(心身獻奉師兄主) 영겁다생동법창(永劫多生同法創)'**이었다. 정산 종사 열반 2주기에는 **'심신헌봉사형주(心身獻奉師兄主) 영겁다생봉법창(永劫多生奉法昌)'**하리라고 하였다.

원기99년(2014) 대산종사법어 편수위원회에서 심신봉헌사형주(心身奉獻師兄主) 영겁다생봉법창(永劫多生奉法昌)으로 통일하였다. '헌봉(獻奉)'을 '봉헌(奉獻)'으로 '동법창(同法創)'은 '봉법창(奉法昌)'으로 통일한 이유는 동(同)은 함께 한다는 뜻이고 창(創)은 창립한다는 뜻이다. 대산 종사는 정산 종사의 경륜이나 법을 받들어서 창성(昌盛)한다는 굳은 의지를 살리자는 뜻에서 두 가지 법문의 의미를 살렸다.

| 용어 풀이 |

○ **정산 종사** 원기28년(1943) 6월 1일 소태산 대종사의 열반 후 법통을 이은 후계 종법사이며 개벽계성(開闢繼聖)으로 받든다. 본명은 송도군(宋道君), 법명은 송규(宋奎), 정산(鼎山)은 법호(法號)이며 종사(宗師)는 법위가 출가위 이상인 분에게 드리는 법훈(法勳)이다.

○ **법통(法統)** 스승에서 제자로 계속 이어져 전해온 불법의 계통. 소태산 대종사는 석가모니 부처님께 연원을 둠으로써 불법의 법통을 이어받게 되었고, 이후 원불교는 정산 종사·대산 종사·좌산 종사·경산 종사·전산 종법사로 법통이 이어져 오고 있다. 원불교의 법통은 주법(主法)인 종법사를 통해 이어지나 단전(單傳)이 아닌 공전(公傳)으로 이어진다. 참다운 법통은 사람에서 사람으로 전달되는 것이 아니라 마음에서 마음으로 전달되는 것이다

○ **서원(誓願)** ① 불보살이 원(願)을 세우고 반드시 이루기를 맹세하는 것. ② 어떤 원을 발하여 그 원이 이루어지도록까지 간절한 마음과 정성을 바치는 것. ③ 모든 중생이 삼독오욕심을 버리고 불보살이 되려고 간절히 맹세하고 소원하는 것. 원불교에서는 전무출신하기를 법신불 전에 올리는 맹세를 서원이라 한다.

❸ 대종사의 법신을 모시자

대산 종사 말씀하시기를 “출가 후 ‘대종사를 성인 가운데 가장 큰 성인이시다.’ 하고 우러러 받들고 살았으나, 내 나이 30세에 대종사께서 열반하시매 한동안 방황을 하다가, 내가 그동안 대종사의 색신만 모시고 살았지 법신을 뵙지 못하고 살았음을 깨닫고 그 후부터는 법신을 모시기 위해 적공을 계속하였느니라.” 〈신심편 3장〉

| 출처 |

내가 출가 후 대종사님을 뵐 때마다 참으로 전만고 후만고하신 부처님이시다. 또 성중성(聖中聖)이시다, 하고 숭앙하고 받들며 날로달로 새롭게 새기어졌으나, 30세 때 열반상을 나투시었는데 그때 생각하니 법보다는 외모의 인격만 뵙고 살았지 참으로 위대하신 대종사님은 뵙지 못한 것을 알았다. 그 후 지금까지 시간이 흐를수록 위대하시고 무서운 어른이시다, 하는 마음이 새롭기만 하다. 〈『대산종사수필법문집』 1. p.184. 원기51년 9월 28일〉

| 배경 및 상황 |

대산 종사는 법문하실 때 ‘무섭다’는 말씀을 많이 하셨다. ‘우리 회상은 무서운 회상이다. 대종사님은 무서운 성인이시다. 대종사님은 무서운 어른이시다. 무서운 적공, 무서운 도인, 무서운 법, 무서운 말씀, 무서운 준비, 무서운 업장. 무서운 조화력, 무서운 병, 무서운 힘, 무서운 심법’ 등을 무려 380여회나 사용하였다. 그중 ‘무서운 주세불’이 다녀가셨다고 하였다. 대산 종사는 30세에 대종사님이 열반하시자 이제까지 색신만 모셨지 참 법신을 모시지 못하고 살았음을 깨달은 후 법신을 모시기 위해 적공을 계속하였다.

세계적 종교로서의 ‘교법의 선언’은 원기67년(1982) 11월 9일 영산성지 봉고식 때 처음으로 발표했고, 그 후 기회 있을 때마다 강조해 왔다. 그러다가 원기 76년(1991) 4월 28일 대종사탄생백주년기념대회를 맞아 주세교법의 의미를 담고, 교단 창립 100주년을 향하여 완정해 가자는 의지를 만천하에 재천명했다. 대산 종사는 이 '교법의 선언'을 주창하며, 비로소 대종사님을 주세불로 모셨다고 하였다.

| 용어 풀이 |

○ **색신(色身)** ① 빛깔과 형상이 있어서 눈으로 볼 수 있는 몸. 인간의 육신. ② 불보살의 상호신(相好身). 빛깔도 형상도 없는 법신(法身)에 대하여 빛깔과 형상이 있는 신상(身相). ③ 여자의 고운 몸매와 자태.

○ **법신(法身)** 보신(報身), 화신(化身)과 더불어 삼신(三身)의 하나로서 석가모니의 진신(眞身)을 일컫는 말. 여기서 진신이란 덧없이 생사윤회(生死輪廻)를 하는 역사적 인물로서의 석가모니가 아니라 항상 보편한 진리로 존재하는 '영원의 몸'을 말한다.

❹ 주세불의 회상

> 대산 종사 말씀하시기를 "정산 종사께서 대종사를 주세불로 드러내 주셨기에 우리 회상도 주세불 회상으로 드러났나니, 우리도 대종사와 정산 종사의 뜻을 잘 받들어 이 교법이 영원한 세상에 드러나도록 해야 할 것이니라."
> 〈신심편 4장〉

| 출처 |

우리가 대종사께 아무리 보은을 잘한다고 하나 선법사님의 수만 분의 일도 못 따른다. 선법사께서는 대종사님을 주세불로 모셔 세상에 천명하셨으므로 대종사께서 영원한 세상의 주세불이 되시었고 우리 회상도 주세불의 회상으로 드러났다. 또 대종사님 열반 후 큰 기관수로 이 교단을 잘 운전해 나가셨다.

〈『대산종사수필법문집』 1. p.218. 원기52년 3월 23일〉

| 배경 및 상황 |

교역자들은 종법사의 대리자이다. 대산 종사는 "정산 종사가 대종사 열반 후 큰 기관수로 이 교단을 잘 운전하였고 교역자들은 작은 기관수로 동요 없이 종법사의 대리자로 잘 이끌어 왔다."라고 하시며 "이 두 어른에 대해 죄송한 마음을 금치 못하며 만일 법을 크게 드러내지 못하면 만대에 죄인이 되겠다."라고 하였다.

또한 정산 종사는 '소태산대종사성비(少太山大宗師聖碑)'에서 소태산을 '뭇 성인이 모여 크게 이루었다[集群聖而大成]'라 하여 원불교를 새 회상, 소태산을 새 주세불로 천명했다.

| 용어 풀이 |

○ **주세불(主世佛)** 말세에 출현하여 새로운 정법회상을 열어 세상을 바로잡고 모든 중생을 구제하는 부처님. 영산회상을 열어 법륜을 굴려온 석가모니불과 말세에 새 회상 일원대도를 열어 정법을 새로 굴린 소태산 대종사를 가리킨다. 주세성자(主世聖者) 또는 구세주라고도 하며, 교법이 일반 성자들의 가르침보다 뛰어난 바가 있는 성자이다.

○ **회상(會上)** ① 불교에서 대중이 모여서 설법을 듣는 법회. 또는 그 장소. ② 석가모니불이 영취산에서 설법하던 모임을 영산회상이라 한다. ③ 원불교의 교단을 다른 말로 회상이라고도 한다.

○ **기관수(機關手)** 일정한 자격을 갖추어 열차나 지하철, 선박, 항공기 따위의 기관을 다루거나 조종하는 사람.=기관사.

❺ 주세 성자의 말씀

> 대산 종사 말씀하시기를 "주세 성자의 말씀은 반드시 이루어지나니, 우리는 대종사의 말씀이 땅에 떨어지지 않도록 잘 받들고 실천해 나가야 하느니라."
> 〈신심편 5장〉

| 출처 |

산책하시면서 말씀해 주시기를

주세 성자의 말씀은 땅에 떨어지지도 않고 떨어져서도 안 된다.

내가 대종사님과 선법사님의 뜻을 받들어 종교 국제기구를 창설하자고 20여 년 전부터 수시로 교단적으로 주지시키고 강조하며 국제 종교자 대회가 있을 때마다 교단의 여러 가지 어려운 조건에서도 파견시켜 종교UR 창설을 제안했을 때는 모두 꿈속의 일이라고 언제 우리 교단이 그런 일을 할 것인가 의심들을 하였으나 1986년도 아시아 종교자 평화 대회가 우리의 힘으로 개최되니 이젠 꿈이 아니라 현실이다.

스승의 말씀, 진리의 말은 시간이 문제지 꼭 이루어지는 것이다. 앞으로 교단의 지도자들은 이 점을 명심하고 용기를 갖고 스승님의 말씀을 땅에 떨어지지 않도록 받들어야 하느니라.

〈『대산종사수필법문집』 2. p.520. 원기69년 4월 20일〉

| 배경 및 상황 |

대산 종사는 1986년도 아시아 종교자 평화 대회가 우리의 힘으로 개최되니 이젠 꿈이 아니라 현실이라고 소회를 밝힌다. 대종사님과 정산 종사님의 뜻을 받들어 종교 국제기구[UR]를 창설하자고 20여 년 전부터 제안하였다. 앞으로 2년 후에 열리는 아시아종교인평화회의(Asia Conference on Religion and

Peace, ACRP)가 우리 교단의 주관으로 개최된다는 소식에 고무되어 성자들의 말씀은 반드시 이루어지고 우리는 대종사의 말씀이 땅에 떨어지지 않도록 실천해야 한다고 강조하였다. ACRP는 원기71년(1986) 6월 16일부터 6월 21일까지 개최되었다.

| 용어 풀이 |

○ **주세성자(主世聖者)** 교법의 내용이나 방편이 다른 성자들보다 뛰어난 성자. 세상을 책임지고 일체중생을 교화하는 성자. 주세불(主世佛)과 같은 의미이다. 말세의 혼란을 바로잡고 대도정법으로 고해 중생을 제도하는 성자를 말한다. 소태산 대종사나 석가모니불 같은 성인을 가리키는 말이다.

❻ 만고일월과 만고신의

대산 종사 말씀하시기를 "대종사가 만고 일월(萬古日月)이시라면 정산 종사는 만고 신의(萬古信義)시니, 정산 종사는 대종사께서 어떤 일을 시킬지라도 한마음으로 받드셨고, 나 역시 대종사와 정산 종사를 내 생명과 같이 받들 뿐 단 한 번도 의심하지 않았느니라. 사람이 재주가 늘고 힘이 생기면 스승을 자기 잣대로 재고 사사로운 마음으로 대하기 쉬운지라, 그러하면 법맥이 끊어지고 큰사람이 되기는 어려우니라."

〈신심편 6장〉

| 출처 |

"대종사님은 만고에 일월이라 일컬으면 선법사님은 만고에 신의이시다."라고 하실 수 있느니라.

대종사님께서는 선법사님이 교정원장직에 계실 때도 마치 지금 주사나 감원 취급하며 일을 시키시었다. 그래도 선법사님은 한마디 불평이나 의심 없이 두 마음 없이 받드시더라. 일생을 한결같이 바치기가 어렵고 어려운 일이니라. 선법사께서 대종사님을 무이지심(無二之心)으로 받드시므로, 나도 선법사님의 뜻을 받들었다. 내 생명과 같이하는 대종경 편찬 때 아직 시기가 안 되었으니 더 미루도록 하자라고 하시든지 태워버리라 하시더라도 그대로 할 뿐이었지 추호도 의심이 없었노라. 대종사님께서 지붕에다 소를 올려 매라 하면 의심 없이 매야지, 거기에서 의심이나 계교가 생기기 시작하면 나와는 거리가 먼 사람이라고 하시는 말씀을 자주 하셨다.
사람이 크게 틔기가 어렵다. 재주가 생기고 어느 정도 힘이 생기면 윗 스승을 잣대질하기 시작하고 계교가 생기느니라. 이쯤 되면 줄이 안 끊어질 수 없다. 지도 안 받으니 누가 어찌할 것이냐. 스승을 가까이 모시되 업장에 끌려 일면만 보고 잣대질하면 오히려 큰 죄 짓기가 쉽다. 그것이 제 업장인데도 모르고 자꾸 끌려 더욱더욱 어두운 데로 들어가느니라. 보통 사람은 그 사람의 장점보다 단점만 보기 쉽다. 이는 심법이 아니다. 우리가 교단을 운영해 나갈 때도 한 사람의 실수가 튀어나오기 시작하면 따라서 단점만 드러내기 쉽다. 이때 장점을 찾아주고 또 과거의 공적을 찾아내어 길을 터주고 낙망함이 없이 처리되어야 한다. 〈『대산종사수필법문집』 1. p.375. 원기54년 3월 20일〉

| 배경 및 상황 |

정산 종사는 만고신의의 표본이시다. 대종사는 정산 종사가 교정원장 직에 계실 때도 마치 주사나 감원같이 취급하며 일을 시켰다. 그래도 한 말씀의 불평이나 의심 없이 두 마음 없이 받드셨다. 그것도 일생 한결같았다.
정산 종사는 대종사를 둘이 아닌 한마음으로 받들었다. 대종사는 대산 종사에게 "너는 나보다 글이 나으니 기록하지 마라. 때가 되면 영력이 솟아날 것이니 그만두어라."라고 하였다. 정산 종법사 때도 『대종경』 편찬하는데 아직 때가 안되었으니 미루자고 하면 따랐고 추호의 의심을 하지 않았다. 따라서 재주와 힘이 생기면 스승을 잣대질하고 계교하고 지도받지 않아서 업장만 두터워지고 법맥이 끊어져 큰 사람이 되기가 어렵다.

| 용어 풀이 |

○ **만고일월(萬古日月)** ① 영원한 세월을 통해 길이 빛나는 해와 달과 같다는 말. ② 영산성지 노루목에 소태산 대종사의 대각을 기리기 위해 세운 비.

○ **만고신의(萬古信義)** 만고에 변함없는 믿음과 의리.

○ **법맥(法脈)** 법[진리]이 끊임없이 전해지는 것을 사람의 맥박에 비유한 말로 스승에서 제자에게로 법이 이어지는 법의 계맥(系脈)을 뜻한다.

❼ 사람만 믿지 말고 그 법을 믿으라

대산 종사 말씀하시기를 "대종사께서는 사람만 믿지 말고 그 법을 믿으라 하셨나니, 그 뜻을 잘 새기면 스승님들을 영생토록 모시는 길이 열리느니라."

〈신심편 7장〉

| 출처 |

학생들에게 말씀해 주시기를 "너희들 대종사님과 선법사님을 어떻게 해야 영생 모실 수 있을 것인가 연구해 보라. 그 길만 알면 너희들 팔자 쭉 펴질 것이다. 천하에 제일 크고 좋으며 재미가 꿀맛 같을 것이다."

〈『대산종사수필법문집』 1. p.287. 원기53년 2월 4일〉

스승님을 영겁토록 모시는 방법은 솔성요론 제3조와 1조이다. 사람이 된 이상에는 배우기를 좋아할 일이요, 사람만 믿지 말고 그 법을 믿을 일이다.

〈『대산종사수필법문집』 1. p.360. 원기53년〉

| 배경 및 상황 |

이 법문은 『정전』 「솔성요론」 1조의 내용이다. 대산 종사는 예비교무들에게 대종사님과 정산 종사를 영생토록 모시는 방법을 연구해 보라고 하였다. 그 방법은 「솔성요론」 3조로 먼저 '사생(四生) 중 사람이 된 이상에는 배우기를 좋아할 것이요'라고 하였다. 우선 배우라는 것은 연구하라는 뜻이다. 그 뜻을 알면 팔자가 펴지고 인생이 꿀맛 같을 것이다.

원문에는 스승님들을 영겁토록 모시는 방법으로 「솔성요론」 1조와 3조를 말씀하였다. 『대산종사법어』 편수과정에서 두 법문을 하나로 합하고 「솔성요론」 3조를 제외하였다. 이 법어가 신심편이기 때문에 부득이 채택하지 않았다.

| 용어 풀이 |

○ **솔성요론(率性要論)** 솔성이란 성품을 잘 거느린다는 뜻이다. 「솔성요론」은 우리의 본래 성품을 일상생활 속에서 잘 거느려 활용하기 위한 16가지 요긴한 조항으로 『정전』 「수행편」 제12장의 내용이다. '계문'과 함께 작업취사 공부의 중요한 방법이 된다.

○ **사생(四生)** 불교에서 모든 생명체를 출생 방식에 따라 태·난·습·화의 네 가지로 분류한 것. 이 사생은 모두 깨치지 못한 미혹의 세계에 존재하여 육도를 윤회하는 것으로 되어 있다.

❽ 도가의 네 가지 즐거움

대산 종사 말씀하시기를 "도가에는 네 가지 큰 즐거움이 있나니, 하나는 몸과 마음을 오롯이 바칠 스승을 만남이요, 둘은 마음을 온통 전해 줄 제자를 만남이요, 셋은 생사고락을 함께할 동지를 만남이요, 넷은 참마음을 발견해 자유롭게 쓰는 것이니라." 〈신심편 8장〉

| 출처 |

도가의 네 가지 즐거움

1. 몸과 마음을 다 바칠 수 있는 스승을 만나고,
2. 법을 남김없이 줄 수 있는 제자를 얻고,
3. 심심상련의 동지를 얻고,
4. 마음을 보고 마음대로 하는 사람.

〈『대산종사수필법문집』 1. p.110. 원기49년〉

도가의 네 가지 즐거움

1. 위로 마음을 온통 바칠 수 있는 스승을 뵈옵고 마음이 점점 닮아 배워 나아감이요.
2. 생사를 같이하고 고락을 같이할 수 있는 동지를 만나서 일을 하여 나아감이요.
3. 아래로 마음을 온통 전해 줄 수 있는 법기(法器)를 만나서 마음을 가르쳐 나아감이요. [심교, 언교, 행교]
4. 마음을 오득하여 마음을 걸림 없이 자유롭게 써 나아감이니라.

〈『정전대의』 수신강요 1. 30. p.78〉

| 배경 및 상황 |

'도가의 네 가지 즐거움'은 향타원 박은국 교무가 원기43년(1958) 8월에 수필한 법문이 최초 자료이다. 대산 종사가 원기43년 4월 19일 건강을 이유로 교정원장직 사의를 표명하자 응산 이완철 종사가 직무대행을 한다. 대산 종사가 종법사위에 오르기 전 법문이다. 여기에 소개한 이후, 때에 따라 이 법문을 자주 설하였다.

원기64년(1979) 4월 18일에 원로 법사들과 간부들이 동행하여 만덕산장[초선지]에서 봉고를 마치시고 '도가의 네 가지 즐거움'에 대하여 말씀하여 주시면서 "온통 바칠 수 있는 스승 만나는 즐거움이 천하에 무엇을 바꾸어 즐거울 수가 있을까? 선 종법사께서 '완악하고 어둡고 우둔한 중생이 어찌 구제받을 수 있겠느냐. 대종사님이 아니면 어찌 구제받을 수 있겠느냐.'라고 하시었다. 그러니 온통 바칠 수 있는 스승 만났을 때 다 바치며 제도 받아라."라고 당부하였다.

또한, 원기67년(1982) 3월 1일 故 방타원(芳陀圓) 정동인(鄭同仁) 영전에 '도가의 네 가지 즐거움'을 천도법문으로 설하였다.

| 용어 풀이 |

○ **도가(道家)** ① 도덕가(道德家)의 준말. 도덕을 가르치고 베푸는 종교가를 이른다. 시비이해로 건설되어 분쟁과 번뇌가 쉬지 않는 시끄러운 인간 세상에서 종교는 진리를 가르치고 도덕을 실행하며 양심을 찾아서 살아가는 길을 연다는 뜻에서 쓰는 말이다. ② 도교의 다른 말. 불교를 불가(佛家), 유교를 유가(儒家)라 부르는 것처럼 도교를 도가라 이른다. 도교를 종교, 도가를 철학으로 구분하는 경우도 있는데, 이 경우 도가사상은 노장(老莊)사상이 주류를 이룬다.

❾ 성인은 세상의 중심이며 뿌리다

대산 종사 말씀하시기를 "성인이 나오시면 한 기운이 돌기 시작하고, 한 기운이 돌면 허공법계가 다 움직이나니, 성인은 세상의 중심이며 뿌리가 되느니라." 〈신심편 9장〉

| 출처 |

성인을 숭배만 하여도 일생을 잘살 수 있다. 그런데 올바르게 숭배를 아니 하고 샷되게 모시니 결국 망하고 만다. 성인이 나오시면 한 기운이 돌기 시작하고, 한 기운이 돌면 허공법계가 다 움직여 천하에 전파된다. 언제 말로 다 전하겠느냐[천하가 다 선지자의 나팔 노릇을 함]. 그러므로 성인은 세상의 뿌리가 되고 중앙이시다. 〈『대산종사수필법문집』 1. p.563. 원기56년 11월 21일〉

| 배경 및 상황 |

교단은 원기56년(1971) 10월 7일~12일 개교반백년 기념대회를 '진리는 하나 세계도 하나 인류는 한 가족 세상은 한 일터 개척하자 하나의 세계'를 주제로 성대하게 개최하였다.

호사다마라 할까. 서울회관 건립 과정에서 주식회사 남한강개발에 교산을 담보해 주었다가 이 회사의 부실로 그 빚을 교단이 짊어지게 된다. 그로 인해 경제적, 법률적 난관에 부딪히게 된다. 이때 교단은 일치단결하여 부채 청산을 하였으나 온갖 우여곡절을 거쳐 12년만인 원기67년(1982) 10월 서울 흑석동에 회관을 건립하게 되었다.

이 사건이 본격적으로 부상하게 되자 대산 종사는 교단의 영도자로서 중심을 잡고 차분하고 차서있게 그리고 착실히 교단의 중지를 모은다. 대산 종사는 개교반백년 기념대회를 마치고 원평으로 행가하였다. 여러 법문 중 "성인을 숭배만 하여도 일생을 잘살 수 있다. 그런데 올바르게 숭배를 아니 하고 삿되게 모시니 결국 망하고 만다."라고 하였다.

이 법문에 앞서 "금번 10월 대회는 사람의 힘으로 된 것이 아니다. 천화(天和), 인화(人和), 지화(地和) 삼위일체로 이루어진 것이다. 부처님들은 수천 년, 수만 년 다 계획하시느니라. 대종사님은 무서운 주세불이시다. 과거 음 시대에는 권리가 신계(神界)에 있었으므로 넘어지고 거꾸러질 때는[역경 수난] 건지고 잡을 수 없었다. 그러나 지금은 양 시대인지라, 그 권리가 인간계에 있으므로 다 돌려 자유롭게 전화위복시킬 수 있다."라고 하였다.

대산 종사는 "성인이 나오시면 한 기운이 돌기 시작하고, 한 기운이 돌면 허공법계가 다 움직이나니, 성인은 세상의 중심이며 뿌리가 된다."라고 하며 대종사는 성인이며 주세불임을 역설하였다.

| 용어 풀이 |

○ **허공법계(虛空法界)** 보이지 않는 진리를 텅 빈 허공에 비유한 말. 진리는 허공과 같아서 텅 비어 있으되 모든 법과 조화를 다 포함하고 있다. 소태산 대종사는 "천지 만물 허공법계가 다 부처 아님이 없다."[『대종경』 교의품 4]라고 했는데, 이때의 허공법계는 보이지 않는 진리계를 말한다.

⑩ 대종사의 위대하신 점

대산 종사 말씀하시기를 "대종사의 위대하심은 쇠약해진 인류 정신을 삼학 공부로 온전하게 해주심이요, 은혜가 메마른 세상을 사은 신앙으로 정의가 충만하게 해주심이며, 이기와 독선에 빠진 인류를 사요 실천으로 평화 안락하게 해 주심이니라." 〈신심편 10장〉

| 출처 |

대종사님의 지중하옵신 삼대은

1. 땅에 떨어지려는 도덕을 주워주신 은.
2. 희미하여지는 진리의 등불을 다시 밝혀주신 은.
3. 물욕으로 도둑맞아버린 인인 개개의 인보(仁寶)를 다시 찾아서 갖게 하신 은.

〈『대산종사수필법문집』 1. p.433. 원기55년 4월 26일〉

대종사 탄생가 복원 및 영모전 낙성 봉불식 법문 초안

대종사님의 지중하신 삼대은(三大恩)을 입었으니

1. 땅에 떨어지려는 도덕을 주워주신 은이요.
2. 희미하여지는 진리의 등불을 다시 밝혀주신 은이요.
3. 물욕으로 도둑맞아버린 인인(人人) 개개의 보물[인보(仁寶)]을 다시 찾아서 갖게 하신 은이다. 〈『대산종사수필법문집』 2. p.231. 원기66년 5월 19일〉

대종사님 지중하신 삼대은 [기일(其一)]

1. 땅에 떨어지려는 도덕을 주워주신 은.
2. 희미하여지는 진리의 등불을 다시 밝혀 주신 은.
3. 물욕으로 도둑맞아버린 인인개개(人人個個)의 인보(仁寶)를 다시 찾아서 갖게 하신 은.

대종사님 지중하신 삼대은 [기이(其二)]

1. 현대 인류가 정신이 극도로 소모 쇠약해서 분열 상태에 있는 인류에게 정신을 수양시켜 통일 완전케 하여 주신 은. [삼학(三學)]
2. 현대 인류가 은이 고갈되고 냉각되어 졌는데 다시 충만한 정의(情誼)의 세계로 살려주신 은. [사은(四恩)]

3. 현대 인류가 이기주의 독선주의로 위기에 처해 있는데 공도주의를 살려내서 평화 안락한 일원주의 세계주의로 살려주신 은. [사요(四要)]

〈『대산종사수필법문집』 2. p.642. 원기70년 1월 12일〉

| 배경 및 상황 |

대산 종사는 '대종사님의 위대하신 점 세 가지'를 원기55년(1970) 4월 26일 '대종사님의 지중하신 삼대은'이란 제목으로 최초로 설하였다. 이 법문을 원기66년(1981) 5월 19일 대종사 탄생가 복원 및 영모전 낙성 봉불식 때도 내리셨다. 원기70년(1985) 1월 12일에 하신 '대종사님 지중하신 삼대은' 법문은 기일(其一)과 기이(其二) 두 가지 형태의 법문으로 나뉜다. 그중 기1 법문이 『대산종사법어』 신심편 11장으로, 기2 법문이 신심편 12장으로 취택되었다.

대산 종사는 평소 법문을 내릴 때마다 "이 법문은 내가 한 10년, 20년, 30년 또는 평생 연마한 법문"이라고 하였다. 이 법문도 수기응변(隨機應變)으로 설하고 대기대용으로 법을 활용하는 것으로 이해해야 할 것이다.

| 용어 풀이 |

○ **삼학(三學)** 삼학이란 정신수양(精神修養)·사리연구(事理研究)·작업취사(作業取捨)이며, 부처의 인격에 이르도록 하는 세 가지 길로 원불교의 대표적 수행교리 가운데 하나이다.

○ **사은(四恩)** 원불교 교리의 신앙과 수행의 두 문 가운데 신앙문에 속하며 인생의 요도로서 천지은(天地恩)·부모은(父母恩)·동포은(同胞恩)·법률은(法律恩)을 말한다. 소태산 대종사는 일원상의 내역을 말하자면 곧 사은이요, 사은의 내역을 말하자면 곧 우주만유로서 천지·만물·허공·법계가 다 부처 아님이 없다고 했다.

○ **정의(情誼)** 서로 사귀어 친해진 정. 사람과 사람 사이에 서로 인정·의리·은혜·사랑 등을 느끼게 되는 기본 정서.

○ **사요(四要)** 사회의 불평등 구조를 개선하여 평등세계를 건설하기 위한 방법으로 모든 인류가 실천해 나가야 할 네 가지 요긴한 윤리 덕목으로 자력양성·지자본위·타자녀교육·공도자숭배를 말한다. 교리적으로는 사은과 함께 인생의 요도인 신앙문에 해당한다.

⓫ 대종사님의 지중하신 삼대은혜

> 대산 종사 말씀하시기를 "대종사께서는 희미해진 진리의 등불을 다시 밝혀 주셨고, 땅에 떨어진 도덕을 다시 일으켜 주셨으며, 물욕에 도둑맞은 각자의 어진 마음을 다시 찾게 해 주셨느니라." 〈신심편 11장〉

| 출처 |

대종사님의 지중하신 삼대은혜

1. 땅에 떨어지려는 도덕을 다시 주워주신 은혜.
2. 희미하여지는 진리의 등불을 다시 밝혀 주신 은혜.
3. 물욕으로 도적맞아 버린 개개인의 인보(仁寶)를 다시 찾아주신 은혜.

〈『대산종사수필법문집』 2. p.1942. 주성균 보관〉

| 배경 및 상황 |

원기54년도(1969) 교무강습용 교재 '법훈편편' 30번에 실린 대산 종사의 법문이다. 대종사님의 삼대은과 삼대은혜란 같은 뜻이다. 이 법문은 신심편 10장에서 소개한 바 있다.

| 용어 풀이 |

○ **인보(仁寶)** 인보란 어진 마음이 보배라는 뜻이다. 대산 종사의 네 가지 보배, 인보(人寶), 인보(仁寶), 인보(忍寶), 인보(認寶)에 나오는 말이다.

⑫ 나를 직접 찾아준 대종사님의 은혜

대산 종사 말씀하시기를 "대종사와 정산 종사께서 변산에만 머물지 않고 만덕산으로 오신 일이나, 만덕산으로 오실 때 가까운 오도재를 넘지 않고 먼 좌포로 길을 돌아서 오신 것이, 바로 나를 찾으시려는 뜻이었음을 알고 더욱 한량없는 은혜를 느꼈느니라." 〈신심편 12장〉

| 출처 |

대종사께서 만덕산에 오실 때 가까운 오도재를 넘어오시지 아니하시고, 항상 진안을 통해 좌포를 들러 만덕산에 오시었다. 또한 관촌으로 해서 좌포로 거쳐 만덕산으로 오시곤 하였다. 그런데 상달에 안 씨라는 분이 있었는데 대종사께서 지나시면 지게로 짐을 날라 주었다. 그 짐 값으로 10전을 주었다. 그때 돈으로 10전은 많은 돈이었다. 그래서 항상 대종사님이 언제 오시나 하며 기다리었다.

정산 종사께서도 대종사님과 같은 방향으로 만덕산에 오셨다. 그럴 때 어린아이들이 '빡빡 깨기 중' 하고 놀리곤 하였다. [대산 종법사님 나이 10세 전후]

지금 생각하니 두 분 어른님께서 가까운 오도재를 넘지 아니하고 멀리 좌포로 돌아오신 것은 나에게 인연을 걸려고 그러셨다. 참으로 대종사님과 정산 종사님의 은혜를 잊을 수가 없다.

〈『대산종사수필법문집』 2. p.1540. 원기77년 8월 8일〉

선 종법사께서 그러셨습니다. 나는 세세생생 부모 은혜와 큰 은혜가 많지만, 대종사님의 은혜가 더 크다고 말씀하셨습니다. 대종사께서 찾아주시지 않으셨으면 나는 허망할 뻔했다고 말씀하셨습니다. 한국에 탄생하신 은혜가 크고 찾아주신 은혜가 크다고 말씀하셨습니다. 대종사님과 선 종법사님께서 진안 만덕산에 걸어오셔서 친히 찾아주신 은혜가 큽니다.

〈『대산종사수필법문집』 2. p.958. 원기72년 2월 2일〉

| 배경 및 상황 |

대산 종사는 "나는 대종사께서 찾아주신 은혜와 조부모님, 외조모님, 부모님의 은혜를 영생 잊지 못한다. 그러므로 조석 심고에서 정성을 다해 감사 올린다."라고 하였다.

"대종사께서 만덕산에 오실 때 가까운 오도재를 넘어오지 아니하시고, 항상 진안을 통해 좌포에 들러 만덕산에 오시었다. 또한 관촌으로 해서 좌포를 거쳐 만덕산으로 오시곤 하였다. 지금 생각하니 두 분 어른님이 가까운 오도재를 넘지 아니하고 멀리 좌포로 돌아오신 것은 나에게 인연을 걸려고 그러셨다. 참으로 대종사와 정산 종사의 은혜를 잊을 수가 없다."

이로써 소태산 대종사와 정산 종사와 대산 종사로 이어진 원불교의 3대 주법이 최초로 한자리에 만나는 역사가 이루어지게 되었다.

| 용어 풀이 |

○ **변산(邊山)** 원불교에서는 전북 부안군에 자리한 변산성지를 말한다. 소태산 대종사가 원기4년(1919)부터 원기8년(1923)까지 4년간 머물며 보림(保任)하고 교법을 초안한 제법성지(制法聖地). 변산반도 일대의 봉래산[예로부터 능가산·영주산·봉래산으로 불렸음] 중앙지인 실상사 옆으로, 소태산은 이곳에 봉래정사를 짓고 교법을 초안했다.

○ **만덕산(萬德山)** 전북 진안군 성수면 중길리에 있는 763m 높이의 산으로 만덕산성지를 말한다. 원불교 초창기에 교조 소태산 대종사 친방(親訪)의 인연으로 원기9년(1924) 익산총부 건설 이전에 12인의 제자와 더불어 처음으로 수선(修禪)했던 만덕산 일대. 초선지(初禪地)와 만덕산 농원을 포함하여 성지로 보고 있다.

○ **오도재(悟道峙)** 만덕산 성지에 있는 초선지를 지나 북쪽으로 전북 진안군 성수면 중길 산 15번지 500m 고지에 자리한 고개로 오두재라고도 한다. 완주군 소양면과 신촌리 산과 접하고 있다.

○ **좌포(佐浦)** 전북 진안군 성수면 원좌길 33-10 대산 종사 탄생가가 자리한 마을이다. 섬진강 상류 오원천이 있는 전북 진안군 성수면의 마을. 1914년 행정구역 통폐합에 따라 산수동(山水洞)·상좌리(上佐里)·하좌리(下佐里)·증자동(曾子洞)·이곡리(梨谷里)·양화리(陽化里)·봉촌(鳳村)을 병합하여 좌포리라 했다. 중심 마을인 원좌(元佐)는 하좌마을, 마을의 왼쪽에 내가 흐르므로 좌포리라 했다. 원좌마을은 남원 양씨에 의하여 이루어졌으나 양씨는 망하고 이후 진안 이씨, 김해 김씨 등이 들어와 마을이 이루어졌다. 본래 이름은 마을이 들판에 있다고 하여 평지뜸이라 불리다가 하좌, 원좌로 바뀌 부르게 되었다.

⑬ 사심 없이 믿고 맡겨야 불과를 얻는다

대산 종사 말씀하시기를 "대종사께서는 바른 스승과 정법 회상을 만났을 때 온통 믿고 맡기라 하셨나니, 목수에게 맡겨진 나무토막처럼 사심이 없어야 좋은 목침이 될 수 있듯이, 우리도 바른 스승과 정법 회상을 만났을 때 사심 없이 믿고 맡겨야 큰 불과를 얻을 수 있느니라."

〈신심편 13장〉

| 출처 |

총부 기숙사 학생들에게

옳은 스승, 바른 스승 만나서 사심 없이 던져 버리면 더 바랄 것 없다. 대종사는 그 말씀 많이 하셨다. 옳은 스승 만났고 옳은 회상을 만났을 때는 그냥 목침같이 맡기라고 그러셨다. 목수가 목침을 깎든지 뒤집어 놓든지 어디다 못질하든지 맡겨 버려야지 나 안 하련다고 하면 일을 할 수가 없다.

대종사 말씀에 일생 안 태어난 폭 잡고 나한테 속아만 봐라 속아 보면 나한테 허망하다고 안 할 것이다. 그것 한 번 돌리기가 어렵다. 원체 영리들 해서 줄까 말까 하면 법도 줄까 말까 한다. 목침만 되어 버리면 성공은 거기에 있다. 너희들도 살다가 좋은 데 있으면 가라. 더 좋은 데 있으면 가서 잘살아 봐라. 그러나 널리 세계에 가서 조사해 봐도 대종사와 이런 회상 없을 것 같다.

〈『대산종사수필법문집』 1. p.643. 원기57년 8월 28일〉

| 배경 및 상황 |

이 법문은 원기57년(1972) 8월 28일에 총부 기숙사 학생들에게 내린 법문 중 일부분이다. 당시에는 원광대학교 원불교학과를 다니는 학생들을 총부 기숙사 학생이라고 불렀다. 현재는 서원관 학생 또는 예비교무라고 부른다. 학생들은 새 학기가 시작하기 전이나 학기 중에 대산 종사를 비롯하여 원로들을 뵙고 인사드리는 것으로 훈증 받고 새 마음으로 새 학기를 맞이한다. 대산 종사는 여름방학을 마치고 2학기를 시작하는 학생들에게 "이 회상에 들어와서 대종사 같은 훌륭한 어른과 스승님과 정법회상을 만났을 때 목침같이 맡겨라. 목수가 목침을 깎든지 뒤집어 놓든지 어디다 못질하든지 사심 없이 맡겨 버려야 불과를 얻는다."라고 대종사의 법문을 인거하였다.

대산 종사는 "너희들도 살다가 좋은 데 있으면 가라. 더 좋은 데 있으면 가서 잘살아 봐라. 그러나 널리 세계에 가서 조사해 봐도 대종사와 이런 회상 없을 것 같다."라고 힘주어 말하며 학생들에게 대종사와 교단[정법회상]에 목침같이 사심 없이 믿고 바치라고 자신감을 심어준 법문이다.

| 용어 풀이 |

○ **정법회상(正法會上)** 대도정법을 널리 펴서 일체중생을 구제하는 교단이라는 뜻. 허무맹랑한 사술(邪術)이나 황당무계한 신통 묘술이 아닌, 사실적이고 진리적인 바른 법을 가르치는 종교라는 말. 소태산 대종사는 원불교를 정법회상이라 했다. 정법회상은 편벽된 신앙과 수행을 원만한 신앙과 수행으로 이끌고, 시대화·생활화·대중화한 교리와 제도를 가지며, 신통묘술과 기행 이적을 앞세우지 않고[『대종경』 수행품 42], 인도 정의를 중심하여 원만한 문명사회를 개척하고 선도해 간다고 한다.

○ **목침(木枕)** 나무토막으로 만든 베개.

○ **불과(佛果)** 불도 수행으로 얻는 부처의 경지. 수행의 마지막 단계의 결과를 얻어 부처가 되는 것. 원불교에서는 삼학을 수행하여 항마위 이상의 법위를 얻는 것을 말한다.

⑭ 스승과 제자 사이에는 간격이 없어야 법이 건넨다

대산 종사, 학인들에게 말씀하시기를 "스승과 제자 사이에는 조금의 사량 계교도 있어서는 안 되나니, 박은국은 신촌교당에서 근무하다가 교화 환경이 열악한 청주교당으로 이동을 하라고 하자, 두마음 없이 달려가 불하받기 어려웠던 교당 터를 확보하는 큰 불사를 이루었느니라. 이는 모두 그 마음에 사량 계교가 조금도 없었기에 하늘의 감동을 얻어 이

뤄진 일이니, 이처럼 스승과 제자 사이에는 간격이 없어야 법이 건네지고 일도 성공할 수 있느니라." 〈신심편 14장〉

| 출처 |

시자에게 "정법(正法) 정사(正師)의 줄을 잘 잡고만 가면 큰 성공을 이룰 수 있다."는 법문을 소개하게 하신 후 이어 말씀하여 주시기를

사제지간에는 사량계교가 있어서는 안 된다. 조금이라도 간격이 있어서는 안 된다. 눈치 보는 제자가 되면 안 되지. 정세월(鄭世月) 정사한테 들었는데, 공타원(空陀圓) 조전권(曺專權)이 처음 전무출신 나와 공업부(工業部) 감원 노릇하면서 정세월 정사 당신 집과 기타 사갓집에 매일 된장, 간장 등 반찬 얻으러 다니는데 짜증 나거나 미운 생각이 안 나고 매일 주다시피 했었다고 하더라. 공타원도 공업부원(工業部員) 먹이려는 한 생각으로 아무런 불평불만 없이하니까 그런 것이었다.

향타원(香陀圓) 박은국(朴恩局)이 서울 교무로 있다가 간판을 계속 붙이고 포교 활동을 할 수 있느냐 없느냐 하는 처지에 있는 청주지소를 가라 하니 '좋고 평안한 곳이라면 안 가겠으나 교단적으로 가장 어려운 곳이고 고생될 곳이라니 가서 개척하겠습니다.' 하고 간 후에 지금 시가로 수천만 원 되는 교당을 마련했다. 750만 원[정부 불하 가격]짜리를 교당 기금 30만 원 가지고 일을 시작했었다. 그때 기독교 계통에서는 현금 1,500만 원을 쥐고 중앙 요로에 접촉을 하여 자기네 앞으로 낙찰시키려 했었다.

그러나 결국 우리 앞으로 결재가 나왔다. 원불교를 전연 모르는 시민 1,000여 명이 원불교로 불하시키는 것이 청주 사회에 유익하겠다는 진정서를 올려 주었다. 이게 다 그냥 된 것이냐? 다 천지가 하는 일이다. 사사심(私邪心) 없이하니 되는 것이다. 청주 사회에서 어떤 여자가 와서 저런 큰일을 하고 원불교가 도대체 배경이 얼마나 좋으냐고 깜짝 놀라고 화젯거리가 되었다.

천지 안에 사람 하나 있다. 향타원이 그 사람이구나. 너희들도 전무출신 하러 나왔으면 한번 턱 맡기고 하기로 한 일은 꼭 해버려야 사람이지 지질지질 하면 중생이다. 스승이 마음대로 할 수 있는 사람이 되어야 한다.

〈『대산종사수필법문집』 1. p.1202. 원기60년 8월 19일〉

| 배경 및 상황 |

대산 종사는 원기60년(1975) 8월 3일부터 9월 18일까지 신도안 삼동원에서 여름철 정양 중 8월 19일에 시자에게 "정법(正法) 정사(正師)의 줄을 잘 잡고만 가면 큰 성공을 이룰 수 있다."라는 법문을 소개하게 한 후 이어 말씀하여 주셨다.
"사제지간에는 사량계교가 있어서는 안 된다. 공타원 조전권님이 총부 구내 사가에 매일 된장, 간장 등 반찬을 얻으러 다녔다. 공업부원들을 먹이려고 불평불만 없이 다녔다. 그리고 향산 안이정도 내가 오고 가라 하면 그대로 따랐다."
향타원은 서울 신촌교당 3년간 근무하다 병고로 휴무[원기56년 5월 1일~9월 30일]하였다. 대산 종사가 향타원에게 "청주지소[청주교당]에 가라" 하니 "좋고 평안한 곳이라면 안 가겠으나 교단적으로 가장 어려운 곳이고 고생될 곳이라니 가서 개척하겠습니다." 하고 간 후에 원기57년(1972) 6월 5일 탑동 국군 방첩부대 군용지를 국군본부로부터 불하받아 현 교당을 마련했다.
대산 종사는 법설을 마치며 "천지 안에 사람 하나 있다. 향타원이 그 사람이다. 너희들도 전무출신 하러 나왔으면 맡기고 하기로 한 일은 꼭 해버려야 사람이다. 지질지질하면 중생이다. 스승이 마음대로 할 수 있는 사람이 되어야 한다."라고 하였다.

| 용어 풀이 |

○ **학인(學人)** ① 공부인. 도(道)를 배우는 사람. 아직 더 배울 것이 남아 있는 사람이라는 뜻으로, 수행자가 자신을 낮춰서 사용하는 말. ② 학자나 문필가가 아호

로 흔히 쓰는 말.

○ **사량계교(思量計較)** ① 생각하여 헤아림과 서로 견주어 살펴봄. ② 대도정법과 바른 스승을 의심하고 저울질하는 것. ③ 인의 대도를 버리고 권모술수를 좋아하는 것. ④ 대도 정법을 놓고 사도(邪道)나 사술(邪術)에 마음을 빼앗기는 것. ⑤ 모든 일에 대해서 어느 것이 나에게 이익인가 손해인가를 헤아리고 비교하여 저울질하는 것. 사량계교는 분별심이나 분별망상심에서 나오는 것이기 때문에 사량계교심으로는 진리를 깨칠 수 없다.

○ **박은국(朴恩局, 1923~2017)** 본명 영애(永愛), 법호 향타원(香陀圓). 전남 장성에서 출생. 원기26년(1941) 출가. 유일학림을 졸업하고 운봉 부교무로 출발하여 지방교화에 큰 역량을 발휘하였다. 초량교무·총부 교화부장·순교감 등을 거쳐, 신촌교당과 청주교당을 개척하였다. 서울교구장·부산교구장으로도 봉직하였고, 만년에는 배내청소년 훈련원 개척에 크게 노력하였다. 교화와 행정에 역량을 발휘하면서도 성리연마에 큰 공을 이루기도 하였다. 원기73년(1988) 5월에 종사 법훈을 받았다. 원기102년(2017) 세수 95세로 거연히 열반에 들었다. 저서로는 향타원 박은국 종사 문집 『새회상의 법향』과 『배내골의 성자』 등이 있다.

○ **불하(拂下)** 국가 또는 공공 단체의 재산을 개인에게 팔아넘기는 일.

⑮ 내 마음을 낳고 키워준 스승님의 은혜를 잊지말자

대산 종사 말씀하시기를 "우리가 부모의 은혜를 입고 살면서도 그 은혜를 망각하고 불효하는 일이 적지 않듯이, 수도인들도 내 마음을 낳아 주시고 키워 주신 스승님들의 은혜를 잊고 불효하기 쉬우니라. 스승님들께서는 일원 대도를 전하기 위해 수많은 생에 전탈 전여(全奪全與) 전신 전수(全信全受)의 수행 길을 걸으셨나니, 수행 과정에서 이를 체험한 사람은 그 은혜를 영생토록 잊을 수 없느니라." 〈신심편 15장〉

| 출처 |

스승과 법과 회상과 진리에 대한 은혜를 느낄수록, 자각할수록 수행심이 더욱 깊어지고 진리의 간섭이 더욱 커지느니라.

자녀들이 부모님의 은혜를 망각하고 살면서 오히려 불효하는 일이 많다. 수도인도 이 회상에 와서 내 마음을 낳아주시고 키워주신 것을 모르면 불효하기 마련이나 그러나 내 마음을 낳아주시고 길러 주시기 위하여 대종사님과 선 종법사님께서 무수한 생을 함지사지를 당하시면서 전탈전여(全奪全與), 전신전수(全信全受)하는 수행의 길을 걸으신 것을 자신이 수행하는 과정에서 체험한 사람은 마음으로 수없이 통곡하며 영생을 통하여 잊으려 해도 잊을 수 없을 것이다. 이런 제자 만나기도, 기르기도, 찾아오기도 쉽지 않다. 그러나 우리 회상은 많을 것이라 하시었으니 찾아서 잘 길러내자.

일체중생의 문로를 개척해 주고 온갖 조화와 능력을 갖추도록 천하의 대도요 만고의 대법인 이 일원대도를 돈 한 푼 받지 않고 남김없이 다 주신 은혜 영생을 통하여 잊을 수 있겠느냐? 만일 잊고 다른 길로 간다면 이 일을 장차 어찌하겠느냐?

천하를 준들 바꿀 수 없는 은혜가 아니겠느냐?

이러한 은혜 속에서 요즘 천하의 대사를 똑바로 보고 조동(早動), 망동(忘動), 경동(輕動)하여 자기의 몸을 더럽히지 말아야 할 것이다.

〈『대산종사수필법문집』 2. p.1335. 원기74년 9월 1일〉

| 배경 및 상황 |

대산 종사는 "스승과 법과 회상과 진리에 대한 은혜를 느끼거나 자각할수록 수행심이 더욱 깊어지고 진리의 간섭이 더욱 커진다. 우리가 부모의 은혜를 망각하고, 수도인도 마음 스승님의 은혜를 잊고 불효하기 쉽다. 천하를 준들 바꿀 수 없는 은혜가 아니겠느냐? 이러한 은혜 속에서 요즘 천하의 대사를 똑바로 보고 조동[남보다 먼저 움직임], 망동[아무 분별없이 망령되이 행동함. 또는 그 행동], 경동[경솔하여 생각 없이 망령되게 행동함. 또는 그런 행동]하여 자기의 몸을 더럽히지 말라."라고 하였다.

공부하는 자에게 '전신전수, 전탈전여'는 신앙과 수행의 핵심이다. 전탈전여, 전신전수는 순서와 관계없다. 상황에 맞춰 선후를 달리해도 그 뜻이고 하나로 통하는 것이다.

| 용어 풀이 |

○ **일원대도(一圓大道)** 일원이라 함은 우주의 근본 되는 진리를 상징한 말. 일원의 진리는 절대 유일하여 상대가 끊어진 자리요, 모든 것을 포함하고 있으며 무한히 돌고 돌아 그침이 없다는 뜻에서 대도라 한다. 또 대도란 만생령을 제도하고 전 인류를 불보살의 세계로 이끌어 주는 크고 넓은 길, 또는 진리. 일원대도란 말은 소태산 대종사가 진리를 크게 깨친 후에 비로소 처음 사용되었다.

○ **전탈전여(全奪全與)** 전부[오롯이] 빼앗기면 전부 받는다. 진리나 천지가 다 빼앗아야 다 주는 이치를 말한다. 무엇이든 주려면 다 빼앗아 버린다. 숙살만물(肅殺萬物)의 이치와 같다. 이는 가을날의 쌀쌀한 기운이 풀이나 나무 등을 스쳐 말려 죽이는 자연현상이다. 자비심이 부족하여 일체중생을 살려내지 못하고 오히려 죽이는 것을 자연현상에 비유하여 사용하기도 한다.

○ **전신전수(全信全受)** 오롯이 다 믿어야 오롯이 다 받는다. 전신(全信)하면 전수(全受), 반신(半信)하면 반수(半受), 무신(無信)하면 무수(無受)한다.

○ **수행(修行)** 종교적·도덕적으로 큰 인격을 이루기 위해 취해지는 특별한 훈련 방법. 수도(修道)·수신(修身)이라고도 한다.

○ **영생(永生)** ① 영원한 세상, 세세생생. 죽지 않고 영원히 사는 것. ② 삼세인과의 이치를 깨달아 생사를 해탈하는 것. 열반과 같은 뜻. 열반은 생사를 해탈해서 나고 죽음을 초월한 경지를 말하며, 그러한 경지에 이르는 것을 영생을 얻었다고 한다.

○ **함지사지(陷之死地)** 함지는 지옥, 사지는 죽을 곳. 아주 위험한 지경에 빠져든다는 의미. 목숨이 위태로운 처지에 빠짐.

⑯ 돌아오는 시대는 홀로 드러나지 말라

대산 종사 말씀하시기를 "앞으로 돌아오는 시대는 홀로 드러나려 해서도 안 되고 홀로 불보살이 되려고 해서도 안 될 것이라. 그러므로 대종사께서는 천 여래 만 보살을 배출할 큰 회상을 여시고 다 함께 법통을 잇도록 길을 열어 주셨나니, 우리가 대종사를 위하고 받드는 길은 우리 스스로 대종사 같은 인격을 갖추고 그 법을 잇는 제자를 많이 배출하는 것이니라."

〈신심편 16장〉

| 출처 |

앞으로의 시대는 독존(獨尊)하지 못한다. 또 독성(獨聖)은 안 된다. 그러므로 대종사님은 성중성(聖中聖)으로 독성이 아니시다. 훌륭한 제자를 두시었고, 또 천여래 만보살이 배출되어 계속 법통을 이어 나가도록 하셨다. 그런데 이 뜻을 잘 모르는 사람이 많은 것 같으니 답답하다. 선 법사께서 대종사님을 주세불로 받드시고, 또 후인들에게 새겨 주시고 가르쳐 주시어 만대에 대성으로 모시게 하였다.

그러므로 스승은 제자를 잘 만나야 하며, 제자도 스승을 잘 만나 모셔야 한다.

참으로 대종사님을 위하고 받드는 길은 바로 대종사님과 같은 인격을 갖추는 제자를 많이 배출시키는 것인데 이 점을 깊이 통찰하고 각성하는 이가 드문 것 같구나. 〈『대산종사수필법문집』 1. p.304. 원기53년 3월 19일〉

| 배경 및 상황 |

대산 종사는 법문의 원본에 "앞으로의 시대는 독존하지 못한다. 또 독성은 안 된다."라고 했다. "그러므로 대종사는 성중성으로 독성이 아니시다."라고 강조한다.

과거는 '일여래 천보살의 회상'이라면 우리 회상은 '천여래 만보살이 배출'되어 법통을 잇는다고 하였다. 정산 종사는 '대종사성비명'에 소태산은 주세불이요, 원불교가 새 주세회상임을 선포하였다. 또한 대종사를 주세불로 만대에 대성으로 모시게 하였다.

그러므로 대산 종사는 "스승은 제자를 잘 만나야 하고 제자도 스승을 잘 모셔야 한다. 우리는 대종사 같은 인격을 갖추고 그 법을 잇는 제자를 많이 배출해야 함을 통찰하고 각성해야 한다."라고 하였다.

| 용어 풀이 |

○ **천여래 만보살(千如來 萬菩薩)** 일천 여래와 일만 보살이 출현하게 될 밝은 세상이라는 뜻으로, 원불교의 미래관을 나타내는 말. 과거 세상은 일여래 천보살이 출현하는 세상이었으나, 미래 세상은 천여래 만보살이 출현하게 되고, 특히 원불교가 그러한 회상이 된다는 뜻. 원불교가 중성공회(衆聖共會)의 대도 회상으로 발전해 갈 것을 강조하는 말로서, 천여래 만보살은 무수히 많은 불보살이라는 뜻이다.

○ **독존(獨尊)** 홀로 존귀하다는 말. 시방 삼세에서 부처님만이 가장 존귀하다는 말. '천상천하 유아독존(天上天下唯我獨尊)'의 준말. 독존하는 우리의 본래마음, 곧 청정자성심이 이 세상에서 가장 존귀한 것이다. 누구나 마음을 깨쳐 일원의 위

력을 얻고 일원의 체성에 합하면, 그 사람이 곧 천상천하 유아독존이 되는 것이다.

○ **독성(獨聖)** 홀로 도를 깨우친 성자라는 말. 스승의 지도 없이 혼자서 깨친 불보살. 깨달음을 얻고서도 자기 위에 더 큰 스승이 없다고 스스로 자만하는 수행자로 벽지불(辟支佛)이라고도 이른다.

○ **성중성(聖中聖)** 성인 중의 성인이라는 말.

⑰ 세 가지 기쁨

대산 종사 말씀하시기를 "나는 생사를 넘나드는 경계에 처해서도 세 가지 큰 기쁨으로 살았나니, 첫째는 한국에 태어나 이 회상을 만난 기쁨이요, 둘째는 대종사를 만나 영생의 스승으로 모신 기쁨이요, 셋째는 전무출신을 서원하여 일체 생령에게 심신을 바친 기쁨이니라."

〈신심편 17장〉

| 출처 |

세 가지 기쁨

1. **본사(本師) 제자된 것**: 4대 성인은 지역적인 성인이나 본사는 전주[온 고을]의 성인이시다.
2. **회상**: 거룩한 사업을 하는 회상에 한 자리에 차지하였으니 기쁘다.
3. **국가**: 한국이라는 약소국에 태어났으나 만국 만민을 지도하게 될 것이니 기쁘다. 〈『대산종사수필법문집』 1. p.87. 원기49년〉

나의 세 가지 기쁨

1. 한국에 태어난 것.

2. 대종사님을 만난 것.
3. 세계를 위하여 심신을 바친 것.
육신의 부모는 금생뿐이나 마음의 부모는 영생이니 우리가 전무출신하고 영생의 부모를 모시게 되었으니 영겁을 통하여 얼마나 다행하고 희귀한 일이냐? 참으로 좋구나. 영생의 부모를 만났으니, 정법을 만났으니, 이 공부 이 사업하다가 명대로 죽으나, 도중 아프나 죽으나, 관심할 바 아니요, 와도 정법, 가도 정법만 생각하여 세세생생 이 법을 안 떠나게 되니 참으로 좋고 다행하구나.

〈『대산종사수필법문집』 1. p.180. 원기51년 9월 11일〉

허광영(許光永), 이양신(李良信)에게[금강리 뒷산 산책 중]

1. 나는 서원을 세웠으니 세세생생 대종사님을 모시면 될 것으로 알고 가노라.
2. 그러기 때문에 서울서 생사의 위경에 처하였을 때 세 가지 기쁨으로 살았고 앞으로도 이 기쁨만은 양보 아니 하리라.
첫째, 한국에서 태어난 기쁨. 한국에서 안 태어났으면 어찌 대종사님 회상을 만날 수 있었을 것인가.
둘째, 대종사님 만난 기쁨. 영생의 스승님을 만났으니 어찌 그 기쁨 크지 아니하겠는가?
셋째, 전무출신한 기쁨. 한 가정에 안 머물고 일체생령에게 바치는 심신이 되었으니 어찌 그 기쁨이 안 크겠는가?
3. 나는 어렸을 때 항상 부자가 될 바에는 한국 안의 부자는 너무 적다 하고 있었다. 그 후 11세에 대종사님 만나 뵙고 법문도 받들었으나 지각이 안 났다.
그 후 16세, 총부에 왔을 때 대종사께서 시방이 일가요 사생이 일신이니 내 집 안 내 일로 알아 일원주의로 일원세계 건설하자는 법문 받들고, 그간에 답답하고 울적하던 마음들이 구름 걷히듯 환하여지고 시원하여 완전히 마음 결정하고, 세세생생 대종사님 모시고 이 공부 이 사업하면 되겠다고 하였다.

4. 그 후로는 어디에서 어느 모퉁이에서 무엇을 해도 되겠구나 하고 시키는 대로 하였다. 나는 참 재주가 없었다. 그러나 하라는 대로는 하였느니라. 앞으로도 그러할 것이다. 〈『대산종사수필법문집』 1. p.408. 원기54년 12월 5일〉

내가 생사 해탈을 했어도 더 산다는 것은 좋더라. 그런데 내가 어디로 가서 죽을꼬 하고 염원했는데 여기 계신 팔타원님이 당신 별장이 있고 대종사님도 가셨다고 해서 나보고 가자고 하셨다. 내 생각은 세상에 한 번 나와 살고 가는데, 세 가지 기쁨이 있다.

하나는 대종사님 제자가 된 것이 기쁘고, 또 하나는 무지막지한 사람이 전무출신해 육도사생 전체 구류중생한테 내가 몸을 내놓았다고 생각하며 기쁘고, 또 한 가지는 한국에서 태어난 것이 기쁘다. 한국에 태어났기 때문에 대종사님을 뵐 수가 있었다.

이와 같이 세 가지 기쁨이 있기 때문에 내가 기도 올릴 때 '나 좀 살려 주십쇼' 그렇게 떫은 소리는 안 했다. '날 살려주면 일 좀 할 것이고 안 살려주면 내가 세세생생 할 때까지, 부처님은 오백 생 하셨지만 나는 오억 생이라도 해서 그 일 할 것'인데 내가 '아이고 나 좀 살려 주십쇼' 하고 떫은 소리는 안 했다.

〈『대산종사수필법문집』 2. p.1002. 원기72년 5월 1일〉

| 배경 및 상황 |

대산 종사는 서른 살에 당시 보화당 한약방에 근무하던 김서룡 선생을 간호하다 폐결핵에 전염되었다. 서울 돈암동으로 거처를 옮겨 요양했다. 5개월 이상 식사를 못 하는 생사를 넘나드는 투병 생활을 했다. 팔타원 황정신행 대호법의 양주 장포동 별장으로 정양지를 옮겼다.

대산 종사는 일체를 천지에 맡겨 버렸다. '내가 필요한 사람이면 진리께서 살려주실 것이고, 만약 살려주신다면 만생령을 위해 일할 수 있도록 해주시라'는 간절한 기도를 올렸다.

이때 세 가지 큰 기쁨으로 살았다. "첫째는 한국에 태어나 이 회상을 만난 기쁨이요, 둘째는 대종사를 만나 영생의 스승으로 모신 기쁨이요, 셋째는 전무출신을 서원하여 일체 생령에게 심신을 바친 기쁨이니라."라고 했다.

'나의 세 가지 기쁨'은 같은 법문이 4종이나 있다. 그중 법어에 실린 원문은 원기54년(1969) 12월 5일 익산 동산동 금강리 신성마을 신정묵 씨 집에서 주재하고 있을 때 허광영[許光永, 명산(明山)], 이양신[李良信, 농타원(農陀圓)] 교무에게 내린 법문이다. 농타원은 교동교당에서 2년간 부교무로 교화 중 허광영 교무를 만났다. 허 교무가 고3일 때 갑자기 농타원이 막무가내로 대산 종법사를 뵈러 가자고 하여 수업도 빠지고 금강리에 정양 중인 대산 종사를 뵈러 갔다. 이때 내리신 법문으로 명산 허광영 교무가 전무출신을 서원했다.

| 용어 풀이 |

○ **전무출신(專務出身)** 원불교 교단을 위해 몸과 마음을 다 바쳐 헌신 노력하는 사람을 가리키는 용어. 원불교의 출가 교역자를 총칭하는 개념인 '전무출신'은 원불교의 개교 초기부터 사용한 '전무주력자(專務主力者)', '전무노력자'라는 용어에서 유래하여 '전무출신'이라는 개념으로 발전되었다. 그 의미는 '오롯이 공도에 힘써 일하기 위해 원불교에 출가하여 헌신한다.'는 의미이다.

○ **일체생령(一切生靈)** 우주 전체에 존재하는 모든 생명체.

⑱ 정법에 맥을 대지 않는 사람은 성공하지 못한다

대산 종사 말씀하시기를 "세상에 똑똑한 사람은 많으나 그 재주와 이름이 오래가는 사람은 많지 않나니, 그것은 바로 정법에 맥을 대지 않고 사는 까닭이니라. 그러므로 대종사께서는 '천하에 신기한 재주를 가진 사람이라 할지라도 정법에 맥을 대지 않는 사람은 큰 성공을 거둘 수 없다.'라고 하셨느니라." 〈신심편 18장〉

| 출처 |

세상에는 기는 것 위에 뛰는 것이 있고, 뛰는 것 위에 나는 것이 있으며, 나는 것 위에 또 더 잘 나는 것이 있어 똑똑한 사람이 많다.

그러나 그 재주는 오래가지 못하고 생명 없이 되고 만다. 이것이 정맥(正脈)을 안 대기 때문이다. 지금 세상에 기독교의 어느 장로, 목사 등이 세상을 떠들썩하게 하여 큰일 하는 것 같으나 결국 오래 못 가고 말았다.

주세불이 나온 후에는 그 주세불에게 맥을 대야 한다. 그렇지 못하면 힘 못 탄다. 대종사께서 아무리 못난 사람이라도 정맥을 대고 혈성을 다하는 사람이 나의 참 제자이고 이 회상의 주인이라고 하셨다. 천하를 흔드는 별별 재주를 가졌다 하더라도 정맥을 안 대는 사람은 별스러운 사람이 아니라고 하셨다.

〈『대산종사수필법문집』 1. p.1213. 원기60년 9월 1일〉

| 배경 및 상황 |

대산 종사가 원기60년(1975) 9월 1일 신도안 삼동원에 정양 중일 때의 법문이다. 이날 여의도 국회의사당 준공식을 박정희 대통령과 삼부 요인이 모인 가운데 거행했는데 대지가 10만 평에 연건평 24,680평이란 말씀을 들으시고 기뻐하며 "우리나라의 국력 과시며 준비하는 일이니 국가의 큰 경사이구나. 심축하자." 한 후 "우리 훈련원 규모도 더 커야 하겠다. 삼동원은 앞으로 세계 인물 훈련 도량이 되어야 하니 10만 평은 확보해야 하겠구나."라고 하였다.

"세상에 기는 것 위에 뛰는 것이 있고, 뛰는 것 위에 나는 것이 있고, 나는 것 위에 또 더 잘 나는 것이 있어 똑똑한 사람이 많다. 그러나 그 재주는 오래가지 못한다. 이것이 정맥[正脈, 바른 법맥]을 대지 않기 때문이다."

정맥은 정법에 맥을 댄다는 뜻이다. 정법에 맥을 대지 않는 사람은 큰 성공을 거둘 수 없다고 하였다.

"주세불이 나온 후에는 주세불에게 맥을 대야 한다. 대종사께서 아무리 못난 사람이라도 정맥을 대고 혈성을 다하는 사람이 나의 참 제자이고 이 회상의 주인이라고 하셨다. 천하를 흔드는 별별 재주를 가졌다 하더라도 정맥을 대지 않는 사람은 별스러운 사람이 아니라고 하셨다."

이처럼 정형화된 법문보다는 구어체로 된 원문이 더 정감 있고 감성적이며 비문(非文)이라도 법문을 받드는 데 있어 감칠맛을 느낄 수 있다.

| 용어 풀이 |

○ **정법(正法)** 대도정법의 준말. 바른 교법·인의 대도. 소태산 대종사나 석가모니불의 가르침. 일체중생을 제도하여 불보살의 길로 이끌어 주는 교법이라는 말.

○ **정맥(正脈)** 바른 법맥(法脈). 법맥을 바르게 이어가는 것.

⑲ 나는 스승님이 꿈에서 하신 말씀이라도 실천하지 못할까 염려한다

대산 종사 말씀하시기를 "나는 스승님이 꿈에서 말씀하신 것 하나까지도 실천하지 못할까 염려하였나니, 큰 재주와 큰 실행으로 한때 대중의 신망을 받은 사람이라 할지라도, 대종사의 법통과 교리에 정통하지 못하면 결국은 껍데기가 되고 말 것이라. 자기 생각으로 자기를 지도하고 그 생각으로 후진을 지도하면 그는 자기 제자는 될지언정 스승의 제자는 될 수 없느니라." 〈신심편 19장〉

| 출처 |

특별한 지시

1. 나는 꿈에라도 스승님이 인증하시고, 또 말씀하시면 다 믿고 실천 못 할까 염려하였다.

2. 이 회상에 와서 별 재주 다 부리고 일시 기행(奇行)을 잘하여 대중이 인증한다고 하여도 대종사님의 법통과 교리에 정통 못 하면 껍데기 사람이고 별수 없이 뒤가 허망하다.

3. 대종사께서 모(某) 제자에게 "네 말만 듣고 내 말을 안 듣는 사람은 네 제자는 될지언정 내 제자는 아니니다." 하시고 자주 직접 주의시키신 일이 있으시나, 제 생각으로 저를 지도하고 또 그 생각으로 후인 지도하면 역시 제 제자이지 스승의 제자는 아니니다.

어설프게 하는 사람이 제 지견에 집착하고 주관이라고 고집하지, 확실히 알고 정당한 사람들은 스승에게 인증받는 것을 주로 한다. [대타원(大陀圓) 이인의화(李仁義華)가 그랬다.]

특히 위의 과오를 범하는 사람들은 대개 일능에 만족하거나, 또는 삼학 중 하나에만 치중하여 영감 같은 것이 열리고, 스승이 그의 의견을 자주 물어보시면 스스로 스승 이상이 된 것같이 생각하고 오래가면 스승을 잣대질한다. 이것 참으로 무서운 병이다. 〈『대산종사수필법문집』 1. p.431. 원기55년 4월 21일〉

| 배경 및 상황 |

이 법문의 출처에는 '특별한 지시'라는 제목이 달려 있다. 첫째, 나는 스승님이 꿈에서 인증하고 말씀하면 믿고 실천하지 못할까 염려하였다. 둘째, 재주와 기행을 잘하여 대중이 인증하더라도 대종사의 법통과 교리에 정통 못 하면 껍데기이다. 셋째, 대종사는 제자에게 "네 말만 듣고 내 말을 듣지 않으면 내 제자는 아니니다, 제 생각으로 후인을 지도하면 역시 제자이지 스승의 제자가 아니다."라고 하였다.

위의 세 가지 내용만 법어에 실렸지만, 수필법문에는 "대개 일능에 만족하거나 삼학 중 하나에만 치중하여 영감이 열린 사람 중 스승님을 잣대질하면 무서운 병"이라고 하였다. 이인의화는 스승에게 인증받고 제 지견에 고집하지 아니하였다. 그래서 대산 종사는 '특별한 지시'라고 하여 세 가지 법문으로 스승과 제자의 관계를 명확히 하였다. 그 관계가 무너지면 법통과 정통이 어긋난다고 하였다.

| 용어 풀이 |

○ **신망(信望)** 믿고 기대함. 또는 그런 믿음과 덕망.

○ **정통(正統)** 바른 계통

⑳ 나의 심통제자가 되어야 함께 회상 일을 할 수 있다

대산 종사 말씀하시기를 "석가모니불과 아미타불의 좌우 협시불이 각각 다른 것은 영겁을 통해 서로 다른 인연을 맺은 까닭이니, 아무리 훌륭한 도인이라도 그 인연을 잘 만나야 세상에 크게 드러날 수 있느니라. 그러므로 대종사께서는 아무리 재주 있는 사람이라도 나의 심통 제자가 아니면 함께 일을 할 수 없으나, 나의 심통 제자만 되고 보면 그 어떤 사람이라도 함께 회상을 펴고 일을 할 수 있다고 하셨느니라." 〈신심편 20장〉

| 출처 |

발타원(發陀圓) 정진숙(鄭眞淑)과 용타원(龍陀圓) 서대인(徐大仁) 법사가 인사 올리니 말씀하시기를

부처님 좌우 보처와 아미타불 좌우 보처가 각각 다르다. 그것은 영겁 드나들며 인연 맺은 소치이다. 그러므로 도인도 그 인연을 만나야 행세한다고 하였다.
대종사께서는 아무리 여래위라 해도 나의 심통 제자가 아니면 나와 일을 못 하니 보통급이라도 심통 제자만 되면 나는 그와 회상 펴고 일하리라 하셨다. 무서운 말씀이시다.
도인도 인연이 각각 다르니 그 인연 따라 감[가는 것]을 탓할 것 없느니라. 그러므로 그 인연 아니고 그때가 아니면 잠거포도(潛居抱道) 이대기시(以待其時)하는 법이다. 〈『대산종사수필법문집』 1. p.1095. 원기60년 2월 26일〉

| 배경 및 상황 |

원기60년(1975) 2월 26일 발타원 정진숙과 용타원 서대인 법사가 인사 올리니 대산 종사 말씀하시기를 "이념과 사상을 가지고 신념 있게 나가라."라고 하였다. 그 뒤에 이어지는 말씀은 "물은 결국 바다로 돌아가고, 이 세상은 결국 진리로 돌아오기 마련이다."라고 했다. 『대산종사법어』에는 위의 말씀부터 중간 부분을 생략하고 "석가모니불과 아미타불의 좌우 협시불이 각각 다른 것은 영겁을 통해 서로 다른 인연을 맺은 까닭이라."라고 했다. 부처님마다 좌우 보처[補處, 주불의 좌우에 모신 보살]가 다르다는 말이다. 협시불과 보처가 같은 뜻이다. 석가모니불의 보처는 문수보살과 보현보살이다. 아미타불의 협시불은 관세음보살과 대세지보살이라고 한다.
또한 "아무리 훌륭한 도인이라도 그 인연을 잘 만나야 세상에 크게 드러난다."라고 하였다. 대종사께서는 "아무리 여래위라 해도 나의 심통제자가 아니면 나와 일을 못 하니 보통급이라도 심통제자가 되면 나는 그와 회상을 펴고 일한다."라고 하였다.
또한, 뒷부분이 하략 되었다. "도인도 인연이 각각 다르니 그 인연 따라가는 것을 탓할 수 없다. 그러므로 그 인연이 아니고 때가 아니면 안으로 도를 갖추고 있으면서도 밖으로 나타내지 않고 숨어서 사는 법이다."라고 하였다.

굳이 말한다면 대산 종사의 좌우 보처로 형산 김홍철 종사와 성산 성정철 종사가 있다. 그 이외 향산 안이정, 용타원 서대인, 향타원 박은국, 예타원 전이창 종사 등과 여러분이 보처로 파수공행[把手共行, 불보살과 함께 손을 잡고 불법을 같이 수행하여 간다는 뜻]하였다.

| 용어 풀이 |

○ **석가모니불(釋迦牟尼佛)** 석가모니 부처님 곧 붓다에 대한 존칭. 석가모니란 산스크리트 샤카무니(śakyamuni)의 음을 따서 한역한 것이다. 석가(釋迦)는 종족의 이름, 모니(牟尼)는 성자라는 뜻이다. 석가모니는 석가종족의 성자라는 뜻이고, 거기다가 부처님이라는 말을 더 붙여서 최대의 존칭을 나타낸다. 부처님·석가여래·석가세존·석가모니·석존·석가모니불 등 여러 가지 존칭 가운데 석가모니불이 최대의 존칭이다. 석가모니 부처님의 본래 성은 고따마(Gautama), 이름은 싯다르타(Siddārthā)인데, 후에 깨달음을 얻어 붓다(Buddha 佛陀)라 불리게 되었다. 또한 사찰이나 신도 사이에서는 진리의 체현자(体現者)라는 의미의 여래(如來), 존칭으로 세존(世尊)·석존(釋尊) 등으로 불린다.

○ **아미타불(阿彌陀佛釋)** 산스크리트 아미따빠 붓다(Amitābha Buddha, 다른 호칭으로는 Amitābha Buddha)의 음역. 대승불교에서 서방정토(西方淨土) 극락세계에 머물면서 법(法)을 설한다는 부처. 아미타란 이름은 산스크리트의 아미따유스[무한한 수명을 가진] 또는 아미따빠[무한한 광명을 가진]라는 말에서 온 것으로 한문으로 아미타(阿彌陀)라고 음역했고, 무량수불(無量壽佛)·무량광불(無量光佛)이라고 의역하여 사용한다.

○ **협시불(脇侍佛)** 본존불 옆에 모셔져 있는 부처님을 협시불(夾侍佛), 보살을 협시보살이라 한다. 협사(脇士), 또는 협시(脇侍), 협시(挾侍), 협립(脇立)이라고도 쓴다. 늘 부처님 곁에서 시중하고 부처님을 도와 중생을 이끄는 대사(大士)라는 뜻

이다. 법당이나 탱화를 보면 부처님의 좌우에 서 있는 부처님이나 보살, 또는 나한 등을 볼 수 있는데 이를 일컫는다. 협시불 또는 협시보살은 중앙에 모셔진 본존불의 여러 가지 덕성을 강조하기 위해 모신다. 따라서 보편적으로 중앙에 어떤 부처님이 모셔졌는가에 따라서 좌우 협시가 결정된다. 석가모니부처님의 협시불로는 약사여래불과 아미타불을 모시며, 협시보살로는 문수보살과 보현보살을 조성한다. 약사여래는 일광보살과 월광보살을, 아미타불은 관음보살과 대세지보살을 모신다. 그러나 이 또한 항상 맞는 것은 아니다. 우리나라의 경우 고려시대까지는 대체로 잘 지켜져 왔지만, 근래에 와서는 이 조성 규칙에 구애받지 않는 경우가 늘고 있다. 석가모니 부처님의 협시보살인 문수보살은 부처님의 좌측에 모셔져 있다. 지혜의 상징으로 오른손에 칼을 들고 있으며, 왼손에는 청련화를 쥐고 있다. 사자를 타고 있으며, 때로는 경전을 들고 있기도 하다. 보현보살은 부처님의 오른쪽에 모셔져 있으며, 행원을 상징한다. 흰 코끼리를 타고 있다.

○ **영겁(永劫)** 무시무종의 영원한 세월. 겁(劫)은 이 세상이 한번 이루어졌다가 없어지는 긴 시간을 말하는데 그 겁이 영원히 계속된다는 의미.

○ **심통제자(心通弟子)** 스승과 마음을 서로 통해 마음이 하나가 된 제자. 스승이 아무 말이 없어도 스승의 뜻을 짐작하는 제자. 스승이 깊이 신뢰하는 제자.

○ **정진숙(鄭眞淑, 1920~2001)** 본명은 현숙(賢淑). 법호는 발타원(發陀圓). 법훈은 종사. 1920년 10월 4일 경남 함양군 유림면 목매리에서 부친 순중과 모친 박정시행의 4녀 중 막내로 출생했다. 원기28년(1943) 4월 출가하여 개성·남선·용암·군산·전주·대신교당·광주교당 교감 겸 교구장·소남훈련원장·감찰원장·수위단원을 역임했다. 원기73년(1988) 대봉도 서훈하고 원기76년(1991) 종사 서훈했다. 교화의 활성화, 10여 곳의 연원 교당 창설, 소남훈련원 설립과 완도청소년훈련원 창립, 30여 명의 교역자 양성 등의 업적을 이뤘다.

○ **서대인(徐大仁, 1914~2004)** 본명은 금례(金禮). 법호는 용타원(龍陀圓). 법훈은 종사. 1914년 12월 11일 전남 영광군 법성면 용덕리에서 부친 규석과 모친

박경덕의 1남 7녀 중 5녀로 출생했다. 원기16년(1931) 10월 3일 출가하여 마령·영산·서울교당 교무·교정원 감사·육영부장·감찰원장·수위단원·교령을 역임했다. 교단 역사상 여성 최초의 대각여래위이다.

㉑ 스승님의 부촉으로 일하였다

대산 종사 말씀하시기를 "나는 무슨 일을 할 때 혼자 하지 않고 반드시 대종사와 정산 종사의 부촉을 받들어 하였느니라. 대종경을 초안할 때도 대종사께서 세 번을 부촉하여, 수록한 법설을 보여드렸더니 "앞으로 그렇게 편술해 보되 기록은 하지 마라. 정신이 맑아지면 다시 떠오를 것이니 그때 맑은 영지로 하고 다른 책은 보지 마라." 하시므로 그 후로는 일절 책을 보지 않았느니라. 그리고 그때부터는 큰 책임감과 사명감을 가지고 무수한 불보살이 배출되기를 염원하며 대종경 초안을 정리해 정산 종사께 드리고는, 내가 그 일을 했다는 생각도 또 어떻게 진행되고 있는가 하는 걱정도 해보지 않았노라. 그 후 다시 정산 종사께서 대종경 법문을 정리하라고 하시므로 '나는 오직 붓만 잡고 쓰기만 하겠나이다.' 하고 기도를 하며 정리하였고, '정전대의'와 '교리실천도해', '대종사 10상 법문'도 모두 정산 종사의 부촉을 받아 편술하였느니라." 〈신심편 21장〉

| 출처 |

나는 내가 혼자 한 일과 내가 한 일은 하나도 없다. 모두 대종사님과 선 법사님의 부촉이 계셔서 하였다.

『대종경』도 대종사께서 세 번 부촉하시었다. 한번은 법설 수록을 하여 그 요령만을 보여 드리니 '앞으로 그렇게 편술하여 보아라' 하시고, '그러나 기록은 하지 말라. 정신이 맑아지면 다시 떠오를 것이다. 그때 맑은 영지(靈智)로 하라.' 하시며 또 '딴 책을 보지 말라' 하셨다. '너는 나보다 글이 더 길다.' 하시므로 나는 그 후 일체 책을 안 보았다. 나는 그때부터 큰 책임과 사명을 가지고 새 세상에 새 법이 나와서 만인이 다 쉽게 공부하여 무수한 불보살이 배출되어야 한다고 염원하면서 더 적공하였다. 그래서 나는 계속 노력하여 『대종경』을 초안하여 선 법사께 드렸다.

『대종경』을 10년 동안 두고 연마하니 그때 바로 『대종경』이 내 것이 되더라. 교전대의[정전대의]와 실천도[교리실천도해]도 선 법사께서 부촉이 계시어 기도를 올리며 편술하였다. 기도를 올릴 때는 '두 스승님의 뜻을 받들어 앞으로 이 회상에서 많은 불보살이 배출되는데 가장 빠르고 바르며 쉽게 공부하여 나가는 길로써 생활 속에서 자유롭게 하는 요령이 되도록 하여 주십사' 하였다.

'대종사님 십상'은 영산에서 2년간 있으면서 내가 보은의 해로 정하고 앞으로는 누구든지 대종사님의 역사를 배울 것이며 또 알아야 할 것이며 우리도 다녀와서 제일 먼저 배워야 할 것이니, 만일 정당한 역사가 나와 있지 않으면 신비에 빠지거나 이상한 신화가 남게 될 터이니 우리의 영생이 문제 됨을 느끼고, 나는 바로 역사를 기록하는데 착수하였다.

신(信)이란 종법사가 신체적으로 이상이 있을 때 더욱 깊어야 한다. 얼굴이 좋아지고 나빠지는 데 따라 신이 좌우되면 안 된다. 그것은 멍청이다. 그 스승의 법과 도덕을 봐야 하느니라. 너와 이렇게 같이 지내게 된 것도 다 숙겁의 약속이다. 〈『대산종사수필법문집』 1. p.175. 원기51년 8월 6일〉

| 배경 및 상황 |

대산 종사는 병고로 원기51년(1966) 2월 초부터 대구 서성로교당에서 3개월간 정양하였다. 후암내과 권현각 원장의 정성스러운 진료를 받고 5월 2일에 "거시래(去時來) 거시래(去時來) 하불귀신도(何不歸新都)이리오."라고 하였다.

대산 종사는 오후 6시경 천둥 친 후 소나기가 내리는 것을 보고 “갈 때가 되었다. 갈 때가 되었다. 어찌 신도안으로 돌아가지 아니하리오. 공기 좋고, 자연 좋은 곳으로 옮겨야 하겠다.”라고 마음먹은 후 5월 초에 신도안으로 행가하였다. 대산 종사는 신도안으로 자리를 옮긴 후 몸을 존절히 하고 찾아오는 손님을 정성껏 맞지만, 3개월간 묵언하듯 조리 있게 법설을 취사하였다. 그해 8월 이후에는 법설이 많이 기록된 것으로 보아 건강이 회복되었음을 알 수 있다.

이 법문의 출처에서 보듯 “나는 혼자 한 일이 없다. 모두 대종사님과 정산 종사님의 부촉으로 하였다. 한번은 법설을 수록하여 대종사님에게 그 요령을 보여 드리니 ‘앞으로는 그렇게 편술하라. 그러나 기록은 하지 마라. 정신이 맑아지면 다시 떠오를 것이다. 너는 나보다 글이 나으니 그때 영지로 하라. 다른 책도 보지 마라.’고 하였다. 『대종경』 초안을 10여 년 연마한 후 정산 종사님에게 올리고 ‘나는 오직 붓만 잡고 쓰기만 하겠다’고 기도하며 정리하였다. 『정전대의』와 『교리실천도해』, ‘대종사 십상’ 법문과 ‘삼학공부’ 등도 정산 종사의 감정을 받고 부촉하는 대로 편술하였다.”라고 하였다.

“신(信)이란 종법사가 신체적으로 이상이 있을 때 더욱 깊어야 한다. 건강 상태에 따라 신이 좌우되면 안 된다. 그것은 멍청이다. 그 스승의 법과 도덕을 봐야 하느니라. 너와 이렇게 같이 지내게 된 것도 다 숙겁의 약속이다.” 여기서 법을 듣는 시자는 장산 황직평 종사이다. 장산은 그해 2월에 법무실로 발령받아 서성로교당에서 대산 종사를 시봉하기 시작하여 33년간을 부자의 인연으로 모셨다.

| 용어 풀이 |

○ **부촉(咐囑)** ① 일정한 목적을 띠고 그동안 있어 온 일 또는 앞으로 다가올 일을 사적 공적으로 계승되도록 간절히 부탁하는 것. ② 부처님이나 성현 등이 제자나 후인에게 간절히 당부하는 말. 또는 그들이 열반을 앞두고 유언의 성격을 지닌 법

문이나 당부의 말을 하는 것. 『금강경』에서 "여래는 모든 보살을 잘 호념하며 모든 보살에게 잘 부촉하나니라."라고 한 것은 지금까지 전해 들은 가르침을 잘 수지(受持)하여 전수할 것을 보살들에게 간곡히 당부했다는 의미로 사용된 것이다.

○ **초안(草案)** ① 초를 잡아 적음. 또는 그런 글발. ② 애벌로 안(案)을 잡음. 또는 그 안.

○ **수록(手錄)** 글이나 글씨를 자기 손으로 직접 씀.

○ **편술(編述)** 엮어서 지음.

○ **영지(靈智)** 신령스럽고 기묘한 지혜.

○ **정전대의(正典大意)** 대산 종사가 종법사 재임 기간에 펴낸 첫 번째 법문집이다. 초기에는 '교전대의'라고 불렀다. 초판은 원기62년(1977) 11월 1일 발행되었고, 원기71년(1986) 7월 29일 증보판이 발행되었다. 목차는 '정전대의, 수신강요(修身綱要) 1. 수신강요 2. 진리는 하나'로 구성되어 있다.

○ **교리실천도해(教理實踐圖解)** 원불교의 중심 교리를 생활 속에서 활용하고 실천하기 쉽도록 도표를 그려서 해설한 대산 종사의 저술이다. 초기에는 '교리도해'와 '실천도'라고도 이름하였다. 원기47년(1962)부터 프린트판으로 보급되다가 원기71년(1986)에 48개의 항목으로 보충하여 발행했다. 원불교 교리를 실천할 수 있도록 간명하게 도표로 해설한 교리해설서이다. 대산은 소태산 대종사의 친견제자로 교리를 구전심수하고, 오랜 기간 종법사로 재임하여 원불교인에게 그 영향력이 크다. 원불교학의 해석학적 전개에서 보면 교리해석의 한 틀을 제시하고 있다.

○ **대종사십상(大宗師十相)** 소태산 대종사의 일생 행적과 활동을 열 가지로 나누어 설명한 것. 정산 종사는 "과거 부처님의 일대기는 팔상으로 기록했거니와 소태산 대종사의 일대기는 십상으로 기록하리니, 첫째 하늘보고 의문 내신 상(觀天起疑相), 둘째 삼밭재에서 기원하신 상(蔘嶺祈願相), 셋째 스승 찾아 고행하신 상(求師苦行相), 넷째 강변에서 입정하신 상(江邊入定相), 다섯째 노루목에서 대각하신 상(獐項大覺相), 여섯째 영산 앞에 방언하신 상(靈山防堰相), 일곱째 혈인으

로 법인 받은 상(血印法認相), 여덟째 봉래산에서 제법하신 상(蓬萊制法相), 아홉째 신룡리에서 전법하신 상(新龍轉法相), 열째 계미년에 열반하신 상(癸未涅槃相)이시니라."[『정산종사법어』 기연편 18] 하고 십상의 명목을 밝히고 있다.

㉒ 스승님들의 제자를 성공하게 하리라

대산 종사 말씀하시기를 "정산 종사께서는 '일체 생령을 제도하기 위해서라면 너희 집 머슴도 되고 부모·형제·자식이 되는 것도 마다하지 않겠노라.' 하셨나니, 나는 두 분 스승님들께서 이 같은 염원으로 품에 안아 길러 놓으신 제자들이 한 사람도 빠짐없이 출가위를 넘어서기를 바랄 뿐이니라."

〈신심편 22장〉

| 출처 |

나는 대종사님과 선 법사께서 농담으로 하신 말씀도 꿈에라도 안 잊었노라. 나는 내 생각은 하나도 없다. 선성(先聖)님들이나 대종사님, 선 법사님의 원을 따를 뿐이다. 내가 어찌 그 어른들의 뜻을 알겠느냐.

선 법사께서 일체생령을 제도하기 위하여서는 너희들 집 머슴 노릇도, 형제 부자 등 무엇이든 다하리라 하셨다고 한다.

과거 부처나 도인들 글에는 견성 위주의 글이 많았으나 대종사께서는 활불 시대라는 말씀을 많이 썼다. 그러니 어느 면으로나 살려야 한다. 나의 원은 대종사님과 선 법사님이 다 안아 품어 내놓았으니 하나도 성공 못 한 사람 없게 하는 것뿐이다.

어느 곳 어느 때에 일하든지 다 출가위 이상이 되도록 해야 한다. 누구는 허물이 없는가. 불이과(不二過)하면 된다. 안자(顏子)도 불이과했다. 안 고치는 것이 가장 무섭다.

나의 원은 대종사님과 선 종법사께서 다 안아 품어 내놓았으니, 나는 한 사람도 성공 못 하는 이 없게 하는 것뿐이다. 어느 곳 어느 때 일하든지 다 출가위 이상이 되도록 해야 하겠다.

〈『대산종사수필법문집』 1. p.314. 원기53년 5월 19일〉

| 배경 및 상황 |

대산 종사는 "대종사님과 정산 종사님이 농담으로 하신 말씀도 꿈에라도 하나도 잊지 않았다. 두 스승님의 원을 따를 뿐이다. 내가 어찌 그 어른들의 뜻을 알겠느냐?"라고 하시며 겸손하였다. 소자(小子), 소제(小第), 소동(小童)이 이를 두고 한 말이다.

또한, "대종사께서는 내 마음을 낳아주시고 선 법사님은 내 마음을 길러주셨으니 나는 대종사님의 소자(小子)요, 또한 그 어른이 열반하신 후에는 교단의 숙덕님들에게 마음을 의지하고 살아왔으므로 법형제님들에게는 소제(小弟)가 되며 내 심경은 언제나 소동(小童)으로 있을 뿐입니다."라고 덧붙였다.

대산 종사는 원기53년(1968) 4월 법좌를 신도안 삼동원에서 익산 금강리 신성마을 신정묵 교도의 집으로 옮겼다. 이때 내리신 법문으로 "정산 종사님이 일체 생령을 제도하기 위해서라면 너희 집 머슴도 되고 부모·형제·자식이 되는 것도 마다하지 않겠노라."라고 하였다. 나는 두 분 스승님께서 이 같은 염원으로 품에 안아 길러 놓으신 제자들이 한 사람도 빠짐없이 출가위를 넘어서기를 바랄 뿐이다. 누구는 허물이 없는가. 불이과(不二過)하면 된다. 두 분 스승님의 제자들에게 성공하도록 염원하는 말씀이다.

| 용어 풀이 |

○ **출가위(出家位)** 원불교 법위등급 가운데 다섯 번째 계위(階位). 『정전』 수행

편 제17장 '법위등급'에서는 "법강항마위 승급 조항을 일일이 실행하고 예비출가위에 승급하여, 대소유무의 이치를 따라 인간의 시비이해를 건설하며, 현재의 모든 종교의 교리를 정통하며, 원근친소와 자타의 국한을 벗어나서 일체생령을 위해 천신만고와 함지사지를 당하여도 여한이 없는 사람의 위이다."라고 했다. 즉 원근친소와 자타의 국한을 벗어나[出家] 두렷하고 바른 스승[圓正師]으로서 우주의 대기(大氣)에 합기합덕(合氣合德)이 되고 공부의 진전도 절로 되어 물러서지 않으며[不退轉], 타종교의 교리에 정통하고 대소유무(大小有無)의 이치를 따라 인간의 시비이해(是非利害)를 건설할 수 있는 사람[制法主]이다.

○ **불이과(不二過)** 『논어』에 나오는 말로 '같은 잘못을 반복하지 않는다.'는 말. '안연 호학 불천노 불이과[顔淵 好學 不遷怒 不二過, 안연은 학문을 좋아하고 노여움을 다른 사람에게 옮기지 아니하며 같은 허물을 반복하지 않았다]'라 했다. 안연은 중국 춘추 시대의 유학자(B.C.521~B.C.490). 자는 자연(子淵). 공자의 수제자로 학덕이 뛰어났다. 안회(顔回) 또는 안자(顔子)라고 부른다.

㉓ 나에게 특별한 신심을 바치지 마라

대산 종사 말씀하시기를 "그대들은 나에게만 특별한 신심을 바치지 마라. 나는 스승님들께 몸과 마음을 다 바치고 그 어른들의 법을 전할 따름이니, 그대들도 오직 대종사와 정산 종사께 정성을 다하고 그 법을 받는 데 몸과 마음을 다 바치라." 〈신심편 23장〉

| 출처 |

나를 중심 해서 특별히 신심 바치는 일은 안 된다. 나는 스승님들에게 몸과 마음을 다 바쳐 그 어른들의 법을 전할 따름이다. 그러므로 대중들도 오직 스승님들에게 정성을 다하고 그 법 받드는 데 몸과 마음 다하여야 할 것이다. [학생들의 9인 선배님 정신 복고운동 보고를 들으시고]

〈『대산종사수필법문집』 1. p.173. 원기51년 7월 13일〉

| 배경 및 상황 |

대산 종사는 '학생들의 9인 선배님 정신 복고운동' 보고를 들으시고 이 법문을 하였다. 9인 선배는 구인선진이나 구인제자를 일컫는 말이다. 소태산 대종사의 첫 표준 제자 아홉 사람으로 일산 이재철(一山 李載喆), 이산 이순순(二山 李旬旬), 삼산 김기천(三山 金幾千), 사산 오창건(四山 吳昌建), 오산 박세철(五山 朴世喆), 육산 박동국(六山 朴東局), 칠산 유건(七山 劉巾), 팔산 김광선(八山 金光旋), 정산 송규(鼎山 宋奎) 등이다.

9인 선배님 정신 복고운동이란 대종사님의 첫 표준 제자 9인이 초기 교단의 창립과정에서 저축조합운동과 방언공사와 혈인기도(血印祈禱)를 올린 정신으로 돌아가자는 것이다. 구인선진이 원기4년(1919) 4월 법인기도를 올리고 8월 21일 법인성사를 나툰 후 교단에서는 원기40년(1955) (음)7월 26일 법인기념일 특별기도식을 거행하였다. 이후 원기42년(1957) (음)7월 26일을 법인기념일로 제정하였다. 원기44년(1959) 총부에서 법인절 40주년 기념 특별기도회를 7일간 개최하였다. 원기51년(1966) 7월 원불교학과 학생들이 9인 선배님 정신 복고운동을 시작하였다.

대산 종사는 구인선진의 정신 복고운동의 취지를 보고 받고 "나에게 특별한 신심을 바치지 마라. 나는 스승님들에게 몸과 마음을 바치고 법을 전할 따름이다. 그대들은 오직 대종사와 정산 종사께 정성을 다하고 법을 받드는 데 몸과 마음을 다하라"는 말씀으로 신심의 정통정맥을 확실하게 표준 잡아 주었다.

| 용어 풀이 |

○ **신심(信心)** ① 사물이나 사람에 대해 옳다고 믿는 마음. ② 자기가 신앙하고 있는 종교의 교리를 의심 없이 믿는 마음. 특히 종교가에서는 진리와 스승에 대한 믿음을 가장 중요한 덕목으로 삼는다. 큰 신심이 있어야 진리와 스승의 가르침을 의심 없이 받아들여서 신앙과 수행을 잘할 수 있기 때문이다. 신심은 종교적으로나 일상생활에서 모든 일을 이루는 원동력이 된다.

○ **복고(復古)** 과거의 모양, 정치, 사상, 제도, 풍습 따위로 돌아감.

㉔ 대종사님 심부름만 하였다

대산 종사 말씀하시기를 "대종사를 시봉할 때 스승님께서 책 한 권을 간직하도록 하시고 10여 일 간격으로 가져오라고 하셨으나, 나에게는 보라는 말씀이 없었으므로 한번도 읽지 않고 3년 동안 심부름만 하였느니라."

〈신심편 24장〉

| 출처 |

김성주(金成珠), 서세인(徐世仁) 교무에게

불보살과 중생이 따로 없고 별것 없다. 공부하고 안 하는데 달려 있다. 대종사님 시봉 중 3년간을 통하여 『대순전경』을 비장하도록 하셨는데, 10~20일 간격을 두고 가져오게 하시고 다시 갖다 비장하도록 하시었다. 나는 그때 한 번도 보라는 말이 없으시기에 3년간 그 책을 한 번도 읽어보지 않고 그대로 심부름만 하였노라. [心心相連]

〈『대산종사수필법문집』 1. p.174. 원기51년 7월 28일〉

| 배경 및 상황 |

대산 종사는 원기50년(1965) 9월 26일 제2회 법위사정 실시에 즈음한 유시로 '교도 법위향상 특별유시'를 내리며 모든 교도의 법위향상을 촉구한다. 교단적인 관심으로 법위향상 기도를 올렸다.

김성주, 서세인 교무는 원기51년(1966) 신도안에 계신 대산 종사를 배알하였다. 대산 종사는 법위등급을 요령 잡도록 보통급은 불지출발로 탁근하고, 특신급은 정법정신으로 법맥정통과 심심상련하고, 법마상전급은 심리공부를 지원지성으로 하고, 법강항마위는 마음 조복으로 재색명리와 상을 떼고 공 자리에 표준하고, 출가위는 시방오가로 남자는 욕심을 제거하며 여자는 큰 국한을 양성하고, 대각여래위는 자유자재로 여의보주를 얻어야 한다고 강조하였다.

그리고 끝으로 대종사님을 시봉하며 『대순전경』을 비장하도록 하였다. 대산 종사에게는 한번도 보라는 말씀이 없어 읽지 않고 3년 동안 심부름만 하였다. 스승과 제자가 심심상련하였기에 책을 보고 싶은 마음을 내지 않았고 섭섭한 마음이 없었다.

| 용어 풀이 |

○ **김성주(金成珠, 1928~)** 본명은 농주(弄珠). 법호는 순타원(舜陀圓). 법훈은 대봉도. 1928년 8월 23일 전남 장성군 황용면 맥호리 146번지에서 부친 김종환과 모친 이재선의 1남 3녀 중 막내딸로 출생했다. 원기28년(1943) 4월 출가하여 다대·영광·춘천·원남·남원·전주·서성로·영도·진주교당 교무와 군산교구장을 역임했다. 원기82년(1997) 대봉도 법훈을 서훈했다.

○ **서세인(徐世仁, 1925~2023)** 본명은 을년(乙年). 법호는 은타원(恩陀圓). 법훈은 대봉도. 1925년 7월 29일 부산 하단에서 부친 서형수와 모친 문봉림의 2남 5녀 중 넷째 딸로 출생했다. 원기27년(1942) 4월 26일 출가하여 좌포·신도·신흥·도양·오수·영도·김천·동래교당 교무·일본 순교무·정읍 교감 겸 교구장·미주 서부

교구장 겸 LA교당 교감 등을 역임했다. 원기73년(1988) 대봉도 법훈을 서훈했다.

○ **대순전경(大巡典經)** 증산 강일순(甑山 姜一淳)의 언행을 수록한 증산계 교단의 경전. 1929년 이상호(李祥昊)·이정립(李正立) 형제가 강일순의 교설과 행적을 수집 정리하여 편찬한 책으로 증산계 교단의 대표적인 경전이다. 이들 형제는 강일순의 생전 제자들을 만나 그의 가르침과 활동 내용을 수집하여 1926년 『증산천사공사기(甑山天師公事記)』를 출판했고, 그 뒤 내용을 대폭 수정 보완하여 1929년 『대순전경』이라는 제목으로 상생사에서 초판을 발행한 이래, 8차에 거친 개정판을 내면서 내용과 체제가 조금씩 달라지고 있다.

○ **비장(秘藏)** 남이 모르게 감추어 두거나 소중히 간직함.

○ **심심상련(心心相連)** 마음과 마음이 서로 통하고 뜻이 합하여 항상 마음으로 소통하는 것. 비록 말로 표현하지 않고 마주하지 않아도 마음으로 주고받는 뜻이 깊은 이해와 소통으로 전해지는 것을 의미한다. 스승과 제자 사이나 수도를 함께 발원한 도반 사이 또는 생각과 이념을 같이하는 깊은 인간관계에서 시공을 넘어서 마음과 마음으로 전해지는 관계를 말한다.

㉕ 대종사의 법통을 이은 종법사는 대종사와 한 분이다

대산 종사 말씀하시기를 "법신불이 바로 대종사요 대종사가 바로 법신불이니, 대종사의 법통을 이은 종법사는 대종사와 한 분임을 알아야 믿고 받드는 데 차질이 없느니라."
〈신심편 25장〉

| 출처 |

영산성지 다녀오신 후 자주 말씀하시기를

참으로 교세가 커졌더라. 모든 면에 체계 있게 하여야 한다. 지방에 가면 교당 있는 곳은 기관장이 거의 다 우리 교도이더라. 실력 배양에 더욱 적극적인 방안을 모색하고 각자 노력하여야 한다.

법신불이 바로 대종사님이시고 대종사님이 바로 법신불이며, 대종사님의 법통을 이은 역대 종법사님은 바로 대종사님과 한 분임을 알아야 신앙생활에 차질이 없을 것이다. 〈『대산종사수필법문집』 1. p.729. 원기58년 5월 27일〉

| 배경 및 상황 |

대산 종사는 원기58년(1973) 5월 12일~18일까지 영산성지를 순방하고 영산성지 개발과 세계종교인평화회의 개최 계획을 지시하였다. 5월 13일 천타원 백지명 정사가 열반하였다는 비보를 전해 들었다.

이 법어는 동년 5월 27일 법문으로 영산성지를 다녀와 내린 법문으로 자주 말씀하였다.

"법신불이 바로 대종사요 대종사가 바로 법신불이니, 대종사의 법통을 이은 종법사는 대종사와 한 분임을 알아야 '믿고 받드는데' 차질이 없느니라."

출처인 『대산종사수필법문집』에는 "법신불이 … 대종사와 한 분임을 알아야 '신앙생활'에 차질이 없을 것이다."라고 했다. "법어는 '믿고 받드는데' 차질이 없느니라."라고도 했다. '신앙생활'이 '믿고 받드는데'로 바뀌었지만, 출처와 법어가 동일한 법문인 셈이다.

| 용어 풀이 |

○ **법신불(法身佛)** 진리 그 자체로서의 불(佛). 산스크리트 다르마까야붓다(Dharma-kāya Buddha)의 의역으로, 법·보·화(法報化) 삼신불 중의 하나. 법불(法佛)·자성신(自性身)·법성신(法性身)·진여신(眞如身)·여여불(如如佛)·실불(實佛)이라고도 한다. 원불교에서는 소태산 대종사가 깨달은 일원상 진리를 법신불이

라 한다. 그러므로 원불교의 교리를 총체적으로 일목요연하게 도시(圖示)한 '교리도'에서는 상단에 일원상(○)을 그려 놓고, 그 아래에 "일원은 법신불이니, 우주만유의 본원이며, 제불제성의 심인이며, 일체중생의 본성이다"라고 명시하고 있다. 우선 '일원은 법신불'이라는 명제에서 볼 때 '일원(상)'은 소태산의 대각에 의하여 밝혀진 '일원상 진리'를 상징화한 것으로서, 이를 원불교에서는 '법신불'이라 하고, 그 상징과 진리를 합칭하여 '법신불 일원상'이라 부른다.

○ **영산성지(靈山聖地)** 원불교의 근원성지. 소태산 대종사가 탄생하여 성장하고 구도 과정 끝에 마침내 우주와 인생의 진리를 크게 깨친 후, 구인제자와 함께 저축조합, 방언공사, 법인성사 등 교단의 초석을 다진 곳으로, 전남 영광군 백수읍 길룡리 일대를 말한다. 원불교 5대 성지 중 제1 성지이다.

㉖ 대종사와 정산 종사의 몸이다

대산 종사, 조실 청소를 마치고 돌아가는 학인들을 보시며 말씀하시기를 "나는 저들을 대종사나 정산 종사와 똑같이 생각하나니, 저들의 몸이 저들만의 몸이 아니요 대종사와 정산 종사의 몸임을 알아서 우리가 늘 챙기고 보살펴 줘야 하느니라." 〈신심편 26장〉

| 출처 |

여학생들이 조실에서 나간 뒤, 종법사 말씀하셨다.

나는 저 학생들을 대종사님과 선 법사님으로 똑같이 본다. 저것들 몸이 저희 몸이 아니라, 대종사님이요 선 법사님의 몸이니 항상 잘 챙기고 살펴라. 특히 병고 시와 경제난을 당할 때는 마음이 약하여 지나리라.

〈『대산종사수필법문집』 1. p.177. 원기51년 8월 31일〉

| 배경 및 상황 |

예비교무인 여학생들은 방학이 되면 대산 종사가 주재하는 곳으로 일정 기간 조를 짜서 시자 생활을 했다. 영산과 익산의 학생들이 번갈아 가며 종법사님의 훈증을 받고 설법을 받들거나 법문 수필도 하였다. 내왕하는 교도들이 방문하면 종법실 시봉 교무들의 도우미 역할도 하였으며, 조실 방을 청소하거나 의복도 세탁하고 식사 조력도 하였다. 이처럼 방학이 되면 학인들이 조실에 모여들어 상시훈련을 체험했다. 그중 교리공부나 고경을 배우거나 종법사 법문을 정리하는 일을 하고 때때로 종법사님을 모시고 산책하며 좋은 자리에 법좌를 펴고 법문을 받들며 '출가감상담'이나 '공부담'을 발표하였다.

이날도 여학생들이 조실 방에서 수발을 들거나 청소하였다. 대산 종사는 학인들이 조실 청소를 마치고 돌아가는 것을 보고 시봉인에게 "나는 저 학생들을 대종사나 정산 종사와 똑같이 생각한다. 저들의 몸이 두 스승님의 몸임을 알아 우리가 늘 챙기고 보살펴야 한다."라고 하였다. 출처를 보면 끝말이 생략되었다. "특히 병고 때나 경제난을 당할 때는 마음이 약해진다."라고 하며 우리가 늘 보살펴야 한다고 하였다.

대산 종사는 학인 가운데 문답 감정이나 개인적인 일로 힘들어하는 학인들을 보면 법무실장[장산 황직평 종사]에게 상담하라고 권하기도 하였다.

학인들은 조실 근무를 마치고 신심 공심 공부심이 충만하여 법열이 넘쳐 떠난다. 이것이 바로 사제훈증의 표본이다. 훗날 마음이 가라앉거나 누구에게도 말 못 할 속사정이 일어나면 조실 스승님을 찾아오는 기연이 된다.

| 용어 풀이 |

○ **조실(祖室)** ① 종법사가 거처하는 집. ② 사원에서 주지가 거처하는 사방 1장(丈) 정도 크기의 방으로 방장(方丈)이라고도 한다. 방장이라는 말은 옛날에 유마힐 거사가 사방 10척 되는 방에 3만 2천 사자좌를 벌여놓았다는 데서 유래된 말이

라고 한다.

○ **학인(學人)** 공부인. 아직 더 배울 것이 남아 있는 사람이라는 뜻으로, 수행자가 자신을 낮춰서 사용하는 말. 〈신심편 14장〉 용어 풀이 참조.

㉗ 마음 가운데 스승님을 모시고 살면 기운이 하나로 통한다

대산 종사 말씀하시기를 "마음 가운데 스승님을 한시도 떠나지 않고 모시고 살면 결국 그 기운이 하나로 통하나니, 내가 중앙총부에 와서 처음 입선했을 때 대종사께서 남의 잘못이나 대중의 잘못까지도 모두 나의 잘못처럼 꾸지람하셨으나, 나는 한 번도 왜 저러실까 하는 마음이 없었느니라."

〈신심편 27장〉

| 출처 |

김형오 선생께서 "나는 역대 종법사님을 뵐 때마다 대종사님 모시고 뵐 때와 같이 마음이 스스로 우러나오며, 또 우리가 대종사님을 안 돌아가신 어른으로 모시려면 역대 종법사님을 부모와 같이 모셔야 할 것"이라고 말씀하셨다는 보고를 들으시고,

대종사님과 선 법사님을 한시도 떠나지 않고 면면히 모시고 살면 그 기운이 하나가 되므로 대종사님 모셨던 분은 대종사님 뵈온 것같이 좋아하고, 선 법사님 모신 분은 선 법사님 모신 듯이 기뻐한다. 이것은 속일 수 없는 사실이다. 내가 교정원장 할 때 성주를 갔더니 정산 법사님 만난 듯하며 대우도 하고 즐거워하더라. 지방에 다니면서 그렇게 말 들은 것이 허다하다. 그러니 우리는 한시도 반시도 스승님을 떠나 살면 안 된다.

내가 총부에 처음 와서 입선(入禪)하였을 때 저녁에 호롱불을 손대는데 서툴게 여러 번 손대니 대종사께서 "전라도에도 천하에 멍청한 것이 하나 있었구나" 하시고, 그 후로는 대중 앞에서 잘못한 일이나 안 한 일이나, 또 대중의 잘못도 꾸어다가 매일 일과같이 꾸지람하시더라.

그러나 나는 추호도 마음에 딴생각이나 딴마음이 한번도 안 나더라. 여래는 물들지 않고 일체 권리가 나에게 있어서 자유자재한다. 농판 아닌 농판이지 ….

〈『대산종사수필법문집』 1. p.436. 원기55년 5월 6일〉

| 배경 및 상황 |

승산 김형오 선생이 "대종사를 비롯하여 역대 종법사를 부모와 같이 모셔야 한다."라고 말씀 올리니 대산 종사 말씀하시기를 "마음 가운데 스승님을 한시도 떠나지 않고 모시고 살면 결국 그 기운이 하나로 통하나니 내가 중앙총부에 와서 처음 입선했을 때 대종사께서 남의 잘못이나 대중의 잘못까지도 모두 나의 잘못처럼 꾸지람하셨으나 나는 한 번도 왜 저러실까 하는 마음이 없었느니라."라고 하였다.

김형오 대봉도는 원기27년(1942) 가사로 부득이 귀가하여 복직하지 못하였다. 재가 수양하며 원기60년(1975) 7월 3일 서울에서 퇴속한 전무출신들을 규합하여 모원회(慕源會) 단체를 설립하였다.

대산 종사는 "내가 총부에 처음 와서 입선(入禪)하였을 때 저녁에 호롱불을 손대는데 서툴게 여러 번 손대니 대종사께서 '전라도에도 천하에 멍청한 것이 하나 있었구나' 하시고, 그 후로는 대중 앞에서 잘못한 일이나 안 한 일이나, 또 대중의 잘못도 꾸어다가 매 일과같이 꾸지람하시더라. 그러나 나는 한번도 추호도 마음에 딴생각이나 딴마음이 안 나더라."고 하였다.

『대산종사수필법문집』 말미에는 "여래는 물들지 않고 일체 권리가 나에게 있어서 자유자재한다. 농판 아닌 농판이지 …."라고 결어를 맺는다.

농판으로 산다는 게 쉬운 일이 아니다. 농판 아닌 농판이 참판이다. 스승을 떠나지 않고 모시고 살면 결국 그 기운이 하나로 통하여 스승이 꾸지람하거나 남의 잘못을 뒤집어씌워 대중을 바른길로 인도하기 위해 목침같이 이용해도 마음이 흔들리지 않는다. 농판과 참판이 동전의 양면 같다. 대산 종사는 "참으로 농판은 참판이라고 하며 나무판 양면에 참판과 농판을 써서 농판은 아리롱이고 참판은 송장"이라고 하였다.

| 용어 풀이 |

○ **입선(入禪)** ① 선 훈련에 입참하는 것. ② 원불교에서는 주로 동선·하선 등의 정기훈련에 들어가는 것. '입선한다', '선 난다'라고도 한다. 교단 초창기의 동선·하선이 교역자 훈련, 수련대회 등으로 정기훈련 형태가 달라진 후에는 선학원생들의 정기훈련까지도 입선이라 한다. ③ 불교 선방에서 좌선을 시작하는 것을 입선. 끝마치는 것을 방선(放禪)이라고 한다.

○ **김형오(金亨悟, 1911~1985)** 본명은 양현(揚絃). 법호는 승산(昇山). 법훈은 대봉도. 전남 영광군 백수면 길룡리에서 태어났다. 7세에 한문 사숙을 했으며 11세에 영광보통학교에 들어가 4년 만에 졸업하고 이어 영광농업보습학교에서 1년간 수학한 뒤 광주기독교 강습에 나가기도 하고 영광 군청에 근무하다가 가업에 종사했다. 조부[김성서] 때부터 소태산 대종사의 가문과 세교가 돈독하여 어려서 한 동네에서 소태산을 집안 아저씨처럼 따랐다.

23세에 폐결핵에 걸려 방황하던 중 원기18년(1933) 익산총부에 와서 완쾌하고 입회와 동시에 전무출신하여 축산 주무, 외감원 및 응접원을 거쳐 원기21년(1936)에는 연구부장, 원기22년(1937)에는 총부 순교, 원기23년(1938)에는 교무부장 겸 감사부 서기로 있다가 이듬해에는 감사부장으로 전임되었다. 그는 사무실에 근무하는 한편 방문객의 일어 통역 등 소태산의 측근에서 조실 시봉을 도맡아 했다. 천성이 강직하고 과감하며 언변이 능하여 약한 사람을 보면 도와주는 인정이 많았다. 김형오는 초기 교단사에 남달리 관심이 커《회보》에 '대종사님 사가생활', '성지순례', '교당순례', '미담소개' 등을 발표했다.

해방 후에도 소태산과 구인제자에게서 들은 이야기 편편을 엮어서 발표한 '대종사 일사(逸史)'를《원광》지에 발표했다. 원기27년(1942) 가사로 부득이 귀가하여 재가 수양하면서 서울에서 퇴속 전무출신자들을 규합하여 모원회(慕源會)를 조직하기도 하고, 총부 공회당 복원공사 감역을 맡기도 했다. 만년에 총부와 각지 교당을 순회하며 소태산의 추모담 발표를 하며 교도들의 신심을 북돋웠다. 그는 시흥교당 창립주로 역할을 하다가 원기70년(1985) 7월 19일 열반했다. 원기76년(1991) 3월 소태산대종사탄생100주년 성업봉찬 기념대회를 맞아 대봉도의 법훈을 추서하였다.

○ **농판(弄판)** 실없고 장난스러운 기미가 섞인 행동거지. 또는 그런 사람.

○ **아리롱** 아양(啞羊). 벙어리 양이라는 뜻으로, 어리석은 사람을 비유적으로 이르는 말.

㉘ 스승과 제자의 의

대산 종사 말씀하시기를 "김광선 선진은 대종사보다 열두 살이나 많았으나, 스승과 제자로 의를 맺은 뒤로는 모든 예의에 조금도 소홀함이 없었으며, 언어 동작이 공경하고 겸손하여 마치 효자가 엄부를 대하는 것과 같았느니라. 아무리 바쁜 일이 있어도 대종사께서 부르시면 잠시도 지체하지 않았고, 좌석을 같이하여 나란히 앉는 일도 없었으며, 심지어 대종사께서 사용하시는 수용품까지도 존중히 여기셨나니, 이는 후세에 영원히 존경받을 만한 심법이니라." 〈신심편 28장〉

| 출처 |

보통 사람으로 하지 못할 일

김대거

사람이 가까운 곳에서 화(化)하기 쉬운 것 같지마는 사실에 있어서는 차라리 먼 곳에서 응할지언정 가까운 곳에서 화하기가 좀처럼 어려운 것입니다. 그런데 팔산 선생으로 말씀하오면 원래 종사주와 동거일촌(同居一村) 하야 누대세의(累代世誼)가 있었던 어른으로, 또 겸하여 12년이나 연상이 되시는 처지에 한 번 사제의 의(義)를 정한 후로는 모든 예의에 조금도 서투른 점이 없으며, 종사주를 뫼심에 언어 동작이 극히 겸공(謙恭)하여 효자가 엄부를 대하듯 태도를 나타내셨으니, 예를 들면 아무리 바쁜 일을 하시다가도 종사주께서 부르시면 일각도 지체하는 일이 없으셨으며 종사주와 좌석을 같이 하여 나란히 앉으시는 일이 없으셨으며 지어(至於) 종사주의 사용하시는 도구 등속까지라도 존중히 하지 않음이 없으셨사오니, 과거의 습관에 비추어서 연치(年齒)에 끌리지 않으시고 또한 가까운 처지에서 남이 인정치도 않을 때부터 그와 같이하신 일은 누구나 다 능히 행치 못할 바이며 후세에 영원한 존경을 받을 점이라고 생각합니다. 〈원기24년 (음)1월 3일〉 〈《회보》 52호 원기24년 2월〉

팔산(八山) 김광선(金光旋) 선생님은 대종사님보다 십여 세 이상 연장이었으나 발을 꼭 씻어주셨고, 설사 나셨을 때는 제일 이무럽게[임의로이] 일체 시봉을 다하시며 꼭 아버지와 같이 대하셨다. 이는 보통 인연이 아니시며 사제 간의 표본이시다. 〈『대산종사수필법문집』 1. p.157. 원기51년 3월 10일〉

대종사께서는 팔산(八山) 김광선은 부자지간과 같아 내가[똥을 싸나 어떤 일을 하더라도] 무슨 일을 하고 무슨 일을 시키더라도 이무럽다고 하시며 어떤 궂은 일도 마음대로 다 시키셨다. 팔산 선생님은 만덕산에 오시어 나를 가르치는 첫 교무이시었고, 이때 2개월 동안 대종사님께서 내놓으신 〈법의대전(法義大全)〉의 대략과 초창에 하신 일들을 대략 받들게 되었다. 음 시대는 성인들이 9백9십은 다 방편을 쓰신다. 지금 일부 학자들이 우리 교단에 관해 연구할 때, 그들 표현으로 이러고저러고 하나 얼마 안 가면 다 바르게 볼 것이다. 과거의 성인들도 당대는 별스러운 이야기도 시비가 되었으나 시일이 흐름에 바르게 드러나고 말았으니 걱정할 것 없노라. 큰일을 할수록 정력(定力)에서 떠오르는 지혜와 힘으로 하여야 하며 계교 사량으로는 안 된다.

〈『대산종사수필법문집』 1. p.456. 원기55년 7월 6일〉

| 배경 및 상황 |

대산 종사가 원기24년(1939) (음)1월 3일 열반한 팔산 김광선님에 관한 추모 법문을 《회보》 52호 원기24년 2월에 '보통 사람으로 하지 못할 일'이란 제목으로 게재한 글이다. 『대산종사수필법문집』 1. p.157 원기51년(1966) 3월 10일과 『대산종사수필법문집』 1. p.456 원기55년(1970) 7월 6일에 팔산 김광선 종사를 추모하는 법문이다.

이와 같은 법문을 기초로 『대산종사법어』 신심편 28장에 대종사와 사제지의 의 표준으로 실렸다. 대산 종사의 여러 스승 가운데 팔산님은 초도사(初度師)이다. 원기9년(1924) 5월, 불법연구회 창립총회 직후 만덕산 만덕암에서 원불교 최초의 하선[夏禪, 만덕산 초선회, 비공식, (음)5월]을 초선(初禪)이라 부른다. 대종사와 정산 종사를 비롯하여 총 12명이 참석했다. 이때 대산 종사가 11세 때 처음으로 인도하여 가르쳐주신 스승님이 팔산 종사이다.

대산 종사는 "팔산 김광선은 대종사님보다 십여 세 이상 연장이었으나 발을 꼭 씻어주셨고, 설사 나셨을 때는 제일 이무럽게 일체 시봉을 다하시며 대종사님을 꼭 아버지와 같이 대하셨다. 이는 보통 인연이 아니시며 사제 간의 표본이시다."라고 하며 후세에 영원한 존경을 받을 점이라고 추모하고 있다.

| 용어 풀이 |

○ **김광선(金光旋, 1879~1939)** 본명은 성섭(成燮). 법호는 팔산(八山). 법훈은 종사. 소태산 대종사의 구도 당시 의형(義兄)으로 정신적 물질적으로 후원·조력했고, 소태산이 대각을 이루자 최초의 제자가 되었다. 구인제자의 한 사람으로서 교단 창업에 앞장섰고, 원기9년(1924) 불법연구회 창립총회 후 익산총부 건설 당시 공동체 삶에 참여하여 전무출신했다. 농업부원을 시작으로 총부 감원, 영산 서무부장, 마령교당 교무, 원평교당 교무 등을 역임하면서 교단 창업에 혈심과 공심의 표준이 되었다.

○ **엄부(嚴父)** 엄격한 아버지.

○ **수용품(需用品)** 필요에 따라 꼭 써야 할 물품.

○ **누대세의(累代世誼)** 여러 대의 대대로 사귀어 온 정.

○ **겸공(謙恭)** 자기를 낮추고 남을 높이는 태도가 있음.

○ **등속(等屬)** 나열한 사물과 같은 종류의 것들을 몰아서 이르는 말.

○ **연치(年齒)** 나이의 높임말.

○ **이무럽다** '임의롭다'의 방언(전남). 서로 친하여 거북하지 아니하고 행동에 구애됨이 없다.

29 법기로 성장하는 바른 지도법

대산 종사 말씀하시기를 "전압이 강하면 기계가 고장을 일으키고 전압이 약하면 기계가 작동하지 않듯 제자와 후진을 가르치는 것도 근기(根機)에 맞는 지도가 필요하나니, 근기가 높은 제자나 후진이 있을 때는 나보다 큰 스승에게 법맥과 신맥(信脈)을 이어주어 더 큰 법기로 성장하도록 하는 것이 바른 지도법이니라." 〈신심편 29장〉

| 출처 |

변전소에서 송전할 때 변압기에 알맞도록 송전하여야지 그 이상으로 보내면 터지고 만다. 또 전구 촉수는 많은데 전력이 약하면 불이 안 켜진다. 우리들의 신맥(信脈)도 그런 이치와 같나니라.
일선 교무로 나가 교도의 전구가 크면 자기가 틀어잡고 있지 말고 위의 큰 송전소[큰 스승]로 이어주어 불이 켜지도록 하여야지, 그렇지 아니하면 자기 것이 터지고 만다. 〈『대산종사수필법문집』 1. p.157. 원기51년 3월 10일〉

제자나 후배들을 키울 때 지도자는 먼저 자신의 힘을 헤아리고 또 후배의 근기도 정확하게 파악해야 한다. 그렇지 아니하면 좋은 근기를 일생 쪼그려뜨려 지내게 한다든지 잘못하면 제자가 터져 서로 사이가 안 좋아진다든지 해서 죄를 지을 수 있느니라. 예를 들면 자기 능력과 신(信)이 500의 전구이고, 제자의 것이 1,000이라면 500까지 키울 때는 괜찮으나 그 한계를 넘어서기 시작하면 터져 버린다. 그러니 1,000 이상의 큰 스승으로 이어주어야 한다. 이 점 명심하고 명심하라. 〈『대산종사수필법문집』 1. p.239. 원기52년 6월 10일〉

| 배경 및 상황 |

대산 종사 '법기로 성장하는 바른 지도법'을 전압에 비유하여 설명하였다. 출처 원문에는 '변전소에서 송전할 때 변압기에 알맞도록 송전하여야지 그 이상으로 보내면 터지고 만다.'라고 하였다. 예화나 비유를 들 때 잘못 설명할 때가 있다. 발전소에서 생산된 전력을 변전소로 보내는 것을 송전이라고 한다. 변전소에서 교류 전력을 송전·배전한다. 그래서 『대산종사법어』 편찬할 때 전압이 강하면 기계가 고장 나고 전압이 약하면 기계가 작동하지 않는다고 했다.
대산 종사는 전구의 촉수를 들어 비유하기도 했다. 자기 능력과 신(信)이 500의 전구이고, 제자의 것이 1,000이라면 500까지 키울 때는 괜찮으나 그 한계

를 넘어서기 시작하면 터져 버린다. 그러니 1,000 이상의 큰 스승으로 이어주어야 한다.

근기에 맞는 지도가 중요하다. 근기가 높은 제자나 후진이면 나보다 큰 스승에게 법맥과 신맥을 이어주어야 더 큰 법기로 성장한다. 자신이 틀어잡고 놓아주지 않으면 안 된다. 그러면 작은 스승의 능력만큼 크거나 탈이 나고 만다. 공부도 그렇지만 사업도 마찬가지다. 교단 사업할 역량을 지닌 교도를 교당 사업만 시키면 그 사람은 크지 않는다. 더 큰 교단 사업으로 인도하면 교당 사업도 잘하고 교단 사업할 인재로 크는 것이다. 아름드리나무를 분재로 키우면 그 한계까지 크고 말 듯이 근기가 높은 인재는 큰 스승에게 법맥과 신맥을 잇도록 해야 역량을 발휘할 수 있다.

| 용어 풀이 |

○ **전압(電壓)** 전기장이나 도체 안에 있는 두 점 사이의 전기적인 위치 에너지 차. 단위는 볼트.

○ **근기(根機)** 교법(敎法)을 받아들여 성취할 품성과 능력의 정도. 근기(根機)는 물건의 근본 되는 힘인 근(根)과 발동(發動)함인 기(機)가 합성된 용어로서 기근(機根)이라고도 하는데 부처님의 가르침을 듣고 그대로 발동할 수 있는 능력에 따라 중생을 분류한 것이다. 곧 부처님의 교화에 의해 발동할 수 있도록 중생의 마음 가운데 본래부터 가지고 있는 능력의 차등을 의미하며 상근기(上根機)·중근기(中根機)·하근기(下根機)가 있다.

○ **법맥(法脈)** 법[진리]이 끊임없이 전해지는 것을 사람의 맥박에 비유한 말로 스승에서 제자에게로 법이 이어지는 법의 계맥(系脈)을 뜻한다. 물이 근원이 있는 물이라야 오래 가듯이 소태산 대종사는 석가모니 부처님께 법의 맥을 댔으며, 원불교도 법의 근원인 소태산 대종사에 법의 맥을 올바르게 대서 법맥이 끊임이 없도록 했다. 스승과 제자, 동지와 동지 사이에는 정의(情誼)뿐만 아니라 법맥이 살아

숨 쉬어야 하며, 신맥(信脈)과 더불어 종교가의 생명으로 중요하게 여긴다.

○ **신맥(信脈)** 믿음의 맥락, 믿음의 줄기. 사람이 핏줄이 통하고 맥박이 뛰어야 살 수 있듯이, 종교인도 스승과 믿음의 핏줄이 통하고 믿음의 맥박이 뛰어야 법이 건네고 도를 이룰 수 있다는 뜻에서 신맥이라 한다.

○ **법기(法器)** 법의 그릇이 큰 사람. 불법의 가르침을 받기에 족한 사람이다. 법의 그릇이 크다는 것은 법의 근기가 높고, 대도 수행을 할 수 있는 바탕과 소질이 큰 사람이다.

30 대산 종사의 스승님

대산 종사 말씀하시기를 "나는 세세생생 대종사께 신성을 바침과 동시에 많은 스승을 모시고 지도를 받았나니, 대종사께서는 나를 찾아 주신 은사부(恩師父)시요, 마음을 낳아 주신 심사부(心師父)시며, 삼학 팔조 사은 사요를 알게 해 주신 법사부(法師父)시고, 정산 종사께서는 은사형(恩師兄)·심사형(心師兄)·법사형(法師兄)이시니라. 그리고 처음으로 이 회상에 이끌어 준 최도화 선진은 인도사(引導師), 김광선 선진은 초도사(初度師), 공부심을 일으켜 준 김기천 선진은 발심사(發心師), 신심을 나게 한 전삼삼·김남천 선진은 신심사(信心師), 뜻을 세워 준 송도성 선진은 입지사(立志師), 불경을 가르쳐 준 서대원 선진은 불교사(佛教師), 유학을 가르쳐 준 송벽조 선진은 유학사(儒學師)시니라. 이밖에도 좌우에서 힘을 밀어 준 이완철, 이동진화, 김홍철, 성정철 선진 등 은형(恩兄)들이 계셨으며, 또한 대종사께서 알게 해 주신 스승들로는 4대 성인을 비롯하여 부설 거사, 수운 대신사(大神師), 증산 천사(天師), 나옹 대사, 진묵 대사, 달마 대사, 육조 대사, 포대 화상, 방 거사, 유마 거사 등이 있

느니라." 〈신심편 30장〉

| 출처 |

교학과 1학년생 4박 5일 삼동원 훈련을 마치고

여러분의 감상담을 듣고 나니 과거 선배들이 오신 것 같다. 모두 근기가 솟는다. 사대불이신심(四大不二信心) 그대로 살아 합일하면 항마요 출가요 여래이니 그렇게 살도록 하라. 나는 출가[16세] 이후 지금까지 한마음으로 산다. 내가 언제 부장, 교정원장, 종법사 되었는지 모른다. 내가 출가했을 때 소자(小子) 소동(小童) 소제(小弟)였기에 지금도 그 생각으로 산다. 다른 것 모른다.

그리고 나는 스승을 많이 모시고 산다. 인도사(引導師), 발심사(發心師), 입지사(立志師), 은사형(恩師兄), 심사형(心師兄), 법사형(法師兄), 은사부(恩師父), 심사부(心師父), 법사부(法師父), 사대성인(四大聖人), 동서조사(東西祖師), 정치사(政治師), 유학사(儒學師), 불학사(佛學師), 도학사(道學師) 등 많이 모시고 산다. 너희들 살자면 여러 가지 과정이 있겠다. 오늘의 이 서원과 신성만 잃지 말고 잡고 나가면 성공할 것이다. 이 삼동원은 선 종법사님의 한 말씀으로 이루어진 것이다. 〈『대산종사수필법문집』 2. p.78. 원기65년 6월 9일〉

대산 종법사 스승님

삼타원(三陀圓) 최도화(崔道華) = 인도사(引導師)

현타원(賢陀圓) 노덕성옥(盧德頌玉) 할머님 = 연원사(淵源師)

소태산 대종사 = 은사부(恩師父) 심사부(心師父) 법사부(法師父)

정산 송규 종사 = 은사형(恩師兄) 심사형(心師兄) 법사형(法師兄)

주산(主山) 송도성(宋道性) 종사 = 입지사(立志師)

팔산(八山) 김광선(金光旋) = 초도사(初度師)

구산(久山) 송벽조(宋碧照) = 유학사(儒學師)[한학사(漢學師)]

삼산(三山) 김기천(金幾千) = 발심사(發心師)

원산(圓山) 서대원(徐大圓) = 불학사(佛學師)

전삼삼(田參參), 김남천(金南天) = 신심사(信心師)

응산(應山), 육타원(六陀圓), 형산(亨山), 성산(誠山) = 은형(恩兄)

사대 성인, 부설 거사, 수운 대신사, 증산 천사, 나옹 대사, 진묵 대사, 달마 대사, 육조 대사, 포대 화상, 방 거사, 유마 거사 = 숙사(宿師)

〈『대산종사수필법문집』 2. p.1189. 원기73년 4월 28일〉

| 배경 및 상황 |

대산 종사는 평소 스승을 많이 모시고 산다고 했다. 내가 출가했을 때 소자(小子) 소동(小童) 소제(小弟)였기에 지금도 그 생각으로 산다고 했다. 대종사와 정사 종사는 물론이고 교단의 원로 숙덕들을 스승으로 모신다. 또한 대종사님이 알려주신 사대성현과 동서조사 등을 숙사로 모신다고 하였다. 이것이 바로 대산 종사의 스승관이라 할 수 있다.

『화엄경』의 입법 계품(入法界品)에 선재 동자(善財童子)가 깨달음을 얻기 위하여 53명의 선지식을 차례로 찾아갔는데, 마지막으로 보현보살을 만나 진리의 세계에 들어갔다고 한다. 선재 동자가 53명의 스승 찾아 도를 구하는 장면이나, 대종사가 구사고행(求師苦行)하다가 대각하고 3천년 전 석가모니불을 본사(本師)로 연원하신 것이 시공간을 초월한 숙사라고 할 수 있다.

대산 종사는 "대종사께서는 나를 찾아주신 은사부시요, 마음을 낳아주신 심사부시며, 삼학 팔조 사은 사요를 알게 해주신 법사부시고, 정산 종사께서는 은사형·심사형·법사형이시니라."라고 했다. 또한 교단 초기에 많은 스승님을 모셨고, 과거의 성현과 조사와 최근의 선지자들을 스승으로 모셨다.

| 용어 풀이 |

○ **세세생생(世世生生)** 영원한 세월. 한없는 세월. 영원한 시간을 통해 사람이 태어났다가 죽고 다시 태어나기를 수없이 되풀이하는 것. 사람이 영겁을 통해서 끊임없이 생사를 되풀이하게 되는 것.

○ **신성(信誠)** 믿음에 대한 지극한 정성. 정성스럽게 믿는 마음. 진리와 법과 스승과 회상에 대해 정성 다해 믿고 받드는 것. 신성은 ① 법을 담는 그릇이 되고, ② 의두를 해결하는 원동력이 되며, ③ 계율을 지키는 근본이 된다. 따라서 도가(道家)에서는 스승이 제자를 만날 때, 그의 지식·문벌·재산·용모 같은 것보다는 신성을 더 중요시하게 된다.

○ **숙사(宿師)** 옛 스승. 시공간을 넘어선 성현과 스승들을 이르는 말.

㉛ 바른 스승은 부모의 마음과 같다

대산 종사 말씀하시기를 "그릇된 지도로 제자가 해를 입게 된다면 그 책임은 스승에게 있고, 바르게 지도를 했으나 제자가 그 지도를 받지 않고 죄업을 지었다면 그 책임은 제자에게 있나니, 바른 스승은 부모의 마음으로 끝까지 책임을 지고 제자를 인도하므로 그 은혜가 태산보다 높고 바다보다 넓다 하느니라." 〈신심편 31장〉

| 출처 |

선생이 그릇 지도해서 제자가 해를 입게 되어도 그 죄벌은 선생에게 있고, 선생은 정성 들여 지도하나 그 지도를 받지 아니하고 죄업을 짓는 것은 그 책임이 그 사람에게 있다. 〈『대산종사수필법문집』 1. p.40. 원기47년〉

정사(正師)를 만나 지도를 받고 제도의 길을 얻게 되는 것은 그 은혜가 태산(泰山)과 하해(河海)보다 승(勝)하다. 그 이유는 스승의 지도로 진급의 길을 밟게 되고 영겁토록 법통을 여의지 아니하고 대각의 기회를 얻게 되는 까닭이다.

〈『대산종사수필법문집』 1. p.40. 원기47년〉

| 배경 및 상황 |

이 법문은 두 종류의 법문을 하나로 합한 것이다. 법문을 설한 시기가 같고 같은 맥락이다. 다만, 뒤 법문은 '바른 스승은 부모의 마음으로 끝까지 책임을 지고 인도하므로 그 은혜가 태산보다 높고 하해보다 승하다.'라고 끝을 맺는다. 『대산종사수필법문집』 원본에는 앞의 말씀에 이어 '그 이유는 스승의 지도로 진급의 길을 밟게 되고 영겁토록 법통을 여의지 아니하고 대각의 기회를 얻게 되는 까닭'이라고 밝혔다.

| 용어 풀이 |

○ **죄업(罪業)** 악행을 통해 악한 과보를 받을 업. 인간은 몸과 입과 마음의 삼업(三業)으로 죄를 짓게 된다. 그 죄업의 근본은 탐·진·치(貪瞋癡)이므로 마음에 이 삼독심을 그대로 두게 되면 죄업이 멸할 날이 없게 된다. 결국 사용하는 마음이 청정할 때 죄업이 소멸하게 된다.

○ **하해(河海)** 큰 강과 바다를 아울러 이르는 말. 은혜와 공덕 등이 한없이 크다는 것을 비유적으로 표현할 때 주로 쓰인다.

○ **진급(進級)** 등급·계급·학급(學級)이 오름. 법위등급이 오름. 수행을 열심히 하여 중생 세계로부터 불보살 세계로 나아감.

㉜ 스승과 부모의 심정은 둘이 아니다

대산 종사 말씀하시기를 "스승이 혹 나에게 허물을 안기고 구렁에 들어가라 하더라도 조금도 주저함이 없는 마음가짐이 되어야 하나니, 자기의 주견을 앞세워 스승 앞에서 사량 계교하거나 변명하는 것은 제자의 바른 도리가 아니니라. 내가 익산 금강리에 머물던 어느 날 비가 많이 내려 큰물이 지매 어미 쥐가 새끼들을 구하기 위해 짐짓 내 시선을 두려워하면서도 여러 번 입으로 물어 끝내 옮기는 것을 보았나니, 이처럼 쥐도 새끼를 구하기 위해 자신의 위험은 생각하지도 않거늘 하물며 이 회상을 책임진 스승으로서 어찌 한 제자라도 희생되기를 바라겠는가. 스승과 부모의 심정은 둘이 아니므로 스승의 지도를 믿고 그대로 따르면 마침내 혜복의 문이 열리고 회상의 주인이 될 것이니라."

〈신심편 32장〉

| 출처 |

스승이 설사 실정을 모르고 너는 모든 것을 달게 받고 구렁에 들어가라 할 때 조금도 계교나 변명이 없어야 하거늘 항차 멀리 보고 그 실정을 잘 알면서 구렁에 들어가라 하는데 계속 이기려 들며 스승 앞에 사량과 계교로 변명하는 것은 도가 아니다.

스승은 부모의 심정과 조금도 다름이 없이 열 손가락이 다 아프니라. 내 마음 심히 아프고 괴롭다. 나 혼자만 알아 달라니 걱정 중 걱정이다. 비 오는 날 어미 쥐가 새끼를 입에다 물고 마당에 흐르는 큰물을 무서워하지 않고 눈에 불 쓰며 뛰어서 옮겨 놓고 옮겨 놓고 하기를 아홉 번 하더니, 열 번째는 내가 보고 있는 줄 알고 나를 살피며 가더라. 새끼 쥐를 구하기 위해 대낮에 사람이 있는 것도 잊고, 또 저 죽을 것도 생각하지 않으며 옮기는데, 항차 사람이 되어 더욱

이 회상의 책임을 진 나인데 누구 하나 희생이 되면 어찌 되겠느냐? 쥐구멍을 막지 말고 살생을 말라.

〈『대산종사수필법문집』 1. p.341. 원기53년 10월 7일〉

| 배경 및 상황 |

대산 종사는 원기53년(1968) 4월에 신도안 삼동원에서 익산 금강리 신성마을로 법좌를 옮겼다. 원기54년(1969) 7월 1일 서울에 행가하여 9월 5일 수위단원과 함께 현충사를 참배하고, 9월 6일 남산공원에 자리한 백범 김구 동상에 헌화하고 다음 날 서울지구 합동법회에 참석하고 9월 10일 총부로 환가하여 금강리에 주석하였다. 원기55년(1970) 10월 16일 일본에서 열린 세계종교자평화회의에 옵서버 자격으로 교단 대표가 참석했다. 원기56년(1971) 3월 30일 종법사 추대식을 하고 그해 7월 20일 서울회관 부채 문제 수습위를 구성하고 10월 7일에서 12일까지 개교 반백년기념대회를 개최하였다. 그리고 원기57년(1972) 1월 25일 『정산종사법어』를 간행하였다.

대산 종사가 금강리에 주재하던 시절 주요 교단사를 참고로 열거하였다. 원기57년 6월 30일 대산 종사는 삼동원으로 전지 휴양을 떠났다. 이로써 3년 2개월 동안 금강리 생활을 마쳤다. 현재 대산 종사가 주석하였던 금강리 신성마을 일대는 공원 개발 사업으로 그 자취가 사라져 버렸다.

여기에 소개한 법문은 원기53년(1968) 10월 7일에 설한 법문이다.

스승이 허물을 안기고 구렁에 들어가라 하면 주저함이 없어야 한다. 자기의 주견이나 스승을 사량 계교하면 제자의 바른 도리가 아니다. 어느 날 비가 많이 내려 큰물이 지매 대낮에 어미 쥐가 새끼들을 구하기 위해 눈에 불을 쓰고 내 시선을 두려워하면서도 여러 번 물어 옮기는 것을 보았다. 쥐도 새끼를 구하기 위해 위험은 생각하지 않듯이 하물며 회상의 책임을 진 나인데 누구 하나 희생이 되면 어찌하겠느냐? 쥐구멍을 막지 말고 살생을 말라.

스승과 부모의 심정은 조금도 다름이 없이 열 손가락이 다 아프다. 내 마음 심히 아프고 괴롭다. 나 혼자만 알아 달라니 걱정 중 걱정이다. 스승의 지도를 믿고 따르면 마침내 혜복의 문이 열리고 회상의 주인이 된다고 하였다.

| 용어 풀이 |

○ **심정(心情)** 마음속에 품고 있는 생각이나 감정.

○ **혜복(慧福)** 지혜와 복락.

○ **회상(會上)** ① 불교에서 대중이 모여서 설법을 듣는 법회. 또는 그 장소. ② 석가모니불이 영취산에서 설법하던 모임을 영산회상이라 한다. ③ 원불교의 교단을 다른 말로 회상이라고도 한다.

㉝ 스승과 제자 사이의 두 가지 심법

대산 종사 말씀하시기를 "스승과 제자 사이에 갖춰야 할 두 가지 심법은 곧 신의(信義)와 정의(情誼)라, 신은 제자가 스승에게 온통 바치는 것이요, 의는 한번 바친 그 마음이 어떠한 난관에도 변하지 않는 것이니, 이 신의만 갖추게 되면 스승의 법을 남김없이 다 받아 올 수 있느니라. 또 정의는 도덕을 얻는 제일의 자본이라 정의가 있어야 법이 건네지는 것이므로, 처음은 인정으로 시작했다 하더라도 일단 법이 건네지면 영원한 법정으로 이어지게 되느니라. 그러므로 신의와 정의만 갖추면 스승이 가진 보물을 다 받아 내 것으로 만들 수 있느니라." 〈신심편 33장〉

| 출처 |

스승의 날, 학생들에게 일문일답으로 내려주신 법문

스승의 날을 맞이하여 내가 평소 생각한 바가 있는데 그것은 사제 간에 갖추어야 할 두 가지 심법이다. 이것을 누가 맞추어 보아라.

답: 그 하나는 신의(信義)입니다. 또 다른 것은 정의(情誼)입니다.

문: 맞았다. 꼭 내가 생각한 것을 맞추었으니 상을 주어야 하겠구나! 사제 간에 이 두 가지만 있으면 모든 일은 끝나는 것이다. 일에는 시종이 있으니까. 그러면 제자가 스승을 신봉하는 마음과 스승이 제자를 믿는 마음 두 가지 중 어느 마음이 크겠느냐?

답: 스승님의 마음이 더 크겠습니다.

문: 얼마나 더 크겠느냐?

답: 하늘보다도 크다고 하겠습니다.

문: 제자가 스승을 사모하여서 수천만 겁을 따라가는 마음이나 스승이 제자를 못 잊어서 수천만 겁을 통하여 찾아주시는 그 은혜가 같을까?

답: 헤아릴 수 없을 것 같습니다.

법문: 깨치기 전에는 그 스승의 참 마음을 알 수도 따라갈 수도 없다. 스승이 제자를 믿어주시며 찾아주시는 그 마음을 어떻게 대하겠느냐.

신(信)은 제자가 스승에게 온통 바쳐버리는 것이니, 설사 스승은 모르지만 밑에서 따라 바치고 또 바치고 또 바치는 것이다. 의(義)는 한 번 바친 그 마음이 영겁을 통하여 어떠한 순역 경계에도 변하지 않고 한결같은 마음이다. 신의만 갖추어 나가면 스승에게 믿어달라고 사랑하여 달라고 할 것이 없다. 내가 신의만 가지고 있으면 스승의 법을 하나도 남김없이 다 받아 올 수 있다. 그때에는 스승이 안 주려고 하여도 안 줄 수가 없는 것이다.

또 사제 간에는 정의(情誼)가 건네야 한다. 정의라는 것은 도덕을 얻는 제일의 자본이다. 그러므로 사제 간에는 정의가 있어야 또 법이 건넨다. 정의는 처음에 인정으로 시작하여 영원한 법연으로 되어야 한다.

이 두 가지만 가지고 있으면 스승이 가지고 있는 보물을 다 뽑아다가 이전 등기를 내어 내가 차지하게 된다.

〈『대산종사수필법문집』 1. p.613. 원기57년 5월 15일〉

| 배경 및 상황 |

대산 종사는 원기57년(1972) 5월 15일 스승의 날을 맞이하여 예비교무인 학생들에게 '스승과 제자 사이의 두 가지 심법'이란 주제로 일문일답을 하였다. 사제 간의 심법은 신의와 정의라는 답변이 오갔다.

신(信)은 제자가 스승에게 온통 바쳐버리는 것이며, 의(義)는 한 번 바친 그 마음이 영겁을 통하여 어떠한 순역 경계에도 변하지 않고 한결같은 마음이다. 신의만 갖추면 스승의 법을 남김없이 다 받아 올 수 있다.

또 정의는 도덕을 얻는 자본이다. 정의가 있어야 법이 건넨다. 정의는 처음에 인정으로 시작하여 영원한 법정[법연]으로 이어진다. 그러므로 신의와 정의만 갖추면 스승의 보물을 이전 등기를 내어 차지할 수 있다.

| 용어 풀이 |

○ **신의(信義)** 믿음과 의리를 아울러 이르는 말.

○ **정의(情誼)** 〈신심편 10장〉 용어 풀이 참조.

34 사대진리

대산 종사 말씀하시기를 "진리는 다 뺏고 다 주는지라[全奪全與], 무엇이든 주려면 먼저 다 빼앗나니, 보통 사람들은 빼앗기지 않으려고 버티다가 결국 아무것도 얻지 못하고 다 빼앗기고 마느니라. 그러므로 오롯이 믿으면 오롯이 받고[全信全受], 반만 믿으면 반만 받고[半信半受], 믿지 않으면 받을 것도 없는[無信無受] 이치를 알아서, 내려놓을 때는 다 내려놓아야 큰 것을 얻을 수 있느니라." 〈신심편 34장〉

| 출처 |

제자가 법을 받을 때[전탈전여(全奪全與)] 전신(全信)하면 전수(全受), 반신(半信)하면 반수(半受), 무신(無信)하면 무수(無受)한다.

〈『대산종사수필법문집』 1. p.663. 원기57년 11월 23일〉

12일 저녁 9시 10분경 중타원(中陀圓) 여청운(呂淸雲) 사모님이 열반하시다. 13일 아침 6시 30분 영전에 가시어 내려주신 법문.

진리는 전신전수고 전탈전여여. 그런데 이 어른은 전신(全信)하셨기 때문에 위아래 없이 전수하셨다. 또 전신하셨다. 진리라는 것은 모지락스럽다.

인정도 좀 주어야 할 텐데 뺏을 때는 쏙 뺏어 버린다. 그런데 뺏고 주는 것이고 주면 뺏는 것이다. 그러므로 전여(全與)하셨다. 그러기 때문에 우리는 살아 나갈 때 진리가 희롱하는 것을 조심해서 진리가 희롱하는 장난에 넘어가지 않아야 한다.

재색명리를 주어 가지고 감아 넘겨 버린다. 주고 뺏고, 뺏고 주는 것이다.

〈『대산종사수필법문집』 1. p.1957. 원기63년 10월 13일〉

| 배경 및 상황 |

대산 종사 설법에 자주 등장하는 말이다. 전탈전여, 전신전수, 반신반수, 무신무수를 '사대진리'라고도 했다. 중타원 여청운 종사 영전에서 법문하였다. 진리란 모지락스럽다는 말은 억세고 모진 데가 있다는 말이다. 무섭지만 그대로 주고받는 것이다. 인정도 좀 주어야 할 텐데 뺏을 때는 쏙 뺏어 버린다. 그런데 뺏고 주는 것이고 주면 뺏는 것이다. 그러므로 전여(全與)하셨다. 그러기 때문에 우리는 살아갈 때 진리가 희롱하는 것을 조심해서 진리가 희롱하는 장난에 넘어가지 않아야 한다. 재색명리를 주었다가 모두 빼앗아 버린다. 진리가 줄 때는 받고 뺏을 때는 온전히 주어버려야 한다.

인과는 여수(與受)다. 다 주어야 다 받고, 오롯이 믿어야 오롯하게 받는다. 반만 믿으면 반만 받고, 믿지 않으면 받을 수 없다. 이치를 알아서 내려놓을 때는 다 내려놓아야 큰 것을 얻을 수 있다.

| 용어 풀이 |

○ **여청운(呂淸雲, 1896~1978)** 본명은 귀선(貴仙). 법호는 중타원(中陀圓). 법훈은 종사. 정산 종사의 정토. 1896년 (음)4월 3일 경북 성주군 금수면 광산동에서 부친 여병규(憬庵 呂昞奎)와 모친 노대선(盧代宣)의 3남 2녀 중 장녀로 출생했다. 성산여씨(星山呂氏)의 명문가에서 태어나 5세 시에 모친을 여의었으나, 좌우 인연이 좋아 사랑과 보호 속에 성장했다. 유시로부터 성품이 조용하고 대범했으며, 고결하고 청아한 심경은 마치 오랜 시일 동안 수도한 도인인 듯한 품위를 지녔다.

○ **모지락스럽다** 보기에 억세고 모질다.

㉟ 심사 심우 심계

대산 종사 말씀하시기를 "우리가 영생을 잘 살기로 하면 머리카락 한 올까지 다 바칠 수 있는 마음의 스승과, 생사고락을 같이할 수 있는 마음의 벗과, 어떠한 경계 속에서도 흔들리지 않을 마음의 계를 가져야 하나니, 이처럼 심사(心師)·심우(心友)·심계(心戒)를 모시고 살면 일생뿐 아니라 영생을 통해 교단과 국가와 세계의 빛이 되고 경사가 되느니라."

〈신심편 35장〉

| 출처 |

서울교구 신년 하례 법문

우리가 영생과 일생을 잘 살기로 할 것 같으면 세 가지가 무엇이라고 했는가? 심사(心師), 심우(心友), 심계(心戒)다.

그러기 때문에 내가 일생을 사는데 우리는 일생뿐이 아니기 때문에 일생과 영생을 사는데 내가 심사를 모셨느냐, 심우가 있느냐, 또 심우와 심사를 모셨다 할지라도 자기가 자기를 가르칠 수 있는 심계가 있어야 한다.

마음의 계문이 없고 볼 것 같으면 그날부터 타락이다. 생명하고 바꾸지 않을 심계가 하나씩 있어야 한다. '내가 이 짓은 죽어도 안 해야 하겠다.' 이 심계가 있는 한 그이는 천하에 난리가 나고 세세생생 어디를 가도 살아날 구멍이 있어도, '내가 가만히 눈을 감고 생각하더라도 나는 심사도 없다, 심우도 없다, 내가 참 생명을 바꿀 수 있는 심계도 없다' 할 것 같으면 그분은 현재 복으로 잘 산다고 할지라도 가는 곳이 없을 것이다.

그러기 때문에 우리가 영생과 일생을 잘사는데 심사, 심우, 심계를 정해서 참회 반조해야 한다.

〈『대산종사수필법문집』 2. pp.361~362. 원기68년 1월 3일〉

심사(心師) 심우(心友) 심계(心戒)

국민이 앞으로 크게 발전하려면 육신의 부모의 은도 갚지만, 정신의 부모의 은이나, 정신의 지도자를 정해서 심사 심우 심계를 가져야 한다. 심사 심우 심계를 가지고 일생을 산 부부 같으면 자손 가운데 효 안 할 자식이 없을 것이다. 심사가 없고 심우가 없고 심계가 없이 일생을 살면 후회가 될 것이다.

〈『대산종사수필법문집』 2. p.403. 원기68년 7월〉

| 배경 및 상황 |

필자는 원기70년(1985) 1월 23일부터 삼동원에 주재한 대산 종사를 모시게 되었다. 그 시절 여유가 있으면 법문 노트를 숙독했다. 법문은 연도별로 정리되어 있었다. 그때 처음 접한 '심사 심우 심계'의 법문을 노트에 옮기고 정리하였다.

대산 종사는 심사 심우 심계 법문을 자주 하였다. 귀에 딱지가 붙도록 들었던 법문이다. 이 장에 소개된 법문은 여러 법문 중에서 가장 요령 있게 정리된 법문을 선택한 것으로, 『대산종사법어』에 올렸다.

필자가 받든 최초의 심사 심우 심계 법문은 『대산종사법어』에 실린 법문과 조금은 다르다. 같은 맥락이지만 '심사 심우 심계' 법문은 원기70년 1월 16일에 내린 법문으로 나의 공부 표준으로 삼았다. 이 법문을 소개하면 다음과 같다.

"종교인이나 정치인이나 누가 됐건 위대한 사람이 되려면 세 가지 요인을 가져야 하는데, 첫째는 심사로, 몸과 마음을 온통 바칠 수 있는 스승을 모심이다. 천지 시작 때부터 끝날 때까지, 끝날 때부터 다시 시작할 때까지 심심상련(心心相連)할 수 있는 스승을 모셔야 한다. 둘째는 심우로, 창자를 서로 이을 수 있고 생사고락을 같이할 수 있는 동지를 만남이다. 셋째는 심계로, 심사와 심우를 가져도 영생을 잘살기 위해서는 심계를 가져야 한다."라고 하였다.

| 용어 풀이 |

○ **심사(心師)** ① 마음속에 모시는 스승. 인격적 감화를 주거나 수행의 표준이 되며 구도의 길을 열어주는 스승. 대산 종사는 발심 나게 해주신 스승, 신심을 일어나게 하신 스승, 뜻을 세워 주신 스승, 마음을 낳아주신 스승들을 심사라고 했다. ② 자기 마음을 자기 스승으로 삼아야 한다는 말. 이때의 내 마음은 사량·계교·분별심이 아닌 본래 마음을 가리킨다.

○ **심우(心友)** 마음과 마음으로 깊이 믿고 의지하며 서로 이해하여 함께하는 벗.

대산 종사는 공부해 나갈 때 수행하는 동지가 있어서 충고해야 하며 그런 동지들 사이에서 능한 바가 혼합되어 같이 커나갈 수 있어야 한다고 했다. 이러한 벗들은 어떠한 경우에 처하더라도 끝까지 싫어하지도 말고, 미워하지도 말고, 놓아 버리지도 말고, 다 믿어주고, 다 받아주고, 늘 보살펴주고, 늘 깨우쳐주고, 늘 이끌어줘서 일생과 영생을 의무와 책임을 갖고 능력을 갖춰 상부상조·상신상락(相信相樂)하는 심사·심우가 되라[『정전대의』]고 했다.

○ **심계(心戒)** 개인의 특성에 따라 각자의 마음으로 정하여 지키는 계문. 첫 성위에 올라 있으므로 일률적으로 받아 지키는 계문은 두지 않으나 각각의 처지와 장단을 고려하여 특성에 따라 각자의 마음속에 선정하여 지키는 계문인 심계를 둔다.

㊱ 여래의 판국

대산 종사, 시자의 공부 표준을 듣고 말씀하시기를 "대종사께서는 '비록 견성을 했더라도 정법에 맥을 대지 아니하면 스승은 될 수 없다.'고 하셨나니, 이인의화 선진은 당신이 능하여 다 알면서도 그것을 내세우지 않고 법통의 대의를 세웠으며, 영통을 하였어도 스승에게 법맥을 올바로 연하고 삿됨에 떨어지지 아니하였으므로, 여래의 판국을 갖춘 분이라 할 수 있느니라." 〈신심편 36장〉

| 출처 |

시자 장산(藏山) 황직평(黃直平)의 공부 표준을 듣고 말씀하시기를

성품을 보았다고 해서 다 무불통지(無不通知)하는 것은 아니다. 보통 사람들은 견성성불 해서 성품을 보면 시비이해 대소유무를 다 통하는 줄 알아도 원리를 내가 알아서 그것을 공부의 표준으로 삼아서 얻어야 하지 견성했다고 해서

다 된 줄 알아서는 착오다.

예전에 대타원(大陀圓) 이인의화(李仁義華)님의 영업이 실패하였다. 지금 같으면 10만 원씩 벌던 것을 문을 닫고 총부로 예회를 보러 다니는데 그것으로는 만족이 안 되어서 동산선원 밑에 가서 선을 하는데 늘 단전주선을 하고 심고와 법문을 듣는데 시해법(尸解法)까지 터득했다. 그냥 턱 앉아서 복숭아씨 돌듯 빠져나가 미국에 가든지 어딜 가든지 갔다 와서 보면 눈도 먼 것이 앉아서 기다리는 것을 보면 신통하다고 했다.

그런데 그 실력을 갖추고서 내가 서울 있을 때 총부에 내려오면 선 법사님이나 나한테 와서 당신의 수행한 것이라든지 계획한 것을 써서 말하고 의논했다. 돌아가실 때 내가 건강이 허락지 않아서 못 갔더니 교단의 만대가 이렇게 될 것을 전하고 1주일 있다 돌아가셨다. 도인도 항마판, 출가판이 아니다. 앞으로 다시 와서 수행할 것 같으면 그대로 여래판으로 될 수 있는 능력이 갖추어졌다. 그러니까 공부하는 사람이 먼저 큰 자리를 보아 크게 원력을 세워서 아주 판을 크게 잡아야 하겠다.

〈『대산종사수필법문집』 2. pp.207~209. 원기66년 4월 25일〉

| 배경 및 상황 |

이 법문에 등장한 한 시자는 장산 황직평 종사다. 대산 종사는 원기66년(1981) 4월 25일 영산성지에서 훈련교무들의 감상담을 듣고 여래행을 표준잡으라고 법문을 내렸다. 이날 한가한 시간에 장산 종사는 대산 종사에게 자신의 공부 표준을 감정받았다.

오래전에 스승님이 주신 공부 표준이었다. 그날의 추억을 되살리며 감상담을 하였다. 장산은 원기51년(1966) 2월 대구 서성로에서 병환 중인 대산 종사를 시봉하게 된다. 스승님을 모신지 2주 만에 대산 종사는 의식을 회복했다. 첫 말씀이 "너는 앞으로 시비가 많을 터이니 어떠한 경계가 오더라도 여래위와는 바꾸지 말라."라고 하였다.

이 말씀을 공부 표준으로 삼는다고 말씀드리니 대산 종사는 조용히 듣고 있다가 말씀하였다. "자기가 표준 하나를 잡고 하루, 한 달, 일 년 살아갈 때 거기서 능이 생긴다. 자기에게 맞는 법문을 표준 잡고 연마해 나가야 한다."라고 하였다.

그리고 "대종사께서는 비록 견성을 했더라도 정법에 맥을 대지 아니하면 스승은 될 수 없다."라고 하였다. 또 말씀하시기를 "대타원 이인의화 종사는 능하여 다 알면서도 그것을 내세우지 않고 법통의 대의를 세웠으며, 영통을 하였어도 스승에게 법맥을 올바로 연하고 삿됨에 떨어지지 아니하였으므로 여래의 판국을 갖춘 분"이라고 했다.

대산 종사는 '여래위와는 바꾸지 말라'는 뜻을 여래위 판국을 갖춘 대타원 종사의 예화를 들어 시자에게 명확하게 예시해주었다.

| 용어 풀이 |

○ **무불통지(無不通知)** 무슨 일이든지 환히 통하여 모르는 것이 없음.

○ **이인의화(李仁義華, 1897~1963)** 본명은 인자(仁子). 법호는 대타원(大陀圓). 법훈은 종사. 1897년 2월 8일 전북 전주에서 부친 영직(永稷)과 모친 김씨의 3녀 중 막내로 출생했다. 어려서 천성이 온유한 가운데 강인했으며 16세에 결혼하여 6남매를 두었다. 29세에 부군이 병으로 세상을 떠나자 연약한 여자의 몸으로 생계를 꾸리느라 온갖 고생을 다 했다. 34세 때에 김인정(金仁正)과 재혼하여 익산에서 음식점을 경영하면서 갖은 고생 끝에 상당한 재산을 장만하게 되었다. 그리하여 익산 역전에 전주여관을 마련하여 숙박업으로 성공했고 자녀들도 다 가르쳐 성혼시킬 수 있었다.

57세 되던 원기21년(1936) 2월 최수인화로부터 전해 들은 소태산 대종사의 법설에 문득 마음속 깊은 감동이 생겨 심신이 상쾌해지고 고통이 사라졌다. 7월 5일 즉시 총부를 찾아와서 소태산을 만나니 돌아가신 부모님을 만난 듯 환희심이 솟아났다. 이후 수행에 정진, 독특한 경지를 이뤄 영통의 능력을 갖추었다. 그리하여 정산 종사와 더불어 소태산을 모시고 공부하고 즐기던 지나간 다생겁래의 이야기며, 교단과 세상의 장래에 관한 예언 등을 즐겨 대화했다고 전해진다. 교단 1대내 유일의 생전 법강항마위로서 정산의 특인을 받은 도인이었다. 그것도 일반 재가교도의 신분이었으니 그 법력의 수승함을 짐작해 볼 수 있다.
교리를 알면 알수록 많은 사람을 위해 유익한 공익사업을 하리라는 결심을 굳게 했다. 먼저 익산시 동산동에 대지 1,050평을 매수하여 이중 300평을 교단에 희사했다. 이것이 오늘의 동산선원이 있게 된 시초였다. 다음에 익산시 마동에 대지 142평과 건물 3동을 매수하여 수리한 후 이를 교단에 희사했으니 이것이 이리교당의 시초이다. 또한 초창기 교무 시봉이며 교당 유지에 많은 힘을 기울였다. 원기38년(1953) 4월 26일 본교 제1대 성업봉찬시 이인의화의 공적은 공부등위 정식법강항마위요, 사업등급 정1등으로 원성적은 정1등 3인 중 제1호에 해당하였다. 원기48년(1963) 3월 11일 열반에 들었으며, 원기76년(1991) 법위를 출가위로 추존하고 종사의 법훈이 추서되었다.
○ **황직평(黃直平, 1932~2019)** 본명은 희설. 법호는 장산(藏山), 법훈은 종사. 1932년 3월 17일 충북 청주에서 부친 소산 황청원과 모친 진타원 심수진화의 3남 3녀 중 차남으로 태어나 청진, 완주 등에서 어린 시절을 보냈다. 6·25 한국전쟁이 발발하자 자원입대하여 4년간 군 복무를 마치고, 원기41년(1956) 출가하여 수계농원에서 4년간 임원으로 생활했다. 원기49년(1964) 원광대학교 원불교학과를 졸업하고 수계농원에서 잠시 교역에 임했다. 원기51년(1966) 법무실로 자리를 옮겨 대산 종법사를 근 33년간 시봉하며 시자로 시작하여 법무실장을 역임했다. 일생을 오롯하게 정남으로 살았으며 원기76년(1991) 종사 법훈을 서훈받았고, 잠시 원산교구장 겸 교화훈련부 순교감을 지냈다. 특히 『정전』에 바탕한 마음공부 전령사로 활동하며 대산 종사님의 최후 말씀인 '마음공부 대혁명'을 화두로 삼아 후진들을 양성하다가 퇴임하여 원로원에서 마음공부로 정양하였다. 장산 종사는 원

기104년(2019) 10월 6일 세수 88세, 법랍 62년 6개월로 한결같이 정진 수양의 수범을 보이다 열반하였다.

37 정산종사법어 감수

대산 종사, '정산종사법어' 감수에 임하시며 말씀하시기를 "이 법어는 대종사의 교법을 만대에 크게 보필할 경전으로, 장차 이 법어로 인해서 대종사의 교법이 세상에 더욱 드러나리니, 대중은 이를 잘 받들어 각자의 보물로 삼기 바라노라." 〈신심편 37장〉

| 출처 |

조실에서 '정산종사법어집 초안[자문판]의 첫 감수'에 임하시어 대중에게 변산을 향하여 다 같이 재배하도록 하신 후 말씀하시기를

이 법어는 보조 법경(法經)으로 이 법어가 힘을 타고 커야 만대에 대종사님 교전과 법을 크게 보필할 것이니 대중은 깊이 각성하여 앞으로 정중히 모셔야 할 것이다.

유가도 한 스승의 경으로만 완벽하게 된 것이 아니었고, 공자 이후 증자, 자사, 맹자 등이 보조 경전으로 보필하므로 사서삼경이 유가의 주경이 되어 완벽을 이룬 것같이 법어도 100년, 200년 뒤에는 역시 보조 법어로 교단 수만 대에 크나큰 보필을 하게 될 것이다.

하섬은 나와 인연이 깊다. 내가 영산에서 재방언 공사를 형산(亨山) 김홍철(金洪哲) 선생과 같이할 때 일이 바쁜데도 사람들이 와서 교리를 약 30분 동안 설해 주기를 요청하므로, 그때부터 『교전대의』[『정전대의』의 초기 명칭]에 대하여 생각한 바 있어 먼저 선 법사님께서 대의를 초하신 대종사님 십상을 기도 생활하면서 연마하였고, 그 후 대의 편찬에 착수하기 시작하였다. 그때 나는 대종사님의 법이 만대에 전하는데 소홀함이 없이 또 마(魔)에 부딪힘이 없이 바르게 전해지도록 기도를 올렸다.

그 후 바로 정양진 교무와 하섬에 오게 되었고, 하섬에서 동남향으로 변산이 보이며, 이곳은 대종사님과 선 법사께서 법제(法制)하신 곳이고, 또 사대불이 나신 곳이므로 기도를 정성껏 올리면서 영산에서 대체(大體) 초(草)한 『교전대의』를 대중에게 나누어주기 시작하였다. 이때 천여래 만보살 배출을 염원하고, 또 기도 생활을 하였다. 그랬더니 대종사님과 선 법사께서 매일 밤 선몽하시며 때로는 꾸중, 때로는 찬양하여 주시더라. 또 하루는 꿈에 석불(石佛) 300~400개가 나타나더니 그중 하나가 미륵불이라 하며 나와 같이 사진 촬영한다고 하다 잠이 깨고, 또 한번은 이 하섬 밭에서 용이 수없이 등천하는 꿈을 꾸었다. 꿈은 꿈이나 용은 부처님을 상징하는 것이므로 많은 불보살이 배출되고, 큰 기운을 받는 것이 아닌가 생각하여 보았다. 꿈은 꿈이나 범상한 일이 아닌 것 같다.

우리가 오늘 한 일은 천지공사이니 참으로 큰일이다. 만대의 역사가 되도록 노력하자.

※ 대종사님을 역사에 기록되도록 법감에게 특별 지시하심.

〈『대산종사수필법문집』 1. pp.455~457. 원기55년 7월 6일〉

| 배경 및 상황 |

대산 종사는 원기55년(1970) 7월 4일 하섬에 행가한다. 법감 이공전이 『정산종사법어』를 편찬하고 있었다. 7월 6일 『정산종사법어』 감수를 하기 전에 대중에게 변산 제법성지를 향하여 재배를 올렸다.

대산 종사는 "변산은 성지로 대종사님을 친히 모시고 보필하신 선 법사께서 교단 수만 대의 법을 제정하신 곳이요, 선 법사님의 법어집을 이곳에서 편찬하여 오늘 그 초안을 최초로 모시고 감수하게 되니 참으로 뜻깊은 일이다. 이 법어는 보조 법경(法經)으로 이 법어가 힘을 타고 커야 만대에 대종사님 교전과 법을 크게 보필할 것이니 대중은 깊이 각성하여 앞으로 정중히 모셔야 할 것이다."라고 하였다.

끝으로 "우리가 오늘 한 일은 천지공사이니 참으로 큰일이다. 만대의 역사가 되도록 노력하자." 대종사님을 역사에 기록되도록 이공전 법감에게 특별 지시를 하였다.

| 용어 풀이 |

○ **정산종사법어(鼎山宗師法語)** 원불교 교서의 하나. 원기57년(1972) 1월 25일 간행했다. 소태산 대종사의 수제자인 정산 종사의 법문과 제자들이 수필(受筆)한 법문들을 편집 수록했다. 제1부 《세전(世典)》, 제2부 《법어(法語)》로 구성되어 있다.

○ **감수(監修)** 책의 저술 또는 편찬을 지도 감정함, 또는 그 사람. 교서편수(教書編修)에 있어서 최후의 과정에 해당한다.

○ **하섬(荷島)** 전북 부안군 변산반도의 서북내해에 위치한 원불교 유일의 해상수양원인 동시에 하계 하섬해상훈련원 도량이 있는 곳. 총면적 약 3만 5천여 평의 섬이다. 원기54년(1969) 원불교에 귀속되었다.

○ **법감(法監)** 법을 감수하는 직책. 종법사를 보좌하여 법을 자문함. 별정직으로 법감 법무를 둔다. 법무실의 법무(法務) 다음 직책이 법감이다.

○ **천지공사(天地公事)** 하늘과 땅을 뜯어고쳐 새롭게 만드는 공사라는 뜻. 강증산이 깨달은 새로운 이념에 의하여 진행된 일로서 말세운의 운도(運度)를 뜯어고치기 위하여 과거의 모든 이념·이법·질서를 개혁, 수정한다는 의미다.

㊳ 정산종사법어 감수에 대하여

> 대산 종사, 이공전이 '정산종사법어' 감수를 간청하니 말씀하시기를 "내가 대종경을 초안할 때도 보은의 도리로 착수하였을 뿐 대종사의 큰 뜻에 어찌 감히 손을 댈 수가 있었겠는가. 삼동윤리를 밝혔으면 이미 큰 뜻은 다 드러난 것이니 진리와 대의에 크게 어긋나지만 않으면 당신께서 다시 오시어 교정하시리라." 사뢰기를 "그리하면 이론이 많지 않겠습니까?" 말씀하시기를 "염려할 것 없나니 진리에 어긋나지만 않으면 대중들도 다 찬성하고 따르리라." 〈신심편 38장〉

| 출처 |

종법사님 하섬요양원에서 '법어집 자문판을 감수'하시면서 말씀하시기를 대의에만 어긋나지 아니한다면 그냥 원문대로 다 살리고 손댈 것이 없다. 그 어른들이 또 오시어 할 터이니 하시며 주의시키심.

정산종사법어 자문판 소견

법어집 자문판에 대한 소견을 말하며 "법사님께서 직접 손대실 곳은 손대셔야 하지 않겠습니까?"하고 학인이 말씀드리니,

"내가 대종경을 편수하기 위하여 착수한 것은 보은의 도리로서 한 것이지 감히 그 어른의 뜻에 내가 무엇을 손댈 수 있겠느냐. 법어에도 삼동윤리가 밝혀졌으니 다 나왔다. 큰 솥에 고깃국 다 먹어 봐야 아느냐? 한 그릇만 먹어도 그 맛을 다 안다. 큰 법 밝혀졌으니, 진리와 대의에 크게 어긋나지 않게 해 놓으면, 당신님이 오시어 다시 교정하시며, 역사에도 손댈 것이 아니냐."

"그때는 정산 종사님이 아니시므로 손대시면 이론이 많지 않겠습니까?"

"염려 말라. 진리에 어긋나지 아니하면 그때도 대중들이 다 찬성하고 따를 것

이다."　　　　〈『대산종사수필법문집』 1. pp.460~563. 원기55년 8월 8일〉

| 배경 및 상황 |

대산 종사는 원기55년(1970) 8월 3일 하섬요양원에서 법어집 자문판 감수 소견에 대해 이공전이 "종법사님께서 직접 손대실 곳은 손대셔야 하지 않겠습니까?"에 대해 말씀하시기를 "내가 『대종경』 편수도 보은의 도리로서 하였다. 감히 어른들의 뜻에 손댈 수 있겠느냐, 『정산종사법어』도 '삼동윤리'를 밝혔으니 이미 큰 뜻은 다 드러난 것이다. 큰 솥에 고깃국을 다 먹어 봐야 아느냐. 한 그릇만 먹어도 그 맛을 다 안다. 진리와 대의에 크게 어긋나지 않으면 당신이 오셔서 교정한다. 우리는 염려할 것이 없다. 진리에 어긋나지 않으면 대중이 모두 찬성하고 따른다."라고 하였다.

대산 종사는 한 달여간 『정산종사법어』 자문판을 감수하며 이공전을 비롯한 법어편찬위원들을 격려하였다. 9년 전에 하섬에 입도하여 『정전대의』[당시는 교전대의라고 부름]를 학인들에게 가르쳤다. 그때 하루는 꿈에 수많은 석불이 나타났다. 그중 하나가 미륵불이라 하여 사진도 찍었다. 또한 하섬에서 수많은 용이 등천하는 꿈을 꾸었다. 범상한 꿈이 아니었다. 그래서 대산 종사는 이곳을 많은 불보살이 배출될 것이라고 하며 기도하며 정양하였다.

| 용어 풀이 |

○ **이공전(李空田, 1927~2013)** 본명은 순행(順行). 법호는 범산(凡山). 필명은 원봉(圓峰). 법훈은 종사. 원기12년(1927) 3월 24일, 전남 영광군 묘량면 신천리에서 부친 이호춘[恒山 李昊春]과 모친 김장신갑[裁陀圓 金長信甲]의 4남매 중 장남으로 출생했다. 원기25년(1940) 총부를 방문하여 소태산 대종사를 뵙고 입교와 함께 전무출신을 서원했다. 유일학림 1기로 수학한 다음 원광사 주필, 법무실 비서, 대종경 편수위원, 정화사 사무장, 원불교신보사 주필, 감찰원부원장, 하섬수양

원장, 원불교신보사장, 남자원로수양원장, 수위단원을 역임하고, 한국종교인협의회 발기위원과 세계종교자평화회의 원불교 대표 등 교단의 대외교류 역할을 수행했다. 특히 소태산 당시인 원기27년(1942) 박장식, 원기28년(1943) 정산 종사를 보필하여 『정전』 편찬에 조력한 것을 시작으로 원불교교서 편수에 참여하여 대산 종사 재위 중에 『원불교교전』 등의 칠대교서를 완정하는 주역으로 활약했다.

○ **삼동윤리(三同倫理)** 소태산 대종사의 일원주의 사상을 계승하여 정산 종사가 선포한 윤리강령으로 동원도리(同源道理)·동기연계(同氣連契)·동척사업(同拓事業)을 말한다. 정산은 종교와 인류가 지녀야 할 이념과 나아가야 할 방향을 실천윤리로 제시했다. 삼동윤리는 원기46년(1961) 4월에 정산이 개교 경축식전에서 처음 설한 법설이다. 이듬해 1월에 정산은 삼동윤리를 마지막으로 설한 후 이를 최후의 게송으로 주는 것이라고 유시하고 열반했다. 삼동윤리는 인류의 대동화합과 단결을 주 내용으로 하며, 원불교가 교단의 울을 벗어나서 세계주의를 지향할 것과 모든 종교가 평화와 진화의 길로 나아갈 방향을 제시한 윤리강령이다.

39 이 회상의 장래를 걱정하지 않는다

대산 종사 말씀하시기를 "정산 종사께서 병중에 계실 때 '대종사께서 이 회상의 문을 여시며 앞으로의 계획을 다 세워 주셨기에 내가 이렇게 오래 병상에 있으나 이 회상의 장래를 걱정해 본 일이 없다.'라고 하셨느니라. 풍랑을 만났을 때 사람을 많이 실은 배는 전복하기 쉬우나 짐을 많이 실은 배는 전복할 염려가 크지 않나니 그 까닭은 짐은 움직임이 없으나 사람은 요동하기 때문이니라. 그러므로 우리는 오직 이 회상에 실린 짐과 같이 각자가 맡은 분야에서 어떤 풍랑에도 흔들리지 않고 목적지에 도착할 수 있도록 성심을 다해야 하느니라." 〈신심편 39장〉

| 출처 |

오늘 법회가 구전심수의 큰 계기가 되었다. 구전심수의 법이라야 머리를 울려 때리고 기운이 막 통해진다. 선 법사께서 병환 중에 계실 때 "내가 이렇게 오래 병상에 있으나 이 회상의 장래를 걱정해 본 일이 없다. 대종사님을 믿으니 걱정할 것이 조금도 없는데 그것은 대종사께서 이 회상의 문을 여실 때 수만 대의 계획을 다 짜시었다. 보통으로 하신 일이 아니고, 무서운 계획하에 우리를 이끌어 주시니 그 계획에 대하여 어찌 걱정할 것이 있겠느냐."라고 말씀하여 주시었다.

그러니 개인의 재주나 계교 사량으로 한때 일을 잘하는 것으로 이러쿵저러쿵 자랑하려 하면 되겠느냐. 우리는 이제 이 회상의 배를 탔으니 배에 실은 짐이 되면, 결국 요동 없이 목적지에 도착하게 될 것이다. 배에 사람 무게보다 더 많은 짐을 싣고 풍랑을 만난다 해도 전복될 염려가 없으나 사람은 동하므로 전복된다고 하더라. 그 이유는 짐은 일체 요동이 없으나, 사람은 요동함으로 그렇다. 이것이 큰 법문이니 우리는 오직 이 회상의 배에 실린 짐이 되자. 짐은 각 분야에서 일을 사사심(私邪心) 없이 정성으로 그 일만 하고 가면 된다는 것이다.

〈『대산종사수필법문집』 1. p.456. 원기55년 7월 6일〉

| 배경 및 상황 |

이 법문은 원기55년(1970) 여름에 대산 종사가 하섬에서 『정산종사법어』를 감수할 때 대중에게 내린 것으로 신심편 38장과 같은 법문에서 분장(分章)되었다. 구전심수의 법이라야 기운이 통한다. 정산 종사가 병환 중에 계실 때 "내가 이렇게 오래 병상에 있으나 이 회상의 장래를 걱정하지 않았다. 대종사께서 이 회상의 만대 계획을 세웠으니 걱정하지 않는다."라고 하였다.

우리는 이제 이 회상의 배를 탔으니 배에 실은 짐이 되면, 결국 요동 없이 목적지에 도착하게 될 것이다. 배에 사람 무게보다 더 많은 짐을 싣고 풍랑을 만난다고 해도 전복될 염려가 없으나 사람은 동하므로 전복된다고 하더라. 그 이유는 짐은 일체 요동이 없으나, 사람은 요동함으로 그런다고 한다. 이것이 큰 법문이니 우리는 오직 이 회상의 배에 실린 짐이 되자. 이는 각 분야에서 일을 사사심(私邪心) 없이 정성으로 그 일만 하고 가면 된다는 것이다.

| 용어 풀이 |

○ **전복(顚覆)** 차나 배 따위가 뒤집힘.

○ **요동(搖動)** 흔들리어 움직임. 또는 흔들어 움직임.

○ **성심(誠心)** 정성스러운 마음.

○ **구전심수(口傳心授)** 스승이 제자에게 법을 말로 전해 주고 마음으로 가르쳐 주는 것. 제자를 사랑하는 스승의 자비심이 지극한 경지로 스승이 말로 전해주고 제자가 마음으로 받아들이는 것이다. 법을 배우는 제자의 정성이 지극한 경지이다.

○ **사사심(私邪心)** 개인이 인간의 도리를 벗어난 못된 마음. 사적으로 대도정법이 아닌 사도(邪道)를 생각하는 마음을 뜻한다.

㊵ 정산종사성탑 비명

대산 종사, 정산 종사 성탑을 세우시며 그 탑에 새기시기를 "대범 하늘은 땅이 있어 그 도를 다하고 태양은 달을 두어 그 공(功)을 더하나니, 대종사께옵서 대각을 이루신 후 새 세상의 새 회상을 세우시고자 시방을 응하여 수위단을 조직하실 제 정산 종사를 기다려 그 중앙 위를 맡기시고 '내가 만나려던 사람을 만났으니 우리의 대사는 이제 결정이 났다.' 하셨으며, 이로부터 지중한 부자의 결의로 한결같이 신봉과 보필의 소임을 다하시매 '나의 마음이 곧 그의 마음이 되고 그의 마음이 곧 나의 마음이 되었다.' 하셨으니, 이것이 정산 종사께서 대종사의 법을 이어받으신 기연이다." 하시고 정산 종사의 약력을 쓰신 후 "오호라, 정산 종사는 한없는 세상을 통하여 대종사를 받들고 제생의세의 대업을 운전하실 제, 신의는 고금을 일관하시고 경륜은 우주를 관통하시며, 시국의 만난(萬難) 중에서도 대도를 이어받아 드러내시고, 흉흉한 세도인심 속에서도 대자대비로 모든 생령을 두루 안아 길러 주시며, 새 질서를 갈망하는 세계를 향하여 일원 세계 건설의 큰길을 높이 외쳐 주셨으니, 후래 제자로서 묵묵히 우러러 뵈올 때 대종사가 하늘이요 태양이시라면 정산 종사는 땅이요 명월이시며, 대종사가 우리의 정신을 낳아 주신 영부시라면 정산 종사는 그 정신을 길러 주신 법모시라. 광대 무량한 그 공덕을 만의 일이라도 표기하고자 이 탑을 세우고 이에 명(銘)하도다. 정산 종사 개벽계성 일이관지 만고신의 사대경륜 봉창대업 삼동윤리 천하대도 도명덕화 일월부명 법은무량 천장지구(鼎山宗師 開闢繼聖 一以貫之 萬古信義 四大經綸 奉創大業 三同倫理 天下大道 道明德化 日月復明 法恩無量 天長地久)"

〈신심편 40장〉

| 출처 |

정산종사성탑 제막식 고유문

원기56년 10월 7일에 법제자 김대거는 재계하옵고 재가·출가의 모든 교단 동지와 함께 삼가 정산 종사 성령 전에 고백하옵나이다.

오호라. 스승님께옵서 열반에 드신 후 어언 9년 유여(有餘)가 되옵는바 오늘 반백년 기념사업의 일환으로 이 자리에 성탑을 봉건(奉建)하고 탑명(塔銘)에 끊임없는 추모지성(追慕之誠)의 만일을 삼가 표하오니 정산 종사 성령이시여 하감하옵시고, 앞으로 영천영지 무궁한 세월, 만 생령의 끊임없는 찬송을 받으소서.

정산종사성탑 제막식

대범 하늘은 땅이 있어 그 도를 다하고, 태양은 달을 두어 그 공을 더하나니, 대종사께옵서 대각을 이루신 후 새 세상의 새 회상을 세우시고자 시방을 응하여 수위단을 조직하실 제 정산 종사를 기다려 그 중앙위를 맡기시고 "내가 만나려던 사람을 만났으니 우리의 대사는 이제 결정 났다." 하시었으며, 이로부터 지중한 부자의 결의로 한결같이 신봉과 보필의 소임을 다하시매 "나의 마음이 곧 그의 마음이 되고 그의 마음이 곧 나의 마음이 되었다." 하시었으니, 이것이 정산 종사께서 대종사의 법을 이어받으신 기연이다.

정산 종사의 성은 송(宋) 씨요, 법명은 규(奎)요, 정산은 그 법호이시며, 원기전 16년 경자(庚子) 8월 4일에 경북 성주(星州) 소성동(韶成洞)에서 나시니 부(父)는 송벽조(宋碧照), 모(母)는 이운외(李雲外)이시다.

어려서 수도에 발심하시고 강호(江湖)와 산곡(山谷)에 기도도 하시고, 초당(草堂)에 정좌(靜坐)하여 심공도 쌓으시며 스승 찾아 각지에 방황도 하시다가 18세 되시던 원기3년 무오(戊午)에 전북 정읍군 화해리(花海里)에서 대종사의 친영(親迎)을 받아 이 회상 창립의 중추(中樞)가 되신 후, 영산 방언이 끝나매 8인 동지와 함께 법인성사를 마치시고 변산과 익산에서 교리 제정을 도우시며 각처의 숙겁 법연을 두루 찾으시고 영산에서 후진 양성에 심혈을 기울이시는 한편 새 회상의 창건사를 기초하시었다.

계미 6월에 대종사께서 열반하시매 망극(罔極)한 가운데 법통을 이어 험난한 시국을 극복하고 8·15해방을 맞아 전재동포 구호사업을 전개하시며 대중이 아직 몰라뵙던 대종사를 주세불로 높이 받들고 교명을 확정하사 천하에 공시하시며, 교헌을 반포하사 교단 운영의 대본(大本)을 세우시고 6·25 전란 중에서 의연(毅然)히 대중의 갈 길을 인도하시며 교재정비, 기관확립, 정교동심, 달본명근의 4대경륜으로써 교단 만대의 기초를 더욱 다지시는 한편 동원도리, 동기연계, 동척사업의 삼동윤리를 제창하시어 세계의 모든 종교 모든 생령 모든 사업이 대동화합하여 다 함께 일원주의를 실현할 수 있도록 말씀으로 일러 주시고 몸으로 보여 주시고 마음으로 전하여 주시다가 "한 울안 한 이치에 한 집안 한 권속이 한 일터 한 일꾼으로 일원세계 건설하자." 하신 후 원기47년 1월 24일 거연히 열반에 드시니, 세수는 63세요, 법랍은 45년이셨다.

오호(嗚呼)라, 정산 종사는 한없는 세상을 통하여 대종사를 받들고 제생의세의 대업을 운전하실 제, 신의는 고금을 일관하시고 경륜은 우주를 관통하시며, 시국의 만난(萬難) 중에서도 대도를 이어받아 드러내시고, 흉흉한 세도인심 속에서도 대자대비로 모든 생령을 두루 안아 길러주시며, 새 질서를 갈망하는 세계를 향하여 일원 세계 건설의 큰길을 높이 외쳐 주셨으니, 후래 제자로서 묵묵히 우러러 뵈올 때 대종사는 하늘이요 태양이시라면, 정산 종사는 땅이요 명월이시며, 대종사는 우리의 정신을 낳아주신 영부(靈父)시라면, 정산 종사는 그 정신을 길러주신 법모(法母)시라. 광대무량한 그 공덕을 만에 일이라도 표기하고자 이 탑을 세우고 이에 명(銘)한다.

鼎山宗師 開闢繼聖 一以貫之

萬古信義 四大經綸 會上聖業

三同倫理 天下大道 道明德化

一圓復明 法恩無量 天長地久

圓紀 56年 10月 7日 立

〈『대산종사수필법문집』 1. pp.548~550. 원기56년 10월 7일〉

| 배경 및 상황 |

개교반백년기념대회가 원기56년(1971) 10월 7일부터 10월 12일까지 진행되었다. 10월 7일 정산종사성탑을 영모전 서쪽에 세웠다. 정산 종사의 성해를 봉안하고 대산 종사가 찬술하고 박정훈이 비명을 후면에 새겼다. 1986년 3월 14

일 제107회 수위단회에서 보수 장엄이 아니라 장소를 옮겨 재건립하기로 결의했다. 그리하여 원기73년(1988) 6월 5일 기공하여 10월에 건립을 마치고, 같은 달 15일 구 성탑을 해체하여 29일 성해를 옮겨 봉안한 다음, 11월 5일 준공제막식을 거행했다.

| 용어 풀이 |

○ **정산종사성탑** 소태산 대종사의 상수제자로 법통을 계승하여 종법사를 역임한 정산 종사의 성해(聖骸)를 안치하고 탑명을 새긴 탑. 원기73년(1988) 11월 5일, 전북 익산시 신룡동 344-2번지 원불교중앙총부 대종사성탑 동남편에 건립하여, 원기56년(1971) 영모전 서쪽에 세웠던 정산종사성탑의 성해를 옮겨 봉안했다. 소태산은 열반 후 성탑과 성비를 분리하여 건립했으나, 정산의 경우는 분리하지 않고 성탑의 배면에 탑명을 새겨 합체를 이루었는데, 새롭게 성탑을 조성하여 성해를 옮겨오면서 탑명을 성탑 후면의 병풍석에 배치했다. 탑명은 정산의 행장과 업적, 인품 등을 밝히고 있는데, 대산 종사가 찬술하고 박정훈이 썼다.

○ **제막식(除幕式)** 동상이나 기념비 따위를 다 만든 뒤에 완공을 공포하는 의식. 보통 동상이나 기념비를 흰 헝겊으로 씌워 두었다가 연고 있는 사람이 걷어 낸다.

○ **신봉(信奉)** 사상이나 학설, 교리 따위를 옳다고 믿고 받듦.

○ **보필(輔弼)** 윗사람의 일을 도움. 또는 그런 사람.

○ **소임(所任)** 맡은 바 직책이나 임무.

○ **기연(機緣)** 어떤 기회를 통하여 맺어진 인연. 부처님의 교화를 받을 만한 인연의 기틀. 기는 중생의 근기, 연은 부처님의 교화를 받을 만한 연줄로 중생에게 선근(善根)의 기틀이 있어서 스승을 만나게 되고 종교에 귀의하게 될 인연이 있음을 의미한다. 기연은 지극한 서원과 숙겁의 인연이 있어야 이루어지게 된다.

○ **오호(嗚呼)** 슬플 때나 탄식할 때 내는 소리.

○ **제생의세(濟生醫世)** 일체생령을 도탄으로부터 건지고 병든 세상을 치료한다

는 뜻. 곧 이 세상은 질병·기아·무지·폭력·인권유린 등으로 병들어 있으며, 병든 세상에서 인간이 온갖 고통을 받고 있으므로 세상의 병을 다스리고 인간을 고통에서 벗어나게 하는데 성의를 다하자는 것. 성불제중과 같은 의미로 쓰이나 제생의세는 '제중'에 더 비중을 둔 개념으로 세상의 병맥을 진단하고 치료하는 데 적극적으로 참여할 것을 촉구하는 개념이다.

○ **신의(信義)** 믿음과 의리를 아울러 이르는 말.

○ **고금(古今)** 예전과 지금을 아울러 이르는 말.

○ **경륜(經綸)** 일정한 포부를 가지고 일을 조직적으로 계획함. 또는 그 계획이나 포부.

○ **시국(時局)** 현재 당면한 국내 및 국제 정세나 대세.

○ **만난(萬難)** 온갖 어려움.

○ **흉흉(洶洶)** 분위기가 술렁술렁하여 매우 어수선함.

○ **세도인심(世道人心)** 세상을 살아가는 데에 지켜야 할 도의와 사람의 마음. 한 시대의 사회현상과 그 시대를 풍미(風靡)하는 사람들의 마음 상태.

○ **대자대비(大慈大悲)** 한없이 크고 넓은 부처님의 자비. 한없이 크고 끝없이 넓어서 끝이 없는 불보살의 자비. 대원정각을 한 불보살이 중생을 아끼고 사랑하는 마음.

○ **명월(明月)** 밝은 달. 음력 팔월 보름날 밤의 달.

○ **영부(靈父)** 정신적 부친. 사람은 누구나 육신을 낳아 길러준 부모가 있으며, 정신적으로 의지하며 믿고 따르는 스승이 있다. 그러한 스승을 육신의 부모와 같이 섬기고 받들겠다는 마음을 표현한 말로 영부라는 말을 사용하기도 한다.

○ **법모(法母)** 부처님의 가르침을 베풀고 행함이 어머니와 같이 자애로움이 깊은 사람. 원불교에서는 소태산 대종사의 뒤를 이어 후계 종법사에 오른 정산 종사를 법모라고 칭한다

○ **광대무량(廣大無量)** 계량할 수 없을 만큼 한없이 넓고 크다는 의미이다.

○ **명(銘)** 금석(金石), 기물(器物), 비석 따위에 남의 공적을 찬양하는 내용이나 사물의 내력을 새김. 또는 그런 문구. 흔히 한문 문체 형식으로 하는데, 대개 운(韻)을 넣어 넉 자가 한 짝이 되어 구(句)를 이루게 한다.

㊶ 정산 종사 십상

대산 종사, '정산 종사의 10상'에 대해 말씀하시기를 "첫째는 하늘을 우러러 기원하신 앙천기원상(仰天祈願相)이요, 둘째는 스승을 찾아 뜻을 이루신 심사해원상(尋師解願相)이요, 셋째는 중앙으로서 법을 이으신 중앙계법상(中央繼法相)이요, 넷째는 봉래산에서 교법 제정을 도우신 봉래조법상(蓬萊助法相)이요, 다섯째는 초기 교단의 교화 인연을 맺어주신 초도교화상(初度敎化相)이요, 여섯째는 개벽 시대 주세불의 법을 이으신 개벽계성상(開闢繼聖相)이요, 일곱째는 전란 중에도 교단을 이끄시며 교화를 쉬지 않으신 전란불휴상(戰亂不休相)이요, 여덟째는 교서를 정비하신 교서정비상(敎書整備相)이요, 아홉째는 큰 병환 중에도 자비로 제중하신 치병제중상(治病濟衆相)이요, 열째는 임인년에 열반하신 임인열반상(壬寅涅槃相)이니라." 〈신심편 41장〉

| 출처 |

鼎山宗師 十相(草)

1. 앙천기원상(仰天祈願相)

큰 뜻을 품으시고 가야산(伽倻産)으로 출발하실 즈음에 한시를 읊으시니

해붕천리 고상우(海鵬千里翺翔羽)

농학십년 칩울신(籠鶴十年蟄鬱身)

지기훈몽 운만리(地氣薰濛雲萬里)

천심통철 월중간(天心洞徹月中間)

이 글을 집안 대유가(大儒家)인 송공산(宋公山) 선생이 보고 이 아이는 장차 자라서 만인을 건질 대도인이 될 것이라고 예증(例證)하였다.

2. 심사해원상(尋師解願相)

가야산(伽倻山)에서 뜻을 이루지 못하시고 전라도로 행하셔서 문득 대원사(大願寺)에 이르시어 진묵 대사(震默大師)와 증산 천사(甑山天師) 등 전성(前聖)들의 법연(法緣)을 갖던 중 우연히 화해리(花海里) 해운(海運) 여노인(女老人)의 알선(斡旋)으로 수 삼 개월을 지내다가 대종사님의 직접 찾아주시는 대은(大恩)으로 사제제우(師弟際遇)하시었다.

3. 중앙계법상(中央繼法相)

대종사께서 숙겁(宿劫)의 법연(法緣)을 맞이하기 위하여 삼 년을 기다리시며 중앙(中央)을 비워놨다가 앉히시고 아심여심(我心汝心) 여심아심(汝心我心)이며 이젠 우리 회상의 일은 끝났다고 하시고 만대정법(萬代正法)을 의논하시었다.

4. 봉래조법상(蓬萊助法相)

월명암(月明庵)에서 석두암[石頭庵=蓬萊精舍]을 왕래하시면서 제법(制法)하시는 대종사님을 도와드리는 상수(上首) 역할을 다하시었다.

5. 초도교화상(初度敎化相)

익산 총부를 건설(建設)하기 전에 만덕산(萬德山)에 보내주신 대종사님의 성지(聖志)를 대행(代行)하시어 교단교화(敎團敎化) 만대의 초선지(初禪地)를 정(定)하시었다.

6. 개벽계성상(開闢繼聖相)

법위(法位)에 오르셔서 대종사님을 새 세상의 주세불(主世佛)로 높이 받들며 불불계세(佛佛繼世) 성성상전(聖聖相傳) 심심상련(心心相連) 법법상법(法法

相法)의 대임(大任)을 맡으시어 한 게(偈)를 읊으시니 유위위무위(有爲爲無爲) 무상상고전(無相相固全) 망아진아현(忘我眞我現) 위공반자성(爲公反自成)이었다.

7. 전란불휴상(戰亂不休相)

8·15 광복 후 나라의 혼란 중에도 건국론(建國論)을 제시하시어 민족의 나아갈 길을 밝혀주셨고, 6·25의 전란(戰亂) 속에서도 재가출가 전 교도의 희생자가 없이 무사히 회상을 이끌어 나오셨다.

8. 교서정비상(教書整備相)

회상 성업(聖業)을 계승(繼承)하시는 가운데 7대교서(七大教書) 중『대종경(大宗經)』과 6대교서(六大教書) 전반(全般)을 친감(親鑑)하시며 교단 만대의 전 교서를 정비하시고 교단 3대사업인 교화(教化)·교육(教育)·자선(慈善) 기관을 설립하시는 동시에 그 기초를 확립시켜 주시었다.

9. 치병제중상(治病濟衆相)

구년 대병(九年大病)의 내우외환(內憂外患)을 겪으시면서도 대종사님의 일원대도를 시방세계에 전하시려는 원력은 더욱 크시고 그 정성과 적공(積功)은 주소일념(晝宵一念)뿐이시라 마음 한번 가라앉고 이마 한번 찡그리신 바 없으시어 그 성자(聖姿)와 그 성심(聖心)의 거룩하심에 만인이 흠앙(欽仰)하였다.

10. 임인열반상(壬寅涅槃相)(원기47년 1월 24일)

열반하시기 직전에 게송(偈頌)을 전해주시니 한 울안 한 이치에 한 집안 한 권속이 한 일터 한 일꾼으로 일원세계(一圓世界) 건설하자는 인류의 대윤리를 제창하시었다. 〈대산 종사 생전에 작성한 법문 초안〉

| 배경 및 상황 |

정산 종사 십상은 대산 종사가 생전 종법사위에 계실 때 십상의 대체를 정하고 그 대의를 초안하였다. 대산 종사는 수십 년에 걸쳐 초(草)를 잡아 연마하고 다듬었다. 대산종사탄생100주년 기념성업으로 원기99년(2014)에 『대산종사법어』를 발간하기로 하고 편수할 때 십상의 대체와 대의를 확정하고 윤문하였다.

| 용어 풀이 |

○ **정산종사 십상(鼎山宗師十相)** 대산 종사가 생전에 정산 종사의 생애를 편년체의 기술(記述)에 따라 일생 행적과 활동 및 업적과 경륜을 열 가지로 나누어 설명하였다. ① 앙천기원상(仰天祈願相)이요, ② 심사해원상(尋師解願相)이요, ③ 중앙계법상(中央繼法相)이요, ④ 봉래조법상(蓬萊助法相)이요, ⑤ 초도교화상(初度敎化相)이요, ⑥ 개벽계성상(開闢繼聖相)이요, ⑦ 전란불휴상(戰亂不休相)이요, ⑧ 교서정비상(敎書整備相)이요, ⑨ 치병제중상(治病濟衆相)이요, ⑩ 임인열반상(壬寅涅槃相)이니라.

㊷ 큰 스승과 큰 회상을 만났을 때 성불제중으로 보은하자

대산 종사 말씀하시기를 "대종사께서는 '내가 이 법으로 회상을 펴기 위하여 수만 겁을 내왕했으나 이 회상처럼 만날 수 있는 동지를 다 만난 때는 없었다.' 하셨고, 정산 종사께서는 '만 생령이 다 구원받을 수 있는 일원 대도는 아무리 오랜 세월이 흘러도 만나기 어렵다.'라고 하셨나니, 이처럼 큰 스승과 큰 회상을 만났을 때 우리 모두 성불 제중하는 큰 보은자들이 되어야 할 것이니라." 〈신심편 42장〉

| 출처 |

삼동원(三同院)에서

우리 선 종법사님께서 하신 법문이 있는데 "일원은 대도라 역겁난우(歷劫難遇)로다." 일원은 만 생령이 다 구원을 받을 수 있는 큰 길이라 겁을 지내도 만나기 어렵다는 말씀을 하셨다.

일원은 대도라, 한 나라 한 종단만 구제받고 제도 받는 것이 아니다. 전 생령 12류, 구류중생 전 세계 전 종단을 다 지도할 수 있는 것이기 때문에 일원은 큰길이다.

그러므로 겁을 지내도 만나기 어렵다고 하셨다. 그리고 대종사님께서는 "내가 이 법으로 회상을 펴기 위해서 수만 겁을 내왕했지만, 이 회상 같이 내가 만날 수 있는 동지를 다 만난 때는 없었나니라." 하셨고, "백 년 안에 만난 동지는 나하고 수 삼천 년을 같이 내왕하면서 인연을 맺은 동지가 되기 때문에 내가 책임도 무겁고 기쁘기도 하다."고 하셨는데 그 백 년이라고 할 것 같으면 앞으로 9년쯤 남았다. 과거 성현[4대성인]은 봄, 여름, 가을, 겨울을 지낸 말세의 끝머리 성현들이 되기 때문에 그 어른들이 공도 많고 애도 많이 쓰셨다.

그러나 지금은 천지가 개벽되어 새로 태어나는 회상이 되기 때문에 그 수[인류]가 무궁하며 과거보다 훨씬 빨리 세계적으로 드러나게 될 것이다.

〈『대산종사수필법문집』 2. pp.282~283. 원기67년 1월 1일〉

| 배경 및 상황 |

원기67년(1982) 1월 1일 신년법문은 '병든 사회 치료는 원불교인의 근본 사명'이라고 하였다. 대종사님이 병맥의 근원 여섯 가지로 진단하고 그 병증을 치료하기 위해 처방을 내렸다. '사요'와 '병든 사회의 치료법'으로 근본 치료를 해야 한다고 하였다.

신년법문은 공식적으로 대내외적인 법문이다. 대산 종사는 새해가 되면 대중에게 세배받고 덕담을 내리신다. 이 법문도 신도안 삼동원에서 "대종사님은 내가 이 법을 펴기 위하여 수만 겁을 내왕했지만, 이 회상처럼 만날 수 있는 동지를 다 만난 때는 없었다."라고 하였고 "백 년 안에 만난 동지는 이루 말할 수 없이 기쁘다."라고 하였다. 정산 종사는 "일원은 대도라 역겁난우로다."라고 하였다.

우리는 이처럼 큰 스승과 큰 회상을 만났을 때 성불제중하는 보은자가 되어야 한다고 강조하였다.

| 용어 풀이 |

○ **겁(劫)** 산스크리트 칼파(kalpa)에 해당하는 음사(音寫)로 겁파(劫波), 갈랍파(羯臘波)라고도 한다. 고대 인도에 있어서 가장 긴 시간을 나타내는 단위이다. 분별시분(分別時分), 분별시절(分別時節), 장시(長時), 대시(大時)라 번역한다. 불교에서는 보통 연월일시로써는 헤아릴 수 없는 아득한 시간을 의미한다. 우주론적 시간에서 범천(神, Brahm)의 하루(1,000yuga)에 해당하며 '영겁(永劫)', '아승기겁(阿僧祇劫)', '조재영겁(兆載永劫)' 등 광원(曠遠)한 시간을 표시하는 데 쓰인다. 조재겁 아승기 등은 수의 단위이다.

○ **역겁난우(歷劫難遇)** ① 아무리 오랜 세월을 지내고서도 만나기가 매우 어렵다는 말. ② 불법 만나기가 어렵다는 의미. ③ 원불교적으로는 소태산 대종사를 만나거나 원불교 교법을 만나기가 어렵다고 말할 때 자주 쓰는 말이다.

○ **생령(生靈)** ① 영식(靈識)이 있는 모든 생명체. 살아 있는 일체의 생명. 살아 있는 생명체의 영혼. 살아 있는 넋이라는 뜻으로, '생명'을 이르는 말이나 생명보다 더 넓은 의미이다. ② 국민·백성·민생을 의미하기도 한다.

○ **구류중생(九類衆生)** 과거 생에 지은 선악의 행위에 따라 금생에 몸을 받을 때 아홉 가지의 형태로 태어나게 되는 중생의 모습. 구류생(九類生) 또는 구류지생(九類地生)이라고도 하며, 『금강경』에 나오는 말이다. ① 태로 태어난 태생(胎生).

② 알로 태어난 난생(卵生). ③ 습한 곳에서 태어난 습생(濕生). ④ 변화하거나 스스로 업력에 의하여 갑자기 화성(化成)하는 화생(化生). ⑤ 빛이 있어 태어난 유색(有色). ⑥ 빛이 없이 태어난 무색(無色). ⑦ 생각이 있어 태어난 유상(有想). ⑧ 생각이 없이 태어난 무상(無想). ⑨ 생각이 있지도 없지도 않게 태어난 비유상비무상(非有想非無想)을 말한다.

㊸ 오철환의 신성

대산 종사 말씀하시기를 "오철환은 일생 동안 법을 위해서는 몸을 잊고 공을 위해서는 사를 놓은 장한 분이라. 보통 사람은 처음에는 잘하다가도 좀 크면 자기 일을 앞세워 시키는 일을 뒤로 미루기 쉬우나, 그는 내가 오랫동안 많은 일을 시켰어도 자기 일을 핑계로 교단 일을 뒤로 미룬 적이 없었나니, 그러한 신성이 있어야 교단 일도 개인 일도 다 같이 성공을 보게 되느니라." 〈신심편 43장〉

| 출처 |

산책하시며 말씀하시기를

희산(喜山) 오철환(吳喆煥) 법사 같은 분 장하고 귀하다. 내가 오랫동안 지도해 왔으나 자기 일 먼저 하고 내가 시키는 일 뒤에 하는 일 없었다. 그러므로 공사가 모두 잘 되어 가더라. 대개 처음에는 그렇게 하다 좀 크고 커지면 내가 시켜도 토를 달고 자기 일 먼저하고 시키는 일은 뒤에 하려고 한다. 이 교단이 한량이 없이 커지나 이 교단과 같이 크려고 아니하니 걱정이다. 이 회상이 어떤 회상인지를 모르니 자기가 보는 짧은 눈으로 판단해서 그렇게들 하니 내가 더 이상 어떻게 말해 주겠느냐. 판단해서 그렇게들 하여 크다가 마니 마음이

아플 뿐이니라. 〈『대산종사수필법문집』 1. p.1862. 원기63년 1월 12일〉

| 배경 및 상황 |

대산 종사는 원기63년(1978) 1월 11일 이산 박정훈 교화부장에게 "2대말까지 구체적인 훈련 계획을 작성해서 교리 훈련을 하라."고 일곱 가지 방침을 내린다. (1) 각 교구에서 교리학교를 설치하여 7대교서를 순서 있게 훈련하고 (2) 재가교역자를 양성하고 (3) 교도회장이나 주무들, 발령받기 전에 소정의 훈련을 하고 (4) 법위사정에 훈련 과정 여부를 참작하고 (5) 감각감상을 법위사정에 참고하고 (6) 정기 상시훈련 훈련과목으로 삼학에 바탕하고 (7) 청소년과 어린이훈련에 비중을 두도록 하라.

대산 종사는 다음 날 산책하시며 시자에게 "2대말까지 철저한 훈련 계획을 수립하고 청소년훈련을 실시하고 새 마음 새마을운동을 추진하되 국가와 국민, 세계와 인류가 새 마음 새마을이 되도록 하고 우리 교단을 발전토록 하자. 어느 사업가 몇 사람과 국가의 힘으로 발전하려는 것은 온당치 않다."라며 이어서 말씀하시기를 "희산 오철환 종사는 내가 오랫동안 지도했으나 자기 일 먼저하고 교단 일을 아니 하였다. 또한 나의 말에 토를 달지 않았다."라고 하였다.

대산 종사가 희산 종사는 "법을 위해 몸을 잊고 공을 위해서 사를 놓은 장한 분"이라고 하였다. 희산 오철환은 신성으로 교단 일도 개인 일도 다 성공하여 남자 재가교도로서 원기62년(1977) 대호법 1호로 서훈하였고, 원기73년(1988) 출가위 종사 1호로 추서 받는 업적을 쌓았다.

| 용어 풀이 |

○ **오철환(吳喆煥, 1912~1986)** 본명 판규(判奎), 법호 희산(喜山). 전북 임실군 신안마을에서 부친 오성조와 모친 홍영명화의 5남매 중 막내로 출생하였다. 원기

38년(1953) 군산교당에서 입교. 한약업을 경영하여 상당한 성공을 거두었다. 군산교당의 발전과 교화사업회의 창설·발전에 크게 공헌하였다. 여러 개의 초창 교당 창설에 크게 후원하였다. 남자 재가교도로서 종사 1호[원기73년 추서]·대호법 1호[원기62년 서훈]의 업적을 쌓았다.

44 우리 회상관과 대종사관 확립

대산 종사 말씀하시기를 "우리 회상과 대종사에 대해 확실히 알지 못하면 큰일을 당할 때마다 마음이 흔들리기 쉬우니라. 한국전쟁 당시 인민군들이 중앙총부에 들어오자 많은 사람이 당황하여 어찌할 줄 몰랐으나, 나는 대종사와 이 회상에 대한 믿음이 있었기에 매일 정산 종사를 모시고 여유롭게 경전 공부를 할 수 있었나니, 대종사와 이 회상을 참으로 알게 되면 어떤 난리가 나고 어떤 경계가 온다 하더라도 절대 흔들림이 없느니라." 〈신심편 44장〉

| 출처 |

우리 회상 또는 대종사님에 대하여 확실히 모르면 주체가 확립되지 못하여 큰일을 당하면 흔들린다. 불퇴전의 신근(信根)을 박기 어렵다. 우리 회상을 아는 데에는 최수운 대신사와 강증산 선생의 말씀들을 연구해 보아야 한다. 박종홍 박사도 한국의 철학대계를 저술할 때나 광주에서 사상 강연회를 가졌을 때 한말 3대 사상가로 수운 대신사와 증산 선생과 대종사님을 연결하여 말하고 저술한다고 했다. 그러니 세 분을 연결하여 보아라.

6·25 때 인민군이 총부를 점령하였을 때 많은 사람이 당황하여 어쩔 줄 몰라 했으나 나는 선종사님을 모시고 대종사님과 이 회상에 대해서 아는 바 있으므

로 조금도 염려됨이 없이 『교전』 공부와 『대순전경』 공부를 매일 여유 있게 했었다. 그랬더니 몇몇 분들이 어떻게 그렇게 편안할 수 있느냐고들 물어보며 따르더라. 우리가 대종사님과 이 회상을 참으로 알진 대 어떤 난리가 오고 어떤 경계가 오더라도 동요란 있을 수 없는 것이다.

〈『대산종사수필법문집』 1. p.1862. 원기63년 1월 12일〉

| 배경 및 상황 |

대산 종사는 "우리 회상의 대종사님을 확실히 모르고 주체가 확립 안 되는 자가 많다. 그러면 시류에 당황하여 흔들린다. 6·25 한국전쟁 때도 인민군이 총부를 점령하였을 때 구내 대중들은 당황하였으나 정산 종사님이 대종사님의 경륜에 중심을 잡고 조금도 동요치 않았다. 총부 구내 대중들은 『교전』을 공부하고 나는 『대순전경』 공부를 하고 여유 있게 지냈다. 앞으로 우리 회상에 어떠한 경계가 오더라도 동요하지 말자."라고 하였다.

| 용어 풀이 |

○ **박종홍(朴鍾鴻, 1903~1976)** 호는 열암(洌巖)이며 평양 출생이다. 박종홍은 보통학교 교사를 시작으로 초등교육에서 대학교육에 이르기까지 두루 교편을 잡으며 후진양성과 활발한 학술 활동을 한 철학자이다. 1937년 이화여자전문학교를 시작으로 대학 강단에서 철학을 강의하며 서울대학교에서 정년 퇴임했다. 일제 강점기에 독일 철학의 관념론 연구에서 출발하여 해방 후에 실존철학, 분석철학, 한국철학 등의 분야 연구에서 선구적 성과를 보였고, 〈국민교육헌장〉의 기초위원으로 참여하여 유신체제를 이념적으로 정당화하는 데도 기여했다. 학계와 교육계에 이바지한 공로를 인정받아 학술원상, 대한민국문화훈장 대통령장, 3·1문화상 등을 수상했고 사후 국민훈장 무궁화장이 추서되었다.

○ **최수운(崔水雲, 1824~1864)** 본명은 최제우(崔濟愚). 수운은 1824년 10월

28일 경북 경주에서 부친 최옥[鋈, 號 近庵]과 모친 한(韓) 씨와의 사이에서 만득자(晩得子)로서 출생했다. 동학의 창시자. 본관은 경주. 초명은 제선(濟宣)·복술(福述), 자는 성묵(性), 호는 수운(水雲)·수운재(水雲齋)이다. 제우(濟愚)라는 이름은 어리석은 세상 사람을 구제하겠다는 결심을 다짐하기 위해 스스로 고친 이름이라고 한다.

○ **강증산(姜甑山, 1871~1909)** 본명은 일순(一淳). 1871년 (음)9월 19일 전북 정읍군 고부에서 아버지 흥주(興周)와 어머니 권씨 사이에서 2남 1녀 중 장남으로 태어났다. 증산교(甑山敎)의 창시자. 본관은 진주. 자는 사옥(士玉), 호는 증산(甑山)·대순(大巡)이다. 증산교에서는 옥황상제요 미륵불로서 신앙의 대상이다.

○ **대순전경(大巡典經)** 〈신심편 24장〉 용어 풀이 참조.

㊺ 배경이 많은 여래라야 큰일을 한다

대산 종사 말씀하시기를 "많은 불보살을 배경으로 둔 여래라야 큰일을 할 수 있고, 두루 통하는 회상이라야 성인들이 모이느니라. 그러므로 대종사께서는 대각과 동시에 천 여래 만 보살이 배출되게 하셨고, 사통오달의 회상을 열어 모든 성인이 법계의 인증을 받고 제도 사업을 펼칠 수 있도록 하셨느니라." 〈신심편 45장〉

| 출처 |

배경이 많은 여래라야 큰일 한다. 상하좌우 전후로 배경이 있어야 하고 통해야 한다.

대성무음(大聖無音) 대광무명(大光無明) 중성공락(衆聖共樂).

세계의 모든 성인이 이곳 원불교에 와서 법인을 찍고 받아 가야 세탁하는데 역량껏 할 수 있을 것이다. 진리와 도덕과 인을 맡기기에 앞서 일체를 다 빼앗는다. 대종사님의 위대하심은 천여래 만보살이 배경하였기 때문이다. 대종사님은 과거의 성현들과 달리 대각과 동시에 대각의 문을 활짝 열어 놓으셨다. 이것이 그 배경이니라. 〈『대산종사수필법문집』 1. p.264. 원기52년 11월 24일〉

| 배경 및 상황 |

대산 종사는 "배경이 많은 여래라야 큰일을 한다. 배경이란 앞에 드러나지 아니한 채 뒤에서 돌보아 주는 힘으로 많은 불보살이 상하좌우 전후로 합력하여 사업 성취와 공부 성적을 달성하도록 호응해준다. 산도 주봉이 있으면 여러 봉이 첩첩이 둘러싸야 명산이다. 산도 배경이 좋아야 하듯 사람도[앞만 민둥한 것보다] 접 사람이어야 하고, 공부도 숨은 실력[저력]이 있어야 한다.

또한, 대성무음(大聲無音)이라 큰 소리는 들리지 않고 대광무명(大光無明)이 큰 빛은 보이지 않고 중성공락(衆聖共樂)이라 중생과 성인이 함께 즐긴다."라고 했다.

그리고 "대종사님이 성중성인(聖中聖人)으로 위대하신 점이 천여래 만보살의 배경이다. 세계의 모든 성인이 이곳 원불교에 와서 법인(法認)을 찍고 받아 가야 세탁[중생을 제도 또는 교화]하는데 역량껏 할 수 있을 것이다. 진리와 도덕과 인을 맡기기에 앞서 일체를 다 빼앗는다."라고 했다.

| 용어 풀이 |

○ **불보살(佛菩薩)** 부처와 보살을 아울러 이르는 말. 부처 또는 보살과 같은 인격자를 부르는 말. 천여래 만보살과 비슷한 의미. 진리를 깨쳐 생사고락과 선악 인과에 해탈을 얻어 자신을 제도하고, 나아가 일체중생을 구제하는 성인을 통칭하는 말이다.

○ **배경(背景)** 앞에 드러나지 아니한 채 뒤에서 돌보아 주는 힘.

○ **여래(如來)** 석가모니의 십호(十號) 가운데 하나. 진리로부터 진리를 따라서 온 사람이라는 뜻으로 '부처'를 달리 이르는 말이다. 원불교 대각여래위의 준말. 석가모니의 공덕상(功德相)을 일컫는 십호는 여래(如來)·응공(應供)·정편지(正遍知)·명행족(明行足)·선서(善逝)·세간해(世間解)·무상사(無上師)·조어장부(調御丈夫)·천인사(天人師)·불세존(佛世尊)이다. 여래는 산스크리트 '타타가타(tathāgata)'를 의역(意譯)한 것으로서 음역(音譯)하여 다타아가타(多陀阿伽陀)·다타아가도(多陀阿伽度)·달타벽다(怛他蘗多)라고도 한다.

○ **사통오달(四通五達)** ① 길이나 교통망 통신망 등이 사방으로 막힘 없이 통함. 교통이 편리한 곳. 사통팔달이라고도 한다. ② 사람의 능력이나 지혜가 커서 어떠한 일도 못 하는 일이 없고, 모르는 일도 없다는 말. ③ 참된 진리는 어느 것에도 막히고 걸림 없이 두루 통한다는 말. 궁극적 진리를 밝힌 일원상의 진리는 가장 근본적이고 큰 진리라 이 세상의 어떠한 진리와도 서로 막히거나 걸림이 없이 두루 통한다는 말. 정산 종사는 "천하를 구제할 큰 법은 유형한 지역의 한계와 무형한 마음의 한계가 함께 툭 트이어 사통오달이 되어야 한다."라고[『정산종사법어』 도운편 29] 했다.

○ **법계(法界)** 산스크리트 다르마다뚜(dharma-dhātu)를 번역한 용어. ① 현상세계의 근본이 되는 형상이 없는 진리의 세계. 본체계 또는 허공법계라고도 한다. 나무의 가지와 잎을 현상계라고 한다면 뿌리를 본체계라고 할 수 있다. 형상 있는 현상세계는 형상 없는 법계에 근원하여 존재하게 된다. ② 일체의 존재를 육근(六根)·육경(六境)·육식(六識)으로 나누었을 때, 의식의 대상이 되는 것 모두를 법계라 한다. 따라서 일체 법을 의미한다. 이 경우에는 현상세계로서의 법계와 진리 세계로서의 진여·법성(法性)의 두 가지 의미가 있다. 법은 본래 인간의 행위를 보존한다는 뜻을 지닌 말이나 불교에서는 모든 사물의 근원을 뜻한다. 특히 대승불교에서는 종교적인 본원을 의미하며, 여기에 경계라는 의미의 '계'를 붙여 진리의 세계를 상징한다. 그래서 법계는 진여(眞如)와 동의어로 쓰이기도 한다. 진리 자체로

서의 부처, 곧 법신불을 뜻하기도 하며, 화엄교학(華嚴敎學)에서는 있는 그대로의 현실 세계를 뜻하기도 한다.

○ **법계인증(法界認證)** 원기4년(1919) 8월 21일에 소태산 대종사와 아홉 제자가 하늘에 사무친 기도 정성으로 법계로부터 인증받은 것. 법계는 형상이 없는 허공법계를 의미하며, 인증이란 백지혈인의 이적을 말한다. 원불교 4대 경절 중의 하나인 법인절(法認節)을 통해 법계인증을 기념하는데, 법인이란 법계인증을 뜻한다.

○ **제도사업(濟度事業)** 중생을 제도하는 일. 제도란 고해에서 헤매는 중생을 해탈성불의 길로 인도하여 열반을 얻도록 하는 것을 말한다.

㊻ 회상 만대의 일은 이제 끝났다

대산 종사 말씀하시기를 "지금 세상은 진급기에 있으므로 밝아지고 좋아지기는 할지언정 더 나빠지지는 않을 것이니, 우리 회상도 성쇠의 변화는 있을 수 있으나 크게 걱정할 일은 없으리라. 대종사께서 주세 성자로 이 땅에 오시어 회상을 펴시고 정산 종사를 찾으신 뒤 '회상 만대의 일은 이제 끝났다.'라고 하신 말씀은, 스승의 뜻을 오롯이 받들 수 있는 한 제자만 있어도 이 회상은 만대에 걱정이 없다는 말씀이니라. 그러므로 우리는 스승의 뜻을 오롯이 받드는 그 한 제자가 되어 혈심과 법통이 끊어지지 않도록 정성을 다해야 하느니라." 〈신심편 46장〉

| 출처 |

옥상인우(屋上引牛)

도가에서 도가의 법통을 잇고 큰 인물로 크려면 신성(信誠)의 대의가 서야 하는데 대종사님과 선 종법사께서 신성의 만고적 심법을 옥상견우(屋上牽牛) 즉 스승이 제자에게 소를 끌고 지붕으로 천번 만번 올라가라 하더라도 추호의 의심이 없이 끌고 올라가야 한다고 표준 잡아 말씀해 주었다. 그러니 그런 인물을 기르는데 정성을 다하고 근기 있는 후진들을 이 심법이 확고히 서도록 지도하라.

대종사께서 교단과 국가와 세계가 한 기운 한 몫이라 하시었다. 국가에 86아시아게임, 88올림픽대회 행사가 성공적으로 이루어질 때 국운이 크게 달라질 것이다. 그러나 지금 정치적으로 불안하고 한 치 앞을 내다볼 수 없는 혼미 속에 빠져 있다. 이런 국난에 처해서 우리는 나라와 세계의 앞날을 바로 잡아 주고 키우는 책임과 의무를 지고 수도에 정진해야 할 것이다.

이 세계는 진급기라 열리고 밝아지며 좋아는 질지언정 절대로 나빠지지는 아니한다. 그러니 대종사님의 경륜을 받드는 우리는 큰 책임을 지고 나가야 할 것이다.

이 회상도 한때 성하고 쇠하고 그런 일은 있을 것이다. 너희들은 그런 데 관계하지 말라. 오직 그 스승에 그 제자가 있느냐 없느냐 하는 것만이 문제이다. 대종사께서 주세성자로 이 세상에 오시어 회상을 펴실 때 선 종법사님을 찾으신 후 이 회상의 만대의 일은 이제 끝났다고 하시었으니 그 한 제자만 있어도 이 회상은 만대에 걱정이 없다는 크나큰 가르치심이니 이 점 마음에 새겨 혈통과 법통이 그치지 않게 하라.

〈『대산종사수필법문집』 2. p.876. 원기71년 9월 18일〉

| 배경 및 상황 |

법문의 배경은 '옥상인우(屋上引牛)'라는 예화이다. 대종사와 정산 종사도 이 예화를 자주 인용하여 법문하였고 대산 종사도 이 예화를 들어 맛깔나게 법문을 하였다.

서로 친한 친구 둘이 있었다. 두 친구는 앞으로 난리가 날 것을 알았다. 난리가 나면 우리 가정을 어떻게 피난시킬 것인가를 서로 의논하였다. 그중 한 친구는 '난리가 나면 어떻게 피난할 것인가는 내 가족들이 하는 걸 봐라.'라고 말하였다. 그 친구는 부인 보고 '다정한 친구가 왔으니 당신이 술상을 차리고 노래도 하고 춤도 추고 환영도 좀 하시오.'라고 하였다. 그 부인은 두 분이 생사를 같이할 친구라서 술도 권하고 못 추는 노인이 춤을 추고 야단이었다. 또한, 아들에게 '내 아주 절친한 친구가 왔으니 네가 소를 지붕으로 올려라.'라고 하니까 아들이 사다리를 놓고 몇 번 실패한 후 육중한 소를 지붕으로 올렸다.

그다음에는 다른 친구 집에 가서 마누라를 불러서 '내가 생사를 같이할 친구니, 술이 없으면 물이라도 갖다 놓고 춤도 추라'고 하였다. 부인은 '허! 이 영감이 미쳤는가 보다. 노망한 소리 말라'고 딱 거절했다. 그때 그의 아들이 왔다. 아들은 '내가 절친하여 생사를 같이할 친구이니 네가 이 소를 지붕에다 매라.'라고 하였다. '아버지, 그 뭔 노망할 말을 하지 말라'고 하며 나갔다.

대산 종사는 "도가에서 도가의 법통을 잇고 큰 인물로 크려면 신성(信誠)의 대의가 서야 하는데 대종사님과 선 종법사께서 신성의 만고적 심법을 옥상견우(屋上牽牛) 즉 스승이 제자에게 소를 끌고 지붕으로 천번 만번 올라가라 하더라도 추호의 의심이 없이 끌고 올라가야 한다."라고 표준 잡아 말씀해 주었다.

이 예화는 생략되고 대산 종사는 "대종사께서 주세 성자로 이 땅에 오시어 회상을 펴시고 정산 종사를 찾으신 뒤 '회상 만대의 일은 이제 끝났다.'라고 하신 말씀은 스승의 뜻을 오롯이 받들 수 있는 한 제자만 있어도 이 회상은 만대에 걱정이 없다는 말씀이니라. 그러므로 우리는 스승의 뜻을 오롯이 받드는 그 한 제자가 되어 혈심과 법통이 끊어지지 않도록 정성을 다해야 하느니라."라고 하였다.

| 용어 풀이 |

○ **진급기(進級期)** 등급·계급·학급이 오르는 때. 법위등급이 오르는 때. 수행을

열심히 하여 중생 세계로부터 불보살 세계로 나가는 때. 우주 대자연의 운행인 성주괴공(成住壞空)과 춘하추동(春夏秋冬)에서 성·주와 춘·하의 시기.

○ **성쇠(盛衰)** 성하고 쇠퇴함.

○ **주세성자(主世聖者)** 세상을 책임지고 일체중생을 교화하는 성자. 주세불(主世佛)과 같은 의미이다. 〈신심편 5장〉 용어 풀이 참조.

○ **혈심(血心)** 진심에서 우러나오는 정성.

○ **옥상인우(屋上引牛)** 지붕 위로 소를 끌어 올린다. 옥상견우(屋上牽牛)와 같은 말이다.

㊼ 만고에 변하지 않을 신심

> 대산 종사 말씀하시기를 "스승이나 회상이 기운을 타고 일어날 때는 신심이 하늘을 찌를 듯하다가도, 그 기운이 가라앉고 약해지면 신심도 함께 변하여 물러서기 쉽나니, 어떠한 경우를 당하더라도 만고에 변하지 않을 신심을 가져야 하느니라." 〈신심편 47장〉

| 출처 |

만고불변의 신심을 가진 사람들이 많지만, 그 신심이 스승이나 회상이 기운 타고 드러날 때는 누구나 다 철저하다. 그러나 내려가고 약하며 아주 유야무야할 때 불변하기가 어렵다. 그러므로 삼세는 모시고 다녀야 한다고 하셨다.

〈『대산종사수필법문집』 1. p.1064. 원기60년 1월 25일〉

| 배경 및 상황 |

이 법문은 출처와 같은 내용이다. 약간의 윤문만 하였다. 만고에 변하지 않을 신심을 가진 사람들이 많지만, 스승과 이 회상의 기운이 일어나거나 반대로 기운이 약하면 신심도 변함을 경계한 법문이다. 어떤 상황에서도 만고에 변하지 않을 신심을 가져야 한다. 신심이 하늘을 찌를 듯하다가 유야무야하면 안 된다. 그러므로 스승과 회상을 삼세는 모시고 다녀야만 신심이 불변한다는 말이다.

| 용어 풀이 |

○ **만고불변(萬古不變)** 아주 오랜 세월 동안 변하지 아니함.

○ **유야무야(有耶無耶)** 있는 듯 없는 듯 흐지부지함.

○ **삼세(三世)** 과거·현재·미래를 통칭하여 부르는 말. 삼제(三際)라고도 한다.

㊽ 죽은 폭 잡고 안 난 폭 잡고 믿어라

대산 종사, 학인들에게 말씀하시기를 "대종사께서 제자들에게 '그대들이 죽은 폭 잡고 안 난 폭 잡고 한번 나를 믿고 따라와 보라. 그러면 영생이 헛되지 않을 것이니라.' 하신 말씀은, 이 회상에 들어온 이상 어설픈 지혜나 사량 계교로 헤아리지 말고 일생뿐 아니라 영생을 귀의하라는 가르침이니, 그대들도 이왕 큰 서원을 세우고 이 교단에 들어왔으니 이를 표준으로 삼고 살아보라." 〈신심편 48장〉

| 출처 |

예비교역자 3학년 학생들에게 내려주신 법문

각자의 지난 이야기, 공부 이야기를 자세히 들으시고 말씀해 주시기를,

"대종사님이 그러셨다. 용타원(龍陀圓) 서대인님이든지 공타원 조전권님에게

'너희들 죽은 폭 잡고 안 난폭 잡고 한번 내던져 봐라. 그러면 너희들 괜찮을 것이다. 이 똥 덩이 같은 것 내 던져야 한다.' 그렇게 사니 공타원님은 잘살고 가셨다. 귀의처, 일생을 귀의하고 영생을 귀의한다. 어설프게 똑똑히 알아서 이놈이 그냥 사량계교가 생겨서 줄 둥 말 둥, 줄 둥 말 둥 그러면 안 된다.
너희들이 기위 여기다 돌렸든지 속았든지 뿌리를 박았으니 한번 내던져 버려라. 잘사나 못사나 한 번 사는 것이니, 주었다 뺏었다, 주었다 뺏었다 하면 그러다 평생을 허망하게 지내게 된다."

〈『대산종사수필법문집』 1. pp.1433~1438. 원기61년 6월 11일〉

| 배경 및 상황 |

원기61년(1976) 6월 11일 하계 방학을 맞이하는 3학년 학인들에게 내린 법문이다. 학인은 예비교역자를 말한다. 요즘은 예비교무라고도 부른다. 여러 명의 학생의 살아온 이야기와 공부담을 들으시고 말씀하셨다.
이 법문은 원고지 43장 분량의 긴 법문이다. 대산 종사는 "대종사님이 용타원 서대인과 공타원 조전권에게 '너희들 죽은 폭 잡고 안 난 폭 잡고 나를 믿고 따라와 보라. 똥 덩이 같은 몸을 던져야 한다. 그렇게 일생과 영생을 귀의하라'" 고 당부하였다.
"너희들도 기위 돌려서[그럴듯한 꾀에 속다] 이 회상에 뿌리를 박았다 하더라도 한번 속은 셈 치고 살아보라"는 말씀이다.
이 법문의 생략된 부분을 보면 대산 종사가 11세 때 최도화 선진이 "부처님은 원하는 것을 다 들어주신다."라고 하여 대산이 "그럼 내가 원하는 것을 다 들어 줄 수 있느냐."라고 물었다. 대산은 이 세상이 서로 싸우지 않았으면 하는 생각에 "만일 싸우는 나라가 있으면 큰 대포를 만들어 싸우지 못하게 쏘아 주겠다."[세계평화가 불여대포일문(不如大砲一門)] 하니 최도화 선진이 "대종사님이 대포를 만드는 분이다."라고 하였다. 이후 대산은 만덕암의 첫 선에 참여하여 대종사님을 만나 훗날 그 기연으로 출가하게 되었다. 최도화 선진에게 속았지만 대산은 서원을 세우게 되었다.
이왕 그대들도 큰 서원을 세우고 이 교단에 들어왔으니 표준 삼고 살아보라는 간절함이 담긴 법문이다.

| 용어 풀이 |

○ **학인(學人)** 〈신심편 14장〉 용어 풀이 참조.
○ **사량계교(思量計較)** ① 생각하여 헤아림과 견주어 살펴봄. ② 대도정법과 바른 스승을 의심하고 저울질하는 것. 〈신심편 14장〉 용어 풀이 참조.

㊾ 회상의 뿌리와 근본을 잃지 말라

대산 종사 말씀하시기를 "일시적으로 공부와 사업이 크게 성취되어 대중의 환영과 신망을 받게 되면 자칫 근본을 잃고 자만하여 일을 그르치기 쉬우니라. 대종사께서는 우리 회상을 열기 위해 수천 년 전부터 적공을 들이셨고, 정산 종사를 비롯한 9인선진들께서도 우리 회상을 발전시키기 위해 혈심 혈성을 다하셨나니, 우리는 항상 회상의 뿌리와 근본을 잃지 말아야 할 것이니라." 〈신심편 49장〉

| 출처 |

근본을 잃지 말라. 현재 또는 오래전부터 자기가 맡은 직장에서 공부와 사업이 많이 성취되어 대중으로부터 환영과 신망을 얻을 때 보통 사람들은 자기가 잘해서 그렇게 되었다고 하여 자기 자만과 자기 능력 수완을 앞세워 아주 교만하기가 쉬운데 이는 근본을 잃었고 또 도가 아니다.

대종사께서 우리 회상을 열기 위해 수천 년 전부터 적공을 들였고 회상 창립 이후 구인 선배님 선 법사님 기타 여러 선배님이 초창부터 혈성의 적공을 들인 그 힘이 오늘에 미쳐 회상이 발전해 나가는 것이니, 개인의 능력과 역량으로 더욱 발전하였지만, 항상 조종(祖宗)과 근본을 잃어서는 안 된다.
지금 우리가 이 회상에 공부 사업 간 적공 들인 것이 또 후대에 미치는 것이다. 이가 바로 회상에 대한 신심이다.

〈『대산종사수필법문집』 1. p.234. 원기52년 5월 7일〉

| 배경 및 상황 |

대산 종사 법문은 공식적인 행사법문이나 여러 대중에게 내린 법문 등 공개적으로 전한 내용도 있지만, 직접 모신 시봉진에게 내린 경우도 있다. 그러다 보니 대개 일상적인 말씀으로 여겨 기록되지 않기도 한다. 그러나 장산 황직평 종사는 대산 종사 시봉 시절 법문을 가장 많이 수필(受筆)하였다.
이 법문도 당시 황직평 교무가 직접 기록하여 후세에 전해지게 되었다. 시자들이 직접 받든 소중한 법문도 일상적으로 흘러 아쉬울 때가 있다. 법문 노트에 기록되지 않았지만, 장산 종사는 대산 종사 법문에 사족을 달지 않았고 첨삭하지도 않았다.
그러기에 여기에 실린 원문도 '근본을 잃지 말라'고 직설적으로 시작한다. 공부와 사업 간에 대중의 환영과 신망을 받게 되면 교만하거나 자칫 근본을 잃고 자만하여 일을 그르치기 쉽다는 말씀이다. 대종사님은 우리 회상을 열기 위해 수천 년부터 적공을 드렸고, 정산 종사와 구인선진들도 혈심 혈성을 다 하였다. 그러니 항상 조종(祖宗)과 근본을 잃어서는 안 된다고 하였다. 투박한 말씀과 구어체로 하신 내용을 그대로 전하고자 하였다.
끝으로 지금 우리가 이 회상에 공부 사업 간 적공 들인 것이 또 후대에 미치는 것이다. 이가 바로 회상에 대한 신심이라고 결론을 맺는다.

| 용어 풀이 |

○ **적공(積功)** ① 오래오래 수행 정진하는 것. 삼학 수행을 병진하여 삼대력을 갖출 때까지 심고·기도·염불·좌선 등으로 심공(心功)을 쌓기 위해 용맹정진하는 것. ② 어떠한 일을 성취하기 위해 많은 공을 들이는 것. 덕을 베풀고 공(功)을 이루어 많은 공적을 쌓는 것을 말한다.

○ **구인선진(九人先進)** 소태산 대종사의 구인제자들을 후진들의 입장에서 볼 때 구인선진[구인선배]이라고 한다.

○ **구인제자(九人弟子)** 소태산 대종사의 첫 표준 제자 아홉 사람. 일산 이재철(一山 李載喆), 이산 이순순(二山 李旬旬), 삼산 김기천(三山 金幾千), 사산 오창건(四山 吳昌建), 오산 박세철(五山 朴世喆), 육산 박동국(六山 朴東局), 칠산 유건(七山 劉巾), 팔산 김광선(八山 金光旋), 정산 송규(鼎山 宋奎) 등이다. 원불교 교단은 이들을 구인선진(九人先進)이라 부르기도 한다.

○ **조종(祖宗)** ① 군주의 시조와 중흥의 조(祖). 현대 이전의 대대(代代)의 군주의 총칭. ② 모든 일의 근본이 되는 자리. 가장 으뜸 되는 가르침이나 원리. 불조(佛祖)의 종지(宗旨).

50 무한동력

대산 종사 말씀하시기를 "불불계세(佛佛繼世) 성성상전(聖聖相傳) 심심상련(心心相連) 법법상법(法法相法)을 일생과 영생의 표준으로 삼아야 하느니라." 〈신심편 50장〉

| 출처 |

훈련 및 무한동력(無限動力)에 대한 법문[원기57년 10월 교역자 강습 시]

우리 보통 사람들은 어두워 모르기 때문에 천지가 아무 일도 아니하고 있는 것 같이 보나 아는 분들은 천지를 볼 때 천지도 정사(政事)를 쉴 사이 없이하고 있는 것을 본다.

일월이 왕래하고 사시(四時)가 순환하는 것이 바로 천지 정사요, 전 인류 전 세계도 보면, 나라 나라마다 정사를 하고 있지만, 성현들도 대대로 정사를 하고 계신다. 그것은 불불계세(佛佛繼世)로 부처님과 부처님이 서로 세상을 이으며 성성상전(聖聖相傳)으로 성인과 성인이 그 밑에서 서로 전하여 주신다. 그래서 우리는 심심상련(心心相連)하고 법법상전(法法相傳)한다. 3천 년 전 납월 8일 그날이 불불계세한 날이요, 병진 (음)3월 26일이 바로 불불계세한 바로 그 날이다.

앞으로 수만 년 수만 대에 성성상전하여 심심상련, 법법상전한다. 그 진리를 알고 보면 우리는 한때도 정성이 쉬고 마음을 방심할 수 없다. 모르기 때문에 정성이 부족하고 쉬는 것이다. 성인의 말씀은 땅에 안 떨어지는지라, 40~50년 전에 하여 주신 그 말씀이 지금 청사진 찍어 나오듯 한다. 아버지가 여러 나라에 다니며 낳은 아들들이 나중에 한곳에 모여 보니 한 아버지의 아들이라는 것을 알게 되었다고 『대종경』에 밝혀 주셨는데 며칠 전 천도교 교령이 우리 회상에 다녀갔다.

불불계세, 성성상전하시는 부처님들께서는 대도를 얻으셔서 무한동력을 일으켜 주셨다. 그 무한동력은 총의 힘으로도 지식의 힘으로도 부귀의 힘으로도 부릴 수 없는 것이며 오직 그 어른들만 부릴 수 있겠는가? 우리가 부려야 하겠고 또 부려야 한다는 것은 다 의심할 것이 없을 터이니 다 대답하여 보라.

〈『대산종사수필법문집』 1. p.653. 원기57년 10월 15일〉

| 배경 및 상황 |

원기57년(1972) 10월 15일 제19회 교역자 강습 해제식 설법에 '마음의 혁명'

이란 제목으로 훈련교재에 실린 공식적인 성문화된 법문이다. 대산 종사가 직접 교역자 강습에서 한 법문이 '훈련 및 무한동력'에 대한 부연법문이다. 이 법문의 핵심이 '불불계세 성성상전 심심상련 법법상법'의 네 가지이다. 부연법문 전에 동산 이병은 법무실장이 훈련법에 대한 법문을 소개하였다.

대개 대산 종사가 법문하기 전 시봉진이 법문을 먼저 소개한다. 그러고 난 다음에 대산 종사가 부연법문을 내린다. 시자의 법문 소개 중에도 대산 종사가 부연할 때가 종종 있다.

이 네 가지 법문은 귀에 박히도록 하여서 단골 메뉴처럼 법문집에 많이 실려있다. 불불계세로 부처님과 부처님이 서로 세상을 이으며 성성상전으로 성인과 성인들이 그 밑에서 서로 전하여 주신다. 그래서 우리는 심심상련하고 법법상전한다. 3천년 전 납월 8일[석가모니불의 대각] 그날이 불불계세한 날이요, 병진(음)3월 26일[대종사의 대각]이 바로 불불계세한 바로 그날이다. 앞으로 수만 년 수만 대에 성성상전하여 심심상련, 법법상전한다. 그 진리를 알고 보면 우리는 한때도 정성이 쉬고 마음을 방심할 수 없다.

이 법문의 원문에는 법법상전이지만 『대산종사법어』 편집 때 법법상법으로 통일하였다. 법과 법을 서로 잇는 것이나 법과 법을 서로 본받는다는 뜻이 같다. 법법상전은 두세 번 등장하고 대부분 법법상법으로 설하고 있다.

대산 종사는 "불불계세, 성성상전하는 부처님들은 대도를 얻어 무한동력을 일으켜 주셨다."라고 하였다.

| 용어 풀이 |

○ **불불계세(佛佛繼世) 성성상전(聖聖相傳)** 부처와 부처가 세상의 제도(濟度) 사업을 이어 행하고 성인과 성인이 구세(救世) 법을 서로 전한다는 뜻. 고해에 헤매는 중생을 제도하기 위해 수많은 부처가 시대에 따라 이 세상에 연이어서 출현하고 뭇 성현들이 서로 법을 전함을 가리켜, 정산 종사가 '소태산대종사성비명(聖

碑銘)'에서 표현한 말이다.

○ **심심상련(心心相連)** 〈신심편 24장〉 용어 풀이 참조.

○ **법법상법(法法相法)** 법과 법이 서로 법한다. 법과 법이 서로 본받는다.

51 스승의 훈증

대산 종사 말씀하시기를 "우리는 천 여래 만 보살을 기르는 재미로 살아야 하느니라. 사람들은 그저 밥을 먹이고 잠을 재우면 불보살이 되는 줄로 아나, 저 어린 불제자들이 크려면 흔적 없이 마음을 건네고 북돋우는 스승의 훈증이 있어야 하나니, 이와 같은 스승의 훈증이 없다면 큰 도인이 되기는 어려우니라."

〈신심편 51장〉

| 출처 |

너는 숨어서 천여래 만보살을 길러내는 데만 노력하라. 나는 그 재미로 살고 즐겁게 웃는다. 모든 사람이 밥 먹이고 잠재우고 하면 불보살이 절로 되는 줄을 알고 있지만 130여 명의 저 어린싹이 힘 타고 크기까지는 숨어서 가꾸고 북돋우고 살피는 힘이 90% 정도 있어야 한다. 저들이 그것을 모른다.

〈『대산종사수필법문집』 1. p.653. 원기59년 3월 11일〉

| 배경 및 상황 |

대산 종사가 "너는 숨어서 천여래 만보살을 길러내는 데만 노력하라."고 한 사람은 장산 황직평 종사다. 숨어서 예비교역자를 길러내는 역할을 하라는 스승님의 하명이었다. 예비교역자 130여 명을 기르는 재미로 살라는 것이다. 어린 불제자들이 그저 크는 것 같지만 스승님들의 훈증으로 자란다. 숨어서 가꾸고 북돋우고 살피는 정성이 훈증이다. 스승의 훈증이 9할 정도가 되어야 큰 도인으로 자란다. 그래서 대산 종사가 호를 장산(藏山)으로 준 것이다. 감출 장, 갈무리할 장으로 나서지 말고 뒤에서 제자를 양성하라는 것이다. 장산이 호를 받기 전에 우연히 대산 종사의 메모지를 보았다. 우산(右山) 황직평이었다. 최종 장산으로 호를 받았다. 비로소 호를 준 뜻을 알았다고 장산 종사 문집 1[나는 지팡이입니다]에 밝히고 있다.

| 용어 풀이 |

○ **불보살(佛菩薩)** 부처와 보살을 합쳐서 부르는 말. 부처 또는 보살과 같은 인격자를 부르는 말. 천여래 만보살과 비슷한 의미. 진리를 깨쳐 생사고락과 선악인과에 해탈을 얻어 자신을 제도하고, 나아가 일체중생을 구제하는 성인을 통칭하는 말이다.

○ **훈증(薰蒸)** ① 어미 닭이 달걀을 품어서 병아리 만들듯이, 스승이 제자를 지성으로 가르치고 단련시켜 가는 것. ② 찌는 듯이 무더운 것.

52 사대 성지

대산 종사, '4대 성지'에 대해 말씀하시기를 "영산 근원 성지는 새 세상의 주세불이신 대종사께서 탄생하시고 대각을 이루신 곳이요, 방언 공사로 영육 쌍전의 터전을 닦고 법인성사로 법계 인증을 얻어 새 회상을 크게 열어 주신 대성지이니라. 또 변산 제법 성지는 대종사께서 일원의 원만한 진리를 바탕으로 하여 삼학 팔조 사은 사요의 교강을 밝혀 주신 대성지이며, 만덕산 초선 성지는 대종사께서 열두 제자와 함께 처음으로 훈련을 나시고 초창 인연들을 만나 총부 건설을 준비하고 계획하신 대성지이니라. 또 익산 전법 성지는 대종사께서 천 여래 만 보살을 모으시고 일원의 심인을 찍도록 해 주신 곳이요, 정기와 상시로 훈련을 실시하시고 교서를 친히 결집하신 곳이며, 주세불의 법력으로 제생의세의 큰 경륜을 펼치시고 계미년에 열반하신 대성지이니라." 〈신심편 52장〉

| 출처 |

사대 성지(四大聖地)

영산 대성지(大聖地)는 새 세상의 주세불인 대종사님의 색신여래(色身如來)와 법신여래(法身如來)가 탄생한 대성지요, 법인성사(法認聖事)로 법계인증(法界認證)을 얻고 방언공사로 영육쌍전의 터전을 닦아 새 회상을 크게 열어 준 만고일월(萬古日月)의 대성지이다.

변산 제법(制法) 성지는 천하의 대도요 만고의 대법인 일원(一圓)의 원만한 진리에 근원하여 세계평화의 원리요 대도인 사은(四恩)의 원만한 신앙과 보은의 법을 밝혀주었고, 세계균등의 원리요 대도인 사요(四要)의 원만한 치국치평법(治國治平法)을 밝혀주었고, 만생령 부활의 원리요 대도인 삼학(三學)의 원만한 수행법을 밝혀준 대성지이다.

만덕산 초선(初禪) 성지는 대종사가 갑자년(甲子年) 봄부터 열두 제자에게 사실적 도덕의 훈련을 첫 시범 보인 초선의 성지요, 영광·성주의 몇몇 제자와 전주·진안·서울·남원 등의 인연 있는 제자를 규합하기 시작한 총부 건설의 주비지(籌備地)인 성지이다.

익산 중앙총부 대성지는 천여래(千如來) 만성현(萬聖賢)을 제우(際遇)하고 집대성(集大成)한 자리로 앞으로 모든 성자가 일원의 심인(心印)을 찍도록 해준 성지요, 갑자년으로부터 백천만 무량갑자(百千萬 無量甲子)에 이르기까지 정기와 상시로 대훈련을 실시하도록 한 대성지요, 본교의 전 교서를 친히 결집한 대결집(大結集)성지요, 주세불(主世佛)의 원만 평등하고 지공무사한 법력으로 제생의세(濟生醫世) 연도수덕(研道修德) 광불도량(廣佛道場)의 대성적(大聖跡)을 나투고 계미년에 대열반에 든 성지이다.

또한 대중이 봉대한 정산 종사가 칠대교서(七大敎書)를 정리하고 원광대학을 비롯하여 각 기관을 설립하여 원불교(圓佛敎)라는 교명을 천하에 반포(頒布)하고 이십여 년간 교화에 전념하다 열반에 든 성지로 불불계세(佛佛繼世) 성성상전(聖聖相傳)의 법통(法統)을 이어준 수만 대의 영천영지(永天永地) 모앙무궁(慕仰無窮)할 대성지이다.

※ 永慕墓園은 一圓祠堂이요 大世界祠堂이니 千佛萬聖과 全先烈·全生靈을 爲한 崇德尊公의 大佛事地로 大佛共의 聖地이다.

• 千佛萬聖의 誕生地는 다 聖地로 推仰한다.

대성지 참배와 봉고의 뜻

영산 대성지(靈山大聖地)는

一. 주세성자인 대종사께서 색신여래(色身如來)로 탄생한 대성지요.

二. 주세성자이신 대종사께서 법신여래(法身如來)를 탄생시킨 대각성지(大覺聖地)이며,

三. 구인선진께서 사무여한(死無餘恨)의 대혈성(大血誠)을 올려 법계(法界)로부터 천여래(千如來) 만보살(萬菩薩)을 배출시키고 억조창생(億兆創生)의 혜복(慧福)의 문로를 열어 줄 소명을 부여받을 회상의 발상지(發祥地)이요.

四. 방언(防堰) 대역사(大役事)로 영육쌍전(靈肉雙全), 동정일여(動靜一如), 이사병행(理事竝行)하는 일원회상(一圓會上)의 시범을 보여 준 곳이며,

五. 선학원생(禪學院生)들을 전미개오(轉迷開悟)시키고 연도수덕(研道修德)케 하는 광불도량(廣佛道場)으로 도맥(道脈)의 원천지이다.

그러므로 우리 모두와 일체동포는 참배하고 봉고하여야 할 대성지이다.

중앙총부(中央總部) 대성지(大聖地)는

一. 대종사께서 일대 겁 만에 새 천지 새 세상 새 시대가 열리는 갑자년(甲子年)[원기 9년]을 기점으로 하여 일원대도의 대법륜(大法輪)을 다시 굴려준 교단 만대의 기초 성적지(聖蹟地)이요.

二. 대종사 성탑이 모셔져 있고 선 종법사 성탑을 비롯하여 천불만성(千佛萬聖)의 대사당(大祠堂)을 모신 곳이며

三. 종법사를 비롯하여 수위단, 법사단과 교정, 감찰, 결의 등의 중앙 기구가 있어 불일증휘(佛日增輝) 법륜상전(法輪常轉)의 법통(法統)을 이어 전하는 대법도량(大法道場)이요.

四. 선학원생들을 전미개오(轉迷開悟)시키고 연도수덕(研道修德)케 하는 광불도량(廣佛道場)으로 세계 도덕의 중앙지(中央地)이다.

그러므로 우리 모두와 일체 동포는 참배하고 봉고하여야 할 대성지이다.

〈『대산종사수필법문집』 2. pp.671~672. 원기70년 3월 24일〉

| 배경 및 상황 |

사대 성지는 대산 종사의 법문을 유인물로 만들어 제공한 법문이다. 4대 성지는 영산, 변산, 만덕산, 익산 성지를 이르는 말이다. 이와 관련하여 대산 종사는 '대성지 참배와 봉고의 뜻'을 법문화하였다. 영산 대성지와 중앙총부 대성지의 참배와 봉고의 뜻을 밝혔다. 영산과 익산의 두 성지는 교단에서 특별히 큰 사업이나 행사를 시작할 때와 끝마칠 때 대각전이나 영모전 또는 특별 식장에서 반드시 참배와 봉고식을 올리는 성스러운 곳이다. 이외의 다른 성지를 참배할 때도 표준이자 마음가짐이라고 할 수 있다.

원기86년(2001) 5월 8일 수위단회의에서 사적 및 유물관리 규정에 "법계가 대원정사인 선진의 탄생·구도·대각 및 제중사업 등 교단사적 의미가 있는 터와 구조물이 밀집된 특정지역 일대를 성지로 지정할 수 있다."라고 개정함에

따라 성주성적지를 성주성지로 승격하였다. 앞으로는 법계가 대원정사로 법훈을 수여한 분의 탄생지와 생장지는 성지로 지정할 수 있다는 의미이다.

대산 종사는 "주세불이 탄생한 곳은 국가의 성지요 세계의 중심지"라고 하였다.

| 용어 풀이 |

○ **성지(聖地)** ① 종교의 발상지. 종교상의 유적이 있는 곳. ② 성현이 태어난 땅, 또는 성현이 사는 땅. 이 경우는 넓은 의미의 성지로서, 이 세상 어느 곳이든 성현이 사는 곳이면 다 성지가 된다. 원불교의 경우 영산·부안 봉래산·성주 소성동·만덕산·화해리·익산총부 등, 불교의 부다가야·가비라성, 기독교의 예루살렘, 이슬람교의 메카 등을 성지라고 한다. 종교의 발상지로서의 성지는 신성한 땅, 성역(聖域)·성소(聖所)라는 뜻이 있다. 어느 경우에는 신자들의 순례의 땅이 되기도 하고, 또 어느 경우에는 격리되고 금기(禁忌)된 신성한 구역이라는 의미가 있다.

○ **사대성지(四大聖地)** 원불교의 4대 성지는 ① 영산 근원성지로 대각 성지라고 한다. ② 변산 제법성지는 천하의 대도요 만고의 대법인 일원 진리를 제법한 곳이다. ③ 만덕산 초선(初禪)성지는 총부 건설의 주비지(籌備地)인 성지이다. ④ 익산 중앙총부 대성지는 전법(傳法) 성지이다. 4대 성지는 대종사님을 중심으로 한 성지를 말한다. 또한, 성주 성지는 소태산 대종사 열반 후 법통을 계승한 정산 종사와 그의 아우 송도성이 탄생한 경북 성주군 초전면 소성동 일대를 말한다.

○ **방언공사(防堰公事)** 원불교 교단 초기인 원기3년(1918)부터 1년간 소태산 대종사와 제자들이 전남 영광군 백수면 길룡리 앞 해안 갯벌을 막아 농토를 만든 공사. 이 공사로 교단 창립의 물질적 토대 마련, 영육쌍전의 정신 실현과 무시선 무처선의 수행 정신 확립, 단결과 화합의 정신 구현, 공익정신 배양 등 원불교의 정신적·물질적 기본 터전을 닦는 계기가 되었다.

○ **영육쌍전(靈肉雙全)** 영적인 삶 곧 정신의 고양을 추구하는 수도의 삶과 육신의 삶 즉 건강하고 건전한 현실 삶을 함께 온전히 완성해 가는 것을 추구하는 사

상. 원불교 교리 표어 중 하나로 『원불교교전』 맨머리에 실려있으며, 공부와 사업을 병행하여 복과 혜를 원만하게 갖추자는 이사병행의 이념과도 상통한다.

○ **법인성사(法認聖事)** 원불교 초창 당시에 행한 기도에서 백지혈인(白指血印)의 이적이 나타난 일. 원불교 창립 당시 구인제자가 소태산 대종사의 지도에 따라 새 회상 창립의 정신적 기초를 다지기 위해 천지신명(天地神明)에게 기도를 올린 바 백지혈인이 나타난 것을 법계의 인증을 받은 성스러운 일이라 하여 법인성사라고 한다.

○ **제법(制法)** 주세불이 세상을 구원할 대도정법을 새로 만드는 일. 주세불은 천조의 대소유무(大小有無)의 이치를 보아다가 인간의 시비이해(是非利害)를 건설하는 능력을 갖추고 있으므로 그 시대의 상황에 맞게 새로운 법을 제정했다. 소태산 대종사도 대각을 이루고 새 시대의 새 상황에 맞도록 봉래정사에서 원불교의 교법을 제정했다. 그래서 봉래정사는 원불교 제법성지(制法聖地)이다.

(53) 어미 닭이 병아리를 품듯이

대산 종사 말씀하시기를 "병아리는 어미 닭의 품을 떠나지 않고 따라다녀야 잘 클 수 있고 공부인은 스승의 품을 떠나지 않고 적공해야 큰 도를 이룰 수 있나니, 그대들은 대종사께서 만들어 주신 이 회상을 만났을 때 부지런히 공부하여 성불하고 좋은 인연을 많이 맺어 놓아야 하느니라."

〈신심편 53장〉

| 출처 |

계란이 곯지 아니하고 어미 닭 품에 안기면 병아리가 되어 나온다. 병아리가 되어서도 어미 닭 품을 떠나지 않아야 한다. 도를 얻는 데도 이러한 과정이 필

요하다. 〈『대산종사수필법문집』 1. p.30. 원기47년〉

우리 회상과 제도는 대공도야(大工陶冶), 모계포란(母鷄抱卵), 사제훈습(師弟薰習)이다. 그러므로 회상에 들어와 딴전 안 부리고 훈련만 잘 받으면 여래가 되고 활불이 된다.

천여래 만보살이 어떻게 해서 나오겠느냐?

一. 큰 공장에서 물건을 계속 만들어 내는 것과 같고,

二. 어미 닭이 알을 품고 병아리를 깨는 것과 같다.

三. 수도인은 스승으로부터 귀신도 모르는 가운데 마음 건네는 훈증이 없으면 큰 도인 되기 어렵다. 마치 고아들을 잘 먹이고 잘 입히나 살이 안 찌고 얼굴에 그늘이 있는 것은 부모의 따뜻한 사랑이 없기 때문이다.

대종사님 당시에 처음 입선해서는 다 아무것도 모르나 3개월 훈련을 받고 나면 생수가 솟는다. 스스로 자기 샘을 파니 그렇게 된다. 삼학과 사은이 대법임을 안다는 것은 자기가 공부하려고 애쓰다 이 법을 만날 때이다. 헛공부 많이 해야 한다. 〈『대산종사수필법문집』 1. p.282. 원기53년 1월 13일〉

대산 종법사 말씀하시기를 "우리의 훈련법은 대공도야(大工陶冶)로 큰 공장에서 물건을 계속 만들어 내는 것과 같고, 모계포란(母鷄包卵)으로 어미 닭이 알을 품고 병아리를 깨는 것과 같으며, 사제훈습(師弟薰習)으로 스승의 훈증(薰蒸)따라 제자가 익어지는 것과 같은 법이다. 수도인은 스승으로부터 귀신도 모르는 가운데 마음 건네는 훈증이 없으면 큰 도인 되기가 어렵다. 마치 고아들은 잘 먹이고 잘 입히나 어딘가 모르게 얼굴에 그늘이 있는데 그것은 부모의 따뜻한 사랑이 없기 때문이다. 그러므로 이 회상에 들어와서 한눈팔지 아니하고 훈련만 잘 받으면 여래가 되고 활불(活佛)이 된다."

〈『대산종법사법문집』 3. p.237. 제4편 훈련 1〉

| 배경 및 상황 |

대산 종사는 "신(信)은 불(佛)의 모(母)이다."라고 하였다. 믿음은 부처님의 어머니이다. 그만큼 종교가에서는 신이 중요하다는 뜻이다. '대공도야, 모계포란, 사제훈습'은 공부인이 귀가 따갑도록 들은 말씀이다. 초발심시변정각(初發心是便正覺)이란 '초발심을 그대로 계속하면 문득 정각을 이루게 된다는 뜻'이다. 초발심이 강하더라도 한때 꽃발신심에 그칠까 걱정하여 노파심으로 하는 말씀이라고 흘려 버리면 안 된다. 그래서 대공도야는 정성을 말한 것이고 모계포란은 스승과 제자의 관계를 이른 것이고 사제훈습은 스승의 훈증으로 제자가 커 가는 것을 의미한다.

결론적으로 "대종사께서 여신 이 회상을 만났을 때 부지런히 적공하여 성불하고 좋은 인연을 맺어 놓으라."라는 대산 종사의 부촉 말씀이다.

| 용어 풀이 |

○ **대공도야(大工陶冶)** 큰 공장에서 물건을 계속 만들어 냄. 도야는 도기를 만드는 일과 쇠를 주조하는 일.

○ **모계포란(母鷄抱卵)** 어미 닭이 알을 품고 병아리를 낳듯이 정성을 들임.

○ **사제훈습(師弟薰習)** 스승의 훈증(薰蒸)따라 제자가 익어지는 것. 훈습은 향이 그 냄새를 옷에 배게 한다는 뜻으로, 우리가 행하는 선악이 없어지지 아니하고 반드시 어떤 인상(印象)이나 힘을 마음속에 남김을 이르는 말. 사제훈증이라고도 함.

54 무서운 업장

대산 종사 말씀하시기를 "업장이 두터운 사람은 스승의 손길을 받지 않고 자기 재주나 고집으로 일관하다가 넘어지면서도 그것이 무서운 업장인 줄 잘 알지 못하나니 이처럼 가슴 아픈 일이 또 어디 있으리오."

〈신심편 54장〉

| 출처 |

삼세 정도 모셔야 법 받는다고 대종사님께서 자주 말씀하여 주셨다. 구정(九鼎) 선사(禪師)가 참으로 무던하셨다. 보통 도가에 입문하여 처음은 잘하다 지날수록 아무것도 얻어지는 것이 없는 것 같으면[오욕에서 나오는 마음으로 계교 사량 해봐서] 스승이나 회상에 대하여 변심하는 수가 많은 것이다. 구정 선사와 같이 일생 마치기가 참으로 어렵지야, 어려워.

업장이 두터운 사람은 이쪽에서 손길을 뻗어주어도 제가 제 재주나 고집으로 결국 넘어지고 말더라. 제 재주로나 고집으로 윗 스승의 손길을 안 받고 자기 것이나 샘하는 그것이 바로 무서운 업장인데 그것을 모르고 자꾸 빠져서 들어가니 마음 아픈 일이다. 삼세의 업장을 법력으로 눌러 굴리는 사람은 회상에도 손꼽아 수를 셀 정도이니라 하신 대종사님 말씀이 참으로 깊이 느껴진다.

〈『대산종사수필법문집』 1. p.374. 원기54년 3월 13일〉

| 배경 및 상황 |

업장이 두텁다는 것은 전생의 업으로 받는다고 생각하지만 삼세 업장으로 인한 업력이다. 업력은 마치 자기력(磁氣力)과 같아서 자기의 의지대로 되지 않고 자기가 지은 업을 따라 끌려가게 된다. 일반적으로 선행(善行)의 업력과 악행(惡行)의 업력으로 구분하여 선업은 상생의 업력, 악행은 상극의 업력이라고 한다. 그러나 보통 업력을 벗어난다고 할 때는 주로 악업의 경우를 가리킨다. 불교에서는 인과응보의 이치를 따라 전생에 지은 업력에 의해 현생에서 그대로 과보를 받게 되는 것을 업보라고 한다.

그래서 업장이 두터운 사람은 무서운 업장인 줄 모르니 가슴 아픈 일이라고 한다. 업장이 강하면 스승의 손길을 받지 않고 자기 재주나 고집으로 일관하여 한없이 업의 굴레를 벗지 못한다. 업장이 두터운 사람은 정도 수행을 방해하므로 업장이 다 녹을 때까지 끊임없이 참회 개과하고 수행 정진해야 벗어날 수 있다.

| 용어 풀이 |

○ **업장(業障)** 전생에 악업을 지은 죄로 인하여 받게 되는 온갖 장애, 마장(魔障). 삼독 오욕심이 많다든가, 시기 질투심이 강하다든가, 중상모략을 좋아한다든가 하는 것은 다 업장이 된다. 또 금생에 가난하다거나 게으른 것도 전생의 악업으로 인한 업장이다. 업장이 두터운 사람은 정도 수행을 방해하므로 업장이 다 녹을 때까지 끊임없이 참회 개과하고 수행 정진해야 한다.

○ **구정 선사(九鼎禪師)** 솥을 아홉 번이나 옮겨 걸면서도 스승에 대한 믿음이 변하지 않았다는 이야기의 주인공으로 신라 시대의 승려. 이름은 전해오지 않고 솥을 아홉 번이나 다시 걸었다고 해서 구정 선사라고만 전해온다.

55 꾸준히 정진하면 성공한다

대산 종사, 학인들에게 말씀하시기를 "나를 보고 재능이 뛰어나다고 하는 사람이 더러 있으나 나는 다만 게으름을 피우지 않았고 부족한 것을 탓하지 않았으며 일평생 불목하니로 살겠다는 마음으로 순서 있게 정진했을 따름이니라. 내가 살아오는 동안 몇 차례 죽을 고비가 있었으나 '지금 데려가신다면 세세생생 이 공부 이 사업을 하리라는 큰 서원으로 따라갈 것이고 살리신다면 세상 낙에 끌리지 않고 이 공부 이 사업에 게으르지 않겠습니다.'라는 서원으로 뚜벅뚜벅 걷다 보니 어느새 높은 산은 내 뒤에 놓여 있었느니라. 그러므로 그대들도 큰 신심과 큰 서원과 큰 공부심으로 이 회상을 떠나지 않고 꾸준히 정진하고 보면 큰 성공을 거둘 수 있으리라." 〈신심편 55장〉

| 출처 |

예비교역자 3학년 학생들에게 내려주신 법문

각자의 지난 이야기와 공부 이야기를 자세히 들으시고 말씀해 주시기를,

"지금까지 공부하고 노력한 것을 누구는 그러더라. 날 보고 천재라고 하는 이도 있고, 어떤 이는 별스럽게 능하다고 하는데 난 아주 최저의 저능아여, 그런데 내가 지금까지도 게을리 않고 부지런히 또 몸이 아프니 부지런히는 못 하고 순서 따라서 계속해서 16살부터 지금까지는 방심하지 않고 나왔다.

그러기 때문에 그려 오억만 년 앞으로도 이렇게 나가야 하겠다. 나의 부족한 것 서러워 여기지도 않고 또 급하게 나가지도 않으리라.

그때 와 보니 주산 종사는 한문에 대가가 되어서 춘원 이광수 선생이 찾아와서 배웠다. 춘원 이광수 선생이 천재인데 주산 종사한테 천재라고 했고, 서대원 선생은 불경에 천재셨고, 혜산(惠山) 전음광(全飮光) 선생님은 그때 저술하고 하던 것이 이광수 선생만 못지않았다. 그래서 우리 회상에 삼 천재라고 했거든. 나는 저술도 못 하고, 한문도 모르고, 경도 모르니 평생 숨어서 불이나 때고 은연 자연히 지내야 하겠다. 그때부터 그냥 허리끈을 축 끌러놓고 아주 부처님 5백 생이면 나는 5만 년, 5백만 년, 5억 만 년을 나가야 하겠다 해서 여태까지 급하게 생각한 바가 없다.

꾸준히 나갔는데 내가 죽을 고비를 몇 번 넘겼다. 서른 살 먹어서 서울에서 아파서 다 죽는다고 할 때 내가 서원한 일이 있다. 이 무서운 회상을 만나서 억겁을 통해 만나기 어려운 대종사님을 뵈었고, 선 종법사님 뵈었는데 이 전무출신을 못하게 됐으니 이 전무출신을 않고….

진리계와 대종사님 선령 전과 선 종법사께 백지계약을 했다. 서약서를 올렸다. 내가 지금에 필요 없는 물건이 되면 세세생생 나가서 이 공부를 할 것이고, 만일 나를 살린다고 하면 인간 오욕락이라든지 세상락에 끌리지 않고 이 공부 이 사업에 게으르지 않을 것입니다, 하고 서약했다. 그래서 지금 삼십 년이 됐는데 그 마음이 풀어지지 않는다.

나는 태산을 무섭게 여기지 않고 그저 뚜벅뚜벅 뚫으려고도 않고 망동하지도 않고 피하려고도 않고 자꾸자꾸 돌아서 갔다. 그러면 산은 내 뒤에 있었다. 그렇게 지금까지 내가 살아왔는데 나는 태산 무서워한 적 없다. 하늘 같은 산이 있더라도 나는 그것을 돌아갈 수 있는 자신이 있다.

그러니까 너희들이 어쩌든지 거듭나고 접붙이고 대신심, 대서원, 대공부심으로 나갈 것 같으면 된다. 죽지만 마라. 죽지만 말고 어디 나가지 말고 제가 뭐 잘한다고 똑똑하고 있다가 나간 사람들 잘된 사람 있는가. 몇몇이 와서 안 나갈 걸 나갔다고 발 찍는다."

〈『대산종사수필법문집』 1. pp.1437~1438. 원기61년 6월 11일〉

| 배경 및 상황 |

『대산종사법어』 신심편 48장과 출처가 같은 법문이다. '나를 보고 재능이 있다.'라고 하는데 원문에는 '재능'을 '천재'라고 하였다. "당시 원불교에 삼 천재가 있었다. 주산 송도성은 한문[유학]에 대가요, 원산 서대원은 불경[불학]에 천재요, 혜산 전음광은 이광수 못지않은 문필가[저술]였다. 나는 저술도 못 하고, 한문도 모르고, 경도 모르니 평생 숨어서 불이나 때고 은연 자연히 지내야 하겠다."라고 마음먹었다.

대산 종사는 30세에 폐결핵으로 죽을 고비를 당하여 진리계와 대종사님 성령과 정산 종사에게 백지서약을 했다. "내가 지금에 필요 없는 물건이 되면 세세생생 이 공부를 할 것이고, 만일 나를 살린다고 하면 내가 인간 오욕락이라든지 세상락에 끌리지 않고 이 공부 이 사업에 게으르지 않을 것이라는 서원으로 뚜벅뚜벅 걷다 보니 어느새 높은 산은 내 뒤에 있었다. 그러므로 학생들도 대신심, 대서원, 대공부심으로 이 회상을 떠나지 말고 꾸준히 정진하면 큰 성공을 거둔다."라고 하였다.

| 용어 풀이 |

○ **불목하니** 절에서 밥을 짓고 물을 긷는 일을 맡아서 하는 사람.

○ **세세생생(世世生生)** 영원한 세월. 한없는 세월. 영원한 시간을 통해 사람이 태어났다가 죽고 다시 태어나기를 수없이 되풀이하는 것. 사람이 영겁을 통해서 끊임없이 생사를 되풀이하게 되는 것. 몇 번이든지 다시 환생하는 일. 또는 그런 때. 중생이 나서 죽고 죽어서 다시 태어나는 윤회의 형태이다.

56 오억 생을 닦아 부처가 되리라

대산 종사 말씀하시기를 "나는 출가를 서원한 이후로 온갖 경계와 유혹이 있었으나 "부처님은 5백 생을 닦아 부처가 되시었으니 나는 5천 생, 5억 생을 닦아서라도 부처를 이루고야 말리라." 하는 넉넉하고 여유로운 마음으로 살았느니라." 〈신심편 56장〉

| 출처 |

한 간부가 "저는 무능하여 직책에서 물러나야겠습니다."라고 하니, 종법사 말씀하시었다.

"하늘이 호박같이 무능하므로 욕해도 침을 뱉어도 다 받아들이므로 큰일 이루지 않더냐. 성공의 결실은 성(誠)이니라. 대인은 성불성(成不成)에 간여치 않고 다만 되도록 노력할 뿐이다. 성불성에 관심하는 것은 바보가 하는 짓이요 낭비다. 세인은 운이 좋아서 고시에 합격했다고 하나 실은 성의 결과이다. 내가 중병으로 치료할 때 생사의 권리는 진리에 있기에 나는 한 번도 생사에 대하여 근심해 본 일이 없고 나를 염려하는 사람들에게 오히려 위안해주었노라. 그러나 내가 할 수 있는 권리인 치료에 대한 정성은 내 힘껏 노력했었다. 그리고 모든 것은 이생에 꼭 기약하지 아니하고 길게 잡았다.
부처님께서는 5백 생을 닦아 부처 되었으니 나는 5억 생을 아니 5백억 생이라도 하여 쉬지 않으리라 서원을 더욱 굳혔다. 사람이라는 것은 항상 영생을 두고 길게 잡고 여유 있게 해야 하느니라."

〈『대산종사수필법문집』 1. pp.216~217. 원기52년 3월 8일〉

| 배경 및 상황 |

석가모니 부처님의 전생담에 나오는 이야기이다. 전생에 가리왕에게 신체가 낱낱이 찢어지는[절절지해(節節肢解)] 일을 당하였지만, 그 왕에게 분노하거나 미워하는 마음이 일어나지[무유진한(無有嗔恨)] 않았다.
『금강경』 14장에 "과거 오백세 전에 인욕선인이 되어 그 세상에서도 아상도 없고 인상도 없으며 중생상도 없고 수자상도 없었노라.[念過去於五百世에 作忍辱仙人하야 於爾所世에 無我相하며 無人相하며 無衆生相하며 無壽者相호라.]"
이처럼 과거세에 석가모니 부처님이 가리왕에게 사지를 끊기고도 5백 생을 닦아 부처를 이루었다. 대산 종사는 "살신성인은 곧 사사(私私)로운 몸을 죽여서 인(仁)을 이룬다는 말인데, 다시 말하면 공(公)을 위해서 사(私)를 놓고 법을 위해서 몸을 잊는다는 말이니 과거 부처님께서 가리왕에게 사지를 찢기셨을 때와 예수님께서 십자가에 온몸을 맡겼을 때가 인(仁)을 이룬 때[『정전대의』]" 라고 했다.

| 용어 풀이 |

○ **인욕선인(忍辱仙人)** 인선(忍仙)이라고도 한다. 석가모니불이 과거세에 오백 생을 닦을 때, 특히 인욕 수행을 할 때의 이름. 이때 석가모니불은 인욕선인의 이름으로 수행 정진하는데 극악무도한 가리왕이 인욕선인의 팔과 다리를 끊었다고 한다. 이에 근거하여 인욕 수행을 잘하는 사람을 인욕선인이라고도 한다.

○ **가리왕(迦利王)** 석가모니불이 과거세에 인욕선인의 몸으로 수행할 때 팔과 다리를 끊었다고 하는 극악무도한 왕을 말한다. 악세무도왕(惡世無道王)이라고도 한다. 『금강경』 14장에 나오며, 『대종경선외록』에도 나오는 인물이다. 주로 가리왕의 극악무도한 일을 통해서도 성스러운 일을 이룬다는 살신성인의 의미를 설명할 때 많이 인용된다.

57 항마위에 오르기 전에는 과신하지 말라

대산 종사 말씀하시기를 "항마위에 오르기 전까지는 스스로를 과신하지 말고 자력과 타력을 병진하는 데 힘써야 할 것이니, '내게는 영생을 맡길 진리가 있고 스승이 있고 부모가 있고, 영생을 같이할 동지와 후진이 있으니 얼마나 기쁘고 좋은가.' 하는 생각으로 더욱 공부에 힘쓰라."

〈신심편 57장〉

| 출처 |

방학 중 삼동원에 와 있는 1, 2학년 학생들을 모이게 하신 후 본인들의 하고 싶은 말을 다 들으시고 다음같이 말씀하여 주시다.

5. 너희들 지금 자신 없는 것이 당연하다. 자신 있으면 다 되었겠지. 항마 이전에는 자기가 자기를 믿으면 안 된다. 항마 되면 자신을 믿어도 된다. 큰 공부는

여기서부터이다.

6. 너희들은 자타력을 아울러 나가는 것이 좋다.

나는 나를 영생 맡길 스승이 있다.

나는 나를 영생 맡길 진리가 있다.

나는 나를 영생 맡길 부모가 있다.

나는 나를 영생 개척할 법이 있다.

나는 나를 같이할 영생의 동지가 있다.

나는 법을 전할 후배가 있다.

나는 불보살의 대열에 끼여 심신을 다 던져도 기쁘게 간다. 크나큰 배경이 있다. 얼마나 장하고 기쁜 일이냐. 생각들 해봐라.

〈『대산종사수필법문집』 1. p.1334. 원기61년 1월 17일〉

| 배경 및 상황 |

원기61년(1976) 1월 경 겨울방학을 맞아 대산 종사님이 주재하고 있는 신도안 삼동원에 학생들이 훈증을 받고자 모여들었다. 신심 공심 공부심을 채우고자 하는 사람과 입대를 앞둔 학생들, 스승님의 훈증을 받고자 하는 학인들, 사가를 멀리하고자 하는 자, 출가의 길에 확신이 서지 않는 자, 출가를 서원하려는 자와 정양하고자 하는 교도들이 인연 따라 모인다.

이때 삼동원에 일거리가 있으면 울력하고, 없으면 밤낮으로 공부한다. 고경이나 대산 종사 법문을 읽거나 사경하거나 대산 종사를 시봉하는 일까지 한다. 대산 종사의 사시 정진에 함께하거나 대중 법회 석상에 함께하여 설법을 받들기도 한다. 방학 동안은 학생이나 전무출신이나 휴가를 온 교도들이 북적거린다. 이렇게 자연스럽게 모이면 훈련이 되고 훈증의 열기로 후끈거린다.

이날 대산 종사의 법설의 요지는 자신이 없다는 학생들의 말씀을 들으시고 "항마 전까지는 자신을 믿지 말고 과신하지 말고 자타력을 병진하라. 나는 나를 영생 맡길 진리와 스승과 부모와 법과 동지와 후배가 있다. 나는 불보살의 대열에 끼여 심신을 다 던져도 기쁘게 간다. 크나큰 배경이 있다. 얼마나 장하고 기쁜 일이냐."라는 생각으로 더욱 공부에 힘쓰라고 하였다.

| 용어 풀이 |

○ **항마위(降魔位)** 법강항마위(法强降魔位)의 준말. 견성을 하고, 법이 강하여 마의 항복을 받은 성자의 첫 위. 소태산 대종사는 "법강항마위는 법마상전급 승급 조항을 일일이 실행하고 예비 법강항마위에 승급하여, 육근을 응용하여 법마상전을 하되 법이 백전백승하며, 우리 경전의 뜻을 일일이 해석하고 대소유무의 이치에 걸림이 없으며, 생·노·병·사에 해탈을 얻은 사람의 위요"[『정전』 법위등급]라고 밝히고 있다.

○ **과신(過信)** 지나치게 믿음.

○ **자력(自力)** 자기 혼자의 힘. 자기 능력에 의해서 살자는 것. 나에게 부처가 될 수 있는 최고도의 능력 곧 불성(佛性)이 있음을 믿고 수행하는 것이다.

○ **타력(他力)** 남의 힘. 밖에 있는 대상에게 나를 의지하는 것. 법신불 사은에게 나를 의지하는 것.

58 법의 선이 이어진 공부인

대산 종사 말씀하시기를 "배관을 잘하니 방이 이렇게 따뜻하도다. 거리가 가까워도 선(線)이 연결되어 있지 않으면 차갑고 거리가 멀어도 선이 연결되어 있으면 따뜻한 것처럼, 공부인도 법의 선이 연결되어 있어야 평화 안락한 생활을 할 수 있느니라." 〈신심편 58장〉

| 출처 |

내장호텔에 정주(定住)하신 후 실내와 실외의 온도 차이가 24도와 영하 2도로 나타나는 것을 보시고 "스팀 장치를 하여 놓으니 유리창 하나 사이가 한랭지옥(寒冷地獄)이요, 화탄지옥(火炭地獄)이다."[조절을 잘못하여 실내가 너무 더웠다] 하시며,

"장치가 좋구나. 실내는 장치로 인해 이처럼 다습지 않으냐. 사람도 그렇다. 다 같은 사람이나 법선(法線)이 통하도록 장치하고 살면, 항상 법에 훈훈하고 평화스럽고 안전하게 살지마는 장치를 아니 한 사람은 항상 차고 싸늘하며 싸움과 불안 속에서 살아가게 된다. 거리가 아무리 가깝다고 하더라도 선(線)의 장치가 안 되어 있으면 차고 멀며, 아무리 거리가 멀다고 하여도 선의 장치만 되어 있으면 서로 연하여 다습고 함께 통해 안정되게 살 것이니 법선이 중요하구나." 〈『대산종사수필법문집』 1. p.298. 원기53년 3월 11일〉

| 배경 및 상황 |

원기61년(1976) 3월 11일~31일까지 대산 종사 정읍 내장호텔[내장여관]에 유하신다. 이 기간에 교단에서 3월 총회와 3월 26일 대각개교절 행사[교단 공식적인 공휴일로 지정]와 『원불교 예전』과 『성가』 발간 봉고식을 올렸다. 대산 종사는 내장호텔에 정주(定住)하신 후 실내와 실외의 온도 차이가 24도와 영하 2도로 나타나는 것을 보시고 "스팀 장치를 하여 놓으니 유리창 하나 사이가 한랭지옥(寒冷地獄)이요, 화탄지옥(火炭地獄)이다."라고 하였다. 난방 배관 장치를 법선에 비교하여 법의 선이 아무리 멀어도 연결되어 있으면 평화 안락한 생활을 할 수 있다고 하였다.

대산 종사는 내장사를 참배하고 이때 문내장(問內藏) 법문을 초안하였다. 원기54년(1969) 3월 29일 '내장문답(內藏問答)'이란 제목으로 완정하여 공개한다. 問內藏(문내장)하노라. 君名內藏(군명내장)이라 何物藏內乎(하물장내호)아!

答曰(답왈) 自始以來(자시이래)로 淸淨法身佛(청정법신불) 圓滿報身佛(원만보신불) 百億化身佛(백억화신불)을 秘之藏之而待主人已久矣(비지장지이대주인이구의)로다.

내장에 묻노라. 그대의 이름이 내장이라 하니 그 무엇을[어떤 물건] 갊아 두었는고? 답하여 말하기를 자시이래로 청정법신불, 원만보신불, 백억화신불을 가만히 갊아 그 주인을 기다린 지 이미 오래이로다.

| 용어 풀이 |

○ **배관(配管)** 기체나 액체 따위를 다른 곳으로 보내기 위하여 관을 이어 배치함. 또는 그 관.

○ **법선(法線)** ① 일반적으로 법선은 평면에서 곡선 위의 한 점을 지나고, 이 점에서의 곡선에 대한 접선에 수직인 직선. 또는 곡면 위의 한 점을 지나고, 이 점에서의 곡면에 대한 접평면에 수직인 직선을 말함. ② 법선은 법의 선이란 뜻으로 법맥을 잇는 선이라고도 함.

○ **정주(定住)** 일정한 곳에 자리를 잡고 삶.

○ **한랭지옥(寒冷地獄)** ① 날씨 따위가 춥고 찬 지옥. ② 한빙지옥(寒冰地獄) 추운 바람과 어는 고통을 받는 지옥.

○ **화탄지옥(火炭地獄)** ① 화탕지옥(火湯地獄) 끓는 가마솥에 들어가 삶아져서 죽은 다음 다시 살아났다가 다시 또 반복하여 끓는 물에 들어가 삶아지는 고통을 받는 지옥) ② 확탕지옥(鑊湯地獄) 끓는 솥에 삶기는 고통을 받는 지옥.

59 인생의 좌표

대산 종사 말씀하시기를 "진리를 믿고 진리를 위해 일하며 진리로 돌아가고, 스승을 믿고 스승을 위해 일하며 스승에게 돌아가고, 법을 믿고 법을 위해 일하며 법으로 돌아가고, 회상을 믿고 회상을 위해 일하며 회상으로 돌아가고, 사은을 믿고 사은을 위해 일하며 사은으로 돌아가고, 자기를 믿고 자기를 위해 일하며 자기에게 돌아가라. 특히 이 여섯 가지 가운데 가장 중요한 것은 그 주인공이 바로 자기 자신임을 확실히 아는 것이니, 언제 어디서나 자기를 놓아버리지 않고 자기에게 매달려 영생을 개척하면 진리와 스승과 법과 회상과 내가 하나가 될 수 있느니라."

〈신심편 59장〉

| 출처 |

신년법문

항상 자기 자신에게 중요한 세 가지 물음을 던져야 합니다. 그것은 첫째 무엇을 믿고 살 것인가, 둘째 무엇을 위해 일할 것인가, 셋째 어디로 돌아갈 것인가의 물음입니다.

우리가 믿을 것도, 일하는 곳도, 돌아갈 곳도 모두 진리요, 스승이요, 법이요, 회상이요, 사은이요, 자기인 줄로 확실히 알아야 하겠습니다. 다시 말하면 진리를 믿고 살고, 진리를 위해서 일하고, 진리로 돌아가야 하며, 진리를 깨치신 스승님을 믿고 살고, 스승님을 위해 일하고, 스승님에게 돌아가야 합니다. 그리고 스승님께서 내놓으신 법을 믿고 살고, 법을 위해 일하고, 법으로 돌아가며, 도명덕화(道明德化)로 구아(救我), 구가(救家), 구국(救國), 구세제민(救世濟民)하는 회상을 믿고 살고, 회상을 위해서 일하고, 회상으로 돌아가야 합니다. 또한 만물을 생성 발전케 하는 사은(四恩)을 믿고 살고, 사은을 위해 일하고 사은에게 돌아가며, 자기를 믿고 살고, 자기를 위해서 일하고, 자기에게 돌아가야 합니다.

이 여섯 가지 중에서 가장 기본이 되는 것은 자기입니다. 이 자기는 진리와 스승과 법과 회상과 사은과 합일한 자기로 독존(獨尊), 독생(獨生), 독로(獨露)한 자기입니다.

이상과 같이 진리와 스승과 법과 회상과 사은과 자기를 믿고, 진리와 스승과 법과 회상과 사은과 자기를 위해 일하며, 진리와 스승과 법과 회상과 사은과 자기에게 돌아갈 줄을 알아야 한다.

〈『대산종사수필법문집』 2. pp.489~490. 원기69년 1월 1일 신년법문〉

| 배경 및 상황 |

대산 종사의 원기61년(1976) 신년법문이다. '인생의 좌표'라는 제목으로 『교리실천도해』 50쪽에 실렸다.

| 용어 풀이 |

○ **도명덕화(道明德化)** 도로써 중생의 마음을 밝혀주고, 덕으로써 일체중생을 교화한다는 말. 일원의 진리로써 중생의 무명 번뇌를 밝혀 지혜를 빛나게 해주고, 도덕행으로써 중생을 구제하는 것. 이는 불보살이 하는 일이요, 대도 정법이 지향하는 길이다.

○ **구세제민(救世濟民)** 어지러운 세상을 구원하고 고통받는 백성을 구제함.

○ **독존(獨尊)** 홀로 존귀하다는 말. 시방삼세에서 부처님만이 가장 존귀하다는 말. '천상천하 유아독존(天上天下唯我獨尊)'의 준말.

○ **독생(獨生)** 홀로 태어난다는 말. 하나님의 외아들이라는 뜻으로 '예수'를 이르는 말. '천상천하 유아독생(天上天下唯我獨生)'의 준말.

○ **독로(獨露)** 홀로 드러난다는 말. '천상천하 유아독로(天上天下唯我獨露)'의 준말.

60 소태산 대종사는 주세불, 산 여래, 새 불타이다

대산 종사, 열반하시던 해에 붓을 들어 '少太山 大宗師님은 主世佛이시요, 산 如來시요, 새 佛陀시니라.'라고 쓰신 후 말씀하시기를 "어느 한 분만 여래불일 수 없나니 누구나 공부하여 법력을 얻으면 여래요 불타가 될 수 있느니라. 대종사께서는 일원 대도를 바탕으로 모두를 여래가 되게 하셨고, 새 회상 새 종교 새 나라 새 세계를 건설하는 주인공들이 되게 하셨느니라." 〈신심편 60장〉

| 출처 |

"종이와 붓을 가져오라."라고 하시고 "소태산 대종사님은 주세불이시요, 산 여래이시요, 새 불타이시니라."라고 쓰신 후 '여래불'이라고 다시 고쳐 쓰신 후

"소태산 여래불이라고 하면 더 좋겠다. 대종사님을 산 여래로, 새 불타로 모시고 나니 마음이 편안하고 평생 보은 못 한 것, 보은한 것 같다."라고 하시며 몇 번 말씀하시다. 〈『대산종사수필법문집』 2. p.1771. 원기83년 6월 22일〉

"대종사님을 새 주세불로 산 여래불로 받들어 드렸으니 큰일 끝났다. 앞으로 누구나 공부하여 법력을 얻으면 여래요, 불타가 될 수 있을 것이다. 석가모니불만 주세불이고 여래이실 수 없다. 그러니 대종사께서는 새 회상, 새 종교, 새 나라, 새 세계, 일원대도에 바탕하여 중도정치를 하고 대도정법으로 이끌어갈 수 있도록 하셨으니, 새 주세불이시고 산 여래불이 아니시냐. 불교에서도 시비할 수 없다. 불교에서도 못 되란 법 없으니 말이다."라고 하시고 몇 번이고 기뻐하시다. 〈『대산종사수필법문집』 2. p.1772. 원기83년 7월 8일〉

| 배경 및 상황 |

대산 종사는 원기83년(1998) 9월 17일에 열반에 드셨다. 열반 3개월 전에 시자에게 붓을 가져오라 하여 쓴 법문이다. 처음은 "소태산 대종사님은 주세불이시요, 산 여래이시요, 새 불타이시니라."라고 쓰신 후 '여래불'이라고 다시 고쳐 쓰신 후 "'소태산 여래불'이라고 하면 더 좋겠다."라고 하신 후 "대종사님을 산 여래로, 새 불타로 모시고 나니 마음이 편안하고 평생 보은 못 한 것, 보은한 것 같다."라고 하시며 거듭 말씀하였다.

이날 쓰신 붓글씨가 대산 종사 생애 중 최종 유작이 되었다. 그해 7월 8일에 "대종사님을 새 주세불로 산 여래불도 받들어 드렸으니 큰일 끝났다. 앞으로 누구나 공부하여 법력을 얻으면 여래요, 불타가 될 수 있을 것이다. 석가모니불만 주세불이고 여래이실 수 없다."라고 하였다.

| 용어 풀이 |

○ **주세불(主世佛)** 말세에 출현하여 새로운 정법회상을 열어 세상을 바로잡고 모든 중생을 구제하는 부처님. 〈신심편 4장〉 용어 풀이 참조.

○ **여래불(如來佛)** 석가모니의 십호(十號) 가운데 하나. 원불교 대각여래위의 준말. 〈신심편 45장〉 용어 풀이 참조.

제2
교리편
敎理編

교리편은 대산 종사가 일원상의 진리를 비롯하여 삼학 팔조 사은 사요에 대한 법문과 『정전』에 밝혀 준 교리를 다시 밝혀[以經釋經, 경을 경으로써 해석함] 교리를 실생활에 활용하도록 설한 총 84장의 법문을 수록하였다.

❶ 교전 해의

대산 종사 말씀하시기를 "정산 종사께서는 '정전'은 근원을 밝힌 원경(元經)이요, '대종경'은 두루 통달한 통경(通經)이라 하셨나니, '정전'과 '대종경'은 복과 혜를 구하고 성불 제중 제생 의세하는 가장 바르고 빠른 길을 밝혀 주신 큰 경전이니라." 〈교리편 1장〉

| 출처 |

1. 정전(正典)은 근원을 밝힌 원경(元經)이요,
2. 대종경(大宗經)은 두루 통달한 통경(通經)이다.

※ 복과 혜를 구하며 성불제중을 하고 제생의세를 하는데 바르고 빠른 길을 밝혀 주신 전무후무한 대경전이다. 〈『정전대의』 p.17.〉

| 배경 및 상황 |

대산 종사는 "『정전(正典)』은 복혜(福慧)가 물 솟듯, 비 오듯, 공기 차듯 제조되는 원료이고, 『대종경(大宗經)』은 복혜를 물 마시듯 공기 마시듯 활용한다. 대종경을 통해 각 종교의 교리와 제도와 그 내용과 교단의 성격, 성현들의 능력, 수양력, 인격 등을 안다."라고 하였다.

또한 "팔만대장경 중에 해인(海印)이 있다. 그것은 마음이다. 그러니 마음공부 잘하라." [『대산종사수필법문집』 1. pp.282~283 원기53년 1월 18일]

대산 종사는 『원불교 교전』은 "복과 혜를 구하며 성불제중을 하고 제생의세를 하는데 바르고 빠른 길을 밝혀 주신 전무후무한 대경전이다."라고 하였다.

| 용어 풀이 |

○ **원경(元經)** 모든 경전 중에서도 가장 근본이 되고 으뜸이 되는 경전이라는 뜻

으로, 『정전』을 말한다. 『원불교교전』은 『정전』과 『대종경』으로 구성되어 있는데, 『정전』을 원경이라 하고 『대종경』을 통경(通經)이라고 한다. 정산 종사는 "정전은 교리의 원강을 밝혀 주신 '원(元)'의 경전이요 대종경은 그 교리로 만법을 두루 통달케 하여 주신 '통(通)'의 경전이라. 이 양대 경전이 우리 회상 만대의 본경(本經)이니라."라고 했다.

○ **교전(教典)** ① 종교의 경전 또는 법식. 종교의 궁극적 체험을 구세이념(救世理念)으로 결집한 책이다. 교조의 종교적 체험이나 교설(教說)을 비롯하여 신앙·수행·규범·의례 등 종교 교의를 수록함으로써 숭신하는 교인들에게는 절대적인 권위를 갖게 된다. ② 원불교에서는 1962년에 결집된 『원불교교전』의 약칭으로 사용되며, 이에는 『정전』과 『대종경』이 합본 되어 있다.

○ **정전(正典)** 원불교의 기본 경전으로 구종교서(九種教書)의 하나. 원불교의 교리강령은 소태산 대종사의 대각에 의한 구세경륜으로, 그 경전은 소태산 만년에 친찬하여 원기28년(1943) 『불교정전』으로 발간했는데, 이를 정화사에서 재결집하여 원기47년(1962) 그의 어록인 『대종경』과 함께 『원불교교전』으로 합간했다. 전권을 총서편(總序編), 교의편(教義編), 수행편(修行編)으로 구성했다.

○ **대종경(大宗經)** 소태산 대종사의 언행록으로 원불교 교서의 하나. 총 15품 547장으로 구성되어 있다.

❷ 정전 해의

> 대산 종사 말씀하시기를 "'정전'은 대종사께서 친히 제정하신 크고 원만한 법이니 장차 온 세상이 천하의 큰 도요 만고의 대법으로 받들게 될 것이라, 그대들은 경전을 공부할 때 입으로만 외우고 글로만 알려고 하지 말고 대종사의 본의를 깊이 생각하고 찾을 줄 알아야 하느니라."〈교리편 2장〉

| 출처 |

대종사께서 『정전』을 직접 편찬하시고 마지막 감수까지 직접 하실 때는 일정 시대였다. 낮에는 대중을 각별히 지도하시며 밤늦은 시간부터 호롱불이나 촛불을 켜고 그 아래서 온갖 성심(聖心)과 불력(佛力)을 다하셨다. 그때 종이에다 연필로 쓰셨다가 또 지우셨다 늘 수없이 하시면서 편찬이 완성된 『정전』을 서둘러 인쇄해 부쳤으나 완간된 것을 보시지 못하고 열반에 드시었다. 참으로 마음 아픈 일이며 우리의 정성이 적었음을 통감한다. 그러나 영생영겁을 거래하시면서 계획대로 호리도 틀림없이 하시는 분이시니 우리가 또 어찌 헤아리리오.

『정전』은 전무후무한 일원대도에 입각하여 원만히 제정된 것이라. 어느 시대, 어느 나라, 어떤 사람에게도 천하의 대도요 만고의 대법으로서 받들어질 것이다. 『정전』을 편찬하실 때 한 말씀 한 말씀의 법문을 구원겁래의 대서원에 입각하여 제정하시었다. 그러므로 노심초사하시고 심사숙고함이 얼마나 깊고 깊으시고 멀고 멀으셨으면 그렇게까지 쓰고 지우고, 지우고 쓰셨을 것인가 생각해 보아야 할 것이다.

『정전』 법문 가운데 안 들어갈 법문이나 더 들어가야 할 법문이 있는가를 우리는 성불제중 제생의세하는 영겁의 대서원에 입각해서 살피고 또 살피고 또 새기며 모시고 또 모시며 받들고 또 받들어서 대종사님의 그 심경과 그 뜻을 끊임없이 캐내고 캐내서 육근에 뒤집어씌워 써 봐야 할 것이다.

너희들 생활 속에서 가장 상식적이고 평범한 말씀을 가지고 『정전』이 편제되었다고 생각하여 말씀으로만 넘기고 법문으로 새기어 받들지 않는 일이 많을 것임을 자성해야 한다. 자주자주 건성건성 아무 뜻 없이 입으로만 외우고 지식으로만 아는 그런 어리석음을 범하여 본인은 물론이거니와 지도받는 교도들에게도 그러한 길로 가게 하는 교화를 해서는 안 될 것이다. 육신은 일생에 끝마치지만, 정신은 영생하는 것이기 때문에 참으로 지도를 잘해야 한다.

〈『대산종사수필법문집』 2. pp.282~283. 원기79년 7월 12일〉

| 배경 및 상황 |

소태산 대종사가 친찬(親撰)한 원불교의 교리이념을 집대성한 기본 경전 및 불교 연원의 경소(經疏). 전 3권으로 원불교 초기교서의 완결판으로 소태산의 만년인 원기28년(1943)에 결집을 마쳐 3월 20일 발행한 것으로 기록되어 있다. 그러나 실제로는 출판과정에서 소태산의 열반을 맞았고, 출판본이 익산총부에 도착한 것은 8월 중이었다. 그중 1권을 개편한 것이 현재의 『정전』이며, 2·3권의 개편이 『불조요경』이다. 소태산이 친히 감수한 『불조요경』 1권은 일제라는 시대적인 제약은 있었지만 구세경륜의 대강을 이에 담았고, 이 일제의 제약을 털어낸 것이 오늘날 원경(元經)으로 불리는 『정전』이다. 소태산은 이를 후세 만대에 전하도록 하고 있으며, 이를 통해 세계 사람들이 이 법을 알아보고 크게 봉대할 것이라 자신하고 있다.

대산 종사는 "그대들은 경전을 공부할 때 입으로만 외우고 글로만 알려고 하지 말고 대종사의 본의를 깊이 생각하고 찾을 줄 알아야 하느니라."라고 하였다.

| 용어 풀이 |

○ **원만(圓滿)** ① 성격이나 인품이 둥글고 너그러워 결함이나 부족함이 없는 것. ② 두 사람의 사이가 좋은 것. 대인관계가 좋은 것. ③ 모든 일이 마음에 흡족하게 잘되는 것. ④ 원불교에서 진리를 설명하거나 교리를 형용할 때 사용하는 '원만' 개념은 유한한 상대적 차원을 넘어선 '절대무루(絕大無漏)' 또는 '완전무결(完全無缺)'의 의미를 포함할 때가 많다.

○ **성심(聖心)** 거룩한 마음.

○ **불력(佛力)** 부처의 위력이나 공력.

❸ 교전 해의 주체 강령 1

대산 종사, 교전 해의의 주체 강령을 밝히시니 "첫째, 실생활에 활용하도록 할 것이요, 둘째, 평이 간명하게 밝힐 것이요, 셋째 사통오달이 될 수 있도록 할 것이니, 사통오달이 되도록 하기 위해서는 불생불멸·인과보응의 진리를 믿고 깨치도록 할 것이요[信仰], 마음공부하는 데 부합하도록 할 것이요[修行], 보은 봉공하는 생활이 되도록 할 것이니라[濟生醫世]."

〈교리편 3장〉

| 출처 |

교전해의(敎典解義)의 주체 강령(主體綱領)

1) 실생활에 활용하도록 할 것

2) 평이(平易) 간명(簡明)하게 밝힐 것

3) 사통오달(四通五達)로 밝힐 것

(1) 일원의 진리[불생불멸不生不滅·인과보응因果報應]를 믿어 깨치는 데 주로 할 것 = 신앙

(2) 마음공부하는 데 부합(符合)시킬 것 = 수행

(3) 보은봉공 생활하는 데 부합시킬 것 = 제생의세

〈『정전대의』 p.17.〉

| 배경 및 상황 |

대산 종사는 '교전 해의의 주체 강령'을 『정전대의』에 이처럼 자세히 밝혔다. '실생활에 활용하고, 평이 간명하게 밝히고, 사통오달로 밝히라'고 했다. '실천하는 종교라야 세계의 광명'이라고 하였듯이 『정전』은 물론 『대종경』도 마찬가지로 이러한 강령으로 받들어야 할 것이다.

| 용어 풀이 |

○ **해의(解義)** 글자나 글의 뜻을 풀어서 밝힘.

○ **주체(主體)** ① 어떤 단체나 물건의 주가 되는 부분. ② 사물의 작용이나 어떤 행동의 주가 되는 것.

○ **강령(綱領)** 일의 근본이 되는 큰 줄거리.

○ **평이(平易)** 까다롭지 않고 쉬움.

○ **간명(簡明)** 간단하고 분명함.

○ **사통오달(四通五達)** ① 도로나 교통망, 통신망 따위가 이리저리 사방으로 통함. 사통팔달이라고도 한다. ② 사람의 능력이나 지혜가 커서 어떠한 일도 못 하는 일이 없고, 모르는 일도 없다는 말. ③ 참된 진리는 어느 것에도 막히고 걸림 없이 두루 통한다는 말. 궁극적 진리를 밝힌 일원상의 진리는 가장 근본적이고 큰 진리라 이 세상의 어떠한 진리와도 서로 막히거나 걸림이 없이 두루 통한다는 말.

○ **불생불멸(不生不滅) 인과보응(因果報應)** ① 일원상 진리의 핵심이자 소태산 대종사가 깨친 진리의 핵심 내용. 생하지도 아니하고 멸하지도 아니하며, 선인선과 악인악과가 지은 대로 보응되는 이치를 말한다. 소태산은 대각을 이루고 그 제일성(第一聲)으로 "만유가 한 체성이요 만법이 한 근원이로다. 이 가운데 생멸 없는 도와 인과보응되는 이치가 서로 바탕하여 한 두렷한 기틀을 지었도다"[『대종경』 서품 1]라고 했다. ② 불생불멸: 생겨나지도 않고 없어지지도 않고 항상 그대로 변함이 없음. 모든 존재의 실상을 이른다. ③ 인과보응: 전생에 지은 선악에 따라 현재의 행과 불행이 있고, 현세에서의 선악의 결과에 따라 내세에서 행과 불행이 있는 일.=인과응보.

○ **제생의세(濟生醫世)** 일체생령을 도탄으로부터 건지고 병든 세상을 치료한다는 뜻. 곧 이 세상은 질병·기아·무지·폭력·인권유린 등으로 병들어 있으며, 병든 세상에서 인간이 온갖 고통을 받고 있으므로 세상의 병을 다스리고 인간을 고통에서 벗어나게 하는데 성의를 다하자는 것.

❹ 교전 해의 주체 강령 2

대산 종사 말씀하시기를 "대종사께서 교전을 펴신 뜻은 만법을 통하여 한 마음을 밝히고 온 세상을 불은화(佛恩化)·일원화(一圓化) 하자는 것이니, 이 교리라야 전 생령을 널리 구제할 수 있느니라." 〈교리편 4장〉

| 출처 |

교전 해의의 주체 강령

만법을 통하여 한 마음을 밝히고 온 세계를 불은화(佛恩化)·일원화(一圓化)하자는 것인바, 이 교리라야 전 생령(生靈)을 널리 구제(救濟)할 수 있다.

〈『정전대의』 p.17.〉

| 배경 및 상황 |

대산 종사가 '교전 해의의 주체 강령'을 부연하여 결론적으로 내린 법문이다. 원기46년(1961) 6월에 하섬에 입도하여 학인들에게 『정전』을 강의하고 그해 7월 26일에 하섬에서 나왔다. 이때 강의한 것을 묶어 대산 종사가 종법사 재임 기간에 펴낸 첫 번째 법문집이다. 초판은 원기62년(1977) 11월 1일 발행되었고, 원기71년(1986) 7월 29일 증보판이 발행되었다. 목차는 "정전대의, 수신강요(修身綱要) 1. 수신강요 2. 진리는 하나"로 구성되어 있다.

| 용어 풀이 |

○ **불은화(佛恩化)** 부처님의 가르침이 세상에 널리 퍼져 그 은혜가 일체중생에게 미쳐가는 것. 원기33년(1948) 4월에 제정한 〈원불교 교헌(教憲)〉 총강 제2조에는 원불교의 목적에 대해 '전 세계를 불은화'하는 것을 들고 있다. 곧 법신불 일원의 진리가 이 세상에 두루 퍼져나가고 원불교의 교법이 세상에 널리 전파되어, 모든

사람이 부처가 되고 세계에 상생의 은혜가 충만하게 하는 것이 원불교에서 목적하는 불은화라 할 수 있다.

○ **일원화(一圓化)** 법신불 일원의 진리가 널리 퍼져 이 세상의 모든 사람을 제도해주고, 나아가 온 누리와 만 생령이 진리화·불은화되는 것을 말함.

○ **생령(生靈)** ① 영식(靈識)이 있는 모든 생명체. 살아 있는 일체의 생명. 살아 있는 생명체의 영혼. 살아 있는 넋이라는 뜻으로, '생명'을 이르는 말이나 생명보다 더 넓은 의미이다. ② 국민·백성·민생을 의미하기도 한다.

❺ 교전 공부를 정신 차려서 하라

대산 종사 말씀하시기를 "교전을 공부하려거든 건성으로 하지 말고 정신을 차려서 하라. 과학이 발전한다 해도 현대사회에서 일어나는 마음병을 모두 치료하기는 어렵나니, 교전과 스승님들의 말씀에서 먼저 그 치료법을 찾으라." 〈교리편 5장〉

| 출처 |

나는 항상 『교전』 공부를 건성으로 하지 말고 정신 차려 공부하고 정진 적공하라고 당부하였다. 대종사께서는 일원대도를 중심으로 사은 보은과 사요 실천의 신앙과 삼학 수행만으로도 제생의세의 대경륜과 포부를 실현하려 하셨다. 이 이외는 하나도 없다. 대종사님은 사은을 약재, 삼학을 의술이라 하셨다. 우리는 미래가 과학 발달로 아무리 빠르게 변화하고 발전한다 해도 거기에서 일어나는 인류와 사회의 모든 잘못들을 고쳐 주고 바르게 인도하려면 가장 먼저 『정전』에서 찾고, 다음으로 『대종경』이나 법어나 법문 등에서 예증해야 할 것이다. 〈『대산종사수필법문집』 2. p.1614. 원기78년 4월 14일〉

| 배경 및 상황 |

대산 종사, 장산 황직평 법무실장과 선보(禪步)하시면서 "『교전』 공부를 건성으로 하지 말고 정신 차려 공부하고 정진 적공하라. 대종사께서 '일원대도를 중심으로 사은 보은과 사요 실천의 신앙과 삼학 수행만으로도 제생의세의 대경륜과 포부를 실현하려' 하셨다. 이 이외는 하나도 없다. 대종사님은 '사은을 약재, 삼학을 의술이라' 하셨다. 과학이 발전한다 해도 현대사회의 마음병은 모두 치료하기 어렵다. 『교전』과 스승님들의 말씀에서 예증하라"고 하였다.

이 당시 '정전마음공부'가 서서히 태동하는 시기였다. 장산에게 『정전』으로 중심 삼고 마음공부를 지도하라는 가르침이었다. 이후 장산은 대산 종사의 뜻을 받들어 '마음공부 전령사'로 활동하기 시작하였다.

| 용어 풀이 |

○ **건성** ① 어떤 일을 성의 없이 대충 겉으로만 함. ② 진지한 자세나 성의 없이 대충 하는 태도.

○ **예증(例證)** 어떤 사실에 대하여 실례를 들어 증명함.

❻ 이 법은 수생을 통해 감응 받았다

대산 종사 말씀하시기를 "이 법은 대종사께서 수많은 생을 통하여 서원을 세우고 진리와 스승과 만 생령의 감응을 얻어 내놓은 법이라, 시대를 앞선 과학이요 철학이요 종교학이니 가볍게 생각하지 말고 큰 서원을 세우고 마음 깊이 받들어 연구하고 깨달아 법의 실력을 쌓으라."

〈교리편 6장〉

| 출처 |

서남동(徐南同) 연세대 신학대학장 강연 내용 보고를 받으시고 말씀하시기를 "기독교에도 트인 사람이 나온다."라고 하시다.

대종사님이나 선 법사님이나 나나 법문을 이 세상에 내놓으실 때는 하루아침에 내놓은 것이 아니다. 수 없는 생에 서원 세우고 진리와 스승에게 줄을 대고, 또 삼천대천세계의 감응을 받으며 내놓은 것이다. 그러니 법문을 우리가 받들어 쉽게 알아서는 안 되거니와 그에 따라 무서운 적공의 훈련을 해야 한다. 동의보감의 의서가 나올 때도 하루아침에 나온 것이 아닐 것이다. 많은 생에 서원 세우고 소머리에 사람 몸을 받아 풀을 직접 먹어 보며 약성(藥性)도 알고, 약제(藥劑)도 진리적으로 알아서 써낸 것이다. 그냥 되는 것이 아니다.

대종사님이 내놓으신 법은 수만 년을 앞선 과학이요, 철학이요, 종교학이다. 교리를 연마하고 그 진리를 스스로 각득하여 법의 실력을 쌓아야 한다. 큰 서원 세우고 훈련과 지도에 임하여야 하겠다.

〈『대산종사수필법문집』 1. p.384. 원기54년 6월 11일〉

| 배경 및 상황 |

대산 종사는 시자에게 서남동 연세대 신학대학장의 강연 내용을 보고 받고 "기독교에도 트인 사람이 나온다."라고 하였다.

서남동은 장로교 목사이자, 신학자, 교육가, 인권운동가였다. 민중신학자로 1976년 함석헌·김대중·문익환 등과 함께 '3·1민주구국선언'에 서명하여 긴급조치 9호 위반으로 구속되었다. 이러한 사회참여의 과정에서 안병무·서광선·현영학·김용복 등과 함께 '민중신학'을 발표하여 한국적 신학의 기틀을 마련하는 데 힘썼다.

대산 종사는 "일원주의 사상에 바탕을 두고 훈련에 중점을 두어야 한다. 이 법이 하루아침에 나온 것이 아니다. 수생을 드나들면서 인연을 맺고 삼천대천세계의 감응을 받아 내놓은 것이다. 동의보감 같은 의서도 하루아침에 나온 것이 아니라 풀을 직접 먹어 보고 약성을 알아 약제를 만든 것이다.
대종사님이 내놓으신 법은 수만 년을 앞선 과학이요, 철학이요, 종교학이다. 교리를 연마하고 그 진리를 스스로 각득하여 법의 실력을 쌓아야 한다. 큰 서원 세우고 훈련과 지도에 임하여야 하겠다.

| 용어 풀이 |

○ **서남동(徐南同, 1918~1984)** 전라남도 신안 출생. 전주 신흥학교, 일본 도시샤대학(同志社大學) 신학과를 거쳐 캐나다 토론토 임마누엘신학교에서 신학석사 과정을 마쳤다. 대구에서 목회 활동을 하다가 한국 신학대학과 연세대학교 교수를 역임하였다. 1975년 유신(維新)의 이념을 거슬렀다는 이유로 연세대학교에서 나왔다. 그는 모든 것이 갖추어져 있는 신학을 방내신학(方內神學)이라고 부르고, 자신의 신학을 '방외신학(方外神學)'이라 하여 기존 신학의 상투성과 지배층과의 유착에 대해 비판을 가하였다. 그는 종래의 그리스도론적인 신학 해석방법에 반대하고, 성령론적인 해석방법을 강조하여 민중 자체의 구원적 성격을 부각하면서 성령 활동의 정치적 성격을 중시하였다. 저서로는 『전환시대의 신학』(1976)·『민중과 한국 신학』(1979)·『민중 신학의 탐구』(1984) 등이 있으며, 『기독교사상가』·『역사와 종말론』·『메시아 왕국』 등의 역서가 있다.
○ **감응(感應)** ① 어떤 느낌을 받아 마음이 따라 움직임. ② 믿거나 비는 정성이 신령에게 통함.

❼ 정전대로 하면 여래가 된다

대산 종사 말씀하시기를 "'정전'은 대종사의 몸이요 마음이요 실천이니,

'정전'에 밝힌 대로만 공부하면 누구나 여래가 될 수 있느니라."

〈교리편 7장〉

| 출처 |

교무훈련 중인 230여 명의 교무들의 인사를 받으시고 말씀하시기를 "『정전』은 대종사님의 전부이고 또한 몸과 마음이고 행이시다. 그러므로 『정전』은 여래를 표준하였다. 그러니 아무 걱정하지 말고 『정전』에 밝힌 대로 공부하면 여래가 되는 것이다."라고 하였다.

〈『대산종사수필법문집』 2. p.1707. 원기79년 6월 13일〉

| 배경 및 상황 |

전무출신 훈련 때 종법사가 직접 훈련원으로 가서 설법하는 게 교단적인 전통이었다. 당시 대산 종사는 건강이 여의찮아 법무실장이 종법사님 법문을 대리했다. 대산 종사는 영모묘원에 주석하고 있어 바로 옆에 자리한 중앙중도훈련원에서 훈련받는 교무들이 직접 찾아 배알하고 인사만 하였다. 그때 짧게나마 법문도 하고 훈련인들과 사진도 찍었다.

| 용어 풀이 |

○ **교무훈련(教務訓練)** 원불교 모든 교무가 교무의 역할을 잘 수행할 수 있도록 서원을 다지고 실력을 계속 쌓아 가기 위해 매년 교리·교양·사무 등을 훈련하는 일. 교단 초기에는 '교무강습회'라 했다.

교무훈련은 중앙중도훈련원이 주관하여 실시하되 근무지의 여건과 개인의 사정에 따라 연중 실시되는 훈련과정의 한 시기를 선택하여 신청하고 해당 훈련기간에 입소하여 훈련에 임한다. 현재 교무훈련이라는 용어는 '전무출신훈련'으로 부른다.

❽ 정전은 불과를 얻는 원경

대산 종사 말씀하시기를 "'정전'은 생활 속에서 가장 쉽고 빠르게 불과를 얻을 수 있도록 밝혀 주신 원경(元經)으로, 하나면서 전체고 전체면서 하나가 되도록, 안이면서 밖이고 밖이면서 안이 되도록, 크면서 작고 작으면서 크도록, 없으면서 있고 있으면서 없도록 사통오달로 밝혀 주신 큰 경전이니라. 과거의 공부법은 자기 수신과 자기 구제에 치우친 바가 없지 않았으나, 대종사께서 내놓으신 이 법은 우주와 만물까지도 다 살아 있는 부처로 모시고 살리고 구제할 수 있도록 해주셨으므로, 우리는 정전에 밝혀 주신 한 말씀 한 말씀을 깊이 받들고 모실 줄 알아야 하느니라."

〈교리편 8장〉

| 출처 |

대종사님의 법은 일상적인 생활 속에서 가장 평범한 공부를 하여 쉽고, 빠르며, 크고, 높게, 넓게 정진 적공하도록 하여, 불과(佛果)를 얻게 하여 주셨다.

그러나 우리가 『정전(正典)』을 모시고 봉독하고 받들 때, 너무나 안이하고 건성으로 넘어가서 깊이 하는 공부가 적은 것 같아 늘 안타깝게 생각하고 있었다. 『정전』은 하나이면서 다(多)이고, 다이면서 하나이게 하셨으며 안이면서 밖, 밖이면서 안, 크면서 작게, 작으면서 크게, 없으면서 있게, 있으면서 없게, 높으면서 낮게, 낮으면서 높게, 밝으면서 어둡고, 어두우면서 밝게 하여 다 사통오달로 통하고 하나도 빠짐없이 이루게 되어 있다.

과거의 공부법은 자기 수신(修身)과 자기 구제에 편중한 바가 없지 않다. 그러나 대종사님은 "물질이 개벽되니 정신을 개벽하자"고 하여, 이 우주와 지구도 살아 있는 부처님으로 모셔, 다 살리고 구제되게 하셨으며, 만물도 그와 같이 하셨다.

〈『대산종사수필법문집』 2. p.1580. 원기78년 1월 13일〉

| 배경 및 상황 |

대종사님의 법[정전]은 일상적인 생활 속에서 가장 평범한 공부를 하여 쉽고, 빠르며, 크고, 높게, 넓게 정진 적공하도록 하여, 불과를 얻게 하여 주셨다. 그러나 우리는 『정전』을 모시고 봉독하고 받들 때, 너무나 안이하고 건성으로 넘어가서 깊은 공부가 적은 것 같아 늘 안타깝게 생각하였다. 과거의 공부법은 자기 수신과 자기 구제에 편중한 바가 없지 않다. 『정전』은 우주와 지구와 만물도 살아 있는 부처님으로 모셔, 다 살리고 구제되게 하였다.
대산 종사는 말년에 『정전』을 모시자고 누누이 말씀하였다. 『정전』은 원불교의 원경이고 본경이다. 『정전』을 모시고 봉독하는 것은 대종사님을 모시고 하는 공부라고 했다.

| 용어 풀이 |

○ **불과(佛果)** 불도 수행으로 얻는 부처의 경지. 수행의 마지막 단계의 결과를 얻어 부처가 되는 것. 원불교에서는 삼학을 수행하여 항마위 이상의 법위를 얻는 것.
○ **수신(修身)** ① 모든 악을 물리치고 선을 북돋아 심신을 닦는 일. 심신 동작을 법도에 맞게 하는 것. 『정전』에서는 '법률 피은의 강령'에 개인에 있어서 수신하는 법률이라 언급되어 있고, '최초법어'에 수신의 요법 4개 조항이 실려 있다. ② 『대학』의 팔조목 중에 다섯 번째 조목.

9 원불교 교명

대산 종사, '교명'에 대해 말씀하시기를 "'원(圓)'은 곧 하나라는 뜻이니 진리는 하나 세계도 하나 인류는 한 가족 세상은 한 일터임을 알자는 것이요, '불(佛)'은 불생불멸·인과보응의 진리를 깨쳐 소유하는 주인이 되자는 것이요, '교(敎)'는 하나의 진리를 깨달아 하나의 가족 하나의 세계를 건설해 평화로운 세상이 되도록 가르치고 깨우치자는 것이니라."

〈교리편 9장〉

| 출처 |

원불교(圓佛敎) 교명(敎名) 해의(解義)[10월 5일 자 금강리에서 작성]

원불교 교명의 뜻을 밝히자면,

원(圓) = 원은 하나라는 말인데

1. 진리도 하나
2. 세계도 하나 ⎬ 十方이 한 집안, 四生이 한 몸.
3. 인류도 한 가족

4. 세상은 한 일터의 하나인 것을 의미한 것이다.

불(佛) = 불은 하나 자리를 깨치자는 것인데

〈覺則 하나 = 無始無終 不生不滅 因果報應〉

모든 성현님이 깨쳐서 아셨으므로 그 진리의 주인이 되신 것이다.

교(敎) = 교는 그 하나의 진리를 알아서 하나의 가족, 하나의 세계를 건립하여 싸움 없는 평화로 이끌자는 것인데 그 방법으로는 우리 하나하나가 ….

〈『대산종사수필법문집』 1. p.547. 원기56년 10월 5일〉

| 배경 및 상황 |

대산 종사는 원기56년(1971) 10월 5일 익산 금강리에서 원불교 교명 해의를 작성한다. 원불교 반백년 개교기념 행사를 하루 앞둔 시점에서 교명 해의를 정리하였다. 교명의 뜻을 밝히기 전에 "원은 하나의 진리 자리요, 우주만유의 근원인 동시에 천지·부모·동포·법률의 원산지인바 그 진리는 영겁을 통하여 생함도 없고 멸함도 없으나 항상 윤회불식(輪廻不息)하여 인(因)을 맺으면 과

(果)를 받는 진리다. 불은 깨치는 것이니 깨달은 사람이라야 그 진리를 마음껏 소유하는 주인이 된다. 교는 그 깨친 진리를 나도 가르치고 남도 가르쳐서 사람마다 수신(修身)도 잘하고 생활과 사회활동도 잘하도록 한 것이니 앞으로 오는 시대의 종교는, 너와 나, 네 민족 내 민족, 네 종교 내 종교에 국집하지 않고, 세계가 한 진리의 품 안에 안긴 한 집안 한 권속이 서로 도와 인류의 복지만을 향상하자는 것이 종교의 대의이다."라고 밝힌다.

이 법문에 정의된 내용은 '진리는 하나'라는 게송을 원과 불과 교와 대비하여 10월 8일 반백년 기념대회에서 기념 법문으로 설하였다.

| 용어 풀이 |

○ **교명(教名)** 원기33년(1948) 교단의 정식 교명인 원불교를 선포하도록까지 명칭의 변화. 원기1년(1916) 소태산 대종사가 오랜 구도 끝에 이룬 대각을 통해 교단이 성립되는데, 불법(佛法) 선언과 교강(教綱) 발표 등을 거쳐 원기9년(1924) 불법연구회(佛法研究會) 창립총회를 통해 소태산 당대에 대표적인 교단 명칭이 된다. 원기30년(1945) 해방과 더불어 일제 강점기의 제약을 털어내고 소태산 대각의 본지를 살려 〈원불교 교헌〉을 마련하고 정식 교명인 원불교를 선포했다.

⑩ 일원상

대산 종사 말씀하시기를 "일원은 사은의 본원이요 여래의 불성으로, 무생 법인(無生法印)이요, 대적광전(大寂光殿)이요, 복혜 원천(福慧源泉)이요, 무진장 보고(無盡藏寶庫)요, 삼세제불의 도본(圖本)이자 천만 경전의 근원이니라."

〈교리편 10장〉

| 출처 |

일원상一圓相

사은의 본원[四恩之本源]

여래의 불성[如來之佛性]

○ 무생법인無生法印

○ 삼세제불의 도본圖本, 천만 경전의 근원

○ 대적광전大寂光殿

○ 무진장無盡藏의 보고寶庫

○ 복혜의 원천

〈『정전대의』 p.18.〉

| 배경 및 상황 |

일원상의 자리를 사은지본원 여래지불성이라고 한다. 익산 총부 대각전에 봉안된 최초의 신앙의 대상이었다. 원기20년(1935) 4월 익산 총부에 대각전을 준공하고 불단에 최초로 봉안된 것은 사은 위패였다. 당시 정경을 대각전 건축 위원장 이공주가 노래한 '대각전 기념식' 가사에 '관내(館內) 벽상에는 사은 위패 모셔놓고 그 아래 탁상에는 각색 화초 놓았다'라고 했다[《회보》 제20호]. 사은 위패는 공회당 벽상에 족자로 걸어 놓은 것을 목판으로 만든 것이다.

작은 목판에 먹글씨로 '심불(心佛)'이라 횡서로 쓰고 그 아래 일원상(○), 4행 종서(縱書)로 '사은지본원 여래지불성(四恩之本源 如來之佛性)'이라고 썼다. 처음 대하는 교도들을 쉽게 이해시키기 위해 심불의 도형이 어떤 형상인지 그 내역을 설명한 것이다.

대산 종사는 일원상을 설명하기 위해 무생법인, 삼세제불의 도본, 천만 경전의 근원, 대적광전, 무진장의 보고, 복혜의 원천이라고 했다.

| 용어 풀이 |

○ **일원상(一圓相)** 일원상(○)은 원불교에서 본 우주와 인생의 궁극적 진리의 상징으로서, 이를 '일원상의 진리' 또는 '법신불 일원상'이라 하여, 최고의 종지(宗旨)로 삼아 신앙의 대상과 수행의 표본으로 모신다. 일원상은 교조 소태산 대종사의 대각(大覺)에 의해 밝혀진 '일원상 진리'의 상징이다.

○ **사은(四恩)** 법신불의 네 가지 은혜. 천지은, 부모은, 동포은, 법률은.

○ **본원(本源)** 사물(事物)의 근원(根源)이자 근본.

○ **여래(如來)** 석가모니의 십호(十號) 가운데 하나. 원불교 대각여래위의 준말.

○ **불성(佛性)** 부처의 본래 성질, 각성(覺性). 부처다운 본성, 부처의 대자대비 같은 것. 산스크리트로 붓다타(buddhatā) 또는 붓다뜨바(buddhatva). 부처를 이루는 근본 성품. 모든 중생이 본래 갖추고 있는 불(佛)이 될 수 있는 성질. 곧 중생이 성불할 수 있는 가능성. 『열반경(涅槃經)』에서 '일체중생 실유불성(一切衆生悉有佛性)'이라고 표현한 이래 대승불교에서 중요시하게 되었다.

○ **무생 법인(無生法印)** 남이 없는 진리의 표시. 부처님의 참된 가르침의 표시. 무생은 무생법인(無生法印)의 준말로서 즉 불법(佛法)을 말한다.

○ **삼세제불(三世諸佛)** 과거·현재·미래의 삼세에 걸쳐 존재하는 일체의 부처. 과거세의 부처는 이미 성불한 부처를 말하며, 현재세의 부처는 현재 성불해가고 있는 부처, 미래세의 부처님은 장차 성불하게 될 부처를 말한다.

○ **도본(圖本)** 토목, 건축, 기계 따위의 구조나 설계 또는 토지, 임야 따위를 제도기를 써서 기하학적으로 나타낸 그림.

○ **대적광전(大寂光殿)** 절의 법당 가운데 비로자나불을 본존으로 모시는 본당.

○ **무진장(無盡藏)** ① 엄청나게 많아 다함이 없는 상태. 양으로 질로 엄청나게 많다는 것을 나타내는 말. 불교에서는 덕행이 광대하여 쓰고 또 써도 다 함이 없다는 말. 직역하면 '무진(無盡)'은 다함이 없다는 뜻이고 '장(藏)'은 창고이므로 '다함이 없는 창고'라는 뜻. ② 배우고 또 배워도 다함이 없는 무궁무진한 진리. ③ 무한량

으로 많은 재물.

○ **보고(寶庫)** 귀중한 물건을 보관해 두는 창고.

○ **복혜(福慧)** 복덕과 지혜. 인간 누구나가 추구하는 행복한 삶의 필요조건이다.

○ **원천(源泉)** 물이 흘러나오는 근원.

⑪ 공·원·정

대산 종사, '공·원·정(空圓正)'에 대해 말씀하시기를 "공은 텅 비고 고요한 절대 자리를 보아서 상대가 끊어진 심경을 갖는 것이요, 원은 밝고 두렷한 원만 평등한 자리를 보아서 치우치고 모자람이 없는 마음을 아는 것이요, 정은 지극히 공정하여 사가 없는 자리를 보아서 사사로움이 없는 행동을 하자는 것이니라." 〈교리편 11장〉

| 출처 |

공(空) – 텅 비고 고요한 마음.

원(圓) – 두렷하고 밝은 마음.

정(正) – 바르고 화하는 마음.

〈『대산종사수필법문집』 1. p.371. 원기54년 1월 23일〉

○ 空 = 텅 빈 절대한 자리를 보아서 대(對)가 끊어진 심경을 찾을 일
圓 = 원만평등한 자리를 보아서 편벽되지 않는 마음을 쓸 일
正 = 지공무사한 자리를 보아서 사(邪) 없는 처사를 할 일

〈『대산종사수필법문집』 2. p.1836. 원기47년 10월 박은국 수필〉

| 배경 및 상황 |

일원상의 진리를 세 가지 속성으로 요약하면 공·원·정이다. 대종사 말씀하시기를 "일원의 진리를 요약하여 말하자면 곧 공(空)과 원(圓)과 정(正)이니, 양성에 있어서는 유무 초월한 자리를 관하는 것이 공이요, 마음의 거래 없는 것이 원이요, 마음이 기울어지지 않는 것이 정이며, 견성에 있어서는 일원의 진리가 철저하여 언어의 도가 끊어지고 심행처가 없는 자리를 아는 것이 공이요, 지량(知量)이 광대하여 막힘이 없는 것이 원이요, 아는 것이 적실하여 모든 사물을 바르게 보고 바르게 판단하는 것이 정이며, 솔성에 있어서는 모든 일에 무념행을 하는 것이 공이요, 모든 일에 무착행을 하는 것이 원이요, 모든 일에 중도행을 하는 것이 정이니라."라고 하였다.

대산 종사는 '공·원·정(空圓正)'을 대중이 알기 쉽도록 소개하였다. 또한 『정전대의』에서 '공·원·정'을 법신불·보신불·화신불로 연결하여 신앙적인 면과 삼학으로도 연결하여 수행적인 면으로도 밝혔다.

| 용어 풀이 |

○ **공원정(空圓正)** 소태산 대종사가 일원상(一圓相)의 진리(眞理)를 세 가지 측면(側面)으로 요약하여 말한 것으로, 『대종경』 교의품 7장에 그 내용이 수록되어 있다. 이들 공·원·정은 각각 양성(養性)·견성(見性)·솔성(率性)에 배대되며, 삼학의 정신수양·사리연구·작업취사의 속성이다.

○ **절대(絕對)** 어떤 대상과 비교하지 아니하고 그 자체만으로 존재함.

○ **원만(圓滿)** 성격이 모난 데가 없이 부드럽고 너그러움.

○ **지공무사(至公無私)** 지극히 공평하고 사사로움이 없음. 일원상 진리가 함유하는 한 면. 일원상의 진리를 각(覺)하면 이 진리가 원만구족(圓滿具足)하고 지공무사한 것을 알게 되고, 안·이·비·설·신·의(眼耳鼻舌身意)의 육근(六根)을 사용할 때 지공무사하게 쓰게 된다[『정전』 일원상법어]. 일원을 공·원·정(空圓正)으로 파악

할 때 정에 해당한다.

○ **사사(私邪)** ① 개인의 사리(私利)를 위한 일이면서도 정의롭지 못하고 삿된 일. ② 개인 중심이면서도 불의한 일.

⓬ 개교 표어

대산 종사 말씀하시기를 "대종사께서 대각을 이루시고 세상을 관찰하심에 천지의 개벽기가 도래했음을 미리 아시고 '물질이 개벽되니 정신을 개벽하자.'라는 개교 표어를 내놓으셨느니라. 천지개벽이란 하늘과 땅이 열린다는 뜻이니 하늘이 열린다 함은 정신개벽을 이름이요 땅이 열린다 함은 물질개벽을 이름이라, 그동안 서양에서는 과학 문명이 주로 발달하고 동양에서는 도덕 문명이 주로 발달했으나 앞으로는 동서양이 다 함께 진리적 종교의 신앙과 사실적 도덕의 훈련으로, 밖으로는 의식주의 생활을 개선하여 무지와 빈곤과 질병을 물리치는 데 힘써 일생의 신 낙원(身樂園)을 건설하고, 안으로는 삼학 팔조로 마음을 개조하고 사은 사요로 세상을 건져서 영생의 심 낙원(心樂園)을 건설하는 데 힘써야 하느니라." 〈교리편 12장〉

| 출처 |

1. 물질이 개벽되니 정신을 개벽하자.
   1. 물질개벽 지벽(地闢) = 과학문명 = 빈곤·질병·무지를 물리치고 의식주의 생활을 개선하자 = 일생의 신낙원(身樂園) = 종(從) 또는 외(外)
   2. 정신개벽 천개(天開) = 도학문명 = 삼학팔조로 마음을 개조하고 사은사요로 세상을 건지자 = 영생의 심낙원(心樂園) = 주(主) 또는 내(內)

○ 선후천의 교역(先後天交易)

○ 정신과 물질의 병진(도학과 과학의 병행)

○ 미래의 전망(원만평등한 낙원의 세계)

※ 우리의 두 가지 큰 과제

우리가 서로 합심 합력하여 영(靈)과 육(肉) 두 방면의 빈곤·무지·질병을 물리치자.

〈『정전대의』 p.19.〉

| 배경 및 상황 |

개교 표어는 '물질이 개벽되니 정신을 개벽하자'는 개교 정신을 집약한 글이다. 즉 개교의 동기를 함축한 강령이다. 하지만 개교의 동기에는 '개벽'이라는 단어는 존재하지 않는다. 대산 종사는 개교 표어를 설명하면서 물질개벽과 정신개벽을 천개지벽이라 하였고 과학[물질]문명과 도학[도덕]문명의 천개지벽은 원래 하나의 혼돈체였던 하늘과 땅이 서로 나뉘면서 이 세상이 시작되었다는 중국 고대의 사상에서 나온 말로, 천지가 처음으로 열림을 이르는 말이다. 개교의 동기 끝에는 "파란고해의 일체 생령을 광대무량한 낙원으로 인도하려 함이 그 동기니라."라고 하였다.

대산 종사는 광대무량한 낙원으로 인도하는 동기로 물질개벽으로 일생의 신낙원을 건설하고 정신개벽으로 영생의 심낙원을 건설하자는 것이다. 또한, 신낙원과 심낙원을 얻어야 결함 없는 광대무량한 낙원을 누린다고 하였다.

| 용어 풀이 |

○ **개교표어(開教標語)** 원불교의 개교정신을 단적으로 나타내는 표어로 '물질이 개벽(開闢)되니 정신을 개벽하자'이다. 소태산 대종사는 대각 후 당시 시국을 살펴보고 그 지도강령을 표어로 정했으며, 이는 『정전』 '개교의 동기'의 내용을 함축하고 있다.

○ **대각(大覺)** 불(佛)의 진리에 대한 각오(覺悟)를 지칭하는 것으로 각지(覺知)의 이상적 상태. 원불교에서는 일원(一圓)의 진리를 크게 깨침을 말한다. 천조(天造)의 대소유무(大小有無), 존재의 원리와 인간의 시비이해(是非利害), 곧 인간의 행위의 원리를 근본적으로 통달한 상태를 말한다.

○ **개벽(開闢)** ① 천지가 처음으로 생김. 하늘이 처음 열리고 땅이 처음으로 만들어짐을 뜻하는 의미[天地開闢]로 주로 써왔다. 그래서 현재의 천지가 창조되기 이전을 선천, 그 이후를 후천이라 했다. ② 어떤 일이나 상황이 획기적으로 변화되어 전혀 새로운 모습으로 나타날 때를 의미하는 말이다.

○ **천지개벽(天地開闢)** ① 하늘이 처음 열리고 땅이 처음으로 만들어짐을 의미. ② 우주의 물리적 큰 변화. ③ 인류 문명사적 일대 전환. ④ 천개지벽이라고 한다.

○ **정신개벽(精神開闢)** ① 인류의 정신을 크게 열어 가자는 말. ② '물질이 개벽되니 정신을 개벽하자'는 원불교 개교표어에서 사용한 용어. 물질과 정신은 원래 하나이다. 그런데 물질만 개벽되고 정신이 개벽되지 아니하면 문명의 반조각이다. 그래서 물질개벽과 아울러 정신개벽을 하여 물질과 정신이 둘이 아닌 완전한 문명을 이루자는 것이다. 물질이 개벽된다는 것은 과학기술문명이 발달하여 물질생활이 풍요로워진 것을 가리킨다. 그러나 물질문명을 바르게 사용하지 못하면 도리어 문명의 위기를 초래할 수 있다.

○ **물질개벽(物質開闢)** 물질문명이 고도로 발달하여 새로운 문명세계가 열리는 것, 또는 그러한 상태. 물질은 의식에서 독립하여 외재하는 객관적 실재를 가리키며, 개벽은 크게 열린다는 말이다.

○ **과학문명(科學文明)** 과학의 발달로 이룩한 문명. 자연과학의 방법에 의해 인간 외부의 자연적인 것을 인간의 여러 목적에 종속시켜 그에 따라 형성한 성과. '문명'이라는 용어는 다양한 뜻으로 쓰이나 문화와 대치(對置)되는 것으로 파악하는 입장과 문화의 특수한 한 형태로 파악하는 입장으로 크게 나누어 볼 수 있다.

○ **도덕문명(道德文明)** 정신과 도덕이 고도로 발전한 문명사회를 말한다. 소태산

대종사는 문명사회를 도덕문명과 물질문명 사회로 나누어 설명하고 있다. 도덕문명은 정신세계 또는 도덕 세계를 지향하는 '정신문명(精神文明)'이며, 형상 없는 사람의 마음을 단련하는 문명사회이다. 반면, 인간 생활을 편리하고 윤택하게 하는 과학문명은 물질문명이다.

○ **신낙원(身樂園)** 몸으로 누리는 낙원. 육신이 건강하고 의식주 생활이 풍족하여 안락하게 사는 것 또는 그러한 세계. 현대사회에서 물질문명의 발달로 누리게 된 각종 문명의 혜택과 생활의 편리함을 아울러 이르는 말

○ **심낙원(心樂園)** 마음으로 누리는 낙원세계. 육신의 낙원을 신낙원이라 하고 마음의 낙원을 심낙원이라 한다. 신낙원은 물질개벽으로 인한 의·식·주 생활의 풍요에서 오고, 심낙원은 정신개벽으로 삼대력[수양력·연구력·취사력]을 얻어야 누릴 수 있다. 신낙원과 심낙원을 다 얻어야 결함 없는 광대무량한 낙원을 누릴 수 있다.

⑬ 공도주의 정신

대산 종사, 이어 말씀하시기를 "대종사께서는 하늘만 높이던 사상을 땅까지 숭배하게 하시고, 아버지만 위하던 사상을 어머니도 같이 위하게 하시며, 선비만 숭상하던 정신을 농·공·상(農工商)도 아울러 평등하게 하시고, 입법자(立法者)만 숭배하던 정신을 치법자(治法者)까지 평등하게 할 뿐만 아니라 천지·부모·동포·법률을 차등 없이 신봉하게 하셨느니라. 또한, 의뢰 생활하던 정신을 자력 생활하는 정신으로, 불합리한 차별 제도를 지우 차별(智愚差別)로 돌리셨으며, 자기 자녀만 가르치던 정신을 남의 자녀까지 가르치는 정신으로, 자기만 잘 살려던 정신을 온 인류가 다 같이 잘 살 수 있는 공도주의(公道主義) 정신으로 돌리셨느니라."

〈교리편 13장〉

| 출처 |

개교의 동기

첫째, 하늘만 높이던 사상을 땅까지 숭배하게 하시고 아버지만 위하던 사상을 어머니도 같이 위하게 하시며 선비만 숭상하던 정신을 농공상(農工商)도 아울러 평등하게 하시고 입법자(立法者)만 숭배하던 정신을 치법자(治法者)까지 평등하게 할 뿐만 아니라 천지·부모·동포·법률을 차등 없이 신봉하게 하셨으며 의뢰생활하던 정신을 자력생활하는 정신으로, 불합리한 차별제도를 지우차별(智愚差別)로 돌리셨으며 자기 자녀만 가르치던 정신을 남의 자녀까지 가르치는 정신으로, 자기만 잘 살려던 정신을 온 인류가 다 같이 잘 살 수 있는 공도주의(公道主義) 정신으로 돌리셨다. 〈『정전대의』 pp.24~25.〉

| 배경 및 상황 |

『정전』 개교의 동기에 대한 해의(解義) 법문이다. 대종사님은 하늘과 땅, 부와 모, 선비와 농공상, 입법자와 치법자를 다 같이 숭배하고 평등하게 하였다. 또한 천지·부모·동포·법률을 차등 없이 신봉하게 하였다. 의뢰생활을 자력생활로, 불합리한 차별 제도를 지우차별로, 타자녀 교육으로, 공도정신으로 돌리게 하였다.

| 용어 풀이 |

○ **입법(立法)** 법률을 제정함.

○ **치법(治法)** 나라를 다스리는 방법.

○ **숭배(崇拜)** 우러러 공경함. 신이나 부처 따위의 종교적 대상을 우러러 신앙함.

○ **신봉(信奉)** 사상이나 학설, 교리 따위를 옳다고 믿고 받듦.

○ **지우차별(智愚差別)** 슬기로움과 어리석음을 차별[구별]함. 지자본위.

○ **공도주의(公道主義)** 사회 일반에 통용되는 공평하고 바른 도리를 실현하는 제도.

⑭ 선후천의 기점

대산 종사 말씀하시기를 "대종사께서는 선후천의 기점을 갑자년 정월 초하루로 잡으셨나니, 이때가 바로 천지개벽이 시작된 시점으로, 갑자 이전은 선천이요 음 시대이고 갑자 이후는 후천이요 양 시대라 할 수 있느니라. 과거 음 시대는 신의 세계가 인간의 세계를 지배했으나 돌아오는 양 시대는 인간의 세계에서 신의 세계를 지배하게 될 것이라. 앞으로 돌아오는 세상에서는 과거의 모든 윤리와 도덕과 철학은 점차 빛을 잃게 될 것이요, 종교도 새 시대 새 세상에 맞는 종교라야 환영을 받게 될 것이며, 개체불 숭배에서 전체불 숭배로 차별 시대에서 평등 시대로 차차 변화하게 되느니라. 또한, 세상의 모든 기운도 위에서 아래로 내려오는 것이 아니라 아래에서 위로 올라가게 될 것이며, 강자가 먼저 받는 것이 아니라 약자가 먼저 받게 될 것이며, 개인주의·가정주의·국가주의에 머무르던 것이 차차 세계주의로 옮겨가게 되나니, 이때가 되면 반드시 새로운 법주가 나와 새 법을 다시 짜야 하므로 대종사께서는 이를 예견하시고 일체 법을 제정하실 때 원만 평등한 일원주의로 법을 내주셨느니라."

〈교리편 14장〉

| 출처 |

원만(圓滿) 평등한 세계건설[四恩四要]

대종사께서는 선후천(先後天)의 측량기점(測量基點)을 지난 갑자년(甲子年·一九二四) 정월초일일(正月初一日)에 두시고, 또 수운 선생(水雲先生)께서도 갑자년으로 잡으셨으니, 이때가 천지개벽의 비롯이며, 갑자 이전은 선천(先天)이요, 음시대(陰時代)며, 갑자 이후는 후천(後天)이요, 양시대(陽時代)이다. 과거 음시대에 있어서는 신계(神界)에서 인계(人界)를 지배하였으나, 오는 양시대에는 이와 반대로 인계에서 신계를 지배한다. 이에 따라서 과거의 모든 법은 들어가고 새 법이 나와야 한다. 낮이면 낮의 법이 있고, 밤이면 밤의 법이 있듯이 과거에는 과거의 법이 있었고 현세에는 현세(現世)에 알맞은 법이 있어야 한다. 앞으로 백 년만 지나면 과거의 모든 윤리(倫理)·도덕(道德)·철학(哲學)이 거의 들어가게 될 것이며, 다시 음(陰)시대가 온다면 모르거니와, 과거의 도덕은 그대로 쓰기 어려울 것이요, 이것을 쓰려면 반드시 새로운 법주(法主)가 한번 주물러 내놓지 않으면 안 된다. 또한 종교도 역시 새 세상에 맞는 새 종교라야 한다.

과거의 개체불 숭배(個體佛崇拜)의 시대는 지나가고 전체불(全體佛) 숭배의 시대가 도래했으며 차별(差別) 시대는 지나고, 평등시대가 왔다. 그러므로 대종사께서는 일체법(一切法)을 제정(制定)하실 때에 원만평등(圓滿平等)하게 하셨으니, 이를 간단히 말하면 일원(一圓)이라 할 수 있다.

〈『대산종사법문집』 제2집 pp.55~56.〉

| 배경 및 상황 |

선천 선성과 선천 말성 그리고 후천 초성.

대종사께서는 우리의 회상을 천불만성(千佛萬聖)의 시대라 하였다.

부처나, 예수, 공자, 노자께서는 선천(先天) 시대의 선성(先聖)으로 다녀가셨고 수운, 혜월, 증산께서는 선천 말성(末聖)으로 다녀가셨다. 선천 4대 선성과 선천 3대 말성께서 다녀가신 후에 지난 갑자년(甲子年)을 기점으로 후천 시대의 문이 활짝 열렸다. 대종사나 정산 종사께서는 후천 시대의 초성(初聖)으로 오셨다. 후천 시대의 초성으로 오시어 천불만성의 시대를 여시었는데 대종사 당시 제자들이 생신을 따로 모시려 했는데 "나는 그런 시대는 지났다. 선천 시대같이 혼자만 추대받는 시대는 지났다." 하면서 후에 제사도 따로 지낼 것 없이 모두 공동생활 공동제사로 지내도록 하였다.

이러한 대종사의 가르침이 천불만성의 시대를 예시한 것이다. 우리 후진들은 대종사의 그런 정신을 표준으로 삼아야 한다.
그러면 대종사는 어떠한 분이시며 어떠한 회상을 펴려 하셨는지 알게 될 것이다.

〈『대산종사수필법문집』 2. p.1376. 원기75년 1월 13일〉

| 용어 풀이 |

○ **선후천(先後天)** 선천과 후천의 합하여 줄인 말.

○ **선천(先天)** 현재의 천지가 이루어지기 이전의 세상. 동양에서는 일찍부터 현재의 천지가 조판(肇判)되기 이전을 의미하는 말로 써오다가 최제우·김항·강일순·소태산 대종사 등 근세 한국의 신종교 창시자들에 의해 그들이 살던 시대를 분기점으로 그 이전을 선천 그 이후를 후천으로 구분하고, 선천은 불합리·불공평의 어두운 세상이었고 후천은 합리·평등의 밝은 문명 세상이 된다고 규정하고 있다.

○ **음시대(陰時代)** 어두운 시대로 양시대(陽時代)와 대조한 말. 밝은 대명천지(大明天地)의 개벽시대(開闢時代)에 대하여 과거의 억압되고 막히고 폐쇄된 사회를 가리킨다.

○ **양시대(陽時代)** 밝은 시대. 양세계와 같은 의미. 과거 막히고 어둡던 시대를 음시대라 한 데 대하여 오늘의 밝은 개방시대를 가리키는 말이다.

○ **최제우(崔濟愚)** 동학(東學)·천도교(天道敎)의 창시자. 본관은 경주(慶州). 초명은 제선(濟宣)·복술(福述), 자는 성묵(性), 호는 수운(水雲)·수운재(水雲齋)이다. 제우(濟愚)라는 이름은 어리석은 세상 사람을 구제하겠다는 결심을 다짐하기 위해 스스로 고친 이름이라고 한다.

○ **법주(法主)** '부처'를 높여 이르는 말. 제법주라고 함. 대도정법을 새로 제정하는 주세불. 천조의 대소유무의 이치를 보아다가 인간의 시비이해를 건설하는 새로운 법을 짠 소태산 대종사와 같은 부처님을 지칭하는 말이다.

⓯ 견성 후 반드시 보림하라

대산 종사 말씀하시기를 "견성을 하면 모두가 다 부처로 보이므로 변함 없는 불공심이 나오지만, 견성에 토가 떨어지지 아니하면 부처로 보이지 않으므로 불공할 마음이 나지 않나니, 그러므로 반드시 견성을 해야 하고 견성 후에는 반드시 보림(保任)을 통해 내 마음을 빈틈없이 살펴야 하느니라. 부처님의 대자대비는 하루아침에 이루어지는 것이 아니라 정력(定力)이 쌓이고 쌓여서 나오는 것이므로, 시방이 한 집이요 사생이 한 몸이라는 신념으로 일마다 불공으로 일관하여 모든 일에 대자대비가 나오도록 해야 비로소 사은과 하나가 될 수 있느니라." 〈교리편 15장〉

| 출처 |

표어에 대한 부연 법문

사사불공은 원만행이요, 처처불상은 견성이다. 견성을 하면 전체를 불(佛)로 알기에 변함이 없는 불공심이 나온다. 좀 아는 것 같아도 토가 떨어지지 아니하면 아닌 것이 나온다. 또한 견성을 해서 알았다 하더라도 보림을 잘해야 한다. 각자가 스스로 밀밀(密密)해서 여우가 크는가 사자가 크는가 주의해야 한다. 또는 전부를 다 바쳐야 추호도 남음이 없이 천지가 응기된다. 응기가 되더라도 또 양기(養氣)해야 한다.

대자대비가 일시에 이루어지는 것이 아니고, 쌓이고 쌓였음을 알아야 하느니라. [적공, 큰 공부이다] 시방일가, 사생일신의 신념으로 일상생활을 일관하여야 일일에 대자대비가 되며 사사불공이 된다. 이것이 바로 사은과 하나가 되는 것이다. 〈『대산종사수필법문집』 1. p.290. 원기53년 2월 17일〉

| 배경 및 상황 |

공부인은 반드시 견성을 해야 한다. 대산 종사는 "견성은 꾸어서라도 해야 한다."라고 하였다. 견성을 하면 모두가 부처로 보인다. 견성에 토가 떨어지지 않으면 부처로 보이지 않고 불공할 마음이 나지 않는다. 또한 견성 후에는 반드시 보림해야 한다. 보림하지 않으면 조각난 도인이 된다. 그래서 내 마음을 빈틈없이 살펴야 한다. 어미 닭이 알을 낳은 것이 견성이라면 알을 품어서 병아리가 태어나는 것이 보림이다. 각자가 스스로 밀밀(密密)해서 여우가 크는가? 사자가 크는가? 주의해야 한다. 또는 전부를 다 바쳐야 추호도 남음이 없이 천지가 응기된다. 응기가 되더라도 또 양기(養氣)해야 한다.

대산 종사는 "견성을 할 수만 있다면 도끼로 머리를 쪼개서라도 넣어 주고 싶다."라고 했다. 견성이 중요하다는 말이고 견성 후에는 정력이 쌓이고 쌓여야 대자대비가 나오며 사은(四恩)과 하나가 된다고 하였다.

| 용어 풀이 |

○ **견성(見性)** 성품을 본다는 의미 또는 도를 깨닫는다는 말로 오도(悟道)라고도 한다. 흔히 불교 선종에서 말하는 불립문자(不立文字)·교외별전(教外別傳)·직지인심(直指人心)·견성성불(見性成佛)에서 견성을 말한다. 견성이란 자각이라고도 하는데, 이 말은 본래 가지고 있는 자기의 본성을 깨달아 보는 것, 참 자기를 알게 되는 것, 깨달음이 열리는 것이란 뜻이다.

○ **토** 한문의 구절 끝에 붙여 읽는 우리말 부분.

○ **보림(保任)** 불교의 선종(禪宗)에서 깨달은 뒤에 더욱 갈고 닦는 수행법. 수행인이 진리를 깨친 후에 안으로 자성이 요란하지 않게 잘 보호하고, 밖으로 경계를 만나서 끌려가지 않게 잘 보호하는 공부. 보호임지(保護任止)의 준말. 보호임지란 "안으로 자성이 어지럽지 않게 잘 보호하고, 밖으로 경계에 부딪혀 유혹당하지 않는다[內保自性而不亂 外任境界而不惑]"는 뜻.

○ **대자대비(大慈大悲)** 한없이 크고 넓은 부처님의 자비. 한없이 크고 끝없이 넓어서 끝이 없는 불보살의 자비. 대원정각을 한 불보살이 중생을 아끼고 사랑하는 마음. 특히 관세음보살이 중생을 사랑하고 불쌍히 여기는 마음. 적극적으로 즐거움을 주는 것을 자(慈)라 하고, 소극적으로 괴로움에서 벗어나게 해주는 것을 비(悲)라고 한다. 대자대비는 모든 불교인이 갖기를 염원하는 공통적인 이상(理想)이며, 가질 수 있는 가장 아름답고 숭고한 마음이다.

○ **정력(定力)** 정신수양으로 마음에 요란함이 없이 정신 통일이 된 상태를 통해 얻게 되는 힘. 선정(禪定)에 의하여 마음을 적정(寂靜)하게 이끄는 힘이다. 또한 동적으로 천만 경계에 부딪혀서도 정신이 흔들리지 않는 힘을 말한다. 수양력·연구력·취사력의 삼대력 가운데 수양력을 가리킨다.

○ **시방(十方)** 불교에서 우주에 대한 공간적인 구분. 동·서·남·북의 사방(四方)과 동북·동남·서남·서북의 사유(四維)와 상·하의 열 가지 방향. 시간 구분인 삼세와 통칭하여 전 우주를 가리킨다.

○ **사생(四生, catur-yoni)** 불교에서 모든 생명체를 출생방식에 따라 태·난·습·화 네 가지로 분류한 것. 이 사생은 모두 깨치지 못한 미혹(迷惑)의 세계에 존재하여 육도를 윤회하는 것으로 되어 있다. ① 태생(胎生, jarāyuja) 인간·야수 등과 같이 모태에서 태어난 것, ② 난생(卵生, aṇḍaja) 새와 같이 알에서 태어난 것, ③ 습생(濕生, saṃsvedaja) 벌레·곤충과 같이 습한 곳에서 생긴 것, ④ 화생(化生, upapāduja) 천계나 지옥의 중생과 같이 무엇에도 의지하지 않고 과거 자신의 업력(業力)에 의하여 나타나는 것을 말한다.

⑯ 집집에 산 부처

대산 종사 말씀하시기를 "집집마다 산 부처가 계시니 바로 엄부와 자모요, 온 세상에 산 부처가 계시니 바로 모든 부처와 성현들이니라[家家有生佛 嚴父慈母是也 世世有生佛 佛佛聖聖是也]." 〈교리편 16장〉

| 출처 |

가가유생불(家家有生佛)하니 집집에는 산 부처님이 계시니 엄부자모시야(嚴父慈母是也)요, 세세유생불(世世有生佛)하니 세상 세상 또 산 부처님 계시니 불불성성시야(佛佛聖聖是也)로다.

〈『대산종사수필법문집』 1. p.1341. 원기61년 1월 21일〉

| 배경 및 상황 |

산 부처가 집에 계시니 엄부요 자모라는 말이다. 온 세상에 산 부처가 계시니 부처와 성현들이다. 대산 종사는 "성지성역화(聖地聖域化) 한국성역화(韓國聖域化) 가가성역화(家家聖域化), 이것이 우리의 표준이다."라고 하였다. 이 법문은 가가성역화를 두고 한 말이다. 다른 표현으로 "가가불(家家佛) 가가장세(家家長世)"라고 했다. 김제시 금산면 동곡[구릿골] 마을에 '평화'라는 할머니가 계셨는데, 이 분은 평생 "가가불불(家家佛佛) 가가장수(家家長壽)"와 세계평화와 남북통일을 염원하며 기도하였다.

| 용어 풀이 |

○ **생불(生佛)** 살아 있는 부처. 등상불과 대비되는 말. 인격과 덕행이 높은 불보살을 공경하고 찬미하는 말. 소태산 대종사나 석가모니불 같은 무등등한 대각도인, 무상행의 대봉공인을 일컫는 말.

○ **엄부(嚴父)** 엄한 아버지. 자녀들에게 엄하고 무섭게 대하는 아버지를 말한다. 소태산 대종사는 종교와 정치를 한 가정의 자모(慈母)와 엄부에 비유했다. 한 가정의 자녀들이 올바로 성장하기 위해서는 자모와 엄부가 그 역할을 다해야 하는 것

같이 한 국가 사회도 종교와 정치가 그 역할을 다하고 균형을 이루어야 발전하게 된다고 했다. [『대종경』 교의품 36]

⓱ 무시선 무처선

대산 종사 말씀하시기를 "무시선 무처선은 어느 때 어느 곳에서나 동정간 정신이 성성 적적(惺惺寂寂) 적적 성성(寂寂惺惺)하여 여의 자재(如意自在)하게 하는 살아 있는 선법(禪法)이니, 정력을 얻을 때까지 마음을 멈추고 혜력을 얻을 때까지 생각을 궁굴리고 계력을 얻을 때까지 취사하는 공부를 일분 일각도 쉬지 않고 할 수 있는 바르고 빠른 공부 길이니라." 〈교리편 17장〉

| 출처 |

3. 무시선(無時禪) 무처선(無處禪)

어느 때 어느 곳에서나 동정간(動靜間) 정신을 성성적적(惺惺寂寂) 적적성성(寂寂惺惺) 하게 하고 한결되게 하여 여의자재(如意自在)하게 만드는 산 선법(禪法)이다.

정력(定力)을 얻을 때까지 마음을 멈추자. [수호(守護)=검문소 설치]

혜력(慧力)을 얻을 때까지 생각을 궁굴리자. [사색(思索)=탁마(琢磨)한 광석(鑛石)]

계력(戒力)을 얻을 때까지 취사하자. [실천=부도 안 난 수표]

삼대력(三大力)을 얻어 나가는데 일분일각(一分一刻)도 간단(間斷)없이 일심으로 공부할 수 있는 바르고 빠른 길이다.

※ 동정간 불리선법(動靜間不離禪法)

육근(六根)이 무사하면 잡념을 제거하고 일심을 양성하며, 육근이 유사하면 불의를 제거하고 정의를 양성하라. 〈『정전대의』 pp.20~21.〉

| 배경 및 상황 |

무시선 무처선은 원불교의 교리표어이다. 대산 종사는 "어느 때 어느 곳을 막론하고 선을 하는 것을 말한다. 무시선 무처선을 줄여 무시선이라고 한다. 정력은 수호하는 것으로 검문소를 설치하여 육근문을 개폐 자유하며 멈추는 힘이다. 혜력은 사색으로 생각을 궁굴리듯 탁마한 광석과 같으며 계력은 실천하여 취사하는 힘으로 부도 안 난 수표라고 하였다. 이 세 가지를 삼대력이라고 한다." 또한, 동정간 불리선법이라고 부르며 강령적으로 '육근(六根)이 무사하면 잡념을 제거하고 일심을 양성하며, 육근이 유사하면 불의를 제거하고 정의를 양성하라.'

| 용어 풀이 |

○ **무시선 무처선(無時禪無處禪)** 간단(間斷) 없는 선공부(禪工夫). 언제나 삼학병진(三學竝進)하는 공부. 때와 장소를 가리지 않고 한결같이 선을 하라는 말로 원불교 수행의 가장 핵심적인 내용을 밝힌 표어. 삼학 수행의 요령을 얻으면 어느 때나 선을 할 수 있고 어느 경계나 선을 할 수 있다는 공부 길을 제시한 것으로, 줄여서 무시선으로만 사용하기도 한다. 원불교에서는 이를 달리 동정간 불리선(動靜間不離禪)이라고도 한다.

○ **동정(動靜)** 운동과 정지에 관한 모든 관계. 육근을 동작할 때를 동(動), 육근 동작을 쉴 때를 정(靜). 어떤 일을 이루기 위해 활동할 때를 동, 심신을 움직이지 않고 쉴 때를 정이라 한다. 곧 심신이 활동할 때가 동, 쉴 때가 정. 경계를 당해서 마음이 움직이면 동, 경계 앞에서도 마음이 움직이지 않으면 정.

○ **적적성성(寂寂惺惺)** 선(禪)의 진경(眞境)을 나타내는 말. 적적은 고요하고 고

요하여 일체의 사량 분별·번뇌 망상이 텅 비어 버린 경지. 성성은 소소영령한 것. 좌선의 진경은 적적무기(寂寂無記)나 성성산란(惺惺散亂)이 아니고, 적적성성·성성적적한 경지이다. 적적은 진리의 체(體), 성성은 진리의 용(用), 적적은 진공, 성성은 묘유, 적적은 공적, 성성은 영지로도 이해할 수 있다.

○ **여의자재(如意自在)** 일이 마음 먹은 대로 자유자재하다.

○ **선법(禪法)** ① 참선하는 법. ② 선(禪)에 대한 가르침. 선정(禪定)에 의한 수행법. 선종(禪宗)에 있어서 좌선의 방법. 경론에 의지하지 않고 마음에서 마음으로 부처님의 심인을 전해주는 방법.

○ **정력(定力)** 정신수양으로 마음에 요란함이 없이 정신 통일이 된 상태를 통해 얻게 되는 힘.

○ **혜력(慧力)** 진리를 깨달아 아는 바른 지혜, 곧 대소유무의 이치와 인과보응의 진리를 깨닫고 인간 세상의 시비이해를 바르게 판단하는 힘을 말함.

○ **계력(戒力)** 계를 지킨 공력(功力), 계덕(戒德)이라고도 한다. 계율을 잘 지킴으로써 나타난 공덕·힘을 말함.

⑱ 동정일여

대산 종사, '동정 일여'에 대해 말씀하시기를 "정할 때는 수양을 주체 삼아 정신을 살찌우고 동할 때는 활동을 주체 삼아 육신을 건강하게 해야 하나니, 그러기로 하면 항상 자성을 적적 성성하고 성성 적적하게 하여 동할 때나 정할 때나 항상 선(禪)이 되도록 하며 덕을 넓히고 또 넓혀서 광대 무량한 경지에 이르도록 해야 하느니라." 〈교리편 18장〉

| 출처 |

영육쌍전(靈肉雙全) 동정일여(動靜一如)

정(靜)할 때는 수양을 주장하여 영을 살찌게 하고,

동(動)할 때는 활동을 주장하여 육을 살찌게 한다.

〈『대산종사수필법문집』 2. p.654. 원기70년 2월 16일〉

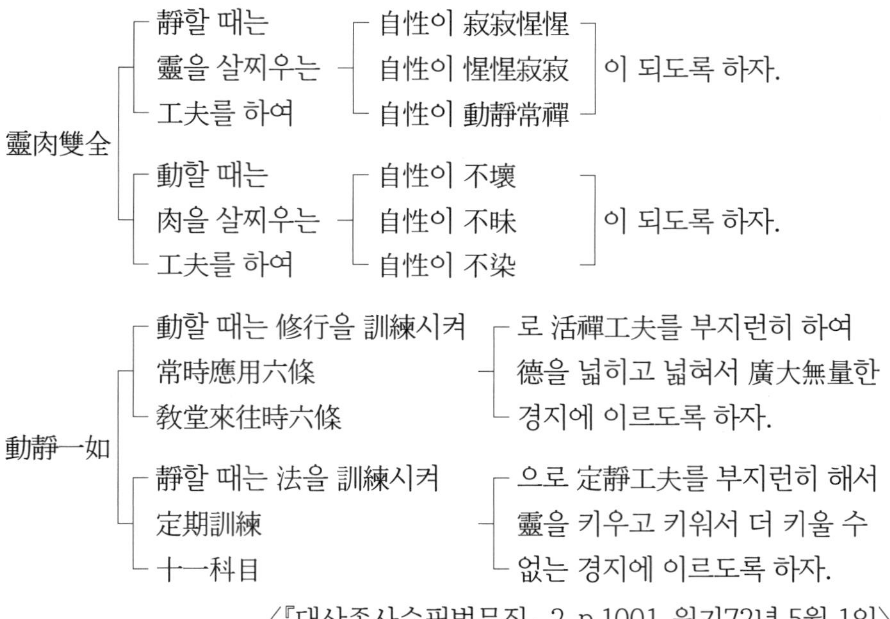

〈『대산종사수필법문집』 2. p.1001. 원기72년 5월 1일〉

| 배경 및 상황 |

원래 원문에는 영육쌍전 동정일여로 시작한다. 그런데 원기70년(1985) 2월 16일 원본에는 "영육쌍전(靈肉雙全) 동정일여(動靜一如)는 정(靜)할 때는 수양을 주장하여 영을 살찌게 하고, 동(動)할 때는 활동을 주장하여 육을 살찌게 한다."라고 정의하고 있다. 원기72년(1987) 5월 1일 도표를 보면 "영육쌍전은 정(靜)할 때는 영(靈)을 살찌우는 공부를 하여 자성이 적적성성, 성성적적, 동정상선이 되도록 하자."라고 설명하고 "동(動)할 때는 육(肉)을 살찌우는 공부를 하여 자성이 불괴, 불매, 불염이 되도록 하자."라고 되어 있다.

동정일여는 "동(動)할 때는 수행을 훈련시켜 상시응용육조 교당내왕시육조로 활선(活禪) 공부를 부지런히 하여 덕(德)을 넓히고 넓혀서 광대무량한 경지에 이르도록 하자."라고 설명하고 "정(靜)할 때는 법을 훈련시켜 정기훈련 십일과목으로 정정(定靜) 공부를 부지런히 해서 영(靈)을 키우고 키워서 더 키울 수 없는 경지에 이르도록 하자."라고 되어 있다.

현재 『대산종사법어』에는 영육쌍전이 빠지고 동정일여에 대해 풀이만 하고 있다. 원기98년(2013) 2월 5일 『대산종사법어』 –자문판 회람용– 78쪽 11. 대산종사, 영육쌍전 동정일여 공부에 말씀하시기를 [이하 동일하여 생략].

이 두 건을 비교하면 '영육쌍전 동정일여'의 표기로 환원해야 한다.

| 용어 풀이 |

○ **동정일여(動靜一如)** 원불교 표어의 하나. 동과 정이 한결같음. 동정간(動靜間) 불리자성(不離自性) 공부. 일이 있을 때나 없을 때나 끊임없이 참된 마음을 지키는 공부를 말한다.

○ **광대무량(廣大無量)** 계량할 수 없을 만큼 한없이 넓고 크다는 의미이다. 〈개교의 동기〉에서는 '광대무량한 낙원으로 인도함'[『정전』 개교의 동기]을 원불교 개교의 목적으로 설정하고 있으며, '천지은'에서는 천지가 만물을 포용하는 큰 도와 덕을 '광대무량한 도'라 말하고 있다.

⑲ 영육쌍전법

대산 종사 말씀하시기를 "대종사의 대자대비가 교리와 제도에 두루 잘 나타나 있으나 그 가운데서도 우리는 영육쌍전법을 잘 받들어야 하나니, 이 법을 잘 받들면 묵은 세상을 새 세상으로 바꿀 수 있도록 해 주신 자비를 알게 될 것이요, 수도와 생활이 둘 아닌 공부로 제불 제성의 본의를 제대로 알게 해 주신 자비를 알게 될 것이요, 제불 제성의 정전 심인(正傳心印)을 정통 법맥으로 잇게 하신 자비를 알게 될 것이요, 일상 생활 속에서 일원상 진리를 신앙 수행하고 영생을 통해 몸과 마음을 잘 보호하고 쓰게 하여 온 세상에 오직 은혜만 있게 하신 자비를 알게 될 것이니라." 〈교리편 19장〉

| 출처 |

2. 자비는 항상 큰 도와 큰 법을 통하여 변함없이 길이 나투도록 하여야 한다. 대종사께서는 일원상 서원문의 대법문으로 자비를 얻도록 길을 열어주셨고, 나는 그 서원문을 대각의 4단계로 나누어서 밝힌 바 있다. 너희들이 진정으로 큰 자비를 나투고자 할진대 이 길을 밟아야 할 것이다. 다른 데에 가서 찾을 수 있고, 할 수만 있다면 천번 만번 그리 가거라. 그러나 이 스승, 이 법, 이 회상, 이 진리를 떠나서는 하나도 될 수 없는 것을 내가 맹세코 말하노라. 대종사님의 대자대비가 교리와 제도로써 제생의세하는 데에 다 나타나 있으나, 그 가운데에도 영육쌍전법(靈肉雙全法)을 잘 받들어야 한다.

영육쌍전법을 잘 살피고 받들고 보면,

1) 아무도 할 수 없는 일인데 묵은 세상을 새 세상으로 바꾸어 건설하게 하신 자비이고, 2) 수도와 생활이 둘 아닌 산 종교, 산 종교인이 되게 하여 제불제성의 본의를 제대로 받들게 하신 자비요, 3) 제불제성의 정전(正傳) 심인(心印)을 정통법맥(正統法脈)케 하신 자비며, 4) 법신불 일원상의 진리를 신앙하고 수행하는 것이 바로 생활로 나투게 하고, 의식주 생활과 삼학 수행이 바로 진리임을 알게 하시고, 영생에 이 몸과 마음을 잘 보호하고 잘 쓰게 하여, 개인·가정·사회·국가·세계에 절대로 해독을 미치지 않게 하였고, 오직 은혜와 도움

만 되게 하신 자비이시다.

〈『대산종사수필법문집』 2. p.1582. 원기78년 1월 15일〉

| 배경 및 상황 |

대산 종사는 "자비는 항상 큰 도와 큰 법을 통하여 변함없이 길이 나투도록 하여야 한다. 대종사께서는 그중에 '일원상 서원문'의 대법문으로 자비를 얻도록 하였다. 나는 '일원상 서원문과 4반야지[대각의 4단계]' 를 밝혔다. 대각의 4단계를 사반야지(四般若智)라고 하여 '대원경지(大圓鏡智) 평등성지(平等性智) 묘관찰지(妙觀察智) 성소작지(成所作智)'라고 하였다."라고 원문에 밝혔다. 이상의 원문은 법어 편수 과정에서 제9 동원편 14장으로 더 자세히 밝히기로 하였다.

이 장에서는 '영육쌍전법'을 중심으로 대종사님의 대자대비가 교리와 제도에 두루 잘 나타나도록 하였다.

| 용어 풀이 |

○ **영육쌍전법(靈肉雙全法)** 『정전』 제3 수행편 16장의 내용. 영적인 삶, 곧 정신의 고양을 추구하는 수도의 삶과 육신의 삶, 즉 건강하고 건전한 현실 삶을 함께 온전히 하는 공부법. 소태산 대종사는 당시의 시대 상황을 문명의 전환점으로 인식하고 과거 수도생활에 대한 반성과 이를 극복하기 위한 새로운 방향을 찾고자 했다. "과거에는 세간생활을 하고 보면 수도인이 아니라 하므로 수도인 가운데 직업 없이 놀고먹는 폐풍이 치성하여 개인 가정 사회 국가에 해독이 많이 미쳐 왔다."[『정전』 영육쌍전법]라고 했다. 그러나 이제부터는 묵은 세상을 새 세상으로 건설하게 되므로 새 세상의 종교는 수도와 생활이 둘이 아닌 산 종교라야 한다.

○ **제불제성(諸佛諸聖)** 시방삼세를 통해 존재해 온 모든 불보살 및 세계의 모든 성현에 대한 총칭. 소태산 대종사는 일원상의 진리를 깨달은 후 "우리는 우주만유

의 본원이요, 제불제성의 심인(心印)인 법신불 일원상을 신앙의 대상과 수행의 표본으로 모시고"라고 했다. 원불교에서는 모든 부처님과 성인이 깨달은 진리는 하나로 통한다는 의미에서 '제불제성의 심인'이라는 표현을 쓰고 있다. 그러므로 '제불제성'은 일원상의 진리를 깨달은 모든 부처님과 성인들을 통칭하는 것이라고 말할 수 있다.

○ **정전심인(正傳心印)** 스승으로부터 제자에게 대도정법이 바르게 전해 마음으로 인증한 경지.

○ **정통법맥(正統法脈)** 바른 계통으로 불법이 전해온 계맥(系脈).

⑳ 불법시생활 생활시불법

대산 종사 말씀하시기를 "대종사께서 밝히신 법은 불법(佛法)을 시대화·생활화·대중화하여 부처님 은혜 속에서 영생을 잘 살도록 하는 법이라, 불법시 생활(佛法是生活)은 불법으로 생활을 빛내는 일심 보은(一心報恩)하자는 것이요, 생활시 불법(生活是佛法)은 생활 속에서 불법을 닦는 보은 일심(報恩一心)을 하자는 것이니라." 〈교리편 20장〉

| 출처 |

6. 불법시생활 생활시불법

불법[佛法=眞理]을 생활화 시대화 대중화하여 불은(佛恩) 속에서 영생을 잘 살도록 하는 법이다.

불법시생활 불법으로 생활을 빛내고 = 일심보은(一心報恩)

생활시불법 생활 속에서 불법을 닦는다 = 보은일심(報恩一心)

〈『정전대의』 p.23.〉

| 배경 및 상황 |

불법으로 생활을 빛내고 생활 속에서 불법을 닦는 활불의 진면목이다. 불법의 혁신과 생활의 혁신을 밝히고 있다. 교법의 생활화요 생활의 교법화이다. 이는 일심 보은과 보은 일심으로 하자는 것이다.

| 용어 풀이 |

○ **시대화(時代化)** 시대에 맞춘다는 말. 교단 초기에 원불교가 내세운 불교혁신 또는 종교개혁의 의지를 나타내는 말로 시대화(時代化)·생활화(生活化)·대중화(大衆化)의 하나

○ **생활화(生活化)** 교단 초기에 원불교가 내세운 불교혁신 또는 종교개혁의 의지를 나타내는 말

○ **대중화(大衆化)** 일반적 의미로는 일반대중 사이에 어떤 사물이나 사상이 널리 퍼지는 것.

○ **불법시생활 생활시불법(佛法是生活生活是佛法)** 원불교의 교리표어의 하나. 원불교 사상과 이념을 실천적 측면에서 지침이 되도록 제시하여, 불법이 곧 생활이요 생활이 곧 불법이니, 불법과 생활을 일치시키자는 것. 이를 활용면에서 보면 불법으로써 생활을 빛내고 생활 속에서 불법을 닦는다는 뜻이다

○ **일심 보은(一心報恩)** 불법으로 사심 잡념·번뇌 망상이 끊어진 온전한 마음으로 은혜를 갚는 행위.

○ **보은 일심(報恩一心)** 생활 속에서 은혜를 갚는 행위로 보은하고 일심함.

㉑ 수도인의 세 가지 힘

대산 종사 말씀하시기를 "수도인은 세 가지 힘을 얻어야 하나니, 하나는 삼학 공부로 대중화력을 얻는 것이요, 둘은 사은 보은으로 대감화력을 얻는 것이요, 셋은 사요 실천으로 대평등력을 얻는 것이니라."

〈교리편 21장〉

| 출처 |

종법사 취임 법설 –회상의 세 가지 뿌리–

우리 회상의 세 가지 뿌리를 밝혀 무궁한 교운을 심축하고자 하는 바입니다.

첫째, 삼학 공부(三學工夫)의 바른길로 마음을 길들여 대중화력(大中和力)을 갖추는 일입니다. 대종사님의 가르치심을 받드는 우리 모든 법동지가 수양(修養), 연구(研究), 취사(取捨)의 삼학 공부로 부지런히 적공(積功)하여 마음에 대중화력을 갖춘 법 있는 인물들이 더욱 많이 배출되어야 우리 회상은 완벽한 반석 위에 놓이게 될 것입니다.

둘째, 사중보은(四重報恩)의 감사 생활로 대감화력(大感化力)을 나타내는 일입니다. 사중은(四重恩)을 먼저 알게 된 우리부터 먼저 깊은 은혜를 느끼고 보은 감사의 생활로 일관한다면 세상은 자연 크게 감화받아 이 회상의 위신은 더욱 드러나고 보은 감사의 사상은 전 세계에 번져서 이 세상은 은(恩)으로 충만하게 될 것이니 우리는 다 같이 사중 보은하여 대감화력을 나타내야 하겠습니다.

셋째, 사요(四要)의 원만한 실천으로 대평등력(大平等力)을 발휘하는 일입니다. 세계는 한 집안이요, 인류는 한 가족인데 정당치 못한 차별이나 고르지 못한 불행이 있는 것은 전 세계, 전 인류의 불행이 되는 것입니다. 그러므로 우리는 다 같이 사요의 정신을 끝까지 실행하여 대평등력을 나타내야 하겠습니다.

〈『대산종사수필법문집』 1. p.515. 원기56년 3월 31일〉

一. 삼학 공부로 서로 마음을 잘 쓰자. [대중화력(大中和力)]

二. 사중 보은으로 서로 감사 생활을 하자. [대감화력(大感化力)]

三. 사요 실천으로 서로 세계에 봉공하자. [대평등력(大平等力)]

〈『대산종사수필법문집』 1. pp.547~548. 원기56년 10월 5일〉

교단의 세 가지 뿌리

삼학 공부의 대중화력(大中和力)

사중보은의 대감화력(大感化力)

사요실천의 대평등력(大平等力)

〈『대산종사수필법문집』 1. p.1178. 원기60년 7월 3일〉

교단의 세 가지 뿌리

삼학 공부의 대중화력(大中和力) [무위이화(無爲而化) 성경신(誠敬信)]

사은 보은의 대감화력(大感化力) [불복무도(不復無道) 무심공부(無心工夫)]

사은 보은으로 서로 감사생활을 하자.

사요 실천으로 대평등력(大平等力) [인내(忍耐) 지구력(持久力)]

사요 실천으로 서로 세상을 고르자.

〈『대산종사수필법문집』 1. p.1199. 원기60년 8월 10일〉

| 배경 및 상황 |

원기56년(1971) 3월 31일 제7대 대산 종법사 추대식 때 '회상의 세 가지 뿌리'라는 제목으로 취임 법문을 하였다.

첫째, 삼학공부(三學工夫)의 바른길로 마음을 길들여 대중화력(大中和力)을 갖추는 일입니다.

둘째, 사중보은(四重報恩)의 감사 생활로 대감화력(大感化力)을 나타내는 일입니다.

셋째, 사요(四要)의 원만한 실천으로 대평등력(大平等力)을 발휘하는 일입니다.

그 후 제목을 '교단의 세 가지 뿌리'라고 하였고, 이 법어에는 '수도인은 세 가지 힘'을 얻어야 한다고 하였다. 처음에는 '회상의 세 가지 뿌리', 다음에는 '교단의 세 가지 뿌리', 이 법어에서는 '수도인의 세 가지 힘'이라고 하였다. 이 모두가 같은 내용이다. 회상이나 교단이나, 수도인이나 동일한 의미이고 뿌리나 힘도 마찬가지이다.

| 용어 풀이 |

○ **대중화력(大中和力)** 삼학 공부로 어느 한쪽에 치우치지 않고 중용·중도를 지키는 것을 중(中)이라 하고, 서로 융통하고 화합하는 것을 화(和)라 한다. 사람이나 천지 만물을 대해서 언제나 중도를 잃지 않고 화합하는 힘이 매우 커서 항상 상생상화의 선연을 맺게 되는 것을 대중화력이라 한다. 따라서 대중화력은 대원정각을 한 도인이라야 가능하다.

○ **대감화력(大感化力)** 사은 보은으로 대원정각을 얻은 대각여래위의 감화력. 아무리 악한 사람이라도 버리지 않고 감화시켜 착한 사람으로 이끌어 주는 법력. 덕화만방·화피초목·뇌급만방하는 감화력.

○ **대평등력(大平等力)** 사요 실천으로 대원정각한 부처님의 능력. 모든 법이 평등한 이치를 깨달아 알고, 평등심으로 평등하게 천차만별의 일체중생을 제도 교화하는 능력을 얻었다는 뜻.

㉒ 교리 공부에 표준 잡을 네 가지

대산 종사, 학인들에게 말씀하시기를 "그대들은 공부할 때 이렇게 표준을 잡고 살아보라. 첫째, 항상 법신불 일원상을 모시고 살되 법신불 일원상을 모실 때마다 진리가 하나임을 깨달아 하나의 세계를 개척하고 하나의 세계를 건설하는 것을 표준 잡을 것이요, 둘째, 마음을 잘 쓰고 못 쓰는 데 따라 죄와 복이 좌우되는 것을 알아서 삼학 공부로 내 마음을 잘 쓰고 다른 사람 마음도 잘 쓰게 하는 것을 표준 잡을 것이요, 셋째, 사은의 크신 은혜 속에 살고 있음을 깨달아 항상 보은하고 감사하는 생활을 표준 잡을 것이요, 넷째, 모든 생명이 나의 동포임을 알아 사요 실천으로 세상을 고르는 것을 표준 잡을 것이니라." 〈교리편 22장〉

| 출처 |

원불교학과 신입생들에게

너희들 4년간 교리를 공부하여 나갈 때 네 가지 표준 근간을 잡고 나아가라. 4년 뿐 아니라 일생 내지 영생을 그렇게 하여라.

첫째, 항상 법신불 일원상을 모시고 살되, 법신불 일원상을 모실 때마다 진리는 하나임을 깨닫고 하나의 세계를 개척하고 건설할 것을 염원하면서 표준 근간을 삼을 것이오.

둘째, 마음 잘 쓰고 못 쓰는 데 따라 복락과 죄악이 좌우되는 것을 알아, 삼학 공부로 마음을 잘 쓰고 따라서 딴 사람도 마음을 잘 쓰게 할 것을 표준 근간을 삼을 것이오.

셋째, 우리는 사대홍은(四大鴻恩)에 파묻혀 사는 것을 깨달아 항상 보은하고 감사하는 생활을 할지언정 배은하고 원망하는 생활을 아니 하도록 표준 근간을 삼을 것이오.

넷째, 우리는 사생(四生)이 지친(至親)임을 알아 고루 잘 살도록 하여야 한다. 그러기로 하면 사요를 실천하여 세상을 고루고루 골라 놓는 표준 근간을 삼아야 한다. 이것이 대 세계주의로 일원주의이다.

하나인 것을 아는 것이 견성이다.

교리 공부에 표준 잡을 네 가지

1. 항상 법신불 일원상을 모시고 살되 법신불 일원상을 모실 때마다 진리는 하나임을 깨닫고 하나의 세계를 개척하고 건설할 것을 염원하면서 표준 근간으로 삼고,
2. 마음 잘 쓰고 못 쓰는 데 따라 복락과 죄악이 좌우되는 것을 알아 삼학공부로 마음 잘 쓰고 따라서 다른 사람도 마음을 잘 쓰게 할 것을 표준 근간으로 삼고,
3. 우리는 사대홍은(四大鴻恩)에 파묻혀 사는 것을 깨달아 항상 보은하고 보은하는 생활은 할지언정 배은하고 원망하는 생활을 아니 하도록 표준 근간으로 삼고,
4. 우리는 사생이 지친임을 알아 고루 잘 살도록 해야 한다. 그러기로 하면 사요를 실천하여 세상을 고루고루 골라 놓은 표준 근간으로 삼으라. 이것이 대세계주의로 일원주의다. 하나임을 아는 것이 견성이다.

〈『대산종사수필법문집』 1. pp.592~593. 원기57년 3월 7일〉

| 배경 및 상황 |

대산 종사는 원기57년(1972) 3월 7일 원불교학과 신입생들에게 4년간 '교리 공부할 때 표준 네 가지'를 내리며 일생 또는 영생을 살라고 하였다. "첫째, 항상 법신불 일원상을 모시고 살되 진리가 하나임을 깨달아 하나의 세계를 건설하고 둘째, 마음을 쓸 때 죄와 복이 좌우되는 것을 알아 삼학공부를 마음을 쓰고 다른 사람도 마음을 잘 쓰도록 하고 셋째, 사은의 은혜를 깨달아 항상 보은 감사하고 넷째, 모든 생명이 동포임을 알아 사요실천으로 세상을 고르는 일을 표준 삼도록 하라."고 당부한다. 이것이 대 세계주의로 일원주의이다. 하나임을 아는 것이 견성이다.

| 용어 풀이 |

○ **사대홍은(四大鴻恩)** 네 가지 큰 은혜로 사은[천지은, 부모은, 동포은, 법률은]을 이름한다.

○ **사생지친(四生至親)** 불교에서 모든 생명체를 출생 방식에 따라 태·난·습·화 네 가지로 분류한 것으로 모든 생명체가 서로 매우 가깝고 친함을 이름한다.

○ **일원주의(一圓主義)** 일원상 진리를 최고의 이상과 근본이념으로 하는 삶의 태도 또는 일원상 진리에 바탕하여 모든 진리관이나 존재론, 또는 가치관 등을 이해하는 태도. 일원은 소태산 대종사가 각득한 진리로서, 우주만유의 본원이며 제불제성의 심인이며 일체중생의 본성 자리이다.

㉓ 교법의 선언

대산 종사, 원기 67년 '교법의 선언'을 발표하시니 "일원의 원만한 진리는 천하의 대도요 만고의 대법으로, 삼학 팔조의 원만한 수행은 만생령 부활의 원리요 대도며, 사은의 원만한 신앙과 봉공은 세계평화의 원리요 대도며, 사요 실천의 원만한 치국과 치세는 세계 평등의 원리요 대도니라."

〈교리편 23장〉

| 출처 |

영산성지 봉고 법문

교법의 선언

일원대도는 만고의 대법이요 천하의 대도라.

1. 삼학 공부는 만생령 부활의 원리요 대도이다.
2. 사은보은은 세계평화의 원리요 대도이다.

3. 사요실천은 세계균등의 원리요 대도이다.

일원의 원만한 진리

삼학의 원만한 수행

사은의 원만한 신앙

사요의 원만한 치평 〈『대산종사수필법문집』 1. p.346. 원기67년 11월 9일〉

| 배경 및 상황 |

대산 종사는 원기67년(1982) 11월 7일 제9대 종법사에 취임하고 11월 9일 영산성지에서 봉고식을 하였다. 이때 대산 종법사와 수위단원 일동이 대종사 영전과 역대 종법사와 선진님들께 봉고하였다. 소태산 대종사 대각지 만고일월비 앞에서 봉고문을 올리고 봉고 법문을 내렸다. 이 봉고 법문 중에 '교법의 선언'을 주창하였다.

원기69년(1984) 9월 7일 대산 종사는 시자에게 "교법의 선언을 제창한 뜻을 아느냐? 우리 교단이 이젠 성년기에 들기 시작한다. 그러므로 대종사님이 주세성자이시고 내놓으신 그 법이 전무후무한 대도 정법임을 온 천하에 떳떳이 천명하는 것이다. 물론 선 종법사께서 비문에 주세불이심을 밝혀 주셨으나, 이제부터는 정당하게 온 천하에 선포해서 그 빛을 받도록 해야 하므로 그러는 것이다."라고 하였다.

일찍이 정산 종사는 대종사님을 새 시대 주세불(主世佛)이심을 소태산 대종사 비문에 밝혀주셨다. 우리 교단이 성년기에 접어드는 이때, 교법의 우수성을 당당하게 온 천하에 선포하고, 대종사님을 세계가 받드는 주세성자로 자리매김하기를 바라며, 세계적 종교로서 교법의 선언을 발표했다.

교법의 선언은 원기67(1982)년 11월 9일 영산성지에서 봉고식 때 처음으로 발표했고, 그 후 기회 있을 때마다 강조해왔다. 그러다가 원기76년(1991) 소태산대종사탄생100주년을 맞아 주세 교법의 의미를 담고, 교단 창립100주년을 향하여 완정해 가자는 의지를 만천하에 재천명했다.

| 용어 풀이 |

○ **교법(敎法)** ① 종교의 교의. 구세이념. ② 성현의 가르침. ③ 원불교의 교리. 소태산 대종사의 구세이념.

○ **일원대도(一圓大道)** 일원이라 함은 우주의 근본 되는 진리를 상징한 말. 일원의 진리는 절대 유일하여 상대가 끊어진 자리요, 모든 것을 포함하고 있으며 무한히 돌고 돌아 그침이 없다는 뜻에서 대도라 한다. 또 대도란 만생령을 제도하고 전인류를 불보살의 세계로 이끌어 주는 크고 넓은 길, 또는 진리. 일원대도란 말은 소태산 대종사가 진리를 크게 깨친 후에 비로소 처음 사용되었다.

㉔ 법신불 일원상

대산 종사 말씀하시기를 "신앙의 대상이요 수행의 표본인 법신불 일원상은 각 종교의 진리를 통섭한 것이라. 이 자리는 진여(眞如)요 무극(無極)이요 심불(心佛)이요 만물의 고향으로, 그 안에는 무궁한 묘리와 무궁한 보물과 무궁한 조화가 가득 갊아 있어 삼라만상을 드러냈다 감추었다 하느니라. 하지만 이는 깨친 사람의 보물이요 지키고 잘 쓰는 사람의 물건이라. 끝까지 구하면 얻어지고 진심으로 원하면 이루어지고 정성껏 노력하면 반드시 되어지나니, 하려고 하는 사람에게는 진리도 양보하고 맡기느니라." 〈교리편 24장〉

| 출처 |

우리 신앙의 대상과 수행의 표준이 바로 '○'이다. 각 종교의 통합체이다. 기독교에서도 하느님이 되어야 한다고 주장하듯이 불(佛)이 되기를 목적하면 이에 들어야 한다. 이것을 정각(正覺)해서 실천에 옮기면 바로 생불이요, 하나님이다. 칠불(七佛)에 한할 것이 아니라, 일념미생전(一念未生前) 불(佛)을 알아서 내가 불이 된다. [발굴해서 활용하라.] 그 자리는 진여(眞如)요, 하느님이요, 무극(無極)이요, 심불(心佛)이다. 제불 제성의 정전(正傳) 심인(心印)이요, 우주 만유의 어머니이시다. 마음의 고향, 만물의 고향으로 돌아갈 곳이다. 무궁한 묘리, 무궁한 보물, 무궁한 조화가 가득히 갊아 있는 곳, 삼라만상을 냈다, 들였다 하는 원동력이니, 이는 깬 사람의 보물이요, 지키는 사람의 물건이요, 잘 쓰는 사람의 물건이다. 등한시하는 사람의 것은 될 수 없다.

끝까지 구하면 얻어지고, 진심으로 원하면 이루어지고, 정성껏 노력하면 되어진다. 하려고 하는 자에게는 진리라도 양보하고 맡긴다.

〈『대산종사수필법문집』 1. pp.285~286. 원기53년 1월 23일〉

| 배경 및 상황 |

원불교 신앙의 대상과 수행의 표준이 법신불 일원상이다. 형상으로 '○'이다. 이는 각 종교의 진리를 통섭한 것이다. 이 자리는 진여요 무극이요 심불이요 제불제성의 심인이요 우주만유의 어머니요 마음의 고향이요 만물의 고향이다. 그 안에는 무궁한 묘리와 무궁한 보물과 무궁한 조화가 가득 갊아 있어 삼라만상을 드러냈다 감추었다 하는 원동력이다. 이는 깨친 사람의 보물이요 지키고 잘 쓰는 사람의 물건이라, 끝까지 구하면 얻어지고 진심으로 원하면 이루어지고 정성껏 노력하면 반드시 되어지나니, 하려고 하는 사람에게는 진리도 양보하고 맡긴다.

우리 대종사님은 '일원불', 한 두렷한 임이라고 하였다. 대산 종사는 저 일원의 진리는 일원불, 원불님으로 사은의 본원이고 여래의 불성 자리라고 했다. 일원상이 일원불이고 곧 일원불이 원불님이라고 하였다.

1994년 한국천주교 200주년 기념식 때 가톨릭 제264대 교황[재위 1978~2005] 요한 바오르 2세가 내한하여 103위 복자(福者)에 대한 시성식(諡聖式)을 집례했다. 이때 대산 종사는 한국 종교대표로 환영사를 했다. '세계평화 삼대제언'을 하고 '○ 一圓佛' 친필 휘호를 선사하였다.

| 용어 풀이 |

○ **법신불 일원상(法身佛一圓相)** 법신불이 곧 일원상이라는 뜻. 법신불은 진리 그 자체, 또는 가장 근원적인 진리를 말한다. 소태산 대종사는 가장 근원적인 진리인 법신불을 하나의 둥근 원[일원상]의 상징을 통해 표현했다. '○' 원불교 신앙의 대상, 수행의 표본, 진리 부처님의 원만구족하고 지공무사한 모습이다.

○ **통섭(統攝)** 전체를 도맡아 다스림.

○ **진여(眞如)** 사물의 있는 그대로의 모습이라는 뜻으로, 우주 만유의 본체인 평등하고 차별이 없는 절대의 진리를 이르는 말.

○ **무극(無極)** 시간·공간의 제약을 넘어선 절대적 존재라는 의미를 지닌 표현으로써 유가, 도가의 중요한 철학적 개념.

○ **심불(心佛)** 마음속의 부처. 『화엄경』에서 보살이 수행하여 도달한 깨달음의 경지의 하나. 평등하고 무차별한 진여(眞如)의 세계에 머물러 있는 마음이 부처라는 뜻이다.

○ **무궁(無窮)** 공간이나 시간 따위가 끝이 없음.

○ **묘리(妙理)** 묘한 이치.

○ **삼라만상(參羅萬象)** 우주에 있는 온갖 사물과 현상.

㉕ 성리 공부 표준

대산 종사, '성리 공부 표준'에 대해 말씀하시기를 "마음의 고향을 늘 사모하며 찾아가는 공부요, 재색 명리와 시기 질투가 없는 자리를 반조해 삼독심을 녹이는 공부요, 깨끗하고 더럽고 더하고 덜함도 없는 자리를 비춰 보는 공부요, 지극히 크고 넓고 밝고 공변되고 원만한 자리를 닮는 공부요, 상 없는 자리를 보아다가 상 없는 마음을 쓰는 공부요, 지극하고 절대적이고 무등등한 자리를 표준으로 삼는 공부요, 생멸 없는 도를 보아서 생로병사에 해탈하는 공부니라." 〈교리편 25장〉

| 출처 |

진리 표준 공부

1. 제 본고향을 늘 사모하여 찾아가는 공부.
2. 재색명리와 일체 시기 질투가 공한 자리를 반조하여 삼독심을 녹여 버리는 공부.
3. 구정(垢淨)과 증멸(增滅)이 없는 자리를 관조하는 공부.
4. 지극히 크고 넓고 밝고 공변되고 원만한 저 자리를 늘 닮아 가는 공부.
5. 상 없는 저 자리를 보아서 상 없는 마음을 쓰는 공부.
6. 저 절대한 자리, 지극한 자리, 무등등한 자리를 늘 표준 삼는 공부.
7. 저 생멸 없는 영원한 도를 보아 생로병사에 해탈하는 공부.

〈『대산종사수필법문집』 1. p.56. 원기48년〉

| 배경 및 상황 |

원래 원본의 제목은 '진리 표준 공부'라고 했다. 법어 자문판 회람용[원기98년 2월 5일]도 마찬가지였다. 그러나 최종 법어 편찬 때 '성리 공부 표준'으로 제목이 변하였다. 성리는 우주만유의 본래 이치와 인간의 자성 원리를 궁구하는 공부라면 진리는 일반적으로 참된 이치. 또는 참된 도리라고 한다. 원불교에서는 소태산 대종사가 대각을 이루고 천명한 '생멸 없는 도와 인과보응 되는 이치'[『대종경』 서품 1]를 근원적인 진리로 내세우며, 이를 '일원상의 진리'라고 이름한다. 그렇다면 일원상의 '진리'를 깨닫는 공부를 '성리'라고 보고 '성리 공부 표준'이라고 하였는가? 단순하게 진리와 성리를 동일시하였다면 연마해 볼 문제이다.

대산 종사가 '진리 표준 공부'라고 한 까닭과 '성리 공부 표준'이라고 제목을 붙인 이유를 곰곰이 생각하면 천양지차(天壤之差)가 될 수도 있으니 연마해야 할 일이다.

| 용어 풀이 |

○ **성리(性理)** 우주만유의 본래 이치와 인간의 자성 원리를 궁구하는 공부법으로 사리연구의 한 과목이다. 성리란 성리학의 성(性)과 이(理)에서 나온 말로, 성즉리(性卽理)라고 한다. 인성과 천리를 하나로 보아 마음의 성(性)과 심(心), 우주의 이(理)와 기(氣)를 논한다. 불교에는 마음의 근본을 불성(佛性) 또는 자성(自性)이라 하는데, 선종에서는 화두를 간(看)하여 견성을 구하는 간화선(看話禪), 자성을 적묵영조(寂默靈照)하여 적적성성(寂寂惺惺)한 경지에 이르게 하는 묵조선(默照禪)이 발달했다. 원불교의 성리는 성리학과 선종의 가르침을 다 포함한다.

○ **재색명리(財色名利)** 재물욕·색욕·명예욕·이욕(利欲)의 총칭. 인간이 갖는 모든 욕망을 통틀어서 재색명리라 한다. 재색명리는 마치 하늘과 땅에 쳐진 그물[天羅地網]과 같아 이 그물에 걸리면 그 누구도 빠져나갈 수 없다. 재색명리는 불보살과 중생의 갈림길이 되며, 재색명리를 항복 받는다는 것은 모든 욕망을 끊어버린다는 뜻이다. 따라서 재색명리를 항복 받아야 법강항마위 도인이 되는 것이다. 하근기 중생은 재색에 관한 욕심이 더 강하고, 상근기는 명리에 대한 욕심이 더 강하

다. 수행자에게는 명예욕 끊기가 가장 어렵다고 한다.

○ **삼독심(三毒心)** 탐욕심(貪欲心)·진에심(瞋恚心)·우치심(愚癡心)의 세 가지 번뇌. 줄여서 탐·진·치 삼독심이라고 한다. 이 삼독심은 모든 죄악의 근본이 된다.

○ **구정(垢淨)** 더럽고 깨끗함.

○ **증멸(增滅)** 더하고 덜함.

○ **공변(公遍)** ① 공평하고 정당하여 사사로움이나 어느 한 편에 치우침이 없음. 공사(公私)와 정사(正邪)를 대조할 줄 알고 친소와 원근에 끌리지 아니하는 마음이다. 소태산 대종사는 공중의 살림과 사업은 오직 공변된 정신으로 공변된 활동을 하는 공변된 사람에게 전해진다고 했다[『대종경』 교단품 36]. ② 진리의 한 속성. 진리는 공변되어 공평무사하고 정당한 것이다. 정산 종사는 새 도운은 공변된 법이 주장하는 운수라 했다[『정산종사법어』 도운편 5].

㉖ 성불 제중의 큰 서원

대산 종사 말씀하시기를 "법신불 일원상을 내 것으로 삼기 위해서는 성불 제중의 큰 서원을 세워야 할 것인바, 그러기 위해서는 먼저 견성을 해야 하나니, 견성은 청정법신불을 보는 것으로 우주 만유 삼라만상이 모두 부처임을 아는 것이요, 성불은 원만보신불이 되는 것으로 모든 행동이 다 선(禪)이 되고 법이 되어 자신 제도를 하는 것이며, 제중은 백억화신불로 화하는 것으로 언제 어디서나 보은 불공으로 타인 제도에 힘쓰는 것이니라."

〈교리편 26장〉

| 출처 |

하나님, 自然, 道, 宇宙 ○ 法身佛, 一圓佛, 圓佛님

太極 四恩

天上天下唯我獨露
天上天下唯我獨生
天上天下唯我獨尊

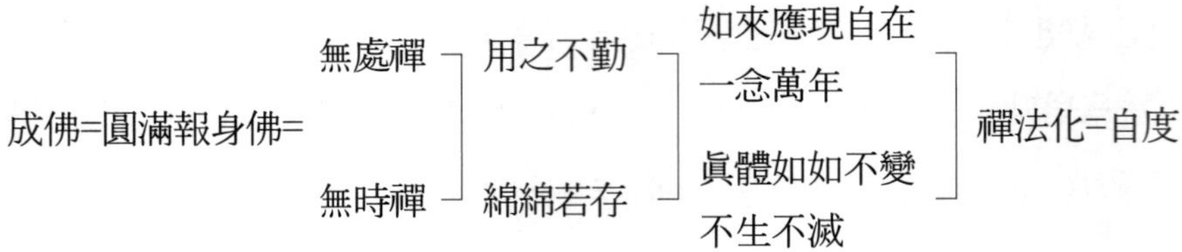

見性(見佛) = 淸淨法身佛 = 處處佛像

濟衆=百億化身佛=事事佛供= 圓滿平等 / 至公無私 / 報恩佛供 / 應用無念 / 福慧足足 ─ 佛恩化=他度

〈『대산종사수필법문집』 2. p.39. 원기65년 1월 20일〉

| 배경 및 상황 |

도표로 된 법문을 풀어서 정리한 법문이다. 전체를 설명하자니 내용이 길고 또 다른 법문하고 중복이 되어 간략하게 정리하였다.

법신불 일원상을 내 것으로 삼기 위해서는 성불제중의 큰 서원을 세워야 한다.

우선 견성이 필요하다. 견성은 청정법신불을 보는 것이요. 성불은 원만보신불이 되어 자신 제도를 하는 것이며, 제중은 백억화신불로 화하는 것으로 언제 어디서나 보은 불공으로 타인 제도에 힘쓰는 것이다. 공부인의 최종 목표는 성불제중이다. 성불하기 위해서는 견성을 해야 한다. 견성에는 초견성·중견성·상견성이 있다. 이를 단련하여 대원견성(大圓見性)을 해야 한다. 대원견성을 못 하면 결국 중생을 못 벗어난다. 성불도 중요하지만, 제중도 중요하다. 성불이 먼저인가 제중이 우선인가를 고민하기 전에 성품의 원리를 보는 견성을 먼저 해야 한다. 그러면 성불과 제중 사이에 갈등은 시소 타듯 즐기면서 견성에 중심점을 잡으면 되지 않을까 한다. 성불은 신앙과 수행이요 자신 제도이고, 제중은 보은과 불공이요 타인 제도이다. 그 가운데 견성으로 중심 잡으며 대원견성을 하면 대원경지에 도달할 것이다.

| 용어 풀이 |

○ **성불제중(成佛濟衆)** 상구보리 하화중생(上求菩提下化衆生) 자각각타(自覺覺他)의 뜻. 모든 불교 수행자의 구경 목적. 원불교인이 공통적으로 목적하고 있는 최고의 가치 있는 삶. 삼학 수행으로 삼대력을 얻어 무등등한 대각도인, 무상행의 대봉공인이 되어 세상을 구제하고 일체생령을 교화하는 것. 제생의세(濟生醫世)와 같은 뜻. 진리를 깨쳐 부처를 이루고 자비 방편을 베풀어 일체중생을 고해에서 구제하는 것.

○ **청정법신불(淸淨法身佛)** 일체의 더러움과 속된 것이 없는 궁극적 실재, 즉 진리 그 자체로서의 부처님. 여기서 '법신불'이란 '진리 그 자체를 몸으로 하는 부처'를 말하는 것으로서, 이때 '진리[법신]'와 '부처'는 하나의 궁극적 실재에 대한 철학과 종교라는 서로 다른 입장에서의 호칭이다. 즉 동일한 궁극적 실재를 종교적으로는 '법신불'이라 하고, 철학적으로는 '진리'라고 하는 바, 진리와 부처는 일체이명(一體異名)으로서 진리가 바로 부처이며, 부처가 바로 진리이다. 비로자나불(毘

盧遮那佛)이라고도 한다.

○ **원만보신불(圓滿報身佛)** 햇빛이 온 세상을 비추듯이 광명으로 이름을 얻은 부처라 한다. 또한 인(因)에 따라 그 과보로서 나타난 불신(佛身). 예컨대 아미타불과 같음. 수백 생에 걸쳐 수행에 정진 노력하고 덕을 쌓아 적공누덕(積功累德)하는 보살행의 실천인(因)에 따라 그 결실 과보로서 나타난 불신을 말함. 한편 일설에는 보신이란 법신과 화신의 중간 매개체로서의 불신을 말하는 것으로써, 거기에는 욕계·색계·무색계 등 중생들의 근기와 차원적 상황에 따라 다층 다차원의 다양한 보신이 전개될 수 있다고 한다. 보신(報身)으로서의 부처로 아미타불(阿彌陀佛)·노사나불(盧舍那佛)·약사불(藥師佛) 등을 가리킨다.

○ **백억화신불(百億化身佛)** 일체중생을 제도하기 위해 그들의 근기와 상황에 맞춰 인연 따라 다양한 모습으로 화현하여 나타난 부처님. 소태산 대종사나 석가모니불을 화신불이라 하는데, 넓은 의미에서는 삼라만상이 모두 화신불이다. 화신불에는 정(正)화신불과 편(偏)화신불이 있다. 정화신불은 법신불의 진리 그대로를 받아 화현한 불보살을 이르며, 편화신불은 법신불의 진리 그대로를 다 받지 못한 범부·중생을 말한다.

㉗ 원중불이 사상

대산 종사 말씀하시기를 "대종사께서는 과거의 종교 사상을 통합해 원중 불이(圓中不二) 사상을 널리 드러내셨나니, 원과 중은 다르지 않으며 원과 중이 함께해야 대도니라. 과거 불가에서는 주로 원 사상을 유가에서는 주로 중 사상을 주장해 왔으나, 앞으로는 원만 있고 중이 없으면 참 원이 되지 못하고 중만 있고 원이 없으면 참 중이 되지 못하나니, 원은 체가 되고 중은 용이 되느니라. 그러므로 우리 교법 가운데 삼학은 수행상의 원중 불이라 할 것이요, 사은은 신앙상의 원중 불이라 할 것이며, 사요는 생활상의 원중 불이라 할 수 있느니라." 〈교리편 27장〉

| 출처 |

교역에 임할 훈련교무들에게 말씀하시기를

대종사께서 과거의 종교 사상을 종합해서 낸 것이 원중불이사상(圓中不二思想)이다. 유교의 중(中)사상이 이천오백 년을 인류에게 영향을 주었고, 불교의 원사상(圓思想)이 삼천여 년을 인류에게 영향을 미쳤다. 그러나 앞으로의 시대는 한쪽만 가지고는 안 된다. 그렇기 때문에 원중불이사상이라야 된다.

유가(儒家)의 자사(子思)는 "중야자(中也者)는 천하지대본야(天下之大本也)요, 화야자(和也者)는 천하지달도야 (天下之達道也)니 치중화(致中和)면 천지가 위언(位焉)하며 만물(萬物)이 육언(育焉)이니라." 했는데 대종사께서는 이 글이 유교의 최고 진리를 표현하였다고 하셨다. 또 불교의 원사상은 이미 삼천여 년 전 영산회상에서 염화미소(拈花微笑)한 것이 말 없는 가운데 원사상을 그대로 밝힌 것이며, 근래에 최고로 원(圓)을 밝힌 것[원동태허(圓同太虛)해서 무흠무여(無欠無餘)]이라고 한 것이다.

교역자로 나가는 사람이 원중불이사상을 갖지 않으면 편벽된 사람이 되니 안 된다. 교리에서 살펴보더라도 정신수양에서도 과거에는 염불종은 염불만 하고, 선종(禪宗)은 선만 하고, 주문만 외우는 이는 그것만 갖고 한다든지 하여 전부 한 부분만 가지고 했는데 대종사님은 그것을 통합하여 원(圓)이면서도 중이 되도록 하여 주셨다. 사리연구에서도 과거에는 이(理)와 사(事)를 분리하여 이판(理判) 또는 사판(事判)으로 쪼개었는데 우리는 이사(理事)를 병행(竝行)하게 하시었다. 또 작업취사에서도 취사를 할 때 과부족(過不足)이 없는 중도(中道), 중심(中心), 중화(中和)를 취사의 요점으로 하신 것은 원만하면서도 중(中)을 잡으신 것이다.

그래서 삼학(三學)을 원중불이사상이 되게 하셨으며 사은(四恩)도 과거에는 하늘만 섬기던 것을 땅까지, 사람만 섬기던 것을 만물까지 섬기게 하시어 천지인(天地人)을 통합케 하셨다. 부모도 과거에는 아버지만 섬기던 것을 어머니까지 섬기게 하셨으며, 동포도 사(士)만 우대하던 것을 사농공상(士農工商)을 똑같이 우대하게 하셨으며, 법률도 입법자와 치법자를 함께 드러내 주셨다.
사요(四要)가운데 자력양성, 지자본위는 자력(自力)이라면, 타자녀교육·공도자숭배는 타력(他力)이다. 그래서 자타력(自他力)을 병진케 하셨다. 그러므로 우리 교역자는 원만하면서도 중을 잡고, 중을 잡으면서도 원을 놓지 않는 것이 체(體)와 용(用)을 겸한 것이다. 그래야만 편협한 도인이 되지 않는다. 항시 생활신조를 원중불이문 (圓中不二門)에 표준을 두어야 한다. 그것이 여래의 만능(萬能), 만지(萬智), 만덕(萬德)이 자재한 능력을 갖추는 문이다.

〈『대산종사수필법문집』 1. pp.2072~2073. 원기64년 7월 18일〉

동산선원에 써주신 귀 목판 일원상 뒷면에 '원중불이문(圓中不二門)'이라는 법문을 해석하여 주시기를

원사상(圓思想)을 부처님께서 발견하시고 우리 대종사께서 일원대도를 드러내시었고 유교로 말하면 중사상(中思想), 중도론이다. 유교의 전 사상은 중사상, 불교는 원사상인데 과거로 말하면 불교와 유교로 둘로 나누어졌으나 앞으로는 나누어져서는 안 된다.
원중불이문이다. 원이 곧 중이고 중이 곧 원이다. 그래야 원만한 대도가 되고 천하를 제도할 수 있는 인물이 된다. 원(圓)하여 중이 못 되면 조각이고, 중(中)이 되어서 원이 못 되면 그것도 반 조각이다. 그러니 반쪽이 되지 말고 온 덩어리가 되어야 하는 데 원래 세상은 반 조각이다. 음과 양이고, 하늘과 땅이니 반 조각 반 조각이 되지마는 합해야 한다.

〈『대산종사수필법문집』 1. p.892. 원기59년 4월 29일〉

'원중불이문(圓中不二門)'이라 써 주시고 법문 내리심

원(圓)과 중(中)은 다르지 않으며 원과 중이 융합하여야 원만한 대도가 된다. 원은 부처님이 발견하셨으나 우리 대종사님이 더욱 일원대도를 천명하셨고, 유교에서는 중사상을 천명하여 중도론으로 일체를 귀결시킨다.

그러므로 불교의 사상은 원, 유교의 사상은 중이다. 과거에는 원과 중의 사상이 나누어져 있으므로 원만하지 못하였다. 앞으로는 원과 중의 불이(不二)의 사상이 되어야 한다.

그러므로 원중불이문의 입장에서 원중중(圓中中)하고 중중원(中中圓)하여 원만한 대도가 되어야 한다.

또한 이러한 인격을 이루어야 천하를 구제할 자격이 있게 되며, 원(圓)하되 중(中)이 없고, 중하되 원이 없으면 반 조각이라 자격이 없다. 반 조각의 인격이 되지 말고 온 통의 인격이 돼라. 이 우주는 반 조각 반 조각이 합하여 원만히 운행되고 있다. 하늘이 있고 땅이 있으며 음이 있고, 양이 있다. 그러니 이런 이치를 알아서 조각이 되지 말라.

〈『대산종사수필법문집』 1. p.893. 원기59년 5월 1일〉

| 배경 및 상황 |

'원중불이' 사상은 대산 종사가 자주 말씀하였던 법문이다. 여기에 소개한 법문은 원기64년(1979) 7월 18일 신도안 서용추 계곡에서 훈련교무들에게 내린 법문을 중심으로 자주 소개되었던 법문을 종합하여 윤문한 법문이다.

대산 종사는 원기56년(1971) 7월 9일 천타원(天陀圓) 백지명(白智明) 교무에게 "원만이 중도다. 원중불이(圓中不二) 사상이 좋다. 원(圓)만 있고 중(中)이 없으면 참 원이 못 되며 중만 있고 원이 없으면 역시 참 중이 못 된다. 원은 체(體)가 되고 중은 용이 된다. 유가에서는 중만 불가에서는 원만 주장하여 원만히 안 되었다. 원동태허(圓同太虛) 무흠무여(無欠無餘)가 원중사상(圓中思想)

이다."라고 하였다.

천타원은 2년 후 원기58년(1973) 5월 13일에 세수 38세로 열반에 들었다. 대산 종사는 천지명 만지명이가 나도록 염원한다고 그의 영로를 위로했다.

또 다른 대산 종사의 원중불이사상을 소개하면 "공자님은 중(中)을 주체한 사상이었고 부처님은 원(圓)을 주체한 사상이었다. 그 법이 그 시대에는 맞았으나 지금은 원과 중을 합해야 하는데 우리 대종사님은 원중불이(圓中不離), 원중불이문(圓中不二門) 사상으로 전 인류와 일체생령을 구제할 길을 내놓으셨다. 원지체(圓之體)요 중지용(中之用)의 이 사상은 대진리의 철학이고 만고에 없는 대도이다. 그러니 평생 이 사상을 연마하도록 하라."라고 부연하였다.

| 용어 풀이 |

○ **원중불이(圓中不二)** 원과 중이 둘이 아니다. 과거에 불교는 원사상이고 유교는 중사상이었다. 대종사는 원중불리(圓中不離)라, 원과 중이 나뉘지 못한다. 원중불리가 원중불이라고 하였다. 대산 종사는 원과 중이 나뉘었던 사상을 이제는 융합해야 한다는 말로 원중불이 사상이라고 하였다.

㉘ 일원상 서원문

대산 종사 말씀하시기를 "일원상 서원문은 심불(心佛) 전에 불과(佛果)를 얻으려는 간절하고도 지극한 원을 세우고 법계에 그 서약을 올리는 경문이라. 그 지극한 원력이 시방에 충만하면 큰 불과를 얻게 되어 결국 천지 같은 무궁한 도덕을 갊아서 한량없는 광명과 수명과 덕행을 갖추게 되느니라." 〈교리편 28장〉

| 출처 |

1. 의의

일원상 서원문은 심불전(心佛前)에 불과(佛果)를 얻으려는 간절하고도 지극한 원으로서 법계에 서약을 올리는 글이다.

4. 결어

이 서원은 자신과 법신불 간에 불과(佛果)를 서약한 것이니 그 지극한 원력이 시방에 충만하면 대불과(大佛果)를 얻게 되어 결국 천지 같은 무궁한 도덕을 갊아서 한량없는 광명과 수명과 덕행을 갖추게 된다. 그러므로 삼세제불이 다 최초 서원 일념으로 부처를 이룰 것이며, 이 서약문이 바로 불조(佛祖)가 되려는 서약서이다. 〈『정전대의』 pp.26~27.〉

| 배경 및 상황 |

일원상 서원문은 원기23년(1938) 11월경에 소태산 대종사가 직접 지은 경문으로, 『정전』 교의편 제1장 '일원상' 제4절에 있는 글. 소태산이 깨달은 일원상의 진리를 모든 사람이 함께 깨치고 일상생활에 활용하여 마침내 일원상의 진리와 합일되도록 간절히 서원을 올린다는 내용. 306자의 짧은 내용이지만, 일원상의 진리·사은·삼학·인과의 이치 등 원불교의 기본 교리가 집약되어 있으며 원불교의 진리관·신앙관·수행관·우주관 등이 담겨 있다.

대산 종사는 일원상 서원문은 심불 전에 불과를 얻으려고 법계에 올리는 서약을 올리는 경문이라고 하였다. 그래서 '일원상 서원경'이라고 도 했다. 문(文)이 아니라 경(經)이란 뜻이다. 이 서원문이 불조(佛祖)가 되려는 서약서라고 하였다.

| 용어 풀이 |

○ **심불(心佛)** 원불교 신앙의 대상인 법신불 일원상을 원불교 교단 초기에 부르던 말. 우리의 마음이 곧 부처요 그것이 곧 일원상의 진리라는 뜻에서 이같이 말한다.

소태산 대종사가 처음 '일원상 서원문'을 발표할 때 '심불일원상의 내역 급 서원문'이라고 표현했다.

○ **법계(法界)** 현상 세계의 근본이 되는 형상이 없는 진리의 세계. 본체계 또는 허공법계라고도 한다. 나무의 가지와 잎을 현상계라고 한다면 뿌리를 본체계라고 할 수 있다. 형상 있는 현상 세계는 형상 없는 법계에 근원하여 존재하게 된다.

○ **경문(經文)** 불경의 문구.

○ **원력(願力)** 서원, 소원의 힘이라는 뜻. 소기의 목적 성취를 위한 결의. 본원력(本願力)·숙원력(宿願力)·대원업력(大願業力)이라고도 한다. 부처님이 보살이던 때에 세운 본원이 완성되어 그 업력을 나타내는 힘. 불교 최고의 목적을 달성하여 중생을 모두 제도하겠다고 다짐하는 것. 특히 열반인의 영가가 원력을 굳게 세우고 착심이 없이 떠나야 악도에 떨어지지 않고 천도를 받게 되므로 천도를 기원할 때 영가를 깨우치는 말로 자주 사용된다.

○ **덕행(德行)** 어질고 너그러운 행실. 덕스러운 행동을 의미한다.

㉙ 일원상 서원문에 합일

대산 종사 말씀하시기를 "마음에 사사(私邪)가 끊어지면 일원의 위력을 얻고, 마음에 망념(妄念)이 쉬면 일원의 체성에 합하느니라."

〈교리편 29장〉

| 출처 |

일원상 서원문

일원은 언어도단(言語道斷)의 입정처(入定處)이요, 유무 초월의 생사문(生死門)인 바, 천지·부모·동포·법률의 본원이요, 제불·조사·범부·중생의 성품으로 능이성 유상(能以成有常)하고 능이성 무상(無常)하여 유상으로 보면 상주 불멸로 여여 자연(如如自然)하여 무량 세계를 전개하였고, 무상으로 보면 우주의 성·주·괴·공(成住壞空)과 만물의 생·로·병·사(生老病死)와 사생(四生)의 심신 작용을 따라 육도(六途)로 변화를 시켜 혹은 진급으로 혹은 강급으로 혹은 은생어해(恩生於害)로 혹은 해생어은(害生於恩)으로 이와 같이 무량 세계를 전개하였나니, 우리 어리석은 중생은 이 법신불 일원상을 체받아서 심신을 원만하게 수호하는 공부를 하며, 또는 사리를 원만하게 아는 공부를 하며, 또는 심신을 원만하게 사용하는 공부를 지성으로 하여 진급이 되고 은혜는 입을지언정, 강급이 되고 해독은 입지 아니하기로써 일원의 위력을 얻도록까지 서원하고 일원의 체성(體性)에 합하도록까지 서원함. 〈『정전』 p.25.〉

합일(合一)
마음에 사사(邪私)가 끊어지면 일원의 위력을 얻고, 마음에 망념이 쉬면 일원의 체성에 합일한다. [일원과 둘이 아님] 〈『정전대의』 p.27.〉

| 배경 및 상황 |

대산 종사는 "일원상 서원문은 삼세 제불제성의 도본(圖本)도 되고, 천만 경전의 근원이 되며, 팔만대장경의 서문(序文)인 동시에 우리 경전의 서문이다."라고 하였다. 또한, "마음에 사사(邪私)가 끊어지면 일원의 위력을 얻고, 마음에 망념이 쉬면 일원의 체성에 합일한다."라고 하였다. 일원과 둘이 아닌 자리에 합일하려면 사사가 끊어지고 마음에 망념이 쉬어야 비로소 일원의 진리에 합할 수 있으니 서원하고 용맹정진하라고 정진문[必以斷斷一直心 勇猛精進 勇猛精進]과 원상대의[涵養大圓氣 步步超三界 涵養大圓氣 度無量衆生]에서 밝히고 있다.

| 용어 풀이 |

○ **사사(私邪)** ① 개인의 사리(私利)를 위한 일이면서도 정의롭지 못하고 삿된 일. ② 개인 중심이면서도 불의한 일.

○ **위력(威力)** ① 사람을 복종시키는 강한 강제력. ② 위풍이 있는 강대한 권세. 권위에 찬 떨치는 힘. ③ 불보살이나 성인이 지니는 위덕(威德)에서 풍기는 힘. 절대자의 불가사의한 힘. ④ 일원상 진리의 위력.

○ **망념(妄念)** 망령된 생각. 망상(妄想)과 같은 말. 경계에 끌려다니는 중생의 마음. 분별시비심·사량계교심·시기질투심·삼독오욕심·번뇌망상심 등으로 정견을 하지 못하고 망견에서 일어나는 마음이다.

○ **체성(體性)** ① 사물의 변하지 않는 근본 성질. 사물의 본질을 체라 하고 작용과 양태를 용이라고 하는데, 그 체는 영원히 변하지 않는 것으로 이러한 본질의 성격을 체성이라고 한다. '일원상 서원문'에서는 일원의 진리를 체받아 삼학 수행을 철저히 하여 마침내 일원의 위력을 얻고 일원의 체성에 합하기를 서원한다고 했다. ② 법신불 자체. 법신불 본래 그 자리.

㉚ 일원은 사은의 본원이요 여래의 불성

대산 종사 말씀하시기를 "일원은 사은의 본원이요 여래의 불성으로 말과 글로써 다 표현할 수는 없으나, 굳이 그 자리를 말하자면 크되 큼이 없고 작되 낱이 없으며, 있고 있고 없고 없으며, 있으면 없고 없으면 있어서, 생멸이 없고 인과가 적실하므로 만법의 조종(祖宗)이 되느니라."

〈교리편 30장〉

| 출처 |

四恩의 本源
如來의 佛性
一圓大道 歷劫難遇

크되 큼이 없으며
작되 낱이 없으며
있고 있고 없고 없으며
있으면 없고 없으면 있어서(大 小 有無)
生滅이 없고
因果가 적실하며
諸佛諸聖이 法 받는지라.
萬法의 祖宗이 되나니라.

〈『대산종사수필법문집』 1. p.1945. 원기63년 9월〉

| 배경 및 상황 |

일원은 사은의 본원이요 여래의 불성으로 일원대도 정법을 만나기가 어렵다는 의미이다. 그 자리는 크되 큼이 없고 작되 낱이 없으며, 있고 있고 없고 없으며, 있으면 없고 없으면 있어서[대소 유무], 생멸이 없고 인과가 틀림이 없이 확실하여 제불제성이 법 받는 자리라 만법의 근본이 된다[조종(祖宗)]는 말이다.

| 용어 풀이 |

○ **사은(四恩)** ①원불교 교리의 신앙과 수행의 두 문 가운데 신앙문에 속하며 인생의 요도로서 천지은(天地恩)·부모은(父母恩)·동포은(同胞恩)·법률은(法律恩)을 말한다. 대종사는 일원상의 내역을 말하자면 곧 사은이요, 사은의 내역을 말하자면 곧 우주만유로서 천지·만물·허공·법계가 다 부처 아님이 없다고 했다. 사은은 일원상의 진리를 은(恩)에 입각한 존재 분류이다.

○ **본원(本源)** 사물(事物)의 근원(根源)이자 근본. 『정전』 '일원의 진리'에서는 '일원은 우주만유의 본원'이라고 정의하고 있다. 이는 진리의 근본을 일원[상]에 두고 있는 것을 말한다.

○ **여래(如來)** 〈교리편 10장〉 용어 풀이 참조.

○ **불성(佛性)** 〈교리편 10장〉 용어 풀이 참조.

○ **적실(的實)** 틀림이 없이 확실함.

○ **조종(祖宗)** 모든 일의 근본이 되는 자리. 가장 으뜸 되는 가르침이나 원리. 불조(佛祖)의 종지(宗旨).

㉛ 진공묘유가 일원상 자리다

대산 종사 말씀하시기를 "진공 묘유가 바로 일원상 자리니, 진공은 텅 비어 있으나 텅 비었다는 그것마저 없는 자리요 묘유는 그 가운데 묘한 이치가 있어 나타남을 이름이라. 우리는 모두 이 진공 묘유의 이치를 따라 육근이 육진에 출입하되 물들지 않는 생활을 해야 하나니, 그러기로 하면 이 일원상을 표준으로 진공 묘유가 되었는가를 늘 살펴야 할 것이니라."

〈교리편 31장〉

| 출처 |

대종사님 탄생가에서 훈련생들에게 해주신 법문

훈련생들의[2명] 강연을 들으시고 종법사께서 진공묘유(眞空妙有)에 관하여 물으니 훈련생들이 여러 가지로 말씀드리다. 종법사께서 다 들으시고 말씀하기를

원상(圓相) 자리 원상이니, 공(空)이라 함은 아주 공이라고 표현할 때 공 자리

라는 것도 없는 것을 말하는 것이다. 너희들이 빈 병이라고 할 때는 병 속에 아무것도 안 들어 있는 것을 의미하지? 병이 없는 것을 말할 때는 그건 공이다. 그러므로 우주만유의 체(體)와 원상(圓相)이 공(空)인데 공이 아니라는 말이다.

그러므로 천지의 작용이 수억만 년 80대겁이 지나더라도 묘유(妙有)로 나타난다. 있기는 있는데 묘하게 나타난다. 그래서 수억만 년 지나더라도 체(體)가 공(空)이 되고 찬 공이 아니고 진공(眞空)이 되기 때문에 있어도 그것이 묘유가 되었단 말이다. 그러니까 우리 수행을 하는 사람도 없는 병이 되지 말고 빈 병이 되어서 유(有)로 나타나는데 묘하게 나타나야 한단 말이다.

육근(六根)이 육진(六塵)에 출입하되 물들지 않는 그것이 바로 묘유다. 그것을 수양으로 잡는 것이 수행가의 최존 최고의 진리다. 그런데 보통 사람은 육근으로 들어오는 번뇌 망상이 진공(眞空)이 되질 않고 다북찬단 말이다. 그것은 아니다. 육근으로 들어오는 번뇌 망상이 공했으되 진공이 된단 말이여 그것이 수행할 때의 최고의 것이다.

자기가 표준 잡고 지금 내가 진공이 되었나 안 되었나 해서 안 되었으면 진공이 되도록 까지 해야 한다. 항마 정도는 모든 탐진치 오욕을 항복은 받으나 그러나 그것이 진공묘유는 되지 못한다. 그리고 출가위 정도는 좀 이것을 벗어나 초연하기는 해도 그것이 완전히 진공묘유의 자유자재하는 힘은 얻지 못했다. 그런데 여래는 진공묘유가 돼서 묘유진공(妙有眞空)이 되어서 동정 간에 자유자재하는 심법이 나타난다.

〈『대산종사수필법문집』 2. pp.206~207. 원기66년 4월 25일〉

| 배경 및 상황 |

대산 종사는 영산선원생과 훈련교무들의 훈증을 위해 원기66년(1981) 4월 중순 경 영산성지를 방문하여 1개월 동안 주재하였다. 이때 대종사 탄생가 복원 및 영모전 낙성 봉불식을 하였고, 5월 20일 신축한 영모전에서 제2대 제92회 임시 수위단회를 한 후 다음 날 변산 제법성지 일원대도비 건립 봉고에 참례하였다.

이 법문은 4월 25일 대종사 탄생가에서 훈련교무들의 강연을 들은 후 대산 종사가 '진공묘유'에 대해 말씀하신 것이다.

"진공묘유가 바로 원상[일원상] 자리다. 진공은 텅 비어 있으나 텅 비었다는 그것마저 없는 자리요 그 가운데 묘한 이치가 있어 나타난다."라고 하였다. 이를 비유하여 "빈 병이라고 할 때는 병 속에 아무것도 안 들어 있는 것을 의미하지? 병이 없는 것을 말할 때는 그건 공이다. 그러므로 우주만유의 체(體)와 원상(圓相)이 공(空)인데 공이 아니라는 말이다. 그러므로 천지의 작용이 수억만 년 80대겁이 지나더라도 묘유(妙有)로 나타난다."

대산 종사는 "육근(六根)이 육진(六塵)에 출입하되 물들지 않는 그것이 바로 묘유다."라고 하였다. 이를 '육근문 개폐 규제 자유'라고 하였으며, '육근문에 검문소를 설치'하여 늘 살펴야 한다고 하였다.

| 용어 풀이 |

○ **진공묘유(眞空妙有)** 참으로 텅 빈 가운데 신묘하고 충만함 또는 충만한 작용

○ **육근(六根)** 육식(六識)이 경계(六境)를 인식하는 경우 그 소의(所依)가 되는 여섯 개의 뿌리. 곧 심신을 작용하는 여섯 가지 감각기관으로서, 눈(眼根)·귀(耳根)·코(鼻根)·입(舌根)·몸(身根)·뜻(意根)의 총칭이다. 12처(十二處) 중의 6처(六處)에 해당하며 육입(六入)이라고도 한다. 안계(眼界) 등의 전5근(前五根)은 감각기관(五官) 또는 그 기능을 의미하고, 그 체(體)는 색법(色法), 곧 색근(色根)이다. 여기에서 의근(意根)은 심법(心法)으로 무색근(無色根)이다.

○ **육진(六塵)** 인간의 본성을 흐리게 하는 여섯 가지 경계. 곧, 육근을 작용할 때 그 대상이 되는 색·성·향·미·촉·법의 육경(六境)을 말한다. 이 육경은 육근을 통

하여 청정자성심을 더럽게 물들이기 때문에 육진 또는 육적(六賊)이라 한다.

㉜ 봉불의 의의

대산 종사, 서성로교당 봉불식에서 말씀하시기를 "우리가 법신불 일원상을 봉안하는 것은 시불(侍佛)·생불(生佛)·활불(活佛)의 뜻이 있나니, 시불을 하자는 것은 자나 깨나 진리와 부처님과 스승님을 모시고 닮아 가자는 것이요, 생불이 되자는 것은 자기에게 있는 천진불을 회복하여 완전한 권리와 원만한 능력을 갖춘 부처가 되자는 것이며, 활불이 되자는 것은 내 가정과 내 이웃과 내 국가를 비롯한 시방세계 일체 생령을 구원하는 산 부처가 되자는 것이니라." 〈교리편 32장〉

| 출처 |

서성로 봉불식 법문

봉불(奉佛)의 의의

일원의 진리를 대각하시고 주소일념 허공법계와 우주만유를 다 부처로 모시고서 일체중생을 위하여 온갖 심혈을 다하신 우리 대종사께서는 곧 일원의 진리와 똑같은 부처님이 되셨고 만 생령의 구주가 되신 것이다. 그러므로 우리도 모시는 사람, 모시는 생활이 되어야 하겠다. 시불(侍佛)! 모실 시 자, 부처 불 자이니, 부처님을 모시고 사는 사람, 아침부터 저녁까지, 저녁부터 아침까지, 꿈에도 모시고, 낮에도 모시고, 자나 깨나 진리와 스승님을 모시고 사는 사람이 되고 보면 부처가 곧 나요, 내가 곧 부처가 될 것이며, 내가 곧 그 스승이 되는 것이다.

둘째는 생불(生佛)이 되는 것이다. 봉불은 곧 시불(侍佛)을 하자는 것이요, 시불은 곧 생불이 되자는 것이다. 보라! 글씨 잘 쓰는 명필을 모시고 글씨 공부를 하는 사람은 그 명필을 닮아서 필경에는 명필이 되지 않던가. 청정법신불(淸淨法身佛)을 모시고 또 법 있는 스승님을 모시고서 살아가노라면 닮아 가게 되고, 닮다 보면 저 청정법신불과 다름이 없는 원만보신불(圓滿報身佛)이 되며 그 스승님과 다름이 없는 참다운 제자가 되고 마는 것이다.

셋째는 활불(活佛)이 되자는 것이다. 시불을 하여 생불이 되자는 것은 곧 활불이 되자는 것입니다.

생불이 되어서 옷만 입고 밥만 먹고 잠만 자는 부처라면 아무런 보람이 없는 것이다. 생불이 되었으면 그 힘으로 걸림 없이 일할 수 있는 활불이 되어야 하는 것이다. 활불은 살리는 부처요, 활동하는 부처님이시다. 내 가정을 살리고 내 이웃을 살리고 내 국가 내 민족을 살리며, 전 세계 전 인류와 시방세계 일체 생령을 구원할 수 있는 활동하는 부처를 말하는 것이다.

오늘 봉불식의 의의가 이 법당에 저 활신불상(活身佛像)을 봉안하는 데에만 있는 것이 아니라, 이 몸 법당에 부처님을 잘 모시는 데 있고, 부처님을 잘 모셔서 생불이 되자는 것은 활불이 되어 가정 사회 국가 세계를 책임지고 살려내는 데 있는 것이니 다 같이 이 뜻을 잘 알아서 실행할 것을 거듭 강조하는 바이다.

〈『대산종사수필법문집』 1. pp.126~128. 원기50년 7월 17일〉

| 배경 및 상황 |

대산 종사는 원기50년(1965) 7월 17일 대구 서성로교당 봉불식 법문으로 봉불의 의의 세 가지를 '시불, 봉불, 활불'이라고 하였다.

법신불 일원상을 봉안하는 뜻은 시불하여 생불이 되고 활불이 되자는 것이다. 대산 종사는 시불과 봉불을 해야 하지만 최종적으로 활불에 방점을 찍었다. 활불은 살리는 부처요, 활동하는 부처님으로 내 가정을 살리고 내 이웃을 살리고 내 국가 내 민족을 살리며 전 세계 전 인류와 시방세계 일체생령을 구원할 수 있는 활동하는 부처라고 하였다.

| 용어 풀이 |

○ **봉안(奉安)** ① 받들어 편안하게 모신다는 의미. 신주(神主)나 화상(畵像)·영정(影幀)을 모시는 일. ② 법신불 일원상을 신앙의 대상으로 모시는 일. 법신불을 봉안할 때 법신불의 한량없는 은혜를 베풀어주기를 비는 글을 봉안문으로 올린다. 그 내용은 법신불의 위력으로 모든 사기(邪氣)를 정화(淨化)해주고 청정법계를 이루어 주며, 교도들의 공부와 사업이 진취하여 영원한 세상에 혜복의 문로가 크게 열리게 해달라고 비는 것이다. ③ 소태산 대종사의 영정(影幀)을 모시는 일.

○ **시불(侍佛)** 항상 마음속에 부처님을 모시고 살아가는 것. 행주좌와 어묵동정 간에 잠시도 부처님을 잊지 않고 늘 모시고 받들며 살아가는 생활. 이가 곧 처처불상 사사불공, 무시선 무처선의 생활이다. 그러므로 시불이란 항상 불공하는 생활, 기도하는 생활, 엄숙하고 경건한 생활이 된다.

○ **봉불(奉佛)** 법신불 일원상을 봉안하는 것. 교당이나 가정 또는 직장에 법신불 일원상을 봉안하여 행주좌와 어묵동정 간에 신앙의 대상과 수행의 표본으로 받들기 위한 것이다. 봉불은 일반적으로 교당이나 가정이나 직장에 법신불 일원상을 봉안하는 것이지만, 수행인은 각자의 마음속에도 항상 봉안하여야 한다. 봉안은 신앙의 대상을 받들어 모신다는 뜻.

○ **활불(活佛)** 덕행이 높은 승려를 이르는 말로 살아서 활동하는 부처라는 뜻. 곧 부처와 같은 인격과 역량을 갖추고 사람들과 어울려 살면서 중생 교화에 노력하는 사람. 살아서 숨 쉬고 일하며 움직이는 부처님이라는 뜻. 곧 부처님과 같은 인격과 역량을 갖추고서 시장 바닥에 나와서 중생 교화에 노력하는 사람, 또는 자비심이 많은 사람을 일컫는 말. 가만히 앉아 있는 좌불(坐佛)이 아니라 돌아다니며 일하는 부처님이라는 뜻.

○ **봉불식(奉佛式)** 교당이나 기관 또는 가정에서 이사하거나 집을 신축 또는 증

축·수리했을 때 법신불 일원상을 모시는 의식.

○ **천진불(天眞佛)** ① 청정법신불의 다른 이름. 법신불은 천연의 진리이며, 우주의 본체이므로 천진불이라고 한다. ② 천진묘성을 가져 천진무구하고 천진난만한 사람을 일컫는 말.

㉝ 법신불 일원상을 봉안하는 뜻

대산 종사, 부산교구청 봉불식에서 말씀하시기를 "우리가 법신불 일원상을 봉안하는 뜻은, 첫째는 마음의 고향인 일원의 진리에 돌아가자는 것이니, 이 자리는 우주 만유의 근본이요 제불 제성이 왕래하는 적멸 궁전으로 대종사께서는 이를 '무무역무무 비비역비비(無無亦無無 非非亦非非)'라 하셨느니라. 불보살 성인들은 일 있을 때는 일을 하시고 일 없을 때는 마음의 고향인 자성 자리로 돌아가나니, 우리도 교당에 일원상을 봉안하듯 각자의 육신 법당에 마음 부처님을 잘 모시고 살아야 할 것이니라. 둘째는 일원의 진리 자리인 마음의 거울에 비추어 보자는 것이니, 이 자리는 원근 친소가 끊어지고 너와 내가 없는 자리인지라, 늘 회광 반조하여 마음의 달이 솟고, 지혜의 달이 솟고, 성품의 달이 솟아 그 빛이 시방세계를 두루 비추게 하자는 것이니라. 셋째는 일원의 진리 자리에서 마음의 꽃을 피우자는 것이니, 이 꽃은 일체 생령이 다 같이 복의 열매를 맺게 하는 꽃이라, 세존께서는 우담바라를, 공자께서는 도의 꽃을, 대종사께서는 일원의 꽃을 피우셨느니라. 그러므로 우리는 법신불 일원상을 모시고 자성과 본성과 불성으로 돌아가서 마음의 달, 지혜의 달, 성품의 달이 솟아나게 하여 온 세상에 우담바라·도화·일원화가 활짝 피어나게 해야 하느니라." 〈교리편 33장〉

| 출처 |

부산회관에서 내려주신 법문

부산교구 교도님과 전국에서 모인 교무, 교도님, 부산 시장, 양찬우 공화당 사무총장 등 각계 귀빈이 3천 명 정도 모인 자리에서 법문 내려주심.

봉불의 의의는 첫째, 우리 몸 법당에 마음 부처님을 모시고 원만하게 살자는 것이다. 가정이나 사회나 국가 세계가 원만하게 되자는 것이요, 전 인류와 전 생령이 다 함께 마음의 고향에 돌아가자는 것이다. 인류의 영원한 스승인 부처님이나 공자님, 노자님, 예수님, 대종사님 등 모든 성현이 함께 돌아가 의지하는 곳이 있다. 일 있을 때에는 세상에 나오시어 일을 하시고 일이 없을 때에는 자기의 본성자리에 돌아 가신다. 그 곳이 불성(佛性)자리고 자성(自性)자리며 원적무별하여 고해가 없는 자리이다. 보통 사람들은 조금 좋으면 도에 넘치게 좋아하고 조금 싫으면 울고불고 하여 좋았다 싫었다 하는데 부처님께서는 그렇지 않으시다. 좋은 일이 있을 때나, 싫은 일이 있을 때나, 본성자리 자성자리 불성자리에 돌아가 원적무별(圓寂無別)한 적멸궁전(寂滅宮殿)이 된다. 그 자리가 대적광전(大寂光殿)이며 크게 고요한 자리며 빛나는 자리다. 그러므로 중생은 칠정[七情, 喜怒憂懼愛憎欲]에 묻혀 살고, 부처님은 적멸궁전, 대적광전, 영보도국(靈寶道局)인 자리, 곧 마음의 고향에서 사신다.

둘째, 마음의 거울을 비추어 보자는 것이다. 오늘날 세계는 발전의 속도가 점점 가속화되고 모든 일이 복잡다단해져서 쉴 틈이 없게 되었다. 그렇기 때문에 노이로제 환자와 신경쇠약자가 늘어가고 있다. 선진국일수록 물질문명은 발달하였지만, 그와 반대로 정신질환 문제로 고민하고 있다. 그러므로 우리는 늘 마음 거울을 비추어 보아 마음 하늘에 검은 구름을 벗겨야 심월(心月)이 솟는다. 우리가 수도를 정성스럽게 하여 탐·진·치·첨곡(諂曲) 질투가 끊어지고 보면 심월이 솟는데 그달을 혜월(慧月)이라고 한다. 여기에서 한 걸음 더 들어가면 성월(性月)이 된다. 성품의 달이다. 그래서 심월 혜월 성월이 솟으면 혜조시방(慧照十方)이 된다. 부처님이나 대종사님 삼세제불제성께서는 심월이 솟고, 혜월이 솟고, 성월이 솟았기 때문에 혜조시방이 되어 위로 구만 장천을 뚫고 아래로 수천만 리를 비춘다고 했다.

그러므로 어두운 중생의 마음을 비춰주신다.

셋째, 마음의 꽃을 피워야 하겠다. 부처님께서 피우신 꽃은 우담발화며, 공자님께서 피우신 꽃은 도화(道花)요, 대종사께서 피우신 꽃은 일원화(一圓花)이다. 우리 마음의 고향 즉, 본성·자성·불성 자리에 돌아가 원적무별한 적멸궁전 대적광전 영보도국이 되게 하자, 거기에 거울이 비추어져서 심월이 솟고 혜월이 솟고 성월이 솟으면 혜조시방(慧照十方)이 되는데 거기서 피는 꽃이 심화(心花)이다.

우리나라 꽃이 무궁화이다. 우연한 일이 아니다. 무궁화는 우리 민족과 함께 오천년 동안 전래했고 대종사님이나 선 종법사께서 이 나라가 장차 정신적 지도국이 될 것임을 예시한 것이라고 하셨다.

대종사께서 "풍우상설이 지낸 후에 한 때에 꽃이 피어 만세의 봄이 된다.[風雨霜雪過去後 一時花發萬歲春]"고 하시며 "낙망하지 말고 정성을 다하면 이 나라가 장차 세계의 정신적 지도국이 될 것이다."라고 하신 적이 있다.

우리 한국은 무궁화를 피워 온 오천 년 역사가 있고, 일원화(一圓花)를 피우기 위하여 대종사께서 이 땅에 오시었다. 우리는 한 마음 굳게 다짐하여 귀의자성, 귀의본성, 귀의불성이 되고 심월 혜월 성월이 솟아 우담발화, 도화, 일원화가 가정에서부터 사회, 국가, 세계에 피게 하자.

〈『대산종사수필법문집』 2. pp.60~62. 원기65년 4월 8일〉

| 배경 및 상황 |

원기65년(1980) 4월 8일 부산교구청 봉불낙성식이 열렸다. 당시 '부산회관 봉불 낙성식'이라 하였다. 지하 1층 지상 6층 연건평 1천 평으로 부산교구청과 부산교당이 입주하였다. 대산 종법사의 임석으로 시작된 부산회관 봉불 낙성식은 문도권 교구청 신축 추진위원장의 개식사에 이어 세계 평화기원식을 신제근 부산교구장의 집례로 올렸다.

대산 종사는 "법신불 자리는 청정무애하며, 이를 회복하는 것이 보신이며, 다음에는 백억화신으로 나타난다. 그래서 우리 각자의 마음에 봉불을 하는 것은 마음의 고향에 돌아가기 위한 것이며, 마음의 거울을 가지는 것이며, 마음의 얼굴에 꽃을 피우게 하는 것이다."라고 봉불의 의의에 대한 법설을 내렸다.

奉佛의 뜻

侍佛, 生佛, 活佛

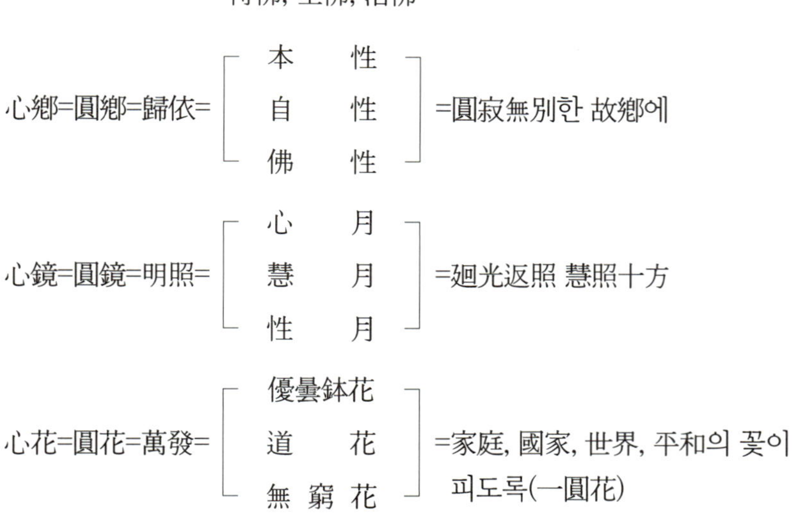

| 용어 풀이 |

○ **적멸궁전(寂滅宮殿)** ① 생멸이 함께 없어지고 번뇌 망상이 잠자버린 경지. 곧 자성에 합일된 마음. 거기에는 번뇌 망상·삼독 오욕·분별 시비·사량 계교·선악 미추도 없어져 편안하고 고요한 궁전과 같다는 뜻에서 이렇게 말한다. 적멸보궁이라고도 한다. ② 불상을 모시지 않고 법당만 있는 불전(佛殿)을 이르는 것으로, 한국에는 4적멸궁이 있다. 양산의 통도사, 오대산의 월정사, 사자산의 법흥사, 태백산

의 정암사이다.

○ **원근친소(遠近親疏)** 멀고 가까움과 친함과 친하지 아니함.

○ **회광반조(迴光返照)** 빛을 돌이켜 거꾸로 비춘다는 뜻. 불교의 선종(禪宗)에서 언어나 문자에 의존하지 않고 자기 마음속의 영성(靈性)을 직시하는 것을 의미함. 사람이 죽기 직전에 잠시 온전한 정신이 돌아오는 것을 비유하기도 한다. 원불교에서는 순간마다 매일 온전한 정신을 가지고 자신의 행위와 삶을 돌아 비추어 보라고 가르치고 있다.

○ **우담바라(優曇鉢花)** ① 불교 경전에 보이는 상상의 꽃. 우담바라(優曇波羅)·우담발라화(優曇跋羅華)로도 부른다. 불경에서 여래(如來)나 전륜성왕(轉輪聖王)이 나타날 때만 핀다는 상상의 꽃이다. 인도 전설에서 이 꽃은 싹이 터서 1천년, 봉오리로 1천 년, 피어서 1천 년, 합이 3천 년 만에 한번씩 꽃이 핀다고 하여 매우 희귀함을 강조하고 있다.

34 제생의세하는 고등 종교인

대산 종사 말씀하시기를 "세존께서 전생에 가리왕에게 팔다리를 다 잘리는 환란을 당하였어도 하늘을 원망하거나 사람을 탓하지 않고 오히려 큰 원력으로 부처님이 되시어 대자비를 전 인류에게 전하셨고, 예수께서 죄 없이 십자가에 못 박히는 희생을 당하였어도 조금도 원망이나 미워함이 없이 큰 사랑을 온 인류에게 전해 주셨느니라. 또 공자께서는 백 사람 천 사람에게 배척을 당하였어도 모든 것을 당신 일로 알아 의무와 책임을 다 하심으로써 인(仁)을 전 인류에게 전하셨으며, 노자께서는 먼저 도를 얻었음에도 그 자리를 공자께 양보하시어 사양의 도를 온 인류에게 전해 주셨느니라. 후천개벽의 주세 성자로 오신 대종사의 자비도 저 태양보다 따스해 생명을 다 바쳐도 여한 없는 은혜의 진리를 전 인류와 전 생령에게 전해 주셨으며, 정산 종사께서도 그 정신을 이어받아 20여 년 동안 내우외환을 겪으면서도 대종사의 일원 대도를 교단 만대에 전하셨나니, 우리도 세계를 평화롭게 하고 국운과 교운을 융창시키기 위해서라면 무서운 고통과 죽음과 어려움이 우리 앞을 가로막는다 할지라도 큰 서원과 큰 적공으로 제생 의세하는 고등 종교인이 되어야 할 것이니라." 〈교리편 34장〉

| 출처 |

은의 핵을 보유하신 분의 내역

부처님께서 가리왕에게 절절지해(節節肢解)한 환란을 당하셨어도 불원천(不怨天), 불우인(不尤人)하시는 원력으로 인해서 주세불이 되시어 자비의 핵을 전 인류에게 주셨고, 예수님께서는 십자가에 죄 없이 희생당하셨으나 조금도 원망 없이 당하시어 웃음과 사랑을 주셨으므로 그 사랑의 핵이 2천 년간 보급되었고, 공자님께서는 철환천하 하시면서 백 인, 천 인에게 배척당하셨지만, 실망하지 않으시고 당신 일로 알아 의무와 책임을 지키심으로써 2,500년간 인의 핵을 전해주셨고, 노자께서는 당신이 선각하셨음에도 불구하고 뒷자리에서 공자님에게 양보하셨음으로 그 사양의 핵을 2,500년간에 걸쳐 전 인류에게 전해주셨고, 대종사께서는 병진 (음)3월 26일에 은의 핵을 보유하셔서 전 인류, 전 생령에게 태양보다도 더 뜨거운 정의, 보름달보다 더 원만한 정의, 생명을 다 바쳐도 여한이 없을 정의의 핵을 전해주셨음으로 선사께서 그 핵을 이어받아[법위 28년~47년] 20년간 형제자매를 다 같이 빠짐없이 이끌어 나오신 가운데 내(內)로는 다 크지 못한 어린 형제자매를 품 안에 빠짐없이 넣으시고 외(外)로는 일제의 무서운 탄압이며, 8·15 이후 혼란한 국란이며 6·25의 무서운 대란이며 그로 인하여 구 년 대병(九年大病)의 내우외환을 겪으시면서도 대종사님의 일원대도를 시방세계에 전하려는 주소일념하에 마음 한 번 가라앉고 이마 한 번 찡그리신 바 없이 교단을 만대에 전하시게 된 것은 은의 핵을 보유하신 거룩한 대종사님의 수제자이시기 때문이다.

우리도 큰 서원 큰 적공으로 세계를 평화 시키고 국운을 융창시키며 교운을 팽창시키기 위해서는 우리 앞에 무서운 고통과 죽음과 난사(難事)가 가로막힐지라도 칠욕(七慾)을 극복해서 은의 핵을 보유하여 제생의세하는 고등종교인이 되어야 하겠다. 〈『대산종사수필법문집』 1. pp.1168~1169. 원기60년 6월 17일〉

| 배경 및 상황 |

이 법문의 제목은 '은의 핵을 보유하신 분의 내역'이었다. 대산 종사는 비유 법문으로 은(恩)과 핵(核)을 극단적으로 대비하였다. 일반적으로 핵은 '원자 폭탄이나 수소 폭탄 따위의 핵반응으로 생기는 힘을 이용한 무기'를 이른다. 핵의 또 다른 표현은 '사물이나 현상의 중심'이라고 한다.

은혜와 핵무기라는 극과 극의 표현이 적절치 못하고 부정적인 의미로 읽힐 수 있어 제목을 달지 않았다. 핵을 사물의 중심으로 이해하면 핵심이라고 할 수 있지만, 핵폭탄이나 핵무기의 무서운 이미지에 은의 핵은 사라진 것이다.

대산 종사는 은과 은혜를 강조하고자 '은의 핵을 보유하자'고 역설적으로 표현하였다. 과거의 성현 중 전생의 석가모니는 가리왕에게 절절지해(節節肢解)한 환란을 당하셨어도 불원천(不怨天), 불우인(不尤人)하시는 원력으로 인해서 주세불이 되시어 자비의 핵을 전 인류에게 주셨고, 예수, 공자, 노자 등도 은의 핵을 보유하여 지금까지 그 은혜가 전해지고 있다.

"대종사님은 은의 핵을 보유하셔서 전 인류, 전 생령에게 태양보다도 더 뜨거운 정의, 보름달보다 더 원만한 정의, 생명을 다 바쳐도 여한이 없을 정의의 핵을 전해 주셨음으로 정산 종사는 그 핵을 이어받았다."

또한 우리도 "그 은의 핵을 보유하여 제생의세하는 고등종교인이 되어야 하겠다. 핵이 없으면 자비와 사랑 그것에 머물지만, 핵이 묻으면 퍼져나간다. 조금이라도 핵이 묻어야 한다.”라고 강조하였다.

| 용어 풀이 |

○ **세존(世尊)** 석가모니 부처님의 다른 호칭. 여래 십호(如來十號)의 하나. 신성한, 성스러운, 존귀한 등을 의미하는 산스크리트어 ‘바가바트(bhagavat)’를 세상에서 가장 존귀한 분이라는 뜻으로 의역한 것.

○ **가리왕(迦利王)** 석가모니불이 과거세에 인욕선인의 몸으로 수행할 때 팔과 다리를 끊었다고 하는 극악무도한 왕을 말한다. 악세무도왕(惡世無道王)이라고도 한다. 『금강경』 14장에 나오며, 『대종경선외록』에도 나오는 인물이다. 주로 가리왕의 극악무도한 일을 통해서도 성스러운 일을 이룬다는 살신성인의 의미를 설명할 때 많이 인용된다.

○ **절절지해(節節肢解)** 뼈마디 마디가 끊어지고 사람의 팔과 다리를 각각 찢어내는 형벌이다.

○ **환란(患亂)** 근심과 재앙을 통틀어 이르는 말.

○ **예수(Jesus Christ, B.C. 4?~A.D. 30)** 그리스도교의 개조(開祖). 예수라는 이름은 히브리어로 ‘하느님은 구원해 주신다’라는 뜻이며, 그리스도는 ‘기름부음을 받은 자’, 즉 ‘구세주’를 의미한다. 그리스도교에서 예수 그리스도는 ‘살아계신 하느님의 아들’이다.

○ **공자(孔子, B.C. 552~B.C. 479)** 유가(儒家)의 시조. 이름은 구(丘). 자는 중니(仲尼). 춘추전국시대 사람이며, 유교의 창시자로 알려져 있다.

○ **노자(老子)** 중국 춘추시대의 사상가로 도가(道家)의 시조이다. 성은 이(李), 이름은 이(耳), 자는 담(聃). 초(楚)나라에서 태어나 주(周)왕실의 신하가 되었다. 주나라 수장실(守藏室)의 관리로 근무하다가 만년에 서쪽으로 은거하러 가다가 함곡관(函谷關)의 관령인 윤희(尹喜)의 청에 의하여 『도덕경(道德經)』 5천언(五千言)을 썼다고 한다. 도를 인간과 우주의 근본으로 내세우고 도에 따르는 삶을 제창

했기 때문에 그의 사상을 도가라 부른다.

○ **후천개벽(後天開闢)** 어둡고, 불평등하고, 괴롭고, 낡은 선천의 세상이 지나가고, 밝고 평등하고 살기 좋은 낙원의 새 세상이 돌아온다는 말. 1860년 최제우가 동학을 창시하면서 그 이전을 선천 그 이후를 후천이라고 쓰기 시작한 이래 많은 한국의 신종교들이 이 후천개벽설을 이야기하고 있다. 원불교에서도 물질문명의 발달에 따른 정신문명이 발전된 세상을 후천개벽시대로 보고 있다.

○ **주세성자(主世聖者)** 교법의 내용이나 방편이 다른 성자들보다 뛰어난 성자. 세상을 책임지고 일체중생을 교화하는 성자. 주세불(主世佛)과 같은 의미이다. 말세의 혼란을 바로잡고 대도정법으로 고해 중생을 제도하는 성자를 말한다. 소태산 대종사나 석가모니불 같은 성인을 가리키는 말이다.

○ **내우외환(內憂外患)** 나라 안팎의 여러 가지 어려움.

○ **제생의세(濟生醫世)** 〈교리편 3장〉 용어 풀이 참조.

㉟ 사중 보은

대산 종사, 사중 보은(四重報恩)에 대해 말씀하시기를 "천지은은 만물에게 응용 무념으로 덕을 입혀 주신 대시주은이시니 우리도 그 도를 체받아서 무념 보시를 하면 보은이 되는 동시에 우리가 곧 천지와 합일하여 덕화가 만방에 미칠 것이요, 부모은은 우리가 무자력할 때 자력을 얻게 해 주신 대자비불이시니 우리도 그 도를 체받아서 무자력한 노약자를 보호하면 보은이 되는 동시에 우리가 곧 사생의 부모가 되며 삼세의 대효가 될 것이요, 동포은은 우리에게 자리이타로써 대협동이 되었으니 우리도 그 도를 체받아서 서로 돕고 서로 북돋우면 보은이 되는 동시에 내가 곧 사생의 지친이 되어 일체 동포는 자연히 공생 공영할 것이요,

법률은은 지공무사한 법도로써 우리를 보호하여 주시니 우리가 그 도를 체받아서 법규를 잘 지키면 보은이 되는 동시에 우리가 바로 법주가 되어 대자유세계가 전개될 것이니라." 〈교리편 35장〉

| 출처 |

(1) 내년도 법문 초안

천지은

一. 이 몸이 되기까지 제일 많이 시주(施主)를 받는 곳. 천지의 대시주은(大施主恩) – 무념보시(無念布施) – 우리는 무상보시(無相布施)로 보은을 하자.

부모은

二. 이 몸이 되기까지 사랑을 제일 많이 주신 분. 부모의 대자비은(大慈悲恩) – 무자력자 보호 – 우리는 무자력자 보호로 보은을 하자.

동포은

三. 이 몸이 되기까지 도움을 제일 많이 받는 곳. 동포의 대협조은(大協助恩) – 자리이타(自利利他) – 우리는 상부상조로 보은을 하자.

법률은

四. 이 몸이 되기까지 보호를 제일 많이 받는 곳. 법률의 대보호은(大保護恩) – 불의 제거 정의 권장 – 우리는 준법지계(遵法持戒)로 보은을 하자.

이 몸은 사은의 공유물이요, 은(恩)의 뭉치로 되었으니, 보은하고 배은을 말며, 원망을 말고 감사생활로 세상에 봉공하자

〈『대산종사수필법문집』 1. pp.482~483. 원기55년 10월 30일〉

(2) 사중보은으로 평화 세계 건설

첫째, 천지는 만물에 응용무념(應用無念)으로써 덕을 입혀주신 대 시주이시니 우리도 그 도를 체 받아서 무념보시(無念布施)를 하면 보은이 되는 동시에 우

리가 곧 천지와 합일하여 덕화가 만방에 미칠 것입니다.

둘째, 부모는 우리가 무자력할 때 자력을 얻게 해주신 대 자비불(大慈悲佛)이시니 우리도 그 도를 체 받아서 무자력한 약자를 보호하면 보은이 되는 동시에 우리가 곧 사생의 부모가 되며 삼세의 대효(大孝)가 될 것입니다.

셋째, 동포는 우리에게 자리이타(自利利他)로써 대협동(大協同)이 되었으니 우리도 그 도를 체 받아서 서로 돕고 북돋우면 보은이 되는 동시에 내가 곧 사생의 지친이 되며 일체 동포는 자연 공생공영할 것입니다.

넷째, 법률은 우리에게 지공무사(至公無私)한 법도로써 질서를 유지하여 편안히 살게 하여 주시니 우리도 그 도를 체 받아서 법을 잘 지키면 보은이 되는 동시에 각자가 곧 세계의 법주가 되며 대자유 세계를 이룩하게 될 것입니다.

〈『대산종사수필법문집』 1. pp.1995~1996. 원기64년 신년법문〉

| 배경 및 상황 |

출처 (1) 내년도 법문 초안이란 제목으로 원기55년(1970) 10월 30일 초안이 실려 있다. 이 법문이 출처 (2) '사중보은으로 평화 세계 건설'이란 제목으로 원기64년(1979) 신년법문으로 실려 있다. 그렇다면 출처 (1) 초안 법문이 원기55년에 연마하였다가 비로소 원기64년 연두법문으로 실렸거나 아니면 법문 노트에 잘못 기록되어 원기55년에 10월 30일 초안 법문으로 오기된 것일 수도 있다. 여하튼 『대산종법사법문집』 2집에 55쪽과 132쪽에도 실려 있고, 원기64년 신년법문에도 소개되었으니 소중한 법문인 셈이다.

또 다른 법문으로 원기70년(1985) 3월 4일 원평 구릿골 원심원에서 대산 종사가 덕산 이덕화(李德化), 장타원 김혜전(金惠田), 이원관(李圓寬) 가족에게 '사은보은송' 친필을 내리셨다.

사은보은송(四恩報恩頌)

사은보은(四恩報恩) 덕화만방(德化萬方)

세세생생(世世生生) 혜전무량(惠田無量)
사바세계(娑婆世界) 원관자재(圓寬自在)
삼천대천(三千大天) 무량세계(無量世界)
시방정토(十方淨土) 불국세계(佛國世界)
육도사생(六途四生) 인과윤회세계(因果輪廻世界)

그리고 『정전대의』 사은장 33쪽에도 사은의 피은과 보은과 결과를 다음과 같이 간략하게 정의하였다.

사은(四恩)	피은(被恩)	보은(報恩)	결과(結果)
천지은(天地恩) =	대시주은(大施主恩) =	무념보시(無念布施) =	덕화만방(德化萬方)
부모은(父母恩) =	대자비은(大慈悲恩) =	약자보호(弱者保護) =	삼세보본(三世報本)
동포은(同胞恩) =	대협동은(大協同恩) =	상부상조(相扶相助) =	공생공영(共生共榮)
법률은(法律恩) =	대보호은(大保護恩) =	준법지계(遵法持戒) =	자유세계(自由世界)

이처럼 사은보은이나 사중보은은 내용상 같은 뜻이다. 사은보은송은 신앙적인 차원에서 송(頌)으로 시적인 표현으로 칭송을 말한다. 사중보은은 사은 실천의 요지를 도해로 간략하게 대체 강령으로 정리하였다.

| 용어 풀이 |

○ **사중보은(四重報恩)** 네 가지 크고 막중한 은혜에 보은하자는 것. 네 가지 은혜란 천지은·부모은·동포은·법률은의 사은을 가리킨다. 이 네 가지 은혜는 없어서는 살 수 없는 절대적인 은혜이므로 항상 그 은혜에 감사하며, 반드시 보은하자는 것으로 원불교 교단 초창기에 이 말을 많이 사용했다.

○ **응용무념(應用無念)** 아무런 생각이나 관념 또는 상(相)이 없이 대응하고 응용하는 것. 해와 달이 무심으로 운행하듯이 사람도 무위(無爲)·무주(無住)·무작(無作)·무심(無心)으로 천만 사물이나 경계에 대응하고 활용하는 것.

○ **무념보시(無念布施)** 사량계교심이 없이 텅 빈 허공 같은 마음으로 남에게 은혜를 베푸는 일. 내가 보시한다는 마음이나, 무엇을 보시한다는 생각이나, 누구에게 보시한다는 생각이 없이 곧 아무런 관념과 상(相)이 없이 허공 같은 마음으로 보시하는 것. 보시하는 사람이 무념으로 하여야만 무루의 복이 쌓여 영원한 은혜가 되고 영원한 복이 되어 결국 천지로 더불어 그 덕을 합하게 될 것[『대종경』 인도품 17]이라고 한다.

○ **덕화만방(德化萬方)** 덕행으로 교화하여 중생을 감화시키는 능력이 세상에 두루 미침. 출가위(出家位) 이상의 큰 도인이 실천궁행과 솔선수범의 덕행으로 시방삼세 일체중생에게 널리 교화의 감화가 미쳐 나가는 것을 의미한다.

○ **사생(四生)** 일체 생령이 태어나는 네 가지 유형. ① 태생[胎生, jarāyuja] 인간·야수 등과 같이 모태에서 태어난 것, ② 난생[卵生, aṇḍaja] 새와 같이 알에서 태어난 것, ③ 습생[濕生, saṃsvedaja] 벌레·곤충과 같이 습한 곳에서 생긴 것, ④ 화생[化生, upapāduja] 천계나 지옥의 중생과 같이 무엇에도 의지하지 않고 과거의 자신의 업력(業力)에 의하여 나타나는 것을 말한다.

○ **삼세(三世)** 전세(前世), 현세(現世), 내세(來世)의 세 가지

○ **대효(大孝)** 지극한 효도. 또는 지극한 효자

○ **자리이타(自利利他)** 남도 이롭게 하면서 자기 자신도 이롭게 하는 것. 대승의 보살이 닦는 수행 태도로서, 오직 자신의 제도만을 위하는 성문(聲聞)·연각(緣覺)의 소승적 자리(自利)의 행과 구별됨. 자리란 자기를 위해 자신의 수행을 주로 하는 것이고. 이타(利他)란 다른 이의 이익을 위해 행동하는 것을 말한다. 자리이타를 원만하고 완전하게 수행한 이를 부처라 한다.

○ **지친(至親)** 매우 친함. 매우 가까운 친족. 아버지와 아들, 언니와 아우 사이를 이르는 말이다.

○ **공생공영(共生共榮)** 공생은 ① 서로 도우면서 함께 살아간다, ② 같은 곳에서 서로 도움을 주고받으며 산다는 의미이며, 공영은 ① 공적인 기관이 공공의 이익

을 위해 경영 관리한다 ② 함께 번영한다는 의미이다.

○ **지공무사(至公無私)** 〈교리편 11장〉 용어 풀이 참조.

36 원수와 은인의 차이

대산 종사 말씀하시기를 "복이 있는 사람은 원수라도 은혜로 돌려 즐거운 생활을 하는 사람이요, 복이 없는 사람은 은인이라도 원수로 돌려 괴로운 생활을 하는 사람이니, 원수라도 은혜로 돌려 은혜를 발견하면 천지의 상서로운 기운이 내게로 올 것이요, 은혜라도 원수로 돌려 원수를 발견하면 천지의 나쁜 기운이 내게로 오느니라. 그러므로 저 사람이 나를 괴롭히고 해치려 할 때 원수로 보지 말고 '저 사람이 나에게 공부할 기회를 주고 길을 열어 주는 사람이구나.' 하고 은혜로 알아서 감사 생활을 해야 하느니라." 〈교리편 36장〉

| 출처 |

(1) 은혜의 근원, 내 형제 내 부모임을 알아 감사 생활을 해야 한다. 원망 생활을 하면 사방기운이 막혀 못 살게 될 것이다. 이 세상에 잘 살고 가신 이는 은혜를 발견하여 편안히 세상을 살고 간 분이다. 소인은 원수를 발견하여 애통한 생활을 하는 자다. 은혜를 알아 감사 생활을 하는 자는 생문(生門)이 열려 오늘도 복된 생활, 내일도 복이 올 것이요, 원수를 발견하여 원수 생활을 하는 자는 사문(死門)이 열려 괴로운 세상을 살게 된다. [복전 사은 전체] 죄 종자를 뿌리지 아니하고 복 종자를 뿌려 복된 생활을 하자. 복인일수록 원수를 은혜로 돌려 낙생활을 하고, 죄인은 은혜도 원수로 돌려 괴로운 생활을 한다. 은혜를 발견하는 자는 천지의 상서로운 기운이 그리로 머리를 트고, 천지의 악기 살기

는 원망 생활을 하는 자의 집으로 돌아온다. 나의 육신이 공물이니 공중 사업을 하더라도 다생겁래의 빚을 갚은 줄로 알라. 그래야 원망이 없다. 사은의 은혜를 입었다고 생각할 뿐만 아니라 사은을 다 불(佛)로 생각하여 불공을 들이는 걸로 생각하면 고통이 없다. 사요에 들어가서 이 세상을 다 좋아지게 하려면 세상이 다 좋아져야 내가 잘살 수 있다.

〈『대산종사수필법문집』 2. pp.1812~1813. 원기41년 10월 13일〉

(2) 원만(圓滿) 평등한 세계건설[四恩四要]

대종사께서는 일원의 복전이시었다. 복인(福人)이란 어떠한 사람이며 죄인이란 어떠한 사람인 줄 아는가. 복인이란 원수라도 은혜로 돌려 낙생활(樂生活)을 하는 사람이며 죄인이란 은혜라도 원수로 돌려 고생활(苦生活)을 하는 사람이다. 원수라도 은혜로 돌려 은혜를 발견할수록 천지의 상서(祥瑞) 기운이 내게로 오고 은혜라도 원수로 돌려 원수를 발견할수록 천지의 악기(惡氣)와 독기(毒氣)와 살기(殺氣) 등 모든 나쁜 기운이 내게로 오는 것이니, 이는 이생뿐 아니라 영생을 두고도 그러한 것이다

저 사람이 나를 괴롭히고 해치려는 것을 원수로 볼 것이 아니라, 저희가 나에게 공부시켜줄 기회를 준 것이다. 또는 나의 길을 열어 준 사람이다. 이와 같이 생각하고 비록 원수일지라도 그를 은혜로 보아야 한다.

〈『대산종법사법문집』 2. pp.54~65.〉

| 배경 및 상황 |

출처 (1)은 대산 종사가 원기41년(1956) 10월 13일 교정원장 직을 수행하고 있을 때 총부 법회의 설교 내용이다. 이타원 이정무 교무가 정리한 글로 대산종사탄생100주년 사업으로 『대산종사수필법문집』을 수집할 때 종법사 법위에 오르지 않았지만, 대산 종사의 법문을 총정리하는 차원에서 추가한 내용이

다. 이 법문 외에 이타원 이정무 교무의 법문노트에서 대산 종사 법문 수십 종을 간추려 『대산종사수필법문집』에 수록하였다. 그 이외에도 향타원 박은국 교무 수필본과 주성균 교무가 수집하여 놓은 법문을 부록으로 추가하였다.
출처 (2)는 『대산종법사법문집』 2 원만 평등한 세계건설에 소개된 법문이다. 이 법문이 『대산종사법어』에 함축하여 실렸다. 또한 원기64년(1979) 신년법문에도 같은 맥락으로 소개한 법문이다.

| 용어 풀이 |

○ **상서(祥瑞)** 복되고 길한 일이 일어날 조짐
○ **악기(惡氣)** 고약한 기운이나 냄새. 나쁜 마음.
○ **독기(毒氣)** 독의 기운. 사납고 모진 기운이나 기색.
○ **살기(殺氣)** 독살스러운 기운. 남을 해치거나 죽이려는 무시무시한 기운.

37 자리이타의 도

대산 종사 말씀하시기를 "개인과 인류가 영세토록 다 같이 잘 살아갈 생활 표준은 대종사께서 밝혀 주신 자리이타의 도라. 이 표준대로만 살고 보면 나도 이롭고 남도 이롭고 일체 동포가 이롭고 현생도 좋고 내생도 좋으리라. 그러나 부득이 자리이타가 되지 않을 때는 내가 해를 차지하는 자해타리(自害他利)의 도를 실천해야 할 것이니, 이것이 바로 불보살의 생활이니라." 〈교리편 37장〉

| 출처 |

(1) 영세이익(永世利益)의 표준 생활 [신조]

온 인류의 그릇된 생각을 고쳐서 새 역사를 창조하자.

他害 = 自利
自利 = 利他 ─ 中道
自害 = 他利

부득이하면 내가 해를 차지한다 = 불보살科

부득이하면 해를 타에 전가(轉嫁)한다 = 중생科

〈『대산종사수필법문집』 1. p.972. 원기59년 10월 9일〉

(2) 필동지부[현 서울 중구교당]

영세이익(永世利益)의 표준점을 내가 하나 말씀드리려고 하는 데 영세이익의 표준점이 무엇일꼬?

영세! 아주 영세토록 내가 가지고 나갈 수 있는 표준점을 하나씩 가지고 나가기로 하면 대종사께서 밝혀주신바 있는 자리이타로 나도 이롭고 저 사람도 이롭게 하는 표준점을 잡고 나가면 그것은 서양 가도 좋고 동양 가도 좋다.

내생에도 좋고 자리이타로 나도 이롭고 다른 사람도 이롭게 하도록 표준 잡고 나가야 할 것이다. 부득이해서 안 될 때는 해를 내가 차지할 수 있는 마음 자세가 되어야 한다. 그게 영세의 표준이다. 그러면 어찌 불보살들은 남만 이롭게 하느냐? 남 이롭게 하는 것이 자기 이로운 것인 줄 알았기 때문에 그 방법이 타리(他利)이다.

중생들은 나만 이롭게 하는 것을 좋은 것으로 알지만 부처님들은 다른 사람을 이롭게 하는 것이 내가 이로운 것인 줄을 알았기 때문에 영세이익의 표준이 된다. 이것이 바로 중도, 아까 말한 중도 사상이다. 중도 생활, 영세이익의 표준이 우리의 동포 보은 강령 자리이타 법인데 자리이타가 바로 중도다. 중도 생활, 그것 하나 생활 표준으로 삼아야 우리 38억 인류와 우리 5천만 동포와 우리 교단 전체가 조화를 낼 수 있는 것이다. 〈『대산종사수필법문집』 1. p.1057. 원기60년 1월 19일〉

| 배경 및 상황 |

출처 (1)은 '영세이익의 표준'으로 자리이타로 부득이하면 내가 해를 차지한다. 불보살과(佛菩薩科)로 자리타해를 말한다. 중생은 부득이하면 해를 남에게 전가한다. 자리이타는 중도가 맞아야 함을 강조한다.

출처 (2)는 필동지부 현 중구교당 교도에게 내린 법문이다. 영세이익의 표준을 자리이타로 설명한다. 중도생활, 영세이익의 표준이 우리의 동포 보은의 강령 자리이타 법인데 자리이타가 바로 중도다. 중도 생활, 그것 하나 생활 표준으로 삼아야 한다.

결국 자리이타로 하고자 하나 부득이할 때 불보살은 자해타리로 표준한다.

| 용어 풀이 |

○ **영세(永世)** 영원한 세월. 한없이 무궁한 세월.

○ **자리이타(自利利他)** 〈교리편 35장〉 용어 풀이 참조.

38 인의 기운

대산 종사 말씀하시기를 "우주에는 막힘없이 통하는 기운이 있으므로 마음으로 선악 간 한 기운만 일으켜도 반드시 그 기운이 상대에게 응하여 내게 돌아오나니, 항상 인(仁)의 기운을 많이 보내 그 기운이 통하고 쌓이도록 해야 뜨거운 정의(情誼)가 건네고 개인·가정·사회·국가의 국한을 벗어나 전 세계를 하나로 통하며 살 수 있느니라." 〈교리편 38장〉

| 출처 |

가족 조상 기제(忌祭) 기념일

사람은 음양 두 기운을 통하는 전신주이다. 하늘이나 땅이나 물속까지 다 통하는 것이 진리이다. 나 혼자 내 마음으로 선악 간 한 기운을 일으키어 통하면 저쪽에서도 반드시 선악 간 응기(應氣)된다.

그러므로 내가 여기서 미국이나 또는 세계 어느 나라에 좋은 기운을 보내면 반드시 통하여 좋은 기운이 쌓이고 온다. 그러니 우리는 대종사께서 사은의 보은 무선전신법(無線電信法)을 가르쳐 주셨으니 뜨거운 정의로 살리고 통하자.

내 마음이 세계 전체에 무선전신화 되는 것은 바로 세계주의인 일원주의이다.

과거는 개인, 좀 나아가 가정, 좀 더 나아가 국가와 민족까지 국한되게 통하여 왔다. 이제는 이 국한 없이 통하여야 한다.

그것을 우리가 먼저 실천하여야 하며 그 통하는 기운은 인기(仁氣)여야 한다.

※과거는 하늘과 부모만 한하여 통신을 하도록 하였으나, 대종사님은 전체[四恩]에 통신하도록 하였기에 시방일가가 된다.

〈『대산종사수필법문집』 1. p.422. 원기55년 2월 2일〉

| 배경 및 상황 |

인의 기운은 대산 종사 선조 합동 '가족 조상 기제(忌祭)' 기념일에 "사람은 음양 두 기운을 통하는 전신주이다. 내 마음이 세계 전체에 무선전신화 되는 것은 바로 세계주의인 일원주의이다. 과거는 개인, 좀 나아가 가정, 좀 더 나아가 국가와 민족까지 국한되게 통하여 왔다. 이제는 이 국한 없이 통하여야 한다. 그 통하는 기운은 인기(仁氣)여야 한다."라고 하시며 "과거는 하늘과 부모만 한하여 통신을 하도록 하였으나, 대종사님은 전체[四恩]에 통신하도록 하였기에 시방일가가 된다."라고 하였다.

대산 종사는 "각자는 무선전주(無線電柱)이며 사은과 무선전신을 끊임없이 연통(連通)하고 있으니 우리는 항상 인전신(仁電信)과 인기(仁氣)를 전하자."라고 하였다.

| 용어 풀이 |

○ **인기(仁氣)** 어진 기운. 서로 화합하는 인화의 기운을 말한다.

○ **정의(情誼)** 서로 사귀어 친해진 정. 사람과 사람 사이에 서로 인정·의리·은혜·사랑 등을 느끼게 되는 기본 정서.

39 일원주의 곧 세계주의의 실현

대산 종사 말씀하시기를 "시방이 일가(一家)요 사생이 지친(至親)인 것을 알아서 큰집 살림을 하여야 부모 형제의 윤기가 건네지고 정의(情誼)가 솟아나며 대세계주의가 실현될 것이니라." 〈교리편 39장〉

| 출처 |

시방(十方)이 일가(一家)요, 사생이 지친인 원리를 알아서 큰 집 살림을 하여야 천지에 만당한 부모 형제의 윤기가 건네고 정의(情誼)가 솟아나며 일원주의(一圓主義) 곧 대 세계주의(大世界主義)가 실현될 것입니다.

〈『정전대의』 6) 보은의 필요 (1) p.33.〉

〈『대산종사수필법문집』 1. p.1996. 원기64년 신년법문〉

| 배경 및 상황 |

원기64년(1979) '사중보은으로 평화 세계 건설하자'는 제목으로 신년법문에 실린 내용이다. 대세계주의가 실현되려면 시방이 일가요 사생이 지친인 것을 알아서 큰집 살림을 해서 만당한 부모 형제의 윤기가 건네고 정의가 솟아나야 한다는 말이다. 일원주의는 곧 대세계주의라고 하였다. 여기서 세계를 구원할 길은 은이요 뜨거운 정의요 대자대비라고 하였다.

| 용어 풀이 |

○ **시방(十方)** 사방(四方), 사우(四隅), 상하(上下)를 통틀어 이르는 말.

○ **윤기(倫紀)** 윤리와 기강(紀綱)을 아울러 이르는 말.

○ **만당(滿堂)** 사람들로 꽉 찬 방이나 강당. 방이나 강당, 대청 따위에 가득함. 또는 가득한 사람들.

40 세상에서 제일 잘 사는 길

대산 종사 말씀하시기를 "세상에서 제일 잘 사는 길은 은혜를 발견하여 감사 생활을 하는 것이요, 세상에서 제일 잘못 사는 길은 해독을 발견하여 원망 생활을 하는 것이니라." 〈교리편 40장〉

| 출처 |

이 세상에서 제일 잘 사는 길은 은혜를 발견하여 감사 생활을 하는 것보다 더 큼이 없고 제일 못사는 길은 해를 발견하여 원망 생활하는 것보다 더 큼이 없으며 복 있는 사람은 원수도 은혜로 돌려서 낙생활(樂生活)을 하고 복 없는 사람은 은혜도 원수로 돌려서 고생활(苦生活)을 하는 것입니다.

〈『정전대의』 6) 보은의 필요 (2) pp.33~34.〉

〈『대산종사수필법문집』 1. p.1996. 원기64년 신년법문〉

| 배경 및 상황 |

이 법문의 출처는 원기64년(1979) 신년법문이다. 감사 생활과 원망 생활이 있는데 복 있는 사람은 원수도 은혜로 돌려서 낙생활을 하고 복 없는 사람은 은혜도 원수로 돌려서 고생활을 하는 것이다. 세상에서 제일 잘사는 삶은 고락의 경계에서 은혜를 발견하는 것이고 반대로 세상에서 제일 못사는 삶은 고락의 경계에서 해독만 발견하는 것이다.

| 용어 풀이 |

○ **감사생활(感謝生活)** 원망생활에 대응되는 말로서 주어진 상황이나 일, 또는 어떤 사람에 대해 은혜를 느끼고 고마워하며 보답하려는 마음으로 살아가는 모습. 이는 원불교 인생관의 하나로서 긍정적 세계관·희망적 인생관·상생적 윤리관·상화적 평화관을 가지고 천만 경계 속에서 항상 은혜를 발견하며 살아가는 모습을 말한다. 특히 원불교 기본 교리의 하나인 사은신앙에 있어서는, 우리 각자가 사은으로부터 입은 은혜를 절감하고, 항상 그 은혜에 감사하고 보은하는 삶을 살아야 할 것을 강조한다. 이를 『정전』 '일상수행의 요법' 5조에서는 "원망 생활을 감사 생활로 돌리자"라고 하여, 일반 교도들의 생활표어로 삼고 있다.
○ **해독(害毒)** 사람이나 사물에 손상이나 나쁜 영향을 끼치는 해(害)와 독(毒). 은혜의 반대말이다.

41 복전과 죄전

> 대산 종사 말씀하시기를 "지은보은하면 사은이 곧 복전이 되고 배은망덕하면 사은이 곧 죄전이 되므로, 부처님께서는 처처불상의 도를 믿고 깨달아서 사사물물에 불공하시느니라." 〈교리편 41장〉

| 출처 |

사은의 은혜를 알아서 보은을 하면 사은이 곧 복전(福田)이 되어 늘 안락한 생활을 하게 되고 마침내 불과(佛果)를 얻어 자타 간에 천생 만생의 복문이 열리게 될 것이요, 반대로 사은의 지중한 은혜를 알지 못하거나 설사 안다 해도 실천을 아니 하여 배은망덕을 하면 사은이 곧 화전(禍田)이 되어서 어디를 가나 불안과 원망 생활을 면치 못하여 천사 만사의 화문(禍門)이 열릴 것입니다.

〈『정전대의』 6) 보은의 필요 (6) p.34.〉

〈『대산종사수필법문집』 1. p.1996. 원기64년 신년법문〉

예비교역자 1학년 학생들에게 내려주신 법문

지은보은하면 세계가 복전(福田)이 되고 배은망덕하면 세계가 죄전(罪田)이 되니 보은할 수밖에 없다. 그런데 그 이유가 자기가 복을 받기 위해서도 하지마는 철이 들수록 커진다. 철난 사람들 예를 들을 테니 너희들이 어느 단계에 들었는가 생각들 해봐라.

〈『대산종사수필법문집』 1. p.1442. 원기64년 6월 15일〉

| 배경 및 상황 |

이 법문은 『정전대의』의 '보은의 필요' (6)과 같다. 원기64년(1979) 신년법문은 이를 더 자세하게 설명하였다. 간략히 설명하면 "사은에 보은하면 복전(福田)을 얻고 마침내 불과(佛果)를 얻어 자타 간에 수천수만 생의 복문이 열린다. 반대로 사은의 은혜에 배은망덕을 하면 화전(禍田)이 되어서 어디를 가나 원망 생활을 면치 못하여 만사가 화문(禍門)이 열릴 것이다."라고 하였다.

이 법어의 핵심은 "사은에 보은과 배은의 결과로 복전과 죄전을 얻고, 부처님께서는 처처불상의 도를 깨달아 사사물물에 불공한다."이다. 또한, 대산 종사는 예비교역자에게는 "철이 들면 사은에 보은할 수밖에 없다."라고 용기를 주었다. 철이 난다는 것은 불과를 얻어간다는 의미로 사은에 보은의 필요성을 강조하고 있다.

| 용어 풀이 |

○ **지은보은(知恩報恩)** 불교사상을 대외적으로 알리는 교리의 네 가지 기본강령이며 교단의 목표인 사대강령(四大綱領) 즉 정각정행(正覺正行)·지은보은(知恩報恩)·불법활용(佛法活用)·무아봉공(無我奉公) 중 두 번째 조항이다. 지은보은은 은혜 입은 내역을 알아서 은혜를 갚는다는 의미로 제가(齊家)와 처세(處世)의 요체(要諦)이다.

○ **복전(福田)** 복을 심고 가꾸어 수확하는 밭. 농부가 밭에 씨를 뿌려 수확하는 것과 같이 복도 심고 가꾸는 터전이 있다. 처처불상 사사불공의 교리에 의하면, 사은은 우리 모두의 복전이 된다. 곧 사은의 은혜를 알아 보은하는 것은 복전을 잘 가꾸는 것이고, 반대로 배은하면 그것이 죄전(罪田)이 된다. 만나는 모든 대상, 행하는 모든 일들이 복전이다. 또한 중생들은 불보살을 복전으로 삼고, 불보살들은 중생을 복전으로 삼는다

○ **배은망덕(背恩忘德)** 남에게 입은 은덕을 저버리고 배신하는 태도.

○ **처처불상(處處佛像)** 곳곳이 부처님이라는 의미의 한자 표현으로, 원불교 교리 표어. 원불교적 삶의 태도를 적실하게 표현하고 있는 대표적 교의의 하나이다.

○ **사사물물(事事物物)** 이 세상의 모든 사물 또는 모든 현상. 인간 세상에 일어나고 있는 좋고 나쁘고 기쁘고 슬프고 한 일과, 천차만별 형형색색으로 나열된 우주의 모든 현상.

42 사은의 피은 된 도에 보은

대산 종사 말씀하시기를 "사은에 피은 된 도를 체받아서 보은하면 곧 불성(佛聖)이 되고 천지가 되느니라." 〈교리편 42장〉

| 출처 |

사은에 피은된 도를 체받아서 보은하면 곧 불성이 되고 천지가 된다.

〈『정전대의』 6) 보은의 필요 (7) p.34.〉

| 배경 및 상황 |

대산 종사는 대종사께서 내놓은 사은에 피은 된 도, 즉 천지·부모·동포·법률의 강령과 피은의 조목에 보은하면 보은의 결과인 부처와 성현, 부처와 보살과 성인들이 된다고 하였다. 모든 부처와 모든 성현은 피은 보은의 결과와 배은의 결과를 알아서 불성이 되고 천지와 합일하는 인물이 되자고 하였다.

| 용어 풀이 |

○ **피은(被恩)** 은혜를 입는다는 말. 원불교에서 천지·부모·동포·법률의 사은으로부터 큰 은혜를 입는 것. 사은의 은혜를 강령적으로 요약하면 천지로부터는 응용무념의 도, 부모로부터는 무자력자 보호의 도, 동포로부터는 자리이타의 도, 법률로부터는 불의를 제거하고 정의를 세우는 도이며, 사람들은 그러한 도가 행함에 따라 나타나는 덕의 은혜를 입고 살아간다는 것이다.

○ **불성(佛聖)** ① 부처와 성현. 부처와 보살, 아라한 등의 성인(聖人)들. 불교의 진리를 깨달은 모든 성인. ② 모든 부처님과 보살 그리고 인류 역사상 위대한 인물들을 포함한 모든 성현을 의미하는 제불제성(諸佛諸聖)의 약칭.

㊸ 은의 도가 곧 천하의 근본

대산 종사 말씀하시기를 "천지 만물 어느 것 하나가 서로 은혜로 이루어지지 않은 것이 없으니, 이 은(恩)은 바로 정의(情誼)요 정의는 바로 도덕이니라. 그러므로 이 은을 알아야 도덕이 행해질 것이요, 도덕이 행해져야 천하가 좋아질 것이므로, 은의 도가 곧 천하의 근본이니라."

〈교리편 43장〉

| 출처 |

천지 만물 어느 것 하나가 서로 은혜로써 이루어지지 않은 것이 없으니 이 은(恩)은 바로 정의(情誼)요, 정의는 바로 도덕이다. 그러므로 이 은을 서로 알아야 도덕이 행해질 것이요 도덕이 행해져야 천하는 좋아질 것이니 은의 도가 천하의 근본이다. 〈『정전대의』 6) 보은의 필요 (8) p.34.〉

| 배경 및 상황 |

이 법어의 출처는 『정전대의』 6) 보은의 필요 (8)항으로 원문과 동일하다. 천지 만물이 서로 은혜의 관계다. 이 은이 바로 정의(情誼)요 정의는 바로 도덕이다. 은과 정의와 도덕을 하나로 본 것이다. 이 은을 알아야 도덕이 행해지고 도덕이 행해져야 천하는 좋아진다. 은의 도가 천하의 근본이다. 사은의 도가 천하의 근본이며 근본을 세우면 자연히 도덕은 드러나고 천하의 근본이 자리 잡아 평화 세계가 건설된다는 것이다.

| 용어 풀이 |

○ **천지만물(天地萬物)** 세상에 있는 모든 것.

○ **도덕(道德)** 사회의 구성원들이 양심, 사회적 여론, 관습 따위에 비추어 스스로 마땅히 지켜야 할 행동 준칙이나 규범의 총체. 외적 강제력을 갖는 법률과 달리 각자의 내면적 원리로서 작용하며, 또 종교와 달리 초월자와의 관계가 아닌 인간 상호관계를 규정한다.

44 사은에 보은하는 것이 가장 큰 효이다

대산 종사, 영모묘원 봉고식에서 말씀하시기를 "일원주의는 세계주의요 일원 사당은 세계 사당이니, 천불 만성과 전 선령(先靈)과 전 생령(生靈)을 위한 숭덕존공의 큰 불사요 큰 불공이니라. 공자께서는 일찍이 세상을 평화 안락하게 할 큰 법으로 효 사상을 전하였으나 이제는 시일이 오래되어 그 사상만으로는 전 인류를 다 가르칠 수 없게 되었으므로, 대종사께서 다시 이 땅에 오시어 사은에 보은하는 것이 가장 큰 효임을 알게 해 주셨느니라." 〈교리편 44장〉

| 출처 |

대영모원(大永慕園) 표어

일원주의(一圓主義)는 대세계주의(大世界主義)

일원사당(一圓祠堂)은 대세계사당(大世界祠堂)

천불만성(千佛萬聖)과 전 선령(全先靈) 전 생령(全生靈)을 위한

숭덕존공(崇德尊功)의 대불사(大佛事)요 대불공(大佛供)이다.

〈『대산종사수필법문집』 2. p.435. 원기68년 9월 23일 원평교당〉

선령(先靈) 열위(列位) 이장 봉행 봉고식에서 내려주신 법문

우리 대종사께서 70년 전에 다시 이 땅에 탄생하시어 마음을 가르치시고, 효를 가르치시고, 자연을 가르치고, 사랑을 가르치신 것을 다시 은사상(恩思想)으로 가르치셨다. 대종사님의 사은 보은 사상은 일원주의인데 일원주의는 대세계주의이다. 만국 만민이 이 법을 받들지 않아서는 안 되기 때문에 효 사상을 밝혀주셨는데 2천5백 년간의 유교 사상이 희미하여졌으니 사은 보은 사상을 진작해야 하는데 앞으로 오는 세상은 사은 보은 사상이 없고는 나라나 세계

가 어두운 세상이 되기 때문에 보은 사상을 밝혀주셨다.

부모가 되어서 자비가 없으면 부모가 아니요. 자녀가 되어서 효가 없으면 자녀가 아니다.

우리는 대종사님 제자요, 일원주의는 대 세계주의요, 일원사당은 대세계사당으로 대종사께서는 일원주의를 밝혀주시었고, 선 종법사께서는 영모원의 법을 내시어 일원사당은 대세계사당이라고 하셨다. 그러니 천불만성을 발아시키고 억조창생의 복문을 열어 주어서 무등등한 대각도인, 무상행의 대봉공인을 많이 내어서 이 천지를 좋은 세상으로 만들어야 하겠다. 오늘 이리에서 간단한 행사 같지만, 대종사께 보은이 되고, 사은에 보은이 되고, 교단과 세계와 국가를 부활할 수 있는 중요한 날이 되기 때문에 일원주의는 대 세계주의가 될 수 있도록 만들어야 하고, 일원사당은 대세계사당으로 만들 수 있는 노력이 있어야 하지 그냥 가만히 앉아서 있으면 되는 것이 아니다. 그러니 우리는 일원주의는 대 세계주의가 되고 일원사당은 대세계사당이 될 수 있도록 하는 노력이 있어야 할 것이다.

〈『대산종사수필법문집』 2. p.673. 원기70년 4월 10일 영모묘원〉

| 배경 및 상황 |

원불교 총부에 조성된 영모원과 별도로 교단의 장묘문화 선진화를 위해 원기64년(1979) 2월 영모원이 설립되고, 원기68년(1983) 6월 17일 재단법인 영모묘원을 승인받았다. 이로써 공원묘지인 영모묘원을 본격적으로 조성하기 시작하여 원기69년(1984) 1차 완공했다. 이듬해인 원기70년(1985) 3월 22일 교단 초기에 사용했던 알봉묘지[현 이리자선원 자리]에서 9인 선진들과 출·재가 교도들의 유해를 영모묘원으로 이장했다. 대산 종사는 원기68년 9월 23일 '영모묘원 표어'를 제창하였다. 원기70년 4월 10일 선영열위 왕궁 영모묘원에 이장 완료 봉고식을 거행하였다. 이때 내린 법문이다.

| 용어 풀이 |

○ **영모묘원(永慕墓園)** 원불교의 역대 조상을 추모하고 기리기 위해 조성한 묘원. 영모원(永慕園)이라고도 한다. 전북 익산시 왕궁면 동봉리 654번지에 소재.

○ **봉고식(奉告式)** 교단적인 큰 사업이나 또는 의미 있는 행사에서 법신불 일원상 전에 올리는 의식. 때로는 교당이나 교도의 가정에서도 특별한 의미가 있는 행사를 할 때 봉고식을 거행할 수도 있다.

○ **일원주의(一圓主義)** 〈교리편 22장〉 용어풀이 참조.

○ **사당(祠堂)** 조상의 신주(神主)를 모시는 곳. 가묘(家廟)·사우(祠宇)라고도 한다. 그 근원은 『주자가례』에 의한 것으로 주자학을 국가의 통치 이념으로 삼은 조선 초기부터 널리 시행되었다. 조선 초기에는 사당을 설치하지 않은 사대부는 문책을 당하기도 했고, 선조 이후부터는 사대부 양반층에 일반화되었다. 원불교에서는 영모전(永募澱)이 이에 해당한다.

○ **천불만성(千佛萬聖)** 일천 부처님과 수많은 성현을 일컫는 말. 제불조사.

○ **선령(先靈)** 선조의 영혼. 선열의 영혼

○ **생령(生靈)** 〈교리편 4장〉 용어 풀이 참조.

○ **숭덕존공(崇德尊公)** 덕 있는 사람을 숭배하고 공 있는 사람을 존대한다.

○ **불사(佛事)** ① 부처가 중생을 교화하는 일. ② 불가에서 행하는 모든 일

45 사요 실천으로 균등의 세계로 만들자

대산 종사 말씀하시기를 "대종사의 일원주의는 전 세계 전 인류를 하나로 만들어 고루 잘 사는 하나의 세계를 이루자는 것이니, 우리 자신부터 사요를 실천하여 조각난 이 세계를 하나의 세계로, 차별이 심한 이 세계를 균등의 세계로 만들어야 하느니라." 〈교리편 45장〉

| 출처 |

(1) 울산, 기장, 대전교구 교도님에게 내려주신 법문

"일원주의라는 것이 뭘 하자는 것이냐 간략히 말해보라."

"하나의 세계입니다."

"그것이 맞았다. 하나의 세계, 전 세계를 하나의 세계로 하자는 것이다. 전 세계 전 인류를 하나로 만들자는 것이며, 전 세계 전 인류를 고르자는 것이다. 이 삼동원 앞길이 너무 뾰족해서 고르고 있었는데 그 길을 고르고 있으니 동네 사람들이 좋아하더라. 이 길이 이래도 다 다녀갔다. 김현철 내각 수반, 장경순 농림부 장관, 정해영 국회부의장 등이 이 길로 와서 조그만 집에서 밥 얻어먹고 갔어. 하루는 어떤 동네 할머니가 맨땅에 주저앉아서 구경하더니 '길을 골라 놓으시니 참 좋습니다.'라고 하더라. '그 길만 골라 놓지 말고 선생님들이 세계도 골라 주십시오.'라고 하더라. 우리가 마음먹고 있는 것을 축소해서 말하더라.
사요로 이 세상을 평떼기 하여 평등 세계를 만들려고 하고 있는데 얼마나 하고 있는지 말해보라. 조각난 이 세계를 하나의 세계로, 차별 많은 세계를 균등의 세계로 고르자는 것이 우리의 사명이다."

〈『대산종사수필법문집』 2. pp.19~20. 원기65년 1월 2일〉

(2) 사요(四要)에 대하여 말씀하시기를 "대종사님의 일원주의(一圓主義)는 하나의 세계를 만들자는 것이며, 평등의 세계를 만들자는 것이다. 다시 말하면 전 세계 전 인류를 하나로 만들며, 두루 고루어 전반세계(氈盤世界)를 이룩하자는 것이다." 〈『대산종사법문집』 3. 87. p.117. 원기65년 1월 2일〉

| 배경 및 상황 |

출처 (1)은 『대산종사수필법문집』 2, (2)는 『대산종법사법문집』 3에 수록된 법문으로 같은 내용이다. 원기65년(1980) 1월 2일 신년하례 때 신도안 삼동원에서 울산, 기장, 대전교구 교도님에게 내린 신년법문의 부연법문이다. (1)은 최초 원본 법문이고 (2)는 윤문한 법문이다. 한편 법어에 실린 법문은 축약 윤문한 것이다. 다시 말하면 원기65년 신년법문 '자타의 국한을 벗자'는 법문이 원형 법문이다. 이를 모태로 한 출처 (1)과 (2)는 부연법문인 셈이다.

대산 종사는 이 사요 법문은 "세상을 고르는 길이요, 평등 세계 건설하여 전반세계를 만들자는 핵심이다."라고 하였다.

| 용어 풀이 |

○ **사요(四要)** 원불교 기본교리의 하나. 사회의 불평등 구조를 개선하여 평등세계를 건설하기 위한 방법으로 모든 인류가 실천해 나가야 할 네 가지 요긴한 윤리 덕목으로 자력양성·지자본위·타자녀교육·공도자숭배를 말한다. 교리적으로는 사은과 함께 인생의 요도인 신앙문에 해당한다.

○ **균등(均等)** 고르고 가지런하여 차별이 없음.

○ **전반세계(氈盤世界)** 인류 사회에 올 것으로 예견되는 평등 이상(理想)세계. 소태산 대종사가 대각(1916) 후 읊은 초기가사 가운데 '전반세계가(氈盤世界歌)'가 있다[《회보》 제62호]. 이는 일원상의 진리, 불보살의 은혜가 온 누리에 골고루 퍼져 모든 사람이 구제받고 함께 잘살게 되는 사회이다. 사요가 실천되어 자력양성으로 인권평등, 지자본위로 지식평등, 타자녀교육으로 교육평등, 공도자숭배로 생활평등이 실현되어 고루 잘사는 세계이다.

46 사요를 실천하면 평등 세상이 된다

대산 종사 말씀하시기를 "사요가 실천될 때 이 세상은 인권 평등·지식 평등·교육 평등·생활 평등이 되어 원만 평등한 세상이 될 것이니, 인권을 평등하게 하려면 지식을 평등하게 해야 하고, 지식을 평등하게 하려면 교육을 평등하게 해야 하고, 교육을 평등하게 하려면 생활을 평등하게 해야 하느니라. 또한, 생활 평등이 되려면 교육 평등이 되어야 하고, 교육 평등이 되려면 지식 평등이 되어야 하고, 지식 평등이 되려면 인권 평등이 되어야 하느니라." 〈교리편 46장〉

| 출처 |

사요를 실천하고 볼 것 같으면 인격을 평등 시키게 될 것이고 인격을 평등 시키기로 할 것 같으면 지식이 평등 되어야 할 것이고 지식이 평등 되기로 할 것 같으면 교육을 평등하게 해야 할 것이고 교육을 평등하기로 할 것 같으면 생활을 균등히 해야 하는 데 인격평등, 지식평등, 교육평등, 생활평등이 되어야 한다. 그런데 생활평등이 되기로 할 것 같으면 교육평등이 되어야 할 것이고, 교육평등이 되게 할 것 같으면 지식평등이 되어야 하고, 지식평등이 되기로 할 것 같으면 인권평등이 되어야 하므로 우리가 모두 사요를 실천하여 과학 도학이 총합심 합력해야 하겠다. 〈『대산종사수필법문집』 2. p.678. 원기70년 4월 12일〉

| 배경 및 상황 |

대산 종사는 원기70년(1985) 4월 12일 영산선원(靈山禪院) 원광원(圓光院) 법당에서 사요(四要)에 대하여 말씀하시기를

사요실천송(四要實踐頌)

사요를 실천하여 인권을 평등 시키고[자력양성], 지식을 평등 시키고[지자본위], 교육을 평등 시키고[타자녀교육], 생활을 평등 시키자[공도자숭배].

영산선원은 원기76년(1991) 12월 9일에 영산대학으로 4년제 설립 인가를 받고 현재 영산선학대학으로 교명을 변경하였다. 대산 종사는 선원생 및 대중에게 사요실천송을 설한 후 사요에 관한 법문을 하였다. 사요가 실천될 때 이 세

상은 인권평등·지식평등·교육평등·생활평등이 된다. 다시 돌아서 생활평등·교육평등·지식평등·인권평등이 되어야 원만평등한 세상이 된다고 하였다. 사요 실천은 앞에서 뒤로, 뒤에서 앞으로 할 수 있고 순서도 중요하지만, 순서와 관계없이 상황 따라 할 수도 있다는 말이다.

| 용어 풀이 |

○ **인권(人權)** 인간으로서 당연히 가지는 기본적 권리.

○ **원만평등(圓滿平等)** 성격이나 인품이 둥글고 너그러워 결함이나 부족함이 없이 권리, 의무, 자격 등이 차별 없이 고르고 한결같다.

47 자력양성

대산 종사, '자력 양성'에 대해 말씀하시기를 "사람으로서는 누구나 고루 교육을 받고 직업을 갖도록 서로 권장하되, 남녀 간에 자력이 부족한 사람은 무슨 방법으로든지 먼저 교육을 받으며 직업을 가져서, 가정·사회·국가·세계에 의무와 책임을 같이 이행할 수 있는 자주력을 세워 놓아야 권리가 동일해져서 자연히 인권 평등이 되느니라." 〈교리편 47장〉

| 출처 |

사람으로서는 누구나 고루 교육을 받고 직업[경제]을 갖도록 서로 권장하되 남녀 간에 자력이 부족한 사람은 무슨 방법으로든지 먼저 교육을 받으며 직업[경제]을 가져서 가정·사회·국가·세계에 의무와 책임을 같이 이행할 수 있는 자주력을 세워 놓아야 권리가 동일해져서 자연 인권평등이 될 것이다.

〈『정전대의』 p.35. 1) 자력양성 (1) 의의〉

| 배경 및 상황 |

자력양성은 타력생활을 자력생활로 돌리자는 것이다. 사람은 누구나 교육을 받고 직업을 갖고 부당한 의뢰생활에서 벗어나 주체적으로 살자는 것이며 가정·사회·국가·세계에 의무와 책임을 같이 이행할 수 있는 자주력을 세워 놓아야 권리가 같아져서 자연 인권평등이 될 것이다.

대산 종사는 부부의 경제 자립을 강조하면서 서로 직업[경제 활동]을 갖고 생업을 책임지며 서로가 근검절약으로 저축하며 통장도 명의를 달리하라고 하였다. 또한 문패도 호주만 쓰지 말고 부부가 같이 적도록 하였다.

| 용어 풀이 |

○ **자력양성(自力養成)** 사요 실천 요목의 하나. 자력을 길러 부당한 의뢰생활에서 벗어나 주체적으로 살아갈 것이며, 각자의 의무와 책임을 다하여 세상에 유익을 줌과 동시에 의뢰생활로 인해 근본적인 인권이 차별받지 않는 평등사회를 실현하자는 것.

○ **자주력(自主力)** 스스로가 주인이 되어 스스로 판단하고 처리하는 힘. 원불교에서는 정신수양 공부를 오래 하여 얻게 되는 수양력을 지칭하며, 정신이 철석같이 견고하여 천만 경계에도 흔들리거나 끌려가지 않는 힘을 말한다.

48 자력양성의 도

대산 종사, '자력 양성의 도'에 대해 말씀하시기를 "배워서 아는 것과 알아서 실천하는 것이 바로 자력이니, 자력 생활로 참 나를 찾고 보면 내가 곧 부처요 하늘이요 조물주니라. 자력과 타력을 병진하면 타력도 자력이 될 수 있으나, 내 마음을 먼저 밝힌 후에야 남의 마음을 밝힐 수 있고, 내 마음을 먼저 정화한 후에야 남의 마음을 정화시킬 수 있나니, 먼저 자력을 기르는 것이 우선이니라." 〈교리편 48장〉

| 출처 |

자력양성하는 길

1) 배워서 아는 것과 알아 실천하는 것은 바로 자력이 된다.

2) 자력은 실력이요 실력은 자산이다.

3) 자력은 생명이요 원기다.

4) 나의 참된 자력은 곧 천지의 힘이 된다.

5) 내가 나를 먼저 헐고 망친 뒤에 남이 나를 헐고 망하게 한다.

6) 참 나는 부처요 하늘이요, 여래요, 상제요, 조물주이다.

7) 의뢰심은 나의 보배를 사장(死葬)한다.

8) 내가 할 수 있는 일을 남에게 미루는 것은 천리를 어기는 것이다.

9) 천불(千佛)이 가르쳐 주시려 해도 제 그릇 한정밖에는 더 담지 못할 것이니 먼저 제 그릇을 넓힐 것이다.

10) 나의 마음을 통일한 후에 남의 마음을 통일시킬 수 있고 나의 마음을 밝힌 후에 남의 마음을 밝힐 수 있고 나의 마음을 정화한 후에 남의 마음을 정화할 수 있는 것이다.

11) 자타력을 병진할 줄 알면 타력도 곧 자력이 될 것이다.

〈『대산종사수필법문집』 1. pp.376~377. 원기54년 3월 26일〉

| 배경 및 상황 |

자력양성은 '일상 수행의 요법' 6. 타력생활을 자력생활로 돌리자.

대산 종사는 "오늘은 내 힘으로 살았는가? 빚지고 살았는가?"를 대조하며, "정신의 자주력, 육신의 자활력, 경제의 자립력을 세워야 한다."라고 했다.

대산 종사는 원기54년(1969) 3월 26일 대각개교절 경축사로 '자력양성하는 길'을 밝혔다.

"천지 만물의 생장은 자력과 타력이 아울러 이루어지되 항상 자력이 주장되어 자신의 생을 보존하고 약자를 보호하며 이웃을 돕는 것이 천리의 당연한 것이다. 그러므로 개인·가정·사회·국가가 자력이 없으면 살 수 없고 길이 발전할 수 없으니 우리 재가·출가의 모든 동지는 이에 깊이 명심하여 개인·가정·국가·교단이 다 같이 스스로 주인이 될 수 있는 자주력과 제힘으로 활동할 수 있는 자활력과 제힘으로 설 수 있고, 살아갈 수 있는 자립력을 양성하여 사은에 보은하는 동시에 나아가 정신·육신·물질로 언제나 남을 도와주고 살 수 있는 실력을 기르는 데 앞장설 것을 거듭 촉구하면서 이에 자력 양성의 도를 밝혀 뜻깊은 이날을 기념하고자 하는 바이다."

| 용어 풀이 |

○ **조물주(造物主)** 우주만물을 만든 창조주(創造主)·조화신(造化神)·조화옹(造化翁)·조물자(造物者)·창조자(創造者)라고도 한다. 소태산 대종사는 조물주가 따로 있는 것이 아니라 일체생령이 다 각각 자기가 자기의 조물주라 했다[『대종경』 변의품 9].

○ **정화(淨化)** ① 불순하거나 더러운 것을 깨끗하게 함. ② 비속한 상태를 신성한 상태로 바꾸는 일.

㊾ 지자본위

대산 종사, '지자 본위'에 대해 말씀하시기를 "과거 불합리한 차별 제도를 버리고 지우 차별(智愚差別)만 세워 놓아야 각자가 배우기에 힘써서

사람마다 지자(智者)가 되는 동시에 온 인류의 지식이 자연히 평등해질 것이니라." 〈교리편 49장〉

| 출처 |

과거 불합리한 차별 제도를 버리되 지우차별(智愚差別)만 세워 놓아야 각자가 배우기에 힘써서 사람마다 지자가 될 것이므로 온 인류의 지식은 자연히 평등하게 될 것이다. 〈『정전대의』 p.36. 2) 지자본위 (1) 의의〉

| 배경 및 상황 |

『정전』에서 지자본위는 '일상 수행의 요법' 7. 배울 줄 모르는 사람을 잘 배우는 사람으로 돌리자. 『육대요령』에서는 지자본위를 '지우차별'이라고 했다. 모두 같은 뜻이다.

대산 종사는 '오늘은 모르는 것을 배워서 알고 살았는가?' 또한 '도덕의 스승, 정사의 스승, 학술의 스승, 생활의 스승, 상식의 스승을 모시고 살았는가'를 대조하라고 했다.

| 용어 풀이 |

○ **지자본위(智者本位)** 사요 실천 요목의 하나. 신분이나 계급·나이·남녀·학력 등의 이유로 부당하게 차별받지 않고 능력에 따라 대우받는 사회를 만들자는 것. 지자본위의 정신은 근본적으로는 어떠한 차별도 있을 수 없으나 오직 지자와 우자의 차별만 인정한다.

○ **지우차별(智愚差別)** 『정전』 '사요'의 지자본위에 대한 『육대요령』 당시의 표현. 지자와 우자를 구별[차별]해서 우자는 지자에게 배워 지자가 되자는 의미이다. 『육대요령』 '지우차별의 강령'에서는 "지자(智者)는 우자(愚者)를 가르치고 우자는 지자에게 배우는 것이 원칙적으로 당연한 일이니 어떠한 처지에 있든지 배울

것을 구할 때는 과거 불합리한 차별 제도에 끌릴 것이 아니라 오직 구하는 사람의 목적만 달하자는 것이니라."라고 했다. 지우차별이라는 것은 지우 구별이라는 뜻이다. 지자와 우자를 구별해서 우자는 지자에게 배우라는 것이다.

50 타자녀교육

대산 종사, '타자녀 교육'에 대해 말씀하시기를 "선진은 후진을 가르치는 것이 의무인 동시에 인생의 고귀한 가치니 자기 자녀에게만 국집하지 말고 개인이나 국가나 세계가 다 같이 교육기관을 많이 설치하여 가르치는 정신을 양성하여야 자연히 교육이 골라질 것이니라."

〈교리편 50장〉

| 출처 |

선진자는 후진자를 가르치는 것이 의무인 동시에 인생의 고귀한 가치가 여기에 있는 것이니 자기 자녀에게만 국집하지 말고 개인이나 국가나 세계가 다 같이 교육기관을 많이 설치하여 가르치는 정신을 양성하여야 자연 교육이 골라질 것이다. 〈『정전대의』 p.37. 3) 타자녀교육 (1) 의의〉

| 배경 및 상황 |

『정전』에서 타자녀교육은 '일상 수행의 요법' 8. 가르칠 줄 모르는 사람을 잘 가르치는 사람으로 돌리자.

대산 종사는 '오늘은 아는 것을 가르쳐 주고 살았는가?'를 대조하며 실천하고, '개인도 의무장학, 사회도 의무장학, 국가도 의무장학, 세계도 의무장학, 교단도 의무장학'을 해야 교육평등이 실현된다고 했다.

| 용어 풀이 |

○ **타자녀교육(他子女敎育)** 사요 실천 요목의 하나. 교육의 기관을 확장하고 자타의 국한을 벗어나 자기 자녀의 교육에만 국한하지 않고 모든 후진을 두루 교육함으로써 세상의 문명을 촉진시키자는 것.

○ **국집(局執)** 마음이 확 트이지 못하고 어느 한 편에 국한·집착하는 것. 사리(事理)를 두루 살펴 종합적으로 판단하지 못하고 자기의 주관에 얽매이거나 자기의 소견만이 옳다고 고집하여 매우 답답한 모습을 말한다.

51 공도자숭배

대산 종사, '공도자 숭배'에 대해 말씀하시기를 "세상은 나 혼자만 잘 살 수 없는 것이니, 나와 내 가정이 잘 살려면 먼저 남과 이웃이 좋아져야 함을 깊이 각성하고, 각자가 불보살의 희생적 대자대비의 정신을 체받아야, 전 인류의 생활이 자연히 골라지고 그에 따라 개인도 좋아지리라."

〈교리편 51장〉

| 출처 |

세상은 나 혼자만 잘 살 수 없는 것이요 나와 내 가정이 잘 살기로 하면 먼저 남과 이웃이 좋아져야 할 것을 깊이 각성하여 각자가 불보살의 희생적 대자대비의 정신을 체받아야 전 인류의 생활이 자연 골라질 것이요, 따라서 개인도 좋아질 것이다. 〈『정전대의』 p.38. 4) 공도자 숭배 (1) 의의〉

| 배경 및 상황 |

『정전』에서 공도자숭배는 '일상 수행의 요법' 9. 공익심 없는 사람을 공익심 있는 사람으로 돌리자.

대산 종사는 '오늘은 사회에 유익을 주고 살았는가? 손해를 주고 살았는가?'를 대조하며, 또한, '정신으로 봉공, 육신으로 봉공, 물질로 봉공'하면 생활평등이 실현된다고 하였다. 공도자숭배의 초기 표현으로 공도헌신자이부사지(公道獻身者以父事之)라고 하였다. 공(公)을 위해 자신의 모든 것을 바친 사람을 부모처럼 받든다는 말이다.

| 용어 풀이 |

○ **공도자숭배(公道者崇拜)** 사요 실천 요목의 하나. 공도에 헌신한 사람을 우대하여 그 공적을 기리고, 더 많은 공도 헌신자가 나올 수 있는 풍토를 조성하며, 각자도 공도자를 본받아서 공도의 길을 걷는 사람이 되자는 것. 숭배하자는 것은 우상숭배와 같은 의미가 아니라 존숭 경배하자는 의미이다.

○ **대자대비(大慈大悲)** 한없이 크고 넓은 부처님의 자비. 한없이 크고 끝없이 넓어서 끝이 없는 불보살의 자비. 대원정각을 한 불보살이 중생을 아끼고 사랑하는 마음. 적극적으로 즐거움을 주는 것을 자(慈)라 하고, 소극적으로 괴로움에서 벗어나게 해주는 것을 비(悲)라고 한다.

52 세상을 두루 고르는 법

대산 종사 말씀하시기를 "공도자를 숭배하여야 생활 평등이 되어 빈부귀천의 차별이 없어지고, 빈부귀천의 차별이 없어져야 세상이 두루 골라져 서로서로 잘살 수 있느니라." 〈교리편 52장〉

| 출처 |

공도자를 숭배하여야 생활평등이 되어 빈부귀천의 차별이 없어지고 빈부귀천의 차별이 없어져야 세상이 두루 골라져서 서로서로 웃음 속에서 걱정 없이 잘 살 수 있을 것이다. 〈『정전대의』 p.38. 4) 공도자 숭배 (2) 필요〉

| 배경 및 상황 |

대산 종사는 "공도자를 숭배하여야 공도헌신자가 많이 나오게 되어 빈부의 차가 골라져서 자연 생활평등이 될 것이다. 생활평등이 되어야 빈부귀천의 차별이 없어지고 세상이 두루 골라져 서로서로 웃음 속에서 걱정 없이 잘 살 수 있다."라고 하였다. 또한, "공도주의는 세계평화의 근본이 되고 세상에 제일 높은 어른은 천하에 제일 유익을 많이 주고 가신 분이다."라고 하였다. 세상은 빈부귀천이 있기 마련이다. 빈부와 귀천의 차가 골라지는 세상이야말로 진정한 생활평등을 말한다.

| 용어 풀이 |

○ **빈부귀천(貧富貴賤)** 가난함과 부유함이나 귀함과 천함.

○ **생활평등(生活平等)** 사람이나 동물이 일정한 환경에서 활동하며 평등하게 살아감.

53 공사의 표준 생활

대산 종사 말씀하시기를 "공사(公私)의 표준은 빙공영사(憑公營私)인가 선공후사(先公後私)인가를 대조하여 지공무사(至公無私)의 생활이 되도록 하는 데 있느니라." 〈교리편 53장〉

| 출처 |

공사(公私)의 표준 생활

빙공영사(憑公營私)인가.

선공후사(先公後私)인가.

지공무사(至公無私)인가. 〈『정전대의』 p.45. 6. 사대강령 4) 무아봉공〉

공가(公家)에 살펴야 할 세 가지 생활

1. 빙공영사(憑公營私)로 나의 본의(本意)를 잃은 생활인가.
2. 선공후사(先公後私)로 대의를 잡은 생활인가.
3. 지공무사(至公無私)로 순전히 공을 위한 생활인가.

이상 세 가지 생활을 나날이 살펴보고 살 것이니라.

〈『정전대의』 p.65. 수신강요 1. 6. 공가에 살펴야 할 세 가지 생활〉

| 배경 및 상황 |

대산 종사의 '공사의 표준 생활'에 대한 말씀이다. '공가(公家)에 살펴야 할 세 가지 생활'이라고도 하였다.

(1) 빙공영사로 나의 본의(本意)를 잃은 생활인가. (2) 선공후사로 대의를 잡은 생활인가. (3) 지공무사로 순전히 공을 위한 생활인가.

이상 세 가지 생활을 나날이 살펴보고 살아야 한다. 빙공영사는 나의 본의를 잃은 생활이다. 선공후사는 대의를 잡은 생활이고, 지공무사는 순전히 공을 위한 생활이다. 빙공영사는 버려야 하고, 선공후사와 지공무사는 공인이면 반드시 취해야 할 생활이다. 그중 순전히 공을 위한 지공무사가 생활 표준이 되어야 한다.

| 용어 풀이 |

○ **공사(公私)** 공공의 일과 사사로운 일을 아울러 이르는 말.

○ **빙공영사(憑公營私)** 공직(公職)에 종사하는 사람이 공사(公事)를 빙자하여 사리(私利) 사욕(私慾)을 채우는 것을 말한다.

○ **선공후사(先公後私)** 공(公)을 우선으로 하고 사(私)를 뒤로한다는 것. 빙공영사(憑公營私)에 대한 말.

○ **지공무사(至公無私)** 지극히 공평하고 사사로움이 없음.

54 삼학 공부의 대요

대산 종사 말씀하시기를 "정신수양은 마음을 닦아서 맑히자는 것으로 정신의 자주력을 얻자는 것이요 번뇌에 불타는 마음의 불을 끄자는 것이요 욕심에 도둑맞은 참 마음을 찾아내자는 것이며, 사리연구는 마음을 찾아서 밝히자는 것으로 모든 진리를 궁구하여 깨치자는 것이요 모르는 진리를 배워서 알자는 것이요 밝혀 놓은 참 지혜를 계속해서 닦아 어둡지 않게 하자는 것이며, 작업취사는 마음을 바르게 잘 쓰자는 것으로 악업을 끊고 선업을 행하자는 것이요 복을 계속해서 새로 짓자는 것이요 지은 복이 계속되도록 하자는 것이니라." 〈교리편 54장〉

| 출처 |

2. 삼학 공부(三學工夫)의 대요(大要)

'정신수양(精神修養)'은 마음을 닦아 맑히자는 것인데 흩어진 정신을 모아 자주력(自主力)을 얻자는 것이며, 번뇌(煩惱)에 타는 심화(心火)를 끄자는 것이며, 욕심(慾心)에 도둑맞은 진성(眞性)을 찾아내자는 것이다.

'사리연구'는 마음을 찾아 밝히자는 것인데 모든 진리를 갈고 궁굴려 깨치자는 것이며, 모르는 진리를 배워 알자는 것이며, 밝혀 놓은 진혜(眞慧)를 계속해서 어둡지 않게 하자는 것이다.

'작업취사'는 마음을 바르게 잘 쓰자는 것인데 모든 악업(惡業)을 끊고 뭇 선(善)을 행하자는 것이며, 없는 복을 새로 짓자는 것이며, 지은 복을 계속해서 있게 하자는 것이다. 〈『월간 원광』 18호 p.54. 삼학 공부〉

〈『대산종법사 법문집』 2. p.23. 2. 삼학 공부의 대요〉

| 배경 및 상황 |

대산 종사는 『원광』지에 교리특강 '삼학 공부'라는 제목으로 『원광』 18호에 삼학 공부 제1회[1957년 3월]와 20호에 삼학 공부 제2회[1957년 9월]를 연재하였다. 원기38년(1953) 교무강습회[동선] 때 '삼학 공부'를 강의하였다. 이 내용을 정리하여 《원광》에 연재하였다.

여기에 소개한 법문은 삼학공부 중 '삼학공부의 대요'이다. 정신수양은 마음을 닦아 맑히자는 것이고, 사리연구는 마음을 찾아 밝히자는 것이고, 작업취사는 마음을 바르게 잘 쓰자는 것이라고 그 대요를 설하였다.

| 용어 풀이 |

○ **자주력(自主力)** 스스로가 주인이 되어 스스로 판단하고 처리하는 힘. 원불교에서는 정신수양 공부를 오래 하여 얻게 되는 수양력을 지칭하며, 정신이 철석같이 견고하여 천만 경계에도 흔들리거나 끌려가지 않는 힘을 말한다.

○ **번뇌(煩惱)** 근본적으로 자신에 대한 집착으로 일어나는 마음의 갈등을 나타내는 불교의 심리 용어.

○ **심화(心火)** 마음속에서 북받쳐 나는 화.

○ **진성(眞性)** 사물이나 현상 그대로의 성질. 진여(眞如)와 상통한다.

○ **악업(惡業)** 불교에서 말하는 몸·입·뜻으로 짓는 악한 과보를 받을 행위. 몸으로 짓는 악업이 세 가지, 입으로 짓는 악업이 네 가지, 뜻으로 짓는 악업.

○ **선업(善業)** 좋은 행위. 올바른 행위. 착한 행위. 삼성업[선업(善業), 악업(惡業), 무기업(無記業)]의 하나.

55 일생과 영생을 잘 사는 길

대산 종사 말씀하시기를 "영생을 잘 살려면 정신수양으로 정신을 저축하고, 사리연구로 지혜를 계발하며, 작업취사로 정의(正義)를 실천하여 선근을 많이 심어야 하느니라." 〈교리편 55장〉

| 출처 |

일생과 영생을 잘사는 길

말씀하시기를 "우리가 일생과 영생을 잘 살려면 정신을 수양하여 정신 예축(豫蓄)을 하고, 사리를 연구하여 지혜를 계발하며, 작업을 취사하여 복문을 열고 정의를 실천하며 선근종자(善根種子)를 심어야 한다. 그렇게 하면 우리의 앞길이 탄탄대로가 될 것이다." 〈『대산종법사 법문집』 3. p.84. 39〉

일생과 영생 잘 사는 길

○ 불성(佛聖)은 무한동력(無限動力) 발휘

一. 修養 = 정신을 예축(豫蓄)하라.

二. 研究 = 지혜를 계발(啓發)하라.

三. 取捨 = 복문(福門)을 열어 놓으라.

정의를 실천하라.

선근(善根) 종자를 심어라.

〈『대산종사수필법문집』 1. p.1180. 원기60년 7월 3일〉

| 배경 및 상황 |

대산 종사가 책상에 써 놓고 보시던 글 중에 나오는 내용이다. '불성(佛聖)은 무한동력(無限動力)을 발휘한다.'라고 전제한 후 "수양으로 정신을 예축하고, 연구로 지혜를 계발하고, 취사로 복문을 열고 정의를 실천하며 선근종자를 심으면 우리 앞길에 탄탄대로가 열리리라."라고 하였다.

| 용어 풀이 |

○ **영생(永生)** ① 영원한 세상, 세세생생. 죽지 않고 영원히 사는 것. ② 삼세 인과의 이치를 깨달아 생사를 해탈하는 것. 열반과 같은 뜻. 열반은 생사를 해탈해서 나고 죽음을 초월한 경지를 말하며, 그러한 경지에 이름을 일컬어 영생을 얻었다고 한다.

○ **예축(豫蓄)** 미리 절약하여 모아둠.

○ **계발(啓發)** 슬기나 재능, 사상 따위를 일깨워 줌.

○ **선근(善根)** ① 좋은 과보를 낳게 하는 착한 일. ② 좋은 과보를 받을 만한 좋은 인(因). 착한 행업의 공덕 선근을 심으면 반드시 선과(善果)를 얻게 된다.

56 정신수양 공부의 길

대산 종사 말씀하시기를 "정신수양은, 마음을 닦고 키우는 공부요, 일심을 모으는 공부요, 기도하는 공부요, 마음을 길들이는 공부요, 마음을 지키는 공부요, 마음을 고요하게 하는 공부요, 생각을 텅 비우는 공부요, 착심을 떼는 공부요, 부동심을 양성하는 공부요, 보림하는 공부니라."

〈교리편 56장〉

| 출처 |

3. 정신수양 공부의 길

정신수양 공부는 ① 마음을 닦고 키우는 공부, ② 일심(一心)을 모으는 공부, ③ 기도(祈禱)하는 공부, ④ 마음을 길들이는 공부, ⑤ 마음을 지키는 공부, ⑥ 마음을 고요하게 만드는 공부, ⑦ 생각을 텅 비워 버리는 공부, ⑧ 착심(着心)을 떼는 공부, ⑨ 부동심(不動心)을 양성하는 공부, ⑩ 보림(保任)하는 공부인 바 안으로 마음을 닦는 데는 심고(心告), 기도(祈禱), 주송(呪誦), 염불(念佛), 좌선(坐禪), 무시선(無時禪), 무처선(無處禪) 및 연구(硏究)와 취사(取捨)가 있어야 할 것이다. 〈『대산종법사 법문집』 2. p.23.〉

| 배경 및 상황 |

대산 종사는 정신수양 공부의 길을 열 가지로 설명하면서 '안으로 마음을 닦는 데는 심고, 기도, 주송, 염불, 좌선, 무시선, 무처선 및 연구와 취사가 있어야 할 것이다.'고 그 공부 방법을 구체적으로 아홉 가지로 제시하였다.

"이 방법으로 정신수양 공부를 하여야 하지만, 자기 나름대로 좋아하는 공부법이 있다. 그렇다고 편수(偏修)해서는 안 된다. 아홉 가지 방법을 필수적으로 하여야 하고 그 기본을 어느 정도 닦아야 한다. 그리고 어느 부족한 부분을 집중적으로 일심을 모으는 공부를 해야 한다. 또한, 정신수양 공부하는데 연구와 취사를 병진(竝進)해야 한다."라고 하였다.

| 용어 풀이 |

○ **착심(着心)** 어떤 일에 마음을 붙임. 또는 그 마음의 의미. 사물에 집착하는 마음, 사랑하는 것, 갖고 싶은 것, 하고 싶은 것, 좋아하는 것 등에 집착하는 마음. 재색명리·처자권속·부귀영화 등 세속적 가치에 마음을 빼앗기는 것.

○ **부동심(不動心)** 수양력이 쌓여서 마음이 천만 경계에 부딪혀서도 거기에 흔들

리거나 움직이지 아니하는 마음. 인간의 마음은 변화무상해서 경계 따라 흔들리고 찰나에도 변화한다. 밖으로 경계를 대하되 태산교악과 같은 의지와 안으로 마음을 지키되 허공과 같은 청정심으로, 동(動)하여도 동하는 바가 없고 정(靜)하여도 정하는 바가 없는 마음이 곧 부동심이다.

○ **보림(保任)** 불교의 선종(禪宗)에서 깨달은 뒤에 더욱 갈고 닦는 수행법. 수행인이 진리를 깨친 후에 안으로 자성이 요란하지 않게 잘 보호하고, 밖으로 경계를 만나서 끌려가지 않게 잘 보호하는 공부. 보호임지(保護任止)의 준말. 보호임지란 "안으로 자성이 어지럽지 않게 잘 보호하고, 밖으로 경계에 부딪혀도 유혹 당하지 않는다[內保自性而不亂 外任境界而不惑]"는 뜻.

○ **주송(呪誦)** 송주(誦呪)라고도 한다. 주문을 외우는 것. 기도식이나 천도재 때 성주·영주·청정주 등을 지성으로 외우면 천지와 내가 하나가 되어 마음에 큰 힘을 얻게 된다.

57 사리연구 공부의 길

대산 종사 말씀하시기를 "사리연구는 마음을 찾는 공부요, 스스로 궁구하고 깨치는 공부요, 보고 듣고 말하다가 우연히 깨치는 공부요, 스승이 가르치고 훈습시키는 공부요, 실지 체험으로 깨치는 공부요, 심천(心天)에 지혜의 달이 솟게 하는 공부요, 견성보다 수증(修證)이 훨씬 어려움을 아는 공부요, 스승의 인가를 얻는 공부요, 스스로 깨닫는 공부요, 대각의 경로를 아는 공부니라." 〈교리편 57장〉

| 출처 |

4. 사리 연구 공부(事理研究工夫)의 길

사리 연구 공부는 ① 마음을 찾는 공부, ② 스스로 의심을 걸어서 궁굴려 깨치는 공부, ③ 우연히 보고 듣고 말하다가 깨치는 공부, ④ 스승이 가르치고 훈습(薰習)시켜서 깨치는 공부, ⑤ 실지 체험으로 깨치는 공부, ⑥ 심천에 오욕(五慾)의 흑운(黑雲)을 거두고 혜월(慧月)이 솟아오르게 하는 공부, ⑦ 견성보다 수증(修證)이 훨씬 어려움을 아는 공부, ⑧ 윗 스승의 인허(認許)를 얻는 공부, ⑨ 스승이 제자에게 다 보여주지 않고 스스로 자각케 하는 공부, ⑩ 대각(大覺)의 경로를 아는 공부인바, 안으로 깨치는 데는 경전연습(經典練習), 회화(會話), 강연(講演), 성리(性理), 청법(聽法), 문목연마(問目研磨), 수양(修養), 취사(取捨)가 있어야 할 것이다. 〈『대산종법사 법문집』 2. p.29.〉

| 배경 및 상황 |

대산 종사는 사리연구 공부의 길을 열 가지로 설명하면서 "안으로 깨치는 데는 경전연습, 회화, 강연, 성리, 청법, 문목연마, 수양, 취사가 있어야 할 것이다."라고 하였다. 그 공부 방법을 구체적으로 여덟 가지로 제시하였다.

"이 방법으로 사리연구를 하여야 하지만, 자기 나름대로 좋아하는 연구 방법이 있을 수 있다. 그렇다고 편중(偏重)해서는 안 된다. 여덟 가지 방법을 필수적으로 하여야 하고 그 기본을 어느 정도 깨쳐야 한다. 그리고 어느 부족한 부분을 집중적으로 지혜를 연마하는 공부를 해야 한다. 또한 사리연구를 하는데 수양과 취사를 병기(竝起)하여야 한다."라고 하였다.

| 용어 풀이 |

○ **궁구(窮究)** 사리(事理)를 속속들이 깊이 연구함. 인간의 시비이해와 천조(天造)의 대소유무(大小有無)의 이치를 궁극의 경지까지 연구해서 밝히는 것을 말한다. 사리연구 공부의 구경(究竟)이다.

○ **훈습(薰習)** 향이 그 냄새를 옷에 배게 한다는 뜻으로, 우리가 행하는 선악이 없

어지지 아니하고 반드시 어떤 인상(印象)이나 힘을 마음속에 남김을 이르는 말.

○ **심천(心天)** 마음 하늘.

○ **견성(見性)** 〈교리편 15장〉 용어 풀이 참조.

○ **수증(修證)** ① 수(修)는 삼학을 수행하는 것, 증(證)은 일원의 위력을 얻고 일원의 체성에 합하는 것. 일원상의 진리와 내가 하나가 되는 것. ② 수행과 증득. 수행을 통해서 진리를 깨달아 얻는 것.

58 작업취사 공부의 길

대산 종사 말씀하시기를 "작업취사는, 마음을 잘 쓰는 공부요, 유무념 대조하는 공부요, 계율을 잘 지키는 공부요, 육근 동작을 바르게 하는 공부요, 조심하는 공부요, 남에게 유익을 주는 공부요, 겸양하는 공부요, 넉넉한 처사를 본받는 공부요, 중도를 잡는 공부요, 상을 없애는 공부요, 심신을 원만하게 쓰는 공부니라." 〈교리편 58장〉

| 출처 |

5. 작업취사(作業取捨) 공부의 길

작업취사 공부는 ① 유무념 대조하는 공부, ② 계율을 잘 지키는 공부, ③ 육근 동작을 바르게 하는 공부, ④ 조심하는 공부, ⑤ 남을 유익주는 공부, ⑥ 겸양의 도를 실행하는 공부, ⑦ 넉넉한 처사를 본받는 공부, ⑧ 중도(中道)를 잡는 공부, ⑨ 상(相)을 없애는 공부, ⑩ 심신을 원만하게 쓰는 공부인바, 안으로 취사하는 데는 참회, 주의, 실행(實行), 결단력(決斷力), 상시일기(常時日記) 및 연구(硏究)와 수양(修養)이 있어야할 것이다.

〈『대산종법사 법문집』 2. p.33.〉

| 배경 및 상황 |

대산 종사는 작업취사 공부의 길을 열 가지로 설명하면서 "안으로 취사하는 데는 참회, 주의, 실행, 결단력, 상시일기 및 연구와 수양이 있어야 할 것이다." 라고 하였다. 그 공부 방법을 구체적으로 일곱 가지로 제시하였다.

이 방법으로 작업취사를 하여야 하지만, 자기 나름대로 좋아하는 취사 방법이 있을 수 있다. 그렇다고 편착(偏着)해서는 안 된다. 일곱 가지 방법을 필수적으로 하여야 하고 그 기본을 어느 정도 취사해야 한다. 그리고 어느 부족한 부분을 집중적으로 실천하는 공부를 해야 한다. 또한 작업취사를 하는데 수양과 연구를 병행(竝行)하여야 한다.

| 용어 풀이 |

○ **유무념 대조(有無念)** 육근 동작을 유념으로 했는지 무념으로 했는지를 늘 대조해서, 모든 일을 유념으로 잘 처리하도록 반성하고 대조하고 노력하는 수행법. 상시일기법에 속하는 작업취사 공부법으로서 원불교의 독특한 수행법이다. 경계를 대할 때마다 온전한 생각으로 취사하는 것을 원칙으로 하여 처음에는 육근 동작을 유념으로 했는가 무념으로 했는가를 대조하고, 차츰 수행이 깊어지면 동기와 결과까지 잘되어야 유념, 잘못되면 무념으로 해서 모든 일에 일심이 되었는가 못되었는가, 모든 일에 불공을 잘했는가, 못 했는가, 모든 일에 불리자성(不離自性)이 되었는가 못되었는가를 늘 대조하고 반성해 간다.

○ **계율(戒律)** 계(Śīla)와 율(Vinaya)의 합성어. 산스크리트 쉴라(Śīla)는 시라(尸羅)로 음역(音譯)되며 계로 의역(意譯)되는데 자율적으로 규율을 지킨다는 방비지악(防非止惡)의 의미가 있으며, 산스크리트로 비나야(Vinaya)는 비니야(毗尼耶)로 음역되며 율로 의역되는데 불교 교단의 질서 유지를 위한 규율로써 타율적인 규율의 의미가 있다. 또한 율은 경(經)에 상대하는 뜻으로 쓰이기도 하고 계는 율의 한 부분으로서 훈계(訓戒)를 의미하기도 하지만 중국에 와서 계율이라는 용어

로 합성되었다. 따라서 합성어인 계율의 의미는 자신의 수도를 위해 스스로 경계(警戒)함의 의미와 교단의 질서를 위해 법규에 따라 규율(規律) 있게 함의 의미가 모두 종합되어 있다.

○ **육근 동작(六根動作)** 경계를 대해서 육근[안·이·비·설·신·의]이 작용함을 말함을 작용하는 것. 일원상의 진리는 인간의 육근 동작을 통해서 현실적으로 나타난다. 따라서 육근 동작을 원만구족하고 지공무사하게 동작하는 사람이 곧 불보살이다. 육근 작용이라고도 한다.

○ **겸양(謙讓)** 겸손한 태도로 남에게 양보하거나 사양함.

○ **처사(處事)** 일을 처리함. 또는 그런 처리.

○ **중도(中道)** 두 극단을 떠나 한편에 치우치지 않는 공명한 길. 불교에서는 유(有)나 공(空)에 치우치지 않는 진실한 도리, 또는 고락의 양편을 떠난 올바른 행법을 중도라고 한다.

○ **상(相)** 모습, 형태, 모양, 특징, 특성, 성질. 산스크리트로는 락샤나(lakṣaṇa). 다른 것과 구분 짓게 하는 것, 차별을 드러내는 것을 말한다.

59 삼학 공부 중 크게 경계할 일

대산 종사 말씀하시기를 "우리가 삼학 공부를 하는 가운데 크게 경계할 일이 있나니, 첫째, 수양할 때 무기공(無記空)에 빠지거나 허령이 나타나는 것이요, 둘째, 연구할 때 대각을 단번에 이루려고 급한 마음을 내거나 사견에 빠지는 것이요, 셋째, 취사할 때 제가 짓고 제가 받는 줄을 모르는 것과 법의 선(線)이 없이 사는 것이니라." 〈교리편 59장〉

| 출처 |

6. 삼학 공부 중 대기사(大忌事)

1) 수양 중 대기사

첫째, 무기공갱(無記空坑)에 빠져있는 것이니 수양하는 길에 무심(無心) 공부나 공심(空心) 공부는 분별심[雜心]을 버리자는 것이요, 본래 마음조차 없애자는 것은 아니다. 마음이 살아 있지 않고 죽은 마음[死心, 灰心, 空心, 無心, 無記空]이 되는 것은 바로 지옥에 빠지는 일이니 삼독의 해보다 더 큰 것이다. 정(定)한 이외의 수면은 곧 마장이라 정신이 단절되는 것이니 주의해야 할 것이다.

이에 한 예를 들면 어느 노파가 청년 남승 하나를 가르치다가 어느 경계를 주어 보고 그 마음을 물어본즉 대답하되 회심(灰心)과 같다고 하니 노파가 그 집을 불사르고 쫓아버리면서 내 도인을 길들이려 하였더니 무정지물(無情之物) 목석을 길들였다고 하였다는데, 이는 바로 무기공(無記空)을 의미한 것이다.

그러므로 참다운 대도를 수행하는 데에는 독거(獨居)하는 것보다 엄사(嚴師)를 모시거나 또는 대중 가운데 처하여 있는 것이 훨씬 성성(惺惺)해서 혼자 백 년 걸릴 것이 십 년에, 십 년 걸릴 것이 단 일 년에 끝마칠 수 있는 것이다. 사람이 마음이 죽고 보면 그것은 마치 물이 없는 우물이나 폐한 가옥이나 기운 없는 허공과 같이 아무런 쓸모가 없는 것이니 도에 뜻한 자는 이를 명심하여 그 길에 어긋남이 없어야 할 것이다.

둘째, 허령(虛靈)이 나타나는 것이다. 영지(靈智)가 나타나는 데에는 둘이 있으니 그 하나는 수도를 함으로써 나타나는 진령(眞靈)과 그 둘은 순간 반짝이는 허령으로서 전자는 맑은 물에 백물(百物)이 그대로 비치는 것과 같이 천만 사리를 닿는 대로 알게 되는 영통(靈通)이요, 후자는 때에 어긋나 피는 꽃처럼 오래 가지도 못하려니와 열매도 맺지 못하나니 이런 유(類)는 성현의 말변지사(末邊之事)요, 요괴지사(妖怪之事)로 여기는 것이다.

그러나 나타난 허령이라도 그대로 비축(備蓄)해 두면 진령(眞靈)이 되는 수도 있지만 허령이 뜨는데 재미를 붙이는 자는 정도를 놓고 사도(邪道)에 드는 사람이라 성공하기 어려울 것이다.

2) 연구 중 대기사

첫째, 대각을 몰록 이루려고 급속한 마음을 두는 것이니 이는 경전만 보거나 또는 선(禪)만 하거나 하여 도를 단번에 얻으려는 것을 이름이다. 이것은 마치 종잇장 속에서 여의보주(如意寶珠)나 해인(海印)이나 마니보주를 구하는 것과 같은 일이며 채광인이 수고 없이 마탁(磨琢)된 금을 얻으려는 것과 같다. 불가의 말에 "근기가 높은 자는 쉽사리 불지(佛地)에 오른다"고 하였으나 이것은 다생(多生) 동안 쌓아온 노공(勞功)의 결정이며 결코 일시에 이루어지는 것이 아니다. 그러므로 석가세존께서도 숙겁에 쌓으신 오백 생의 공(功)과 현생의 육년 적공으로 대각을 이루시었고 우리 대종사께서도 구원겁래(久遠劫來)로 세워 오신 대원력과 8, 9세부터 26세까지 16년 동안 한결같은 대공을 쌓으신 나머지 대각을 이루신 것이다. 그뿐만 아니라 천하사가 단번에 이루어진 것이 없으며 성현이라고 생이지지(生而知之)하신 분은 없는 것이니 마땅히 이를 알아야 할 것이다.

둘째, 사견(邪見)에 걸려 있는 것이다. 확철대오(廓徹大悟)를 못 했음에도 불구하고 홀로 스승이 되어서 위로 스승이 없어지고 좌우로 충고할 만한 어진 벗이 끊어져 버리는 것이니, 하근(下根)으로서의 가장 조심하고 꺼려야 할 큰 병인 것이다. 그러므로 중근의 병[邪見의 病]에 걸린 자는 마치 돌을 가지고 금으로 오인하고 있는 자와 같은 것이니 적은 법에 집착(執着)한 자는 마침내 대도를 얻지 못할지라 가득 차 있는 그릇에는 아무것도 더 담을 수 없는 것이다. 대종사께서는 "아직 부처를 이루지 못한 사람으로서 위 스승의 지도가 끊어진 것같이 위태한 사람은 없다."라고 하시었다.

3) 취사 중 대기사

첫째, 제가 짓고 제가 받는 줄을 모르는 것이다. 모든 사람이 죄를 짓게 되는 것은 천지만물 허공법계 즉, 사은(四恩)이 밭이 되고 각자의 심신 동작이 종자가 되어 호리도 틀림없이 나타나는 것을 모르기 때문이다. 남을 이롭게 하는 것이 결국 자기를 이롭게 만드는 것이요, 남을 해롭게 하는 것이 결국 자기를 해치는 일이라는 것을 알아야 한다. 대종사께서 이르시되 "어리석은 중생이 복이 돌아오기만 바라고 있는 것은 마치 농사짓지 않은 농부가 수확하려는 것과 같다."라고 하시었다. 그러므로 수도인은 자업자득(自業自得)의 진리를 알아야 할 것이다.

둘째, 범의 선(線)이 없이 사는 것이니 범부 중생이 자행자지하면서 사는 것은 달리는 기차가 선(線)을 벗어난 것과 같다. 이에 대종사께서는 '공부하는 길'로써 삼학 팔조(三學八條)의 선(線)과 '사람 노릇을 하는 길'로서 사은사요와 계문 및 솔성요론(率性要論)의 선(線)을 정하여 주셨으니 우리는 일체 만사를 작용할 때 과불급(過不及)의 탈선이 아니 되도록 중도실행(中道實行)을 하여야 할 것이다. 〈『대산종법사 법문집』 2. pp.38~41.〉

| 배경 및 상황 |

대산 종사는 "우리가 삼학 공부를 하는 가운데 불신(不信)과 탐욕(貪慾)과 나(懶)와 우(愚)가 대기사(大忌事)가 되는 것을 『정전』에 자상히 밝힌 바 있거니와 공부를 진행하는 중에 크게 꺼리는 일이 몇 가지가 있다."라고 하였다.

그것은 '수양, 연구, 취사'하는데 크게 꺼리고 피해야 할 일이다.

(1) 수양의 꺼리는 일은 공갱(空坑)과 허령이다. 공갱은 무기공갱의 줄인 말이다. 진공이 아닌 완공무별[頑空無別, 편공(偏空)·무기공(無記空)이라고도 한다. 조견오온개공 또는 일체개공이라 하여 공견(空見)에만 집착하는 것. 진공묘유 또는 공적영지가 진리임을 모르고 묘유가 없는 진공에 집착하면 완공이 되고, 영지가 없는 공적에 집착하면

허무적멸이 된다. 형상 있는 것에 대한 집착에서도 벗어나고, 형상 없는 것에 대한 집착에서도 벗어나야만 비로소 중도의 이치, 곧 참 진리를 깨칠 수 있는 것이다.] 무별의 상태. 적적성성하고 성성적적한 상태가 아니라, 혼몽혼미한 상태. 좌선할 때 마음을 텅 비운다고 하다가 성성적적하지 못하면 자칫 무기공에 떨어지기 쉽다. 허령이란 수행 중에 혹 나타나기도 한다. 불가사의하고 신령스러운 현상으로 일시적으로 일어나는 환상과 같다. 그래서 근기가 약한 수행인이 허령에 재미를 붙이면 큰 병이 날 수 있으니 크게 꺼리는 것이다.

(2) 연구 중 대기사는 대각을 단번에 이루려는 급한 마음을 내거나 사견에 빠지는 것이다. 이는 경전만 보거나 선(禪)만 하여 단번에 이루려는 급속한 마음과 사견에 걸려 확철대오를 못 하여 위로는 스승이 없고 좌우로 충고할 어진 벗이 끊어져 버리는 것이다. 이때는 중근기에 빠져 사견의 병에 걸리므로 크게 꺼리고 피해야 일이다.

(3) 취사 중 대기사는 제가 짓고 제가 받는 줄을 모르고 법선(法線)이 없이 사는 것이다. 우리는 일체 만사를 작용할 때 과불급의 탈선이 없어야 중도를 실행할 수 있다.

| 용어 풀이 |

○ **대기사(大忌事)** 크게 꺼리고 피해야 할 일. 윤리적으로나 도덕적으로 죄악·부도덕·부정·부패·불의로 인정되는 일이나 살·도·음(殺盜淫) 같은 행위를 말한다.

○ **무기공(無記空)** ① 선악·정사(正邪)를 분별하지 못하는 어리석음. 목적의식·사명 의식·본분 의식이 없이 무의미하게 살아가는 생활. ② 진공이 아닌 완공무별(頑空無別)의 상태. 적적성성하고 성성적적한 상태가 아니라, 혼몽혼미한 상태. 좌선할 때 마음을 텅 비운다고 하다가 성성적적하지 못하면 자칫 무기공에 떨어지기 쉽다. 수행인이 유(有)에 집착하면 번뇌 망상에서 벗어나지 못하게 되고, 무(無)에 집착하면 무기공에 떨어지기 쉽다. 유에 집착하거나 무기공에 떨어지는 것은

둘 다 도를 얻는 데 방해가 된다.

○ **허령(虛靈)** 마음에 사심 잡념이 없을 때 영묘 불가사의한 어떤 신령 현상이 나타나는 것. 자기가 생각하지 아니하여도 간헐적으로 미래와 천기의 변화에 대한 예측, 통찰력 있는 식견 등이 솟아오르는 신령스러운 앎.

○ **사견(邪見)** ① 올바르지 못하고 요사스러운 잘못된 의견. 진리를 깨치지 못하여 망녕되고 삿된 생각으로 사물을 잘못 보고 판단하는 것. 진리를 깨치지 못하고 무명 번뇌에 가리어 잘못된 견해. ② 인과보응의 이치와 불생불멸의 진리를 부정하고 무시하는 망녕된 견해. 사견을 갖게 되면 그 죄가 크고 악도에 떨어지게 된다.

60 삼학 편수

대산 종사 말씀하시기를 "대종사께서는 삼학 편수를 특히 금하셨나니, 우리는 삼대력 중에서 모자라는 점을 스스로 살핌과 동시에, 스승의 지도와 동지들의 의견을 들어서 삼학을 병진해 나가야 하느니라."

〈교리편 60장〉

| 출처 |

대종사께서 삼학 편수(三學偏修)함을 특히 금하셨으니 우리는 삼대력 중에서 모자라는 점을 스스로 살펴보기도 하고 동지들의 의견도 들어서 삼학을 병진하는 원만한 수행을 하여야 할 것이다. 〈『정전대의』 5. 삼학 p.43.〉

| 배경 및 상황 |

이 법어는 '삼학 공부'에 대한 편수를 경계한 법문으로 『정전대의』 '삼학'에 실린 법문이다.

원기83년(1998) 8월 13일 대산 종사는 "편수(偏修)는 속성하지 못하고 원수(圓修)라야 점점 성공을 이룰 수 있다."라고 했다. 원수란 원만하게 닦는다는 뜻이다.

그리고 대산 종사는 "수도인이 수도를 할진대 편수하면서 큰 성공을 바라지 말지니, 큰 성공을 하려면 원만한 수행에 힘쓰고 절대로 편수하지 맙시다. 편수하면 그 과보를 받게 된다."라고 하였다.

| 용어 풀이 |

○ **편수(偏修)** 한쪽에 치우쳐 수행함. 삼학 수행을 편수하는 것.

○ **삼대력(三大力)** 삼학 수행을 통해서 얻게 되는 수양력·연구력·취사력 등의 세 가지 큰 힘. 이 세 가지 힘은 일심·알음알이·실행이라는 이름으로도 불린다.

61 성리 표준 답안

대산 종사 말씀하시기를 "수도하는 사람은 항상 청정 무애한 자성을 보아다가 대원정력(大圓定力)을 양성하고, 원만 통달한 자성을 보아다가 대반야지(大般若智)를 증득하며, 미묘 자재한 자성을 보아다가 대중도행(大中道行)을 실천해야 하느니라." 〈교리편 61장〉

| 출처 |

(1) 성리 표준 답안

① 청정무애(淸淨無碍)한 자성을 관하여 늘 멈추고 키워서 대원정력(大圓定力)을 양성하고,

② 원만통달(圓滿通達)한 자성을 관하여 늘 생각하고 연마해서 대반야지(大般

若智)를 증득하고,

③ 미묘자재(微妙自在)한 자성을 관하여 늘 경계하고 반성해서 대중도행(大中道行)을 합시다.

〈『대산종사수필법문집』 2. p.1836 원기47년 10월 박은국 수필〉

(2) 청정무애한 자성에 관하여 늘 멈추고 키워서 대원정력(大圓定力)을 양성하고, 원만통달한 자성에 관하여 늘 생각하고 연마해서 대반야지(大般若智)를 증득하고, 미묘자재한 자성에 관하여 늘 경계하고 반조해서 대중도행(大中道行)을 하자. 〈『대산종사수필법문집』 1. p.56. 원기48년 8월 9일〉

| 배경 및 상황 |

이 법어의 출처 (1)은 원기47년(1962) 10월경 대산 종사가 설한 법문을 향타원 박은국 교무가 '성리 표준 답안'이라는 제목으로 수필하였다. 출처 (2)는 원기48년(1963) 8월 9일 설한 법문이다. 출처 (1)과 (2)는 같은 법문이다. 출처 (1)은 박은국 교무의 법문노트에 실린 법문이고, 출처 (2)는 시봉진이 정리한 법문이다. 이를 간단하게 정리하면

청정무애한 자성으로 대원정력을 양성하고,

원만통달한 자성으로 대반야지를 증득하고,

미묘자재한 자성으로 대중도행을 하자는 논리적인 법문임을 알 수 있다.

| 용어 풀이 |

○ **청정무애(淸淨無礙)** 더럽거나 속되지 않고 맑고 깨끗함. 죄가 없이 깨끗함. 계행이 조촐함. 우리의 자성(自性)은 원래 청정하여 죄복이 돈공(頓空)하고 고뇌가 영멸(永滅)하고 무엇에도 방해받지 않고 자유롭다.

○ **대원정력(大圓定力)** 크고 원만하고 정신수양으로 마음에 요란함이 없이 정신

통일이 된 상태를 통해 얻게 되는 힘.

○ **양성(養成)** 실력이나 역량 따위를 길러서 발전시킴.

○ **원만통달(圓滿通達)** 성격이나 인품이 둥글고 너그러워 결함이나 부족함이 없고 모든 일에 막힘없이 훤히 통함.

○ **대반야지(大般若智)** 큰 근본지·청정지·영지·무루지의 근본. 무명의 반대. 원만구족하고 지공무사한 마음. 곧 참된 본성. 이무애(理無礙) 사무애(事無礙) 이사무애(理事無礙)한 사리통달의 지혜. 반야와 지는 서로 같은 뜻인데, 이를 강조하기 위해서 반야지라 한다.

○ **증득(證得)** 올바른 지혜로써 진리를 확실히 깨달아 얻는 것. 오득(悟得)·증오(證悟)라고도 한다.

○ **미묘자재(微妙自在)** 본래 마음을 표현하는 말. 본래 마음은 한없이 크고 깊기 때문에 미(微)라 하고, 분별심으로 사량하고 언어로 논의할 수 없기 때문에 묘(妙)라 하고 자유자재함을 말한다.

○ **대중도행(大中道行)** 큰 중도를 행함. 극단에 떨어지거나 더함도 덜함도 없이 시의에 맞게 행하는 것을 말한다.

62 견성 양성 솔성

대산 종사 말씀하시기를 "견성은 하나 자리를 발견하고 참 나를 발견하는 것이요, 양성은 하나 자리를 함축하고 참 나를 함축하는 것이요, 솔성은 하나 자리를 활용하고 참 나를 활용하는 것이니, 적공은 일심과 정성으로 계속하되 반드시 법에 연원하고 신심을 바탕으로 해야 하느니라."

〈교리편 62장〉

| 출처 |

(1)

말씀하시기를 "양성(養性)은 하나 자리를 함축(含蓄)하고 나를 함축하는 것이며, 견성(見性)은 하나 자리를 발견하고 나를 발견하는 것이며, 솔성(率性)은 하나 자리를 활용하고 나를 활용하는 것이다. 이 공부의 적공(積功)은 일심과 정성으로 계속하고 반드시 법에 연원하고 신심을 바탕으로 하여야 한다."

〈『대산종법사법문집』 3. 50. p.88.〉

(2)

七. 양성(養性): 하나하나 함축

견성(見性): 하나하나 발견

솔성(率性): 하나하나 활용

적공일심정성(積功一心精誠) 신심연원(信心淵源)

〈『대산종사수필법문집』 1. p.1087. 원기60년 2월 16일〉

| 배경 및 상황 |

이 법어의 출처 (1)과 (2)는 양성, 견성, 솔성의 순을 말하고 있다. 이 법어는 견성, 양성, 솔성의 순으로 설명하고 적공은 일심과 정성으로 하여 법에 연원하고 신심을 바탕으로 해야 한다고 하였다.

대산 종사는 "견성을 하자는 것은 양성과 솔성을 잘하자"는 것이라고도 했다. 양성, 견성, 솔성은 정신수양, 사리연구, 작업취사를 말한다. 순서가 중요한 것이 아니며, 때로는 양성이 우선일 수 있고, 때로는 견성이 먼저일 수 있다는 뜻이다. 삼학병진의 측면에서 보면 견성을 우선하고 양성과 솔성이 병진하고, 양성을 먼저하고 견성과 솔성이 병행하고, 솔성을 중심으로 양성과 견성이 병립하는 것이다. 따라서 법어에 말한 견성은 먼저 성품을 요달하는 데 중점을 두었다고 할 수 있다.

| 용어 풀이 |

○ **견성(見性)** 〈교리편 15장〉 용어 풀이 참조.

○ **양성(養性)** 자신의 본래 성품을 잘 발현할 수 있도록 가꾸고 기르는 일. 사람의 본래의 성품은 일원상과 같이 원만구족하고 지공무사한데 지혜가 어둡고 물욕에 사로잡혀서 발현되지 못하게 되므로 지혜를 밝히고 욕심을 제거하면 본래의 성품이 저절로 드러나게 되며, 그러한 노력을 수행이라 한다. 원불교의 수행은 삼학수행(三學修行)이며, 삼학 중에 정신수양을 양성, 사리연구를 견성, 작업취사를 솔성이라고 달리 표현하기도 한다.

○ **함축(含蓄)** ① 마음속 깊이 수양력을 쌓아 가는 것. ② 깊이 간직하여 드러나지 아니하는 것. 마음속 깊이 품고서 쌓아두는 것. ③ 내용이 매우 풍부한 것. 의미가 매우 깊은 것.

○ **솔성(率性)** 천도(天道)에 순응하고, 나아가 천도를 자유자재로 활용하는 것. 『중용』에서는 "천명지위성(天命之謂性) 솔성지위도(率性之謂道) 수도지위교(修道之謂教)"라고 하여 솔성에 대해 말하고 있다. 솔성은 곧 천지의 명한 바에 순응하고 따르는 것을 의미한다.

○ **적공(積功)** ① 오래오래 수행 정진하는 것. 삼학 수행을 병진하여 삼대력을 갖출 때까지 심고·기도·염불·좌선 등으로 심공(心功)을 쌓기 위해 용맹정진하는 것. ② 어떠한 일을 성취하기 위해 많은 공을 들이는 것. 덕을 베풀고 공(功)을 이루어 많은 공적을 쌓는 것을 말한다.

⑥③ 일상 수행의 요법에서 돌리자는 의미

대산 종사 말씀하시기를 "일상 수행의 요법 가운데 '돌리자'는 말씀에 큰 공부가 들어 있나니, 자신의 중생심을 부처님 마음으로 돌리고, 경계

속에서 당한 해로움을 기꺼이 나에게 돌리며, 잘못한 사람도 끝까지 호념하여 재생의 기회를 갖도록 돌리는 데 힘써야 하느니라."

〈교리편 63장〉

| 출처 |

교강(敎綱)에 '돌리자' 하신 말씀에 큰 공부가 들었다. 개인에 있어서는 중생심을 불심으로 돌리고, 경계를 대해서는 해(害)를 내가 차지하도록 돌리고, 끝까지 호념하여 재생의 기회를 얻도록 돌려주어야 한다.

〈『대산종사수필법문집』 1. p.312. 원기53년 4월 12일〉

| 배경 및 상황 |

『정전』 수행편 '일상수행의 요법 9조' 가운데 5개 조가 '돌리자'로 되어 있다.

5. 원망 생활을 감사 생활로 돌리자.

6. 타력 생활을 자력 생활로 돌리자.

7. 배울 줄 모르는 사람을 잘 배우는 사람으로 돌리자.

8. 가르칠 줄 모르는 사람을 잘 가르치는 사람으로 돌리자.

9. 공익심 없는 사람을 공익심 있는 사람으로 돌리자.

대산 종사는 '돌리자'를 "개인에 있어서는 중생심을 불심으로 돌리고, 경계를 대해서는 해(害)를 내가 차지하도록 돌리고, 끝까지 호념하여 재생의 기회를 얻도록 돌려주어야 한다."라고 하였다.

| 용어 풀이 |

○ **일상수행의 요법(日常修行-要法)** 원불교인들이 일상생활 속에서 수행해 가는 지침으로 삼도록 한 9개의 요목. 교강구조(敎綱九條)와 구성심조항(九省心條項)이라고도 한다. 일상수행의 요법은 『정전』 수행편의 맨 앞에 위치하여, 원불교

교리의 전반을 수행화(修行化)하도록 9개 조항으로 간추렸다. 소태산 대종사는 일상수행의 요법을 아침저녁으로 외우고 그 내용을 마음에 대조하여 챙기지 않아도 저절로 되는 경지에 도달하도록 하라[『대종경』 수행품 1]고 했다.

○ **교강(教綱)** 원불교의 기본 교리를 강령적으로 요약한 것. 일반적으로 일상수행의 요법 9조를 초기 원불교 교서에서는 교강구조라고 표현했다. 원불교 가르침의 가장 핵심인 삼학팔조·사은사요 등 원불교의 기본 교리의 내용이 다 포함되어 있어 흔히 교리 강령 또는 교강이라 한다.

64 법도 있는 생활

대산 종사 말씀하시기를 "어떤 사람이 대종사를 뵈옵고 '대종사께서 대각하셨다면 부처님이요 성인이 아니겠습니까?' 하고 사뢰니, 그 말에는 대답하지 않으시고 '나는 인과의 원리를 알아 복만 짓고 죄는 안 짓도록 영생토록 노력할 뿐이다.'고 하셨나니, 우리가 깊이 새겨보아야 할 말씀이니라. 대각하신 부처님도 이처럼 죄짓기를 무서워하고 조심하셨나니, 우리는 한 생각 한 행동을 하더라도 법도 있는 생활로 더욱 수행 정진하고 보은 불공해야 하느니라." 〈교리편 64장〉

| 출처 |

법도 있는 생활이란

삼학으로 수행 공부하고, 사은 보은하고 사요 실천하라. 이것 못하면 아무리 큰소리해도 아무것도 아니다.

대종사님을 뵈온 어떤 분이 '대각을 하셨다면 불이요, 성인이 아니겠습니까?' 하고 물으니 이에는 아무 대답을 아니 하시고, '나는 인과의 원리를 알아 복만 짓고 죄를 안 짓도록 영생토록 노력하려고 할 뿐이다.' 하시었다니 참으로 무서운 말씀이고 그렇게 대각하신 분도 죄짓기를 무서워하고, 조심하시었으니 우리야 더욱 그래야 하지, 아니하면 안 된다.

〈『대산종사수필법문집』 1. p.368. 원기54년 1월 1일〉

| 배경 및 상황 |

원기54년(1969) 신년법문 제목이 '법도 있는 생활'이다. 이 법어는 신년법문의 부연법문으로 원문을 도치법(倒置法)으로 써서 윤문하였다.

원기54년도 교무강습 때 '법훈편편'에 실린 법문 22장에는 어떤 분이 대종사님을 뵈온 후, "대각하셨다면 불(佛)이요 성인이 아니겠습니까?" 하고 물으니 이에는 일언반구도 아니 하시고 "나는 인과의 원리와 불생불멸의 진리를 알아 영생을 복만 작만하고 죄는 안 짓도록 노력하고 있을 뿐이다."라고 하셨느니라. 참으로 무서운 말씀이시다. 대각하신 대종사께서 죄짓는 것을 그와 같이 무서워하시어 자제하셨으니 우리야 어찌하여야 하겠냐?[『대산종사수필법문집』 2. p.1941. 원기54년]

| 용어 풀이 |

○ **법도(法度)** 법의 절도(節度), 곧 인격이나 언행이 법에 잘 맞는 것. 예법이나 교단법 등을 잘 지키는 것을 '법도가 있다'고 표현한다.

○ **대각(大覺)** 불(佛)의 진리에 대한 각오(覺悟)를 지칭하는 것으로 각지(覺知)의 이상적 상태. 원불교에서는 일원(一圓)의 진리를 크게 깨침을 말한다. 천조(天造)의 대소유무(大小有無), 존재의 원리와 인간의 시비이해(是非利害), 곧 인간의 행위의 원리를 근본적으로 통달한 상태를 말한다.

65 상시 응용 주의 사항

대산 종사 말씀하시기를 "상시 응용 주의 사항 6조는 마음을 잘 사용하자는 공부법이요, 사람을 새롭게 바꾸는 묘방인 동시에 과거에도 없고 미래에도 없는 대도 정법이니라. 제1조는 온전한 생각으로 취사하는 동시 삼학(動時三學) 공부로, 일을 당할 때마다 멈추는 공부를 하여 일심 정력을 쌓고, 멈춘 후에는 다시 생각을 궁굴려서 바른 지각을 얻고, 또 옳은 판단을 얻은 후에는 바로 취사를 해서 결단 있는 실천을 하자는 것이요, 제2조는 미리 연마하고 준비하는 여유(餘裕) 공부로, 일이 없을 때는 일이 있을 때를 대비해 물심 예축을 잘하자는 것이요, 제3조는 묻고 배우는 대성(大成) 공부로, 천지는 법이요 산 경전이라, 어느 때 어느 곳에서나 공부하는 대중을 놓지 말고 경전과 스승을 정하여 사제 훈도로 늘 묻고 배우자는 것이요, 제4조는 의심을 풀어내는 정각(正覺) 공부로, 일과 이치 간에 의심 건을 하나씩 적어두고 어미 닭이 알을 품듯 알맞게 혜두를 단련하여 의심을 풀어내자는 것이요, 제5조는 마음을 고요하게 하는 정려(靜慮) 공부로, 매일 아침저녁으로 복잡한 신경을 쉬고 마음을 텅 비우는 염불·좌선·심고·기도·송주의 시간을 가져 마음을 고요하게 하자는 것이요, 제6조는 반성 대조하는 성찰(省察) 공부로, 일을 지낼 때마다 반드시 반성을 하여 시비를 감정하고 취침 전에는 일기 기재와 유무념 대조로 그날의 죄복을 결산하고 다시 한번 본원을 챙기자는 것이니라. 대종사께서는 과거에는 천 생에 할 공부를 이 회상 이 법으로는 단생에 할 수도 있고, 평생에 할 공부를 정성만 들이면 쉽게 이룰 수도 있다고 하셨나니, 이 상시 응용 주의 사항 6조 공부야말로 천여래 만 보살을 배출할 수 있도록 밝혀 주신 공부법이니라."

〈교리편 65장〉

| 출처 |

대각개교절 경축사

이 6조 공부는 최고 최대 최상의 용심법으로 인간 개조의 묘방이며 전무후무한 대도정법인 것이니, 이 공부를 잘하여야 자기 운명을 자기가 책임지고 개척할 수 있는 것입니다.

그 방법을 더 풀어 말한다면 다음과 같습니다.

1조는 동할 때에 마음을 잘 쓰는 삼학 공부입니다.

항상 일을 당할 때마다 마음을 멈추어 수양력 즉 정력(定力)을 쌓아야 할 것이니, 자기 마음에 검문소를 설치하여 출입하는 마음을 일일이 검문하여 일심이 되게 하는 것으로서 외불방입(外不放入) 내불방출(內不放出)을 잘하여 가는 것입니다. 마음을 흔들고 요란하게 하는 밖에서 들어오는 경계와 마음이 경계를 따라 착 되고 물들고 흔들리는 등 안에서 나가는 마음을 막고 지키는 것입니다. 그리하여 부동심을 만들고 마음의 자유를 얻으며 그일 그일에 일심을 만들어야 하겠습니다.

다음은 마음을 멈춘 후에는 반드시 생각을 궁굴려 연구력을 쌓고 지각을 얻는 것입니다. 생각에서 생각이 나오고 마탁하는 데에서 혜광이 솟는 것입니다. 큰 뜻을 품고 살 때 의심이 의심의 꼬리를 물고 있을 때 연구가 되는 것입니다. 이 공부는 반야지를 얻는 것이요, 진리를 오득하는 것이며, 그일 그일에 정로(正路)와 사로(邪路)를 분석하게 하는 것입니다.

이 공부를 하는 가운데 주의하여야 할 것은 생각에서 미처 바른 판단이 나지 않거든 놓아두고 생각을 기다려야 합니다. 오래 잡고 있으면 머리만 무거워집니다. 일을 당해서 미처 현명한 생각이 나지 않거든 비워 두고 생각을 기다려야 합니다. 늘 쉬지 않는 생각에서는 큰 생각이 솟아나지 않습니다.

취사하는 공부는 바른 판단을 얻은 후 바로 취사하여 결단 있게 실천함으로써 취사력 즉 계력(戒力)을 얻게 되고 항상 정당한 결실을 보게 됩니다. 이처럼 공부하면 덕행이 나타나고, 중도를 잡아 쓰게 되며, 그일 그일에 불의는 놓고 정의를 실천하게 됩니다.

다시 몰아 말하면 1조는 마음은 멈출수록 정력이 쌓이고, 생각은 궁굴릴수록 마탁이 되며, 대소사 간에 일은 취사할수록 시중(時中)이 되는 것입니다.

2조는 미리 준비하는 공부로 정신 육신 물질 삼 방면으로 예축하는 공부입니다. 일이 없을 때는 준비해 두어야 쓸 때 아쉬움이 없이 넉넉하게 잘 쓸 수 있습니다. 그렇지 않고 준비할 자리에 준비하지 않으면 쓸 때 늘 허둥대는 삶을 살 것입니다. 또한 정신 육신 물질 삼 방면의 예축과 함축도 마찬가지입니다. 법이 있는 사람은 평소에 죽음의 도를 연마해 두고 이생에서 내생의 일을 충분히 준비합니다. 미리 준비 없는 사람은 항상 아쉽고 근심과 고통을 면하지 못합니다. 늘 준비하는 사람이라야 영생이 헛되지 않을 것입니다.

3조는 경전을 배우고 스승과 문답하는 공부입니다.

규칙적인 시간으로 허송 생활을 방지합시다. 허송세월을 경전 공부하는 시간으로 돌리어 늘 진리에 맥을 대어야 합니다. 법과 경전과 스승을 정하여 배우고 법 받는 공부를 하여야 합니다. 예회와 입선 공부는 법과 경전을 받들게 하고 스승님의 뜻을 알게 하는 실속 있는 공부입니다. 또한 천지는 법이요 세계는 산 경전이니 어느 때 어느 곳에서나 공부하는 대중을 놓지 말아야 하겠습니다.

4조는 적당한 시간에 의두와 성리를 연마해야 합니다.

이는 의심을 풀어내는 공부로 어미 닭이 알을 품고 있듯이 의문을 궁굴려야 합니다. 그 방법은 사리 간에 의심 건 하나씩을 적어 두고 알맞게 혜두 단련하는 일을 하는 것입니다. 오랜 생각보다는 선을 한 뒤에나 선보(禪步)를 할 때 맑은 정신으로 잠깐씩 단련하는 것입니다. 자신이 혼자 의지 해석하는 것보다는 동지 간에 문답하기를 좋아해야 합니다. 그래야만 살아 있는 공부가 됩니다. 또한 서원이 일관되어야 의두와 성리도 일이관지(一以貫之)할 것입니다.

5조는 마음을 고요하게 하는 공부입니다.

매일 조석으로 복잡한 심경을 쉬고 마음을 텅 비우는 수양으로 마음의 공백시간을 가져야 할 것입니다. 그 방법으로 염불, 좌선, 심고, 기도, 주송 등을 수양과목으로 정하여 대적광전에 머물도록 합시다. 이러한 시간으로 복잡한 일을 쉽게, 큰 것을 작게, 얽힌 것은 풀어 항상 마음에 무엇이 걸리어 무겁게 하지 말아야 합니다.

6조는 반조하고 반성하는 공부입니다.

일을 지낼 때마다 반드시 반성하여 시비를 감정하는 공부를 할 것이며, 취침시에는 반드시 하루를 종합 반조하여 죄복을 결산하고, 내일의 계획을 세운 후 본원을 다시 챙기고 청정 일념에 의지하여 잠이 드는 공부를 습관화해야 할 것입니다. 그 방법으로 매일 일기를 쓰고 유무념 공부를 철저히 하며 일일삼성(一日三省)으로 늘 반조하는 공부를 합시다.

지금은 인권 시대이기 때문에 수신은 더욱 천하의 근본입니다. 그러므로 각자의 마음을 잘 쓰게 하는 용심법이라야 사주팔자를 뜯어고쳐서 인간을 다시 책임 있게 개조할 수 있는 것입니다.

대종사께서 말씀하여 주시기를 "과거에는 천년 이상할 공부를 이 법으로만 나아가면 단생에 마칠 수가 있고, 평생에 할 공부를 죽기로써 정성만 들이면 몇 년, 몇 달 사이에 이룬다."고 하셨습니다. 그러므로 이 길로써 공부하여야 천여래 만보살이 배출되게 되어 있습니다.

〈『대산종사수필법문집』 2. p.1620. 원기78년 4월 28일〉

| 배경 및 상황 |

상시응용 주의사항은 삼학수행을 동정의 일상생활 시간 속에서 실천하여 성불제중을 이루는 빠른 공부법이라 하겠다. 대산 종사는 "상시응용 주의사항은 대종사께서 평생을 통해서 하신 공부 길이요 영생의 공부 표준이시며 누구나 스스로 성불하여 영겁에 불퇴전이 되도록 하신 법이다."라고 『정전대의』에 밝히며 그 중요성을 강조했다.

이 법문은 원기78년(1993) 4월 28일 대각개교절 경축사를 저본으로 법어에 실렸지만, 원기62년(1977) 11월 1일 초판 발행된 『정전대의』 상시응용 주의사항 6조 공부가 소개되어 있다. 따라서 대각개교절 경축사는 『정전대의』에 기초하여 정리된 것이므로 원조는 『정전대의』라고 할 수 있다.

| 용어 풀이 |

○ **상시응용 주의사항(常時應用注意事項)** 상시훈련법의 하나. 일상생활 속에서 심신을 작용할 때 주의해야 할 항목으로 자기 스스로 삼학 공부를 하여 삼대력을 양성하는 공부법이다.

○ **묘방(妙方)** 효험이 있는 처방이나 약방문.

○ **동시삼학(動時三學)** 온전한 생각으로 취사하는 공부. 일을 당할 때마다 하는 삼학 공부.

○ **일심정력(一心定力)** 사심 잡념·번뇌 망상이 끊어진 온전한 마음과 정신수양으로 마음에 요란함이 없이 정신 통일이 된 상태를 통해 얻게 되는 힘. 선정(禪定)에 의하여 마음을 적정(寂靜)하게 이끄는 힘이다. 또한 동적으로 천만 경계에 부딪혀서도 정신이 흔들리지 않는 힘을 말한다.

○ **물심예축(物心豫蓄)** 사물과 마음을 미리 준비하여 저축함.

○ **사제훈도(師弟薰陶)** 스승이 제자를 덕(德)으로써 사람의 품성이나 도덕 따위를 가르치고 길러 선으로 나아가게 함.

○ **혜두(慧頭)** 지혜의 머리. 지혜의 의두(疑頭)라는 뜻. 화두, 의두의 경우에서와 같이 두는 끝 또는 실마리로 지혜의 중요성을 강조하는 뜻이다

○ **정려(靜慮)** ① 조용히 생각하는 것. 깊이 생각하는 것. ② 선정(禪定). 마음을 통일하여 진리를 생각하는 것.

○ **성찰(省察)** 자기의 마음을 반성하고 살핌

⑯ 견성하는 공부로 성리를 단련하자

대산 종사 말씀하시기를 "철은 용광로를 거쳐야 정철이 되고, 법은 성리에 근거해야 대도 정법이 되며, 도인은 성리를 단련해야 큰 도인이 되느니라. 도가에 견성하는 공부 길이 없으면 그것은 정도가 아니니, 이는 성리를 단련하지 않고는 참 도를 얻을 수 없고 참 법을 전할 수도 없는 까닭이니라. 그러므로 성리는 빌려서라도 보아야 하는 것인바, 공부하는 사람이 성품 자리를 보지 못하고 법에 구속되면 천진(天眞)을 잃고 허식에 걸려 제도 받기 어렵고 큰 공부도 못하나니, 우리는 소리 없는 큰 소리[無聲之大聲], 빛 없는 큰 빛[無光之大光], 공덕 없는 큰 공덕[無功之大功], 이름 없는 큰 이름[無名之大名], 그 자리를 터득해야 하느니라."

〈교리편 66장〉

| 출처 |

(1)

법신불 일원상에 대한 법문을 내려주시면서

도가에 들어와 수도하는 데 견성이 없으면 사도요, 성리의 단련이 없이는 참 도를 얻을 수 없고, 참 법을 전할 수도 없다. 그러므로 성리를 꾸어서라도 보고 써야 한다. 공부하는 사람이 수법(修法)에 구속됨으로써 천진(天眞)을 잃고 허식에 걸려 제도 받기 어렵고 큰 공부를 못한다.

〈『대산종사수필법문집』 2. p.284. 원기53년 1월 21일〉

(2)

진리의 세 방향

철은 용광로를 거쳐야 정철(精鐵)이 되고,

법은 성리에 근거해야 대도 정법이 되고,

도인은 성리를 단련해야 대도인이 된다.

무음지대성(無音之大聲) 무광지대광(無光之大光) 무공지대공(無功之大功) 무명지대명(無名之大名)의 주인이 되자.

〈『대산종사수필법문집』 1. p.286. 원기53년 1월 23일〉

| 배경 및 상황 |

이 법어는 출저 (1)과 (2)를 합쳐서 하나의 문장을 엮었다. 원기53년(1968) 1월 21일 '법신불 일원상에 대한 법문을 내려주시면서' 한 말씀과 1월 23일에 '진리의 세 방향'이란 법문을 논리적으로 엮은 것이다.

우리는 소리 없는 큰 소리[無聲之大聲], 빛없는 큰 빛[無光之大光], 공덕 없는 큰 공덕[無功之大功], 이름 없는 큰 이름[無名之大名], 그 자리를 터득해야 한다는 것이 성리의 조목이다.

대산 종사는 성리는 꾸어서라도 깨달아야 하고, 수도인이 성리를 모르고 수행하면 자선단체나 마찬가지라고 했다. 성리의 중요성을 이야기하면서 할 수 있다면 머리를 쪼개서라도 넣어 주고 싶다고 했다. 그러나 성리는 사적으로 주고받는 것이 아니고, 스승이 제자에게 법을 전하듯 건네는 것이 아니라고 했다. 의두나 성리를 연마할 수 있도록 지도할 수는 있으나 끝내 성리는 자기 자신이 깨쳐야 한다는 말이다.

| 용어 풀이 |

○ **용광로(鎔鑛爐)** 높은 온도로 광석을 녹여서 쇠붙이를 뽑아내는 가마. 제련하

는 금속에 따라 철 용광로, 구리 용광로, 납 용광로 따위가 있으며, 특히 철 용광로는 곧고 높기 때문에 고로(高爐)라고 한다.

○ **정철(精鐵)** 잘 불려서 단련한 좋은 쇠붙이.

○ **성리(性理)** 〈교리편 25장〉 용어 풀이 참조.

○ **천진(天眞)** ① 인위적인 조작이 전혀 없는 본래의 모습. 오탁 악세에 물들지 아니한 본래 마음 그대로의 참된 것. ② 불생불멸·불구부정의 참된 마음. 염정미추·시비선악·사량계교에 물들지 아니한 마음.

○ **허식(虛飾)** 실속이 없이 겉만 꾸밈.

67 대원견성

대산 종사 말씀하시기를 "누진통은 대원견성(大圓見性)을 해야 통해지나니, 이 자리는 삼독 오욕이 나타날 수 없으며 설사 나타났다 하더라도 마치 타는 불에 눈 녹는 것과 같으니라. 삼독 오욕을 제거할 때 그 근원을 녹여버리지 못하면 일시적으로는 제거된 것 같으나 곧 다시 일어나고 마나니, 대원견성을 한 사람은 번뇌 망상이 일어난다 할지라도 본래 성품 자리에 비추어 녹여버리느니라." 〈교리편 67장〉

| 출처 |

심령과학 8월 2일 자에 게재된 기사를 읽도록 하신 후

삼명(三明)은 과거명, 현재명, 미래명을 즉 순환불궁하는 것을 진리적으로 아는 것이다.

누진통은 대원견성(大圓見性)하여 통하는 것으로 삼독오욕(三毒五慾)이 나타날 수 없고 설사 나타나더라도 마치 불이 있는 붉은 화로에 흰 눈 한 점 던지는 것과 같다. 그래서 옛말에 홍로점설(紅爐點雪)이라고 하였다.
삼독오욕을 제거하는 데 그 근원을 알아 녹인다. 그러지 못하면 일시적으로는 제거는 되어도 금방 또 일어난다. 대원견성한 사람은 『대종경』에 묵은 때를 양잿물로 세탁하여 한 번에 깨끗이 빼는 것과 같다고 하셨다. 마음에 때 묻은 것을[三毒五慾] 걱정하지 말고 잿물 구하는 것에 힘써라. 번뇌 망상 누구나 있다. 견성 해 버리면 한 점의 눈에 지나지 않는다.
대원견성해 누진통이 되고 일체가 청정법계가 벌려 있음을 알게 돼 사통오달로 막힘없이 통한다. 그래서 성리를 꾸어서라도 보라는 것이다. 성리를 봐야 한다. 과거의 잘못은 걱정할 것 없다. 근원을 알아 녹이면 그만이다.

〈『대산종사수필법문집』 1. p.944. 원기59년 8월 2일〉

| 배경 및 상황 |

원불교에서는 이러한 이적 곧 신통 묘술의 경지를 인정은 하나, 이는 인간 세상에 해로운 것이라 하여 신통 묘술을 귀하게 여기지 아니한다. 삼명과 육통이 있는데 삼명의 누진명과 육통의 누진통은 대원경지를 얻은 불보살만 얻을 수 있는 경지다. 누진명은 아라한이 현실 세상의 모든 고통을 알아서 번뇌를 끊고 생사의 속박을 벗어나 열반의 이치를 증득하는 지혜를 말한다. 누진통은 현세의 모든 번뇌를 모두 끊고 깨달음을 얻는 능력을 말한다.
법위가 법강항마위에 오르면 혹 신통이 나타나는 수가 있다. 이때 신통에 재미를 붙이면 정도(正道)를 놓고 사도(邪道)에 흐르기 쉽다. 그러므로 법강항마위에서는 신통이 나타나면 이를 억눌러서 대신성과 대서원의 적공이 있어야만 출가위의 불보살이 될 수 있다.

| 용어 풀이 |

○ **삼명육통(三明六通)** 부처님과 아라한이 깨달음을 얻었을 때 갖추게 되는 세

가지의 지혜와 여섯 가지의 신통력. 신족통(神足通)·천안통(天眼通)·천이통(天耳通)·타심통(他心通)·숙명통(宿命通)·누진통(漏盡通)을 육통이라 하고, 이 육통 중에서 천안·숙명·누진의 셋을 특히 삼명이라 한다. 그런데 삼명은 아라한의 경우에 삼명이라 하고, 부처님의 경우에는 삼달(三達)이라 한다.

○ **누진통(漏盡通)** 육신통(六神通)의 하나. 부처님이나 최고 수행자가 갖춘 여섯 가지의 신통력 가운데 하나로 자유자재로 번뇌를 끊어버리는 신통력을 의미한다.

○ **대원견성(大圓見性)** 진리의 원만만 큰 성품을 보아 깨닫는다는 뜻.

○ **삼독오욕(三毒五慾)** 지혜를 어둡게 하고 깨달음을 방해하는 세 가지 번뇌. 삼독심이라고도 한다. 탐진치[탐욕심(貪欲心)·진에심(瞋恚心)·우치심(愚痴心)]와 중생의 다섯 가지 기본적인 욕망. 식욕(食慾)·색욕(色慾)·재물욕·명예욕·수면욕을 말한다.

○ **홍로점설(紅爐點雪)** 빨갛게 달아오른 화로 위에 한 송이의 눈을 뿌리면 순식간에 녹아 없어지는 데에서, 도를 깨달아 의혹이 일시에 없어짐을 비유적으로 이르는 말.

68 음계와 양계

한 제자 여쭙기를 "음계와 양계를 알고 싶습니다." 대산 종사 말씀하시기를 "너무 어렵게 생각하지 마라. 눈 감으면 음계요 눈 뜨면 양계니라." 또 여쭙기를 "음계와 양계에서 어떻게 인증을 받을 수 있나이까?" 말씀하시기를 "정할 때는 신앙문과 수행문으로 들어가 털끝만 한 사사로운 마음도 없이 일원의 진리에 합하고, 동할 때는 삼대력으로 처처불상 사사불공을 하면 대중의 인증을 얻어 음계와 양계의 인증을 받게 되느니라."

〈교리편 68장〉

| 출처 |

캐나다교당 교도회장 송혜중 내외와 전 가족이 1주일 동안 조실에 머물며 삼삼 조사 게송 법문과 함께 종법사님을 모시면서 휴가를 보냈다.

송혜중: 음계 양계란 무엇입니까?

종법사: 너무 어렵게 생각하지 말라. 눈을 뜨면 양계고, 눈을 감으면 음계다.

송혜중: 그러하오면 음계와 양계의 인증을 받으려면 어떻게 해야 하는지요?

종법사: 먼저 정할 때는 신앙문과 수행문으로 들어가 일호의 사사 잡념이 일원의 진리에 합할 때이고, 동할 때는 삼대력으로 처처불상 사사불공으로 보은을 하여 자신이 음계 양계로 인증을 해야 한다. 그리고 차차 대중으로부터 인증을 받으면 음계 양계가 인증되는 것이다.

〈『대산종사수필법문집』 2. pp.1642~1643. 원기78년 8월 5일〉

| 배경 및 상황 |

원기78년(1993) 8월 5일 송혜중 교도가 가족들과 함께 캐나다에서 휴가를 받아 왕궁 영모묘원에서 주재하고 계신 대산 종사를 뵙고 평소 '음계와 양계'에 대해 궁금한 점이 있어 여쭈었다.

대산 종사는 "눈 감으면 음계요, 눈 뜨면 양계다."라고 했다. 송 교도가 "음계와 양계에서 어떻게 인증을 받을 수 있나이까?"라고 물었다.

말씀하시기를 "먼저 정할 때는 신앙문과 수행문으로 들어가 일호의 사사 잡념이 일원의 진리에 합할 때이고, 동할 때는 삼대력으로 처처불상 사사불공으로 보은하여 자신이 음계, 양계로 인증을 받아야 한다. 그리고 차차 대중으로부터 인증을 받으면 음계, 양계가 인증하는 것이다."라고 하였다.

대산 종사는 정할 때와 동할 때 음계, 양계의 인증을 받고 차차 대중으로부터 인증을 받으면 음계, 양계가 인증할 것이라고 하였다. 송 교도는 열반하기까지 음계, 양계에 대해 죽음의 보따리를 싸며 연마하였을 것이다.

| 용어 풀이 |

○ **송혜중(宋慧中)** 캐나다로 이민 간 송혜중[속명 영재] 교도는 원기58년(1973) 5월 23일 총부에서 입교하였다. 토론토교당 교도회장을 역임하였다. 송혜중 교도와 부인 강대진 교도는 캐나다 이민 1세로, 매년 휴가 기간을 모아 1년에 한 번씩, 온 가족이 대산 종법사가 있는 곳에서 2~3주를 보냈다. 매해 반복되는 한국 방문에 어린 두 딸 은전과 상진이 함께할 정도로 송 교도는 신심이 깊었다. 지병이 깊어지던 송혜중은, 대산 종사의 유업으로 미주선대 설립이 추진된다는 소식을 병상에서 전해 듣고 자녀들에게, 특히 종교·정치학을 복수 전공하는 둘째 딸 상진에게 미주선학대학원대학교에서 공부하면 좋겠다는 자신의 소망을 이야기했다. 자녀 송상진 교무가 전무출신하여 미국 선학대학원대학교에서 해외 교화에 힘쓰고 있다.

○ **음계(陰界)** 귀신들이 사는 세상.

○ **양계(陽界)** 사람이 사는 세상. 또는 이 세상.

69 유무념 대조는 성리를 바탕하라

대산 종사 말씀하시기를 "대종사께서는 생활 속에서 한 마음을 끊임없이 챙기는 공부로 유무념 대조 공부를 일러 주셨나니, 유무념 대조 공부는 성리를 바탕으로 한 마음을 찾고 한 마음을 길들이고 한 마음을 잘 쓰자는 공부인바, 한 마음을 챙기면 한없는 광명의 길 진급의 길 은혜의 길로 나아갈 것이요, 한 마음을 놓으면 어두운 길 강급의 길 해독의 길로 나아가게 되느니라." 〈교리편 69장〉

| 출처 |

선보하시면서 법무실장 장산(藏山) 황직평에게 말씀하셨다.

대종사께서는 이 회상에 입문하는 불자 법연들에게 초범입성(超凡入聖)하여 대각성불하고 제생의세하는 데 인생의 요도와 공부의 요도를 밝게 하셨다. 그 길을 밟으면서 호리지차도 없이 일원의 진리로 원만구족하고 지공무사한 육근 작업이 되도록 완전히 불공화시켜 주셨다. 즉 한 마음을 통하여 만법을 활용케 하시며, 한 기운을 통하여 만유를 화육케 하신 것이다. 그래서 이 미묘한 마음을 놓으면 없어져 한없이 어두운 데로, 강급의 길로, 해독을 입는 길로 빠지고, 한마음 챙겨 잡아서 쓰면 한없는 광명의 길로, 진급의 길로, 은혜를 입는 길로 가게 하셨다. 이 공부를 아주 쉽고 튼튼하게 생활 중에 끊임없이 하도록 유무념 대조하는 공부법을 내놓으셨다. 정신 차려 한마음 찾고 챙기며 길들이고 잘 쓰는 이 공부를 하면 영생 대사가 장중(掌中)에 있고 그 넉넉하고 한가로움이 어떠하겠느냐?

〈『대산종사수필법문집』 2. pp.1642~1643. 원기78년 2월 9일〉

| 배경 및 상황 |

대산 종사는 원기78년(1993) 2월 9일 왕궁 영모묘원에서 산책하며 법무실장 장산 황직평 교무에게 '유무념 대조 공부'에 대해 말씀하였다. 이때는 유무념 공부와 마음공부가 서서히 태동하는 시기였다. 유무념 공부가 중심이 되어 『정전』 마음공부를 출가 재가가 수계농원에서 한창 할 때였다. 대산 종사는 마음공부 대혁명으로 천여래 만보살을 배출하자고 훈증하였다. 또한, 유무념 공부는 성리에 바탕으로 한 마음을 찾고 길들이고 잘 쓰자고 하였다. 한 마음을 챙기면 한없는 광명, 진급, 은혜의 길로 나아가고 한 마음을 놓으면 어두운, 강급, 해독의 길로 나아간다고 하였다.

| 용어 풀이 |

○ **황직평(藏山 黃直平, 1932~2019)** 1932년 충북 청주에서 태어나 청진, 완주

등에서 어린 시절을 보냈다. 6·25 한국전쟁이 발발하자 자원입대하여 4년간 군복무를 마치고, 원기41년(1956) 출가하여 수계농원에서 4년간 임원으로 생활했다. 원기49년(1964) 원광대학교 원불교학과를 졸업하고 수계농원에서 잠시 교역에 임했다. 원기51년(1966) 법무실로 자리를 옮겨 대산 종법사를 근 33년간 시봉하며 시자로 시작하여 법무실장을 역임했다. 일생을 오롯하게 정남으로 살았으며 원기76년(1991) 종사 법훈을 서훈받았고, 잠시 원산교구장 겸 교화훈련부 순교감을 지냈다. 특히 『정전』에 바탕한 마음공부 전령사로 활동하며 대산 종사님의 최후 말씀인 '마음공부 대혁명'을 화두로 삼아 후진들을 양성하다가 퇴임하여 원로원에서 마음공부로 정양하였다. 장산 종사는 원기104년(2019) 10월 6일 세수 88세, 법랍 62년 6개월로 한결같이 정진 수양의 수범을 보이다 열반에 들었다. 저서로는 『나는 지팡이입니다』, 『여기 허공이어라』, 『마음공부 대혁명』 등이 있다.

○ **유무념 대조(有無念對照)** 육근 동작을 유념으로 했는지 무념으로 했는지를 늘 대조해서, 모든 일을 유념으로 잘 처리하도록 반성하고 대조하고 노력하는 수행법.

⑳ 진정한 참회

대산 종사 말씀하시기를 "진정한 참회는 불생불멸의 진리와 인과보응의 이치를 여실히 믿고 깨달아서 남을 속이고 해(害)함이 곧 나를 속이고 해하는 것임을 알 때 행해질 수 있느니라." 〈교리편 70장〉

| 출처 |

1. 요지

참다운 참회는 불생불멸의 진리와 인과보응의 이치를 여실히 깨닫고 믿어서 남을 속이고 해하는 것이 곧 나를 속이고 해하는 것임을 알아야 행해질 것이다.

〈『정전대의』 9. 참회문 p.52.〉

| 배경 및 상황 |

참회의 요지를 설명한 글이다. 원문에는 '참다운 참회'라고 하였고 이 법어에서는 '진정한 참회'라고 하였다. 진정하다는 것은 '참되고 올바르다'는 뜻이고, 참답다는 것은 '거짓이나 꾸밈이 없이 진실하고 올바른 데가 있다'라는 뜻이다. '참다운 참회'로 순우리말 그대로 사용하였으면 좋았을 것 같다.

불생불멸과 인과보응의 이치를 여실히 믿는 것이 참회이고 남을 해하지 않고 속이지 않는 것이 참회의 요지임이 분명함을 알아야 하겠다.

| 용어 풀이 |

○ **참회(懺悔)** 자신이 범한 죄나 과오를 깨닫고 뉘우치는 일. '참(懺)'은 산스크리트의 끄샤마(kṣama)의 음역으로 '인(忍)'을 의미한다. 타인에게 자기 죄의 용서를 비는 것을 뜻하는 말로써, 엄밀히 따지면 실수를 뉘우치는 '회(悔)'와는 의미가 약간 다르지만, 점차로 '참'과 '회'가 동일시되어서 '참회'라는 말이 쓰여 지게 되었다. 참(懺)에 회(悔) 자를 보탠 것은 산스크리트와 한어(梵漢) 두 말을 합쳐서 사용한 것이다.

○ **불생불멸(不生不滅)** 생멸 없는 도와 인과보응의 이치는 일원상 진리의 내용이요, 우주의 진리이다. 석가모니불은 이 진리를 깨쳐 불교를 창시했고, 소태산도 이 진리를 깨쳐 원불교를 창건했다. 불교에서는 현실 세계는 생함이 있고 멸함이 있으나 그 근본은 생함도 없고[불생] 멸함도 없다[불멸]고 했으니, 이것이 곧 불생불멸이라는 것이다. 그러나 소태산은 불생불멸의 이치를 '없음'의 논리보다 '돌고 도는' 논리로 밝히고 있다.

○ **인과보응(因果報應)** "천지의 영원불멸한 도를 체받아서 만물의 변태와 인생

의 생·로·병·사에 해탈(解脫)을 얻을 것이요"[『정전』 천지보은의 조목]라고 했다. 소태산은 불생불멸을 영원불멸이라고도 했다. 영원히 없어지지 않고 돌고 돈다는 것이다. 영원불멸의 도는 우주와 만물을 생·로·병·사로 돌고 돌게 하며 인생을 생·로·병·사로 돌게 하는 이 도의 이치를 체받으면 생사를 해탈케 한다는 것이다.

○ **여실(如實)** 사물의 있는 그대로의 모습이라는 뜻으로, 우주 만유의 본체인 평등하고 차별이 없는 절대의 진리를 이르는 말.

○ **해하다(害하다)** 이롭지 아니하게 하거나 손상을 입힌다.

71 참회의 방법 두 가지

대산 종사 말씀하시기를 "참회의 방법에는 사참(事懺)과 이참(理懺)이 있나니, 사참은 외적인 현실 참회를 이름인바 매일 마음을 대중잡고 반성하며 고쳐나가는 방법이요, 이참은 내적인 진리 참회를 이름인바 성품에 반조해서 삼세의 모든 업장을 녹여버리는 방법이니라." 〈교리편 71장〉

| 출처 |

2. 방법

하나는 사참(事懺)이라 외적인 현실 참회를 이름인 바, 매일 마음을 대중잡고 반성하며 고쳐나가는 방법이니,

둘은 이참(理懺)이라 내적인 진리 참회를 이름인 바, 성품에 반조해서 삼세의 모든 업장을 녹여버리는 방법이니라. 〈『정전대의』 9. 참회문 pp.52~53.〉

| 배경 및 상황 |

참회의 방법은 두 가지로 사참과 이참이다. 현실적인 참회와 진리 전의 참회이

다. 참회는 두 가지로 해야 삼세에 얽힌 업보를 풀어내는 데 효과적이다. 이참은 법신불 사은 전에 하는 참회로 형식적이고 시간과 장소에 얽매일 수가 있다. 사참은 생활 속에서 하는 참회로 상대가 있으면 그 상대에게 불공하는 심정으로 늘 할 수 있다. 그러기에 진리적인 참회와 현실 생활 속에서 하는 참회를 병행하면 악업은 점점 소멸하여가고 신업은 다시 짓지 않을 수도 있으니 이보다 확실한 참회는 없다.

| 용어 풀이 |

○ **사참(事懺)** 예불(禮佛)이나 송경(誦經) 정성스러운 마음 등으로 자기가 지은 죄과(罪過)를 불·법·승 삼보 전에 고백하여 참회하며 날로 모든 선업을 쌓아 가기를 약속하는 것. 소태산 대종사는 '사참이란 성심으로 삼보(三寶) 전에 죄과를 뉘우치며 날로 모든 선을 행함을 이름'이라고 하였다.

○ **이참(理懺)** 일체의 망상을 씻어버리고 자신의 마음속 본성의 공적(空寂)을 깨닫는 일로써, 모든 죄업도 역시 실상(實相)이 아님을 깨닫고 죄를 소멸하는 참회이다. 자성 청정심에서 경계 따라 모든 죄업이 일어나므로 그 마음을 청정하게 하면 죄라는 흔적조차 찾아볼 수 없다. 소태산 대종사는 '이참이란 원래에 죄성(罪性)이 공한 자리를 깨쳐 안으로 모든 번뇌 망상을 제거해 감을 이름'이라고 하였다.

○ **반조(返照)** 경계에 끌려다니는 정신을 되돌려 자성 본원 곧 자기의 본래면목을 되찾는 것을 비유하는 말.

○ **삼세(三世)** 과거·현재·미래를 통칭하여 부르는 말. 삼제(三際)라고도 한다.

○ **업장(業障)** 전생에 악업을 지은 죄로 인하여 받게 되는 온갖 장애, 마장(魔障). 삼독 오욕심이 많다든가, 시기 질투심이 강하다든가, 중상모략을 좋아한다든가 하는 것은 다 업장이 된다. 또 금생에 가난하다거나 게으른 것도 전생의 악업으로 인한 업장이다. 업장이 두터운 사람은 정도 수행을 방해하므로 업장이 다 녹을 때까지 끊임없이 참회 개과하고 수행 정진해야 한다.

⑫ 사참과 이참의 방법

대산 종사, 이어 말씀하시기를 "사참의 방법에는 첫째, 삼세에 신·구·의(身口意) 삼업으로 알고도 짓고 모르고도 지은 일체 죄업을 진심으로 참회하고 그 과보의 두려움을 절실히 깨닫는 길이 있고, 둘째, 마음을 챙기고 스스로 경계하여 신·구·의 삼업으로 짓는 모든 악을 처음부터 짓지 않도록 계문을 잘 지키는 길이 있나니, 항상 도력으로써 업력을 대치하되 정업(定業)은 면하기 어려우니 오면 달게 받고 고쳐 나가야 하느니라. 또 이참의 방법에는, 걸림 없는 선정에 드는 길이 있고, 염불 삼매에 드는 길이 있고, 송주 삼매에 드는 길이 있나니, 청정한 지혜는 다 선정으로부터 나오는 것인바 밝은 지혜가 솟아올라야 일체 음기가 녹고 사기가 제거되어서 업장이 물러나게 되느니라." 〈교리편 72장〉

| 출처 |

사참(事懺)이란 외적인 현실 참회를 이름인 바 매일 마음을 대중잡고 반성하며 고쳐나가는 방법이니,

첫째, 삼세에 신구의 삼업으로 알고도 짓고 모르고도 지은 일체 죄업을 진심으로 참회하고 그 과보의 두려움을 절실히 깨닫는 길이요.

둘째, 마음을 챙기고 스스로 경계하여 고쳐나가서 신구의 삼업으로 짓는 모든 악을 처음부터 짓지 않도록 계문을 잘 지키는 길이다.

※ 도력으로써 늘 업력을 대치하되 정업(定業)은 난면(難免)이니 빨리 달게 받고 고쳐야 한다.

이참(理懺)이란 내적인 진리 참회를 이름인 바, 성품에 반조해서 삼세의 모든 업장을 녹여버리는 방법이니,

첫째, 걸림 없는 선정(禪定)에 드는 길이요.

둘째, 염불삼매에 드는 길이요,

셋째, 송주삼매에 드는 길이다.

※ 청정한 지혜는 다 선정으로부터 나는 것인바, 혜일(慧日)이 솟아올라야 일체 음기(陰氣)가 녹고 사기가 제거되어서 업장이 물러나는 것이다.

〈『정전대의』 9. 참회문 pp.52~53.〉

| 배경 및 상황 |

참회의 방법은 사참과 이참으로 나누어 사참의 첫째는 삼세의 삼업으로 지은 일체 죄업을 진심으로 참회하고 그 과보의 두려움을 깨닫는 것이요, 둘째는 마음을 챙기고 경계하고 고쳐나가서 삼업을 짓지 않도록 계문을 잘 지키는 것이다. 항상 도력으로 업력을 대치하고 정업은 난면이니 달게 받고 고치는 것이다. 이참의 첫째는 선정에 들고, 둘째는 염불삼매에 들고, 셋째는 송주삼매 드는 길이다. 청정한 지혜는 선정으로 나오는 것으로 혜일이 솟아야 음기와 사기가 제거되어 업장이 물러나는 것이다.

| 용어 풀이 |

○ **삼업(三業)** 몸·입·뜻, 곧 신업·구업·의업을 말한다. 몸으로 행하는 동작, 입으로 말하는 언어, 마음으로 생각하는 의지 등 인간의 일체 행위를 세 가지로 구분하여 이를 업설과 연관 지어 설명하는 개념이다. 이 세 가지를 가지고 선업도 짓고 악업도 짓게 된다. 살생·투도·간음의 세 가지 악업[身三], 망어·기어·악구·양설의 네 가지 악업[口四], 탐욕·진애·우치의 세 가지 악업[意三]을 짓게 된다.

○ **과보(果報)** 인과응보의 줄임말. 원인이 되는 업으로 초래된 결과. 상생의 선업을 지으면 선과를 받게 되고, 상극의 악업을 지으면 악과를 받게 된다. 과거에 지은 업은 현재에 받게 되고, 현재에 지은 업은 미래에 받게 된다. 불교에서는 무르익었다는 뜻으로 이숙(異熟)·과숙(果熟)·응보(應報)·이숙과(異熟果) 등이라고도

하며, 업의 인(因)에 보응되는 결과이니 줄여서 보(報)라고도 한다.

○ **도력(道力)** 도를 닦아서 얻은 힘.

○ **업력(業力)** 과보를 이끄는 업의 큰 힘. 업력은 마치 자기력(磁氣力)과 같아서 자기의 의지대로 되지 않고 자기가 지은 업을 따라 끌려가게 된다. 일반적으로 선행(善行)의 업력과 악행(惡行)의 업력으로 구분하여 선업은 상생의 업력, 악행은 상극의 업력이라고 한다. 그러나 보통 업력을 벗어난다고 할 때는 주로 악업의 경우를 가리킨다. 불교에서는 인과응보의 이치를 따라 전생에 지은 업력에 의해 현생에서 그대로 과보를 받게 되는 것을 업보라고 한다.

○ **정업(定業)** 이미 이전의 행동에 의하여 받아야 할 것으로 정해져 있는 업. 반드시 과보를 불러들이는 업. 전세(前世)에서부터 정해진 업보. 과보를 받을 시기가 현생·내생 등으로 정해져 있는 선악의 행위.

○ **선정(禪定)** 불교의 근본 수행 방법 가운데 하나. 반야(般若)의 지혜를 얻고 성불하기 위해 마음을 닦는 수행. 불교 대승보살들의 수행덕목인 육바라밀의 하나. 선정이란 마음이 산란해지는 것을 멈추고, 마음을 고요하게 통일하여 입정삼매에 들어가는 것을 의미한다.

○ **염불삼매(念佛三昧)** 삼매란 오직 한 가지 일에만 마음을 모아 생각하는 경지 또는 청정 일심의 경지로 천만 경계를 대해서도 마음이 흔들리지 않고 적적성성한 경지를 말하고, 산란하고 시끄러운 마음을 한곳에 집중해서 움직이지 않으며, 마음을 바르게 하여 망념·분별에서 벗어난 마음의 상태를 말한다. 따라서 염불삼매는 번뇌 망상의 잡념을 없애고, 영묘한 슬기가 열려 부처를 보게 되는 경지 또는 아미타 부처만을 생각하고 이름을 부르며, 생각이 흩어지지 아니하는 경지다. 이는 청정일심으로 염불을 계속하여 마침내 부처도 나도 없고 아미타불 소리만 우주에 가득하게 되는 경지를 말한다.

○ **송주삼매(誦呪三昧)** 영주(靈呪)·성주(聖呪)·청정주(淸淨呪) 등의 각종 주문(呪文)을 암송하여 삼매에 듦.

○ **혜일(慧日)** 지혜의 밝음을 햇빛에 비유하여 이르는 말. 햇빛이 우주 삼라만상을 다 비추어 주듯이, 지혜의 광명이 시방 삼세 일체중생의 무명을 밝혀 준다는 뜻에서 이렇게 말한다. 그러나 햇빛은 형상 있는 것만 비출 수 있고 장애가 있으면 비추지 못하나, 지혜의 광명은 형상 없는 것도 비출 수 있고 어떠한 장애가 있어도 다 비출 수 있으므로 햇빛보다 더 밝은 것이다.
○ **음기(陰氣)** 어둡고 침침하거나 쌀쌀한 기운.
○ **사기(邪氣)** 요사스럽고 나쁜 기운.

⑦③ 삼업의 참회

대산 종사 말씀하시기를 "세상에서 신·구·의 삼업으로 알고도 짓고 모르고도 지은 죄업을 깨끗이 참회 개과하고 마음 고삐를 돌려놓은 그 시각부터 우리의 마음에 선의 싹이 돋아날 것이요, 삼세제불 제성이 돕고 북돋아 광명한 새 천지에 새 생활이 전개될 것이니라." 〈교리편 73장〉

| 출처 |

3. 필요

2. 세상에 신(身)·구(口)·의(意) 삼업으로 알고도 짓고 모르고도 지은 불선업을 깨끗이 참회 개과하고 마음 고삐를 돌려놓은 그 시각부터 우리의 마음에 선의 싹이 돋을 것이며, 삼세 제불제성이 돕고 북돋우어서 광명한 새 천지에 새 생활이 전개될 것이다. 〈『정전대의』 9. 참회문 pp.53~54.〉

| 배경 및 상황 |

참회의 필요는 삼업으로 알고도 모르고 지은 죄업을 참회 개과하고 마음 고삐를 돌려놓은 순간부터 우리의 마음에 선의 싹이 돋고 삼세 제불제성이 북돋아 광명한 새 천지에 새 생활이 전개된다고 하였다. 알고 지은 죄업도 무섭고 모르고도 무지로 지은 죄업도 무섭다고 하였다. 그러나 참회하는 순간부터 구업은 점점 사라지고 신업은 다시 짓지 않기 때문에 죄업이 청정해지는 것이라고 하였다.

| 용어 풀이 |

○ **불선업(不善業)** 자신과 남에게 해가 되는 그릇된 행위와 말과 생각. 좋은 행위. 올바른 행위. 착한 행위로 짓지 않는 업.

○ **개과(改過)** 잘못이나 허물을 뉘우쳐 고침

○ **제불제성(諸佛諸聖)** 시방 삼세를 통해 존재해 온 모든 불보살 및 세계의 모든 성현에 대한 총칭.

74 심고와 기도의 예

대산 종사 말씀하시기를 "'천지하감지위!' 하고 염원할 때에 천지에 가득한 진리가 바로 하감하시도록, '부모하감지위!' 하고 염원할 때 삼세 일체 부모가 모두 하감하시도록, '동포응감지위!' 하고 염원할 때 사·농·공·상과 유정(有情)·무정(無情)의 일체 동포가 빠짐없이 응감하시도록, '법률응감지위!' 하고 염원할 때 도덕·정치·과학의 일체 법률과 역대 유명·무명의 모든 성현과 입법·치법의 은(恩)이 다 응감하시도록 정성스럽게 기도를 올려야 하며, 평소 맺힌 것을 푸는 동시에 보은행에 힘쓰며 배은을 하지 않는 생활을 하여야 사은 전체가 내게 감응해서 큰 위력을 얻을 수 있느니라." 〈교리편 74장〉

| 출처 |

심고와 기도의 예

천지하감지위! 하고 염원할 때 천지에 다북차 있는 진리가 바로 하감하시도록, 부모하감지위! 하고 염원할 때 삼세 일체 부모가 하감하시도록, 동포응감지위! 하고 염원할 때 사농공상과 유정 무정의 일체 동포가 빠짐없이 응감하시도록, 법률응감지위! 하고 염원할 때 도덕·정치·과학의 일체 법률과 역대 유명 무명의 모든 성현 및 입법 치법의 은이 다 응감하시도록 정성스럽게 올려야 하며 평소부터 먼저 척을 푸는 동시에 보은행에 힘쓰며 배은을 아니 하여야 사은 전체가 내게 감응해서 큰 위력을 얻을 수 있다.

〈『정전대의』 10. 심고와 기도 p.55.〉

| 배경 및 상황 |

심고를 올릴 때 천지하감지위, 부모하감지위, 동포응감지위, 법률응감지위 하고 법신불 사은 전에 아뢴다. 『대종경』 변의품 23장에서 사은에 대하여 "항렬(行列)로써 말하자면 천지·부모는 부모 항이요, 동포·법률은 형제 항이라 그러므로 천지·부모는 하감으로, 동포·법률은 응감으로써 구분했나니라."라고 했다.

천지하감은 천지에 가득한 진리가 하감하고, 부모하감은 삼세 일체 부모가 하감하도록 염원하고, 동포응감은 일체 동포가 빠짐없이 응감하고 법률응감은 일체 법률과 모든 성현과 입법 치법의 은이 응감하도록 정성스럽게 올려야 한다.

| 용어 풀이 |

○ **심고(心告)** 마음속으로 사은(四恩) 전에 고[告, 또는 기원]하는 것. 하루의 시작과 마침의 시간에 그날의 계획, 한 일을 부모님께 고하듯이 사은 전에 고하는 조석심고, 특별한 원을 세우고 수시로 올리는 심고, 의식에서 순서에 따라 올리는 심고

등이 있다. 혼자서 하는 경우에는 대개 묵상으로 심고를 올린다.

○ **하감지위(下鑑之位)** 위에서 아래를 굽어살피는 존엄한 자리라는 뜻. 법신불 사은 전에 심고나 기도를 올릴 때 천지은과 부모은은 위에서 굽어살피고 보호하며 은혜를 내려준다는 뜻에서 하감지위라고 한다. 동포은과 법률은은 수평적 상호적 지위에서 감응한다고 보아 응감지위라고 한다.

○ **응감지위(應鑑之位)** 응감하고 감호해주는 자리. 심고나 기도 때 사용하는 말인데, 동포은이나 법률은이 좌우에서 기운을 응하고 도와주며 보호해 달라는 뜻에서 동포 응감지위, 법률 응감지위라고 한다

○ **유정(有情)** 마음을 가진 살아 있는 중생. 일반적으로 동물의 총칭이다.

○ **무정(無情)** 마음을 가지지 않은 생명이 없는 중생. 목석(木石)처럼 감각성이 없음.

○ **유명(有名)** 이름이 널리 알려져 있음.

○ **무명(無名)** 이름이 없거나 이름을 알 수 없음.

○ **입법(立法)** 법률을 제정함.

○ **치법(治法)** 나라를 다스리는 방법.

○ **척지다(隻지다)** 서로 원한을 품어 반목하게 되다.

75 동포 응감을 받으려면

대산 종사 말씀하시기를 "동포 중 혹 응감해 주지 않는 동포는 반드시 무슨 해(害)가 있어서 그러할 것이니 그 해를 내가 차지하고, 자리이타로 하다가 양보해야 하겠거든 내가 먼저 양보해야 일체 동포가 다 응감하게 되느니라." 〈교리편 75장〉

| 출처 |

동포 중 혹 응감해 주지 않는 동포는 반드시 무슨 해가 있어서 그러할 것이니 그 해를 내가 차지하고 자리이타로 하다가 양보해야 하겠거든 내가 먼저 양보해야 일체 동포가 다 응감하실 것이다. 〈『정전대의』 10. 심고와 기도 p.55.〉

| 배경 및 상황 |

어떤 일을 하거나 공사를 할 때 동포 중 응감해 주지 않는 동포는 반드시 해(害)가 있어서 그러한 것이다. 그 해를 내가 차지하고 자리이타로 하다가 안 되면 양보해야 한다. 내가 먼저 양보해야 일체 동포가 응감한다는 말이다.

| 용어 풀이 |

○ **동포(同胞)** 같은 포태에서 태어나 살아가는 생명체를 의미하며, 좁게는 같은 모태, 같은 종족으로부터 넓게는 자연의 포태를 공유하는 일체 생령을 의미한다.

○ **응감(應鑑)** 감응이란 말을 반대로 사용하는 것으로, 감응이란 느껴서 응한다는 말이다. 그러나 응감은 신령이나 조상의 입장에서 말하는 것으로 먼저 응하여야 느낌을 준다는 의미이다. 응감(應感)과 감호(鑑護)를 합한 말. 마음 기운에 응하여 비춰주고 도와주는 것. 응감은 마음에 응하여 감응하는 것. 감호는 밝게 비추어 보호해 주는 것.

76 기도를 올릴 때 짧고 길게하라

대산 종사 말씀하시기를 "기도를 올릴 때 시간을 길게 하는 것보다, 짧은 시간이라도 긴 기간을 계속하는 것이 좋으니라." 〈교리편 76장〉

| 출처 |

기도 시간을 길게 하고 짧은 시간에 올리는 것보다는 짧은 시간이라도 기간이 긴 것이 좋다. 〈『정전대의』 10. 심고와 기도 p.55.〉

| 배경 및 상황 |

기도를 올릴 때 짧은 시간이라도 기간을 길게 하여 계속하는 것이 좋다. 하루 기도, 일주일 기도, 반백일 기도, 백일기도, 천일기도, 만일기도도 좋지만, 평생 기도나 영생기도를 하는 것이 좋다. 그러나 시간은 짧고 길게 하고 정성스럽게 하라. 조석 심고를 모시듯 짧고 길게 하는 것이 영생을 놓고 보면 영력이 많이 쌓일 것이다. 기간을 정해 놓고 기도할 때 짧게 하더라도 빠지지 말고 정성스럽게 하라. 초보자가 욕심대로 긴 기간을 정해 놓고 기도를 올리다가 기도 시간을 놓칠 때도 있고, 빠질 때도 있다. 그러면 실망하거나 좌절하는 때도 있다. 대산 종사는 하루 기도를 빠지면 다음 날 두 번 하면 된다고 하였다. 기도는 형식도 중요하지만, 장소에 구애 없이 정성스럽게 하는 것이 기도의 한 방법일 수 있다.

| 용어 풀이 |

○ **기도(祈禱)** 천지신명(天地神明), 신(神), 부처, 법신불에게 소원을 빌어서 가호와 위력을 구하는 것 또는 비는 의식. 종교 신자들의 기본적 신앙 행위로 원불교에서는 기도의 형식에 따라 설명기도와 실지기도, 특별기도로 나누어 말한다.

77 기도하며 봉사나 심공하면 위력을 얻는다

대산 종사 말씀하시기를 "기도 기간 내에 정신·육신·물질로 남을 위해서 봉사하거나 자기 심공(心功)으로 수행하는 바를 기원하는 데에 모두 바치면 큰 위력을 얻을 수 있느니라." 〈교리편 77장〉

| 출처 |

기도 기간 내에 정신·육신·물질로 남을 위해서 봉사하거나 자기 심공(心功)으로 수행하는 바를 모두 기원하는 데에 바쳐서 기도하면 큰 위력을 얻을 수 있다. 〈『정전대의』 10. 심고와 기도 p.55.〉

| 배경 및 상황 |

대산 종사는 "기도가 좋다 해서 기도만 하면 어두워진다. 사도에 떨어지기 쉽다."라고 했다.

물질로 계문으로 진참회(眞懺悔)하고 보면 천지 기운이 돌아오나, 헛된 기도가 되면 오히려 큰 해가 미칠 것이다. 기도 중 정신 육신 물질 3방면으로 은혜를 베푸는 일이나 심공으로 수행하는 것은 큰 위력을 얻을 수 있는 지름길이다.

| 용어 풀이 |

○ **심공(心功)** ① 마음속으로 수행 적공하는 것. 겉으로 나타내지 않고 마음속으로 삼학 수행에 정진하는 것. ② 심고와 기도를 지성(至誠)으로 모시는 것. 마음공부는 남모르게 심공을 쌓아야 크게 이룰 수 있다.

⑱ 일생에 올리는 큰 기도

대산 종사 말씀하시기를 "일생 동안에 올리는 큰 기도는 심신을 온통 바치고 공도 사업에 전력하면서 올려야 큰 위력을 얻을 수 있느니라."

〈교리편 78장〉

| 출처 |

일생 동안에 올리는 큰 기도는 전 심신을 바치고 공도 사업에 전력(專力)하면서 올려야 큰 위력을 얻을 수 있다.

〈『정전대의』 10. 심고와 기도 pp.55~56.〉

| 배경 및 상황 |

대산 종사는 "일생에 올리는 큰 기도는 심신을 공도사업에 전력하면서 올려야 큰 위력을 얻을 수 있다."라고 하였다. 또한, "일심기도를 10년을 올리면 자신이 알고, 30년을 올리면 대중이 알고, 50년을 올리면 천지 허공법계 진리가 다 알게 된다. 기도의 위력이 무서운 것이다."라고 하였다.

| 용어 풀이 |

○ **공도사업(公道事業)** 공도(公道)를 주장하는 사업 또는 공도를 실천하는 일. 공도란 자기만 잘살려고 하는 이기주의가 아닌 인류 전체 또는 일체 생령이 다 잘살게 하는 길을 의미한다. 일원의 진리를 깨치고 보면 이 우주가 내 집이며 일체 생령이 모두 자기 권속임을 알게 된다. 이 진리를 깨친 성자들이 한결같이 포교의 문을 열어 중생을 제도(濟度)하기 위한 사업을 펼치게 되는데 이 제도사업을 공도사업이라고도 한다.

○ **전력(專力)** 오로지 한 가지 일에 온 힘을 다함.

79 특별기도 중 혹 병이 날 때

대산 종사 말씀하시기를 "기도를 올릴 때에는 일심이 계속되지 않는다고 낙망하거나 중단하지 말고 끝까지 계속하되, 특별기도 중 혹 병이 날 때에는 잠깐 쉬었다가 다시 계속할 것이니라." 〈교리편 79장〉

| 출처 |

항상 일심으로 계속되지 않는다고 낙망하거나 중단하지 말고 끝까지 계속하되 특별기도 중 혹 병이 날 때는 잠깐 쉬었다가 다시 계속할 것이다.

〈『정전대의』 10. 심고와 기도 p.56.〉

| 배경 및 상황 |

대산 종사는 "기도하는 도중에 일심이 이어지지 않는다고 낙망하거나 중단하지 말라"고 했다. 『도덕경』에 "면면약존(綿綿若存) 용지불근(用之不勤)이라 하였다. 진리가 있는 듯 없는 듯하면서도 영원불멸하여 아무리 쓰고 또 써도 다함이 없다는 말같이 실올이 끊어질 듯 끊어지지 않으면서 쓰되 다함이 없어야 한다. 또한 특별기도 중 혹 병이 나면 잠깐 쉬었다가 다시 계속하라"고 하였다.

| 용어 풀이 |

○ **낙망(落望)** 희망을 잃음.

80 기도 중 금기사항

대산 종사 말씀하시기를 "기도 중 금기사항은 거짓 원(願), 요행심, 배은망덕, 살생, 원증(怨憎), 조급(躁急)이니라." 〈교리편 80장〉

| 출처 |

기도 중 금기(禁忌) (1) 거짓 원(願) (2) 요행심 (3) 배은망덕 (4) 살생 (5) 원증(怨憎) (6) 조급(操急) 〈『정전대의』 10. 심고와 기도 p.56.〉

| 배경 및 상황 |

대산 종사는 기도 중 금기사항은 "거짓으로 원함, 요행심을 바람, 배은망덕, 살생, 원망하고 증오함, 조급증" 등을 말하였다.
거짓 원을 세우거나 신통 이적을 바라거나 은혜 입은 은덕에 배신하거나 미워하고 증오하고 조급증으로 기도의 위력을 바라면 진리가 들어주지 않는다는 것이다.

| 용어 풀이 |

○ **금기(禁忌)** 마음에 꺼려서 하지 않거나 피함.
○ **요행심(僥倖心)** 행복을 바라거나 뜻밖에 얻는 행운.
○ **배은망덕(背恩忘德)** 남에게 입은 은덕을 저버리고 배신하는 태도.
○ **원증(怨憎)** 원망하고 증오함.
○ **조급(躁急)** 참을성이 없이 몹시 급함.

81 부모와 스승을 위해 지성으로 심고 올리라

대산 종사 말씀하시기를 "아침저녁으로 부모와 스승을 위해 지성으로 심고를 올려 보라. 이 몸을 낳고 길러 주신 부모의 은혜와 이 마음을 낳고 키워 주신 스승의 은혜를 생각하며 계속해 심고를 올리면, 혹 악도에 떨어질 경우가 있을지라도 무사히 넘기는 길이 열릴 수도 있느니라."

〈교리편 81장〉

| 출처 |

천양원(天養院)에서

인간의 힘으로 해결하지 못할 것은 진리께 서원을 올리고 매달리면 진리는 박대하지 않고 해결해준다.

조석으로 부모를 위해서 지성스러운 심고를 올려라. 이제까지 이렇게 성장하도록 키워 주신 부모님과 이 마음을 낳아주신 스승님의 큰 은혜를 항시 생각하며 일생 심고 올릴 때 그 어른이 악운에 떨어질 때 구제된다.

부모님과 스승님을 위해 심고 올리면 그분들에게도 힘이 세지만 나에게도 태산 같은 힘이 돌아온다.

〈『대산종사수필법문집』 1. p.1200. 원기60년 8월 15일〉

| 배경 및 상황 |

대산 종사는 신도안 삼동원 서쪽에 있는 천양원에서 대중에게 "조석으로 심고 모실 때 나를 낳고 길러 주신 부모님과 이 마음을 낳아주신 스승님의 은혜에 감사하는 심고를 모셔라. 그러면 악도[惡運, 사나운 운수]에 떨어질 경우라도 구제된다."라고 하였다.

| 용어 풀이 |

○ **지성(至誠)** 지극한 정성.

○ **악도(惡道)** ① 현세에서 악업을 지은 결과로 장차 받게 될 고통의 세계. 육도세계 중에서 지옥도·아귀도·축생도·수라도. ② 주색낭유하고 허랑방탕하는 생활.

○ **천양원(天養院)** 신도안 삼동원 서쪽에 있는 훈련과 수양하는 곳이다. 대산 종사는 신도안 삼동원을 개발하면서 동유삼동림(東有三同林) 서유천양원(西有天養院) 남유대농장(南有大農場) 북유만성전(北有萬聖殿) 중유중화원(中有中和院)을 설치토록 해야 한다. 아울러 천양원은 "생사는 거래니 일체 해탈하고 다시 영생을 준비하는 대준비기와 아울러서 청소년의 대훈련 장소로서 자연을 함양하는 법의 도량을 만들자."라고 하였다.

㊷ 불공은 선이며 견성

대산 종사 말씀하시기를 "불공을 할 때 사심 잡념이 없이 정성을 다하고 보면 그것이 바로 선(禪) 공부니, 청정한 법신불이 우주에 두루 가득차 있음을 깨닫고 이 부처님들을 모실 줄 알아야 산 부처니라. 견성을 하였다고 자신하는 사람도 일마다 불공이 되지 않는다면 분명 견성을 하지 못한 것이니, 견성을 한 제자라 할지라도 바로 인증하지 않고 수증하도록 한 것은 견성한 마음으로 모든 생령을 위하여 심신 간에 여한 없이 불공하도록 하기 위함이니라." 〈교리편 82장〉

| 출처 |

불공할 때에 사념(邪念), 잡념이 없이하고 정성을 다해 바치라. 이것이 바로 선이다. 법신불을 보고 아는 것이 견성이고 전체불을 보는 것도 견성이다. 또 청정한 법신불이 우주에 편만해 있음을 깨닫고, 이 몸에 부처를 모셔야 생불이 된다. 생불이 되어야 남을 산 부처로 만들 수 있지 죽은 부처는 죽은 부처만을 만든다. 어린이에게 귀중한 기계를 맡기면 다 부숴버려 그 기계가 쓸모없이 되는 것과 같다.

"어떻게 하여야 모두를 불상으로 꼭 모셔지겠습니까?"

"우주 만유가 법신불의 화현인 것을 똑바로 보고 알 때 내 마음이 절실해지고 절실해질 때 모셔지느니라."

"불상이 이루어지기 전의 것이 무엇이겠느냐?"

"어떻게 불상이 이루어졌는가를 연마해 보라."

견성을 한 것 같아도 그 행을 보면 그 진가를 환히 알게 되므로 못 속인다. 그러므로 견성한 제자에게도 인가하지 않고 수증(修證)하도록 만 하는 것이다. 넘치지 않고 낙심하지 않도록만 살면 되는 것이지, 만일 일일이 불공이 안 되거든 분명히 견성이 되지 않은 것으로 알고, 일체 생명을 위해 이 심신을 바쳐도 여한이 없을 만한 불공을 하라. 불공을 하려고 견성을 필요로 하는 것이다.

〈『대산종사수필법문집』 1. pp.290~291. 원기53년 2월 20일〉

| 배경 및 상황 |

대산 종사는 원기53년(1968) 2월 20일 삼동원에서 주재하실 때 교무들에게 말씀하시기를 "불공할 때 사념, 잡념이 없이하고 정성을 다해 바치라. 이것이 바로 선이다. 법신불을 보고 아는 것이 견성이고 전체불을 보는 것도 견성이다. 또 청정한 법신불이 우주에 편만해 있음을 깨닫고, 이 몸에 부처를 모셔야 생불이 된다."라고 설하였다.

또한 불공이 안 되면 분명히 견성이 되지 않은 것으로 알고, 일체 생명을 위해 이 심신을 바쳐도 여한이 없을 만한 불공을 하라. 불공을 하려고 견성을 필요로 하는 것이다.

| 용어 풀이 |

○ **불공(佛供)** 불교적 의미로 '부처님께 헌공하는 공물'이라는 뜻이며, '불전공양'의 준말이라고도 한다. 부처님 재세 시에 제자들이 부처님께 공경하여 수용품이나 음식·꽃·향 등을 바치는 의식을 말하며, 불멸 후에는 불상 앞에 공양하는 것을 의미한다. 이처럼 불공이란 부처님의 가피를 얻기 위해 정신·육신·물질로 불전에 정성을 바치는 일이라 말할 수 있다.

원불교에서 말하는 불공의 의미는 직접 법신불 전에 서약하고 기도하는 기도형식의 불공뿐만이 아니라, 보은·작복하는 실천적 신앙생활까지를 망라한 광범위한 의미가 있다. 곧 원불교 불공의 의미는 법신불의 은혜와 위력을 얻기 위한 진리적 소원성취뿐만 아니라, 정신·육신·물질로 현실 세상에 유익함을 끼치는 것까지도 폭넓게 망라한 신앙 행위를 포함한 개념이다. 소태산 대종사의 불공관은 처처불상·사사불공으로 대표된다. 이러한 원불교의 불공법은 진리불공과 실지불공으로 요약된다.

○ **사심잡념(邪心雜念)** 사심(邪心)이란 사악한 마음을 말하며, 잡념(雜念)이란 여러 상념이 뒤섞여 온전한 생각을 하지 못하는 마음 상태를 말한다. 사심잡념은 한 단어로 붙여 사용하기도 하고, 사심과 잡념이라는 두 용어로 나누어 쓰기도 한다. 이 모두가 번뇌를 낳고 마음의 안정을 얻지 못하여 방황하게 하는 것들이다

○ **청정(淸淨)** 더럽거나 속되지 않고 맑고 깨끗함. 죄가 없이 깨끗함. 계행이 조촐함. 우리의 자성(自性)은 원래 청정하여 죄복이 돈공(頓空)하고 고뇌가 영멸(永滅)했다. 수행의 목적은 청정한 자성을 회복하자는 것이다. 자성이 청정해지면 죄업도 점차 소멸하게 된다. 우리의 자성은 곧 법신불로, 법신 또한 청정하므로 자성청정(自性淸淨)과 법신청정(法身淸淨)이 둘이 아니다.

○ **법신불(法身佛)** 진리 그 자체로서의 불(佛). 산스크리트 다르마까야붓다(Dharma-kāya Buddha)의 의역으로, 법·보·화(法報化) 삼신불 중의 하나. 법불(法佛)·자성신(自性身)·법성신(法性身)·진여신(眞如身)·여여불(如如佛)·실불(實

佛)이라고도 한다.

○ **인증(認證)** ① 인증·인가를 받음 ② 어떠한 문서나 행위가 정당한 절차로 이루어졌다는 것을 공적 기관이 증명함.

○ **수증(修證)** 〈교리편 57장〉 용어 풀이 참조.

○ **생령(生靈)** 〈교리편 4장〉 용어 풀이 참조.

83 강약의 도

대산 종사, '강약의 도'에 대해 말씀하시기를 "음 가운데서 양이 생겨나고 양 가운데서 음이 생겨나는 이치를 알아야 할 것인바, 태극의 모양을 보면 음이 극할 때는 슬그머니 양에게 밀어주고 양이 극할 때는 슬그머니 음에게 밀어주는 이치를 알 수 있나니, 약자는 강자의 자리를 빼앗으려 하지 말고 강자를 선도자로 삼아야 하고 강자는 약자를 업신여기지 말고 정신·육신·물질로 밀어주어야 영원한 강자가 될 수 있느니라." 〈교리편 83장〉

| 출처 |

광주 교도 15인에게 '음중생양(陰中生陽) 양중생음(陽中生陰)'에 대해 말씀하시기를

세상에서는 약자는 강자의 자리를 빼앗으려고 하지 않고, 음이 극한 때에 양에게 살그머니 밀어준다. 상추(相推)라는 것은 밀어준다는 것, 양보하는 것, 또 양이 극한 때 살그머니 음에게 그 자리를 밀어준다. 그래서 서로 극한 때에 너오라하고 양보하고 인계한다. 태극의 모양을 보라. 음양이 서로 어느 정도 되면 양보하고 있다. 그래서 양보하고 저쪽에 밀어주어서 순환 무궁한 것이 우주의 진리이다.

그러므로 우리가 생활해 나갈 때 정신, 육신, 물질 어느 면으로나 강자의 입장에 서 있을 때 약자를 밀어주는 도, 그것이 천지의 도를 얻은 사람이 될 것이고, 영원한 도를 얻는 길이다.

대종사께서 대각하신 후 강자 약자 진화의 도를 밝힌 것이 이 진리다. "천하의 강자여, 영원한 강자가 되고 싶거든 약자를 강자로 만들어 주라." "천하의 약자여, 영원한 약자를 벗어나고 싶거든 강자 되는 법을 배워라."라고 가르쳐 주셨다. 〈『대산종사수필법문집』 1. pp.1329~1330. 원기53년 2월 20일〉

| 배경 및 상황 |

대산 종사는 원기61년(1976) 1월 12일 광주교당 교도 15인에게 '음중생양(陰中生陽) 양중생음(陽中生陰)'에 대해 말씀하였다. 이 법어에는 '강자 약자 진화의 도'를 말하고 '음중생양 양중생음'은 생략하였다. 같은 내용으로 중복되어 생략하였다.

이날 광주교당 교도들에게 '무문관 공부'에 대해 부연해 주었다.

| 용어 풀이 |

○ **강약의 도(强弱의 道)** 강자와 약자가 서로 지켜야 할 도.

○ **음양상추(陰陽相推)** 음(陰)과 양(陽)의 두 기운이 서로 순환하여 그치지 않는 우주의 변화원리. 음양상승의 도라고도 한다.

○ **태극(太極)** 동양철학에서 우주 만물의 근원인 궁극적 실체(實體)를 표현. 사전적 의미로는 태(太)는 크다는 뜻으로 크고 지극함, 극(極)은 매우 높고 요원함을 의미한다. 곧 태극은 만물의 근원 근본 등을 나타내는 것으로 천지 생성 이전의 궁극적 본원을 말하며 우주 만물이 생성 변화하는 원리라는 의미를 내포하고 있다.

84 세 가지 즐거움

대산 종사 말씀하시기를 "즐거움 가운데는 인간락과 천상락과 극락이 있나니, 첫째, 인간락은 형상 있는 세간의 오욕락으로 그 끝은 고해뿐이라 부처와 성현이 물들지 않는 낙이요, 둘째, 천상락은 도로써 즐기는 마음락으로 낙은 많고 고는 적으나 더 짓고 더 공부하지 않으면 강급이 되는 낙이요, 셋째, 극락은 고락을 초월한 낙으로 부처님이라야 맛볼 수 있는 낙이니 이 자리에 들고 보면 마음을 자유자재하여 삼세 업장을 녹이고 천국과 선경을 즐길 수 있느니라." 〈교리편 84장〉

| 출처 |

낙이 세 가지 종류가 있는데 하나는 육신을 통해서 육신에 족(足)한 낙, 느낄 수 있는 오복이라든지 하는 종류의 인간락, 둘째는 공부를 해야 나오는 낙인데 천상락으로 이 뒤부터 교무가 사선락(四禪樂)을 자세히 이야기해 주세요.

사선락은 이생희락(離生喜樂), 정생희락(定生喜樂), 이희묘락(離喜妙樂), 사념청정(思念淸淨)이다.

천상락은 육신을 떠나서 생기는 낙이다. 이 외에 낙이 또 하나 있는데 무엇인가? 천주교나 불교에서는 최상락을 무엇이라 하는가?

법당에 와서 밥도 안 먹고 옷도 안 주고 하지만 즐기는 것은 천상락이다. 인간락은 사람만 느끼는 것이 아니라, 비금지수(飛禽地獸)도 느끼는 것이다. 공부를 할 수 있는 낙은 천상락이다. 인간락과 천상락을 떠나서 이 극락이라는 자리는 낙이라는 자리도 없는, 고와 낙을 뛰어넘는 그 자리다.

누가 그 자리를 맛보실 것인고? 천상락은 우리가 다 맛볼 수 있다. 극락은 누가 맛보실 것인가? 여러분이 극락을 맛보셨는가? 인간락과 천상락은 우리가 다 맛볼 수 있으나 극락은 부처님이라야 볼 수 있는 자리며 고도 낙도 없는 자리며 초월한 자리인데 보통 사람이 극락 생활한다면 큰일 나. 공부가 아주 깊어 가지고 마음을 자유자재(自由自在) 하는 지경이다.

그런데 고는 싫어하는 데 어디서 와지는고?

탐 진 치. 욕심 고의 어머니는 탐 진 치인 데 고는 불의(不義)의 낙에서 온다. 불의의 낙이 일시적 단맛이 되지마는 일생이나 영생이나 고가 된다. 불의의 낙에서 생산되는 것이 고다.

낙은 어디서 와지는고?

고에서, 어떤 고에서 오는데, 어떤 고에서 오는가? 정확하니 남이 알더라도 부인 못 하도록 해석해 보아라.

낙의 생산이 어디서 오는고?

정당한 고에서 온다. 정당한 고에서 고를 겪음으로써 낙이 온다.

그러기 때문에 우리는 우리 일상생활 가운데 불의의 낙을 배격해야 하고, 정당한 고 겪는 것을 달게 여겨야 한다.

과거 시대에서는 종교나 인류가 바라는 것이 신이나 귀신, 하늘, 또 저쪽에서 무엇이 없는가 해서 구하려 했는데, 이제 인류는 밝아지고 세상은 밝아져서 앞으로는 신에게서 구하지 않고 신이 되려 하지도 않을 것이며 자기에서 인류 가운데서 현실에서 사람에게 구하게 될 것이다. 그러므로 우리는 참되고 원만하고 근면하게 구해야 할 것이다. [7월 25일 신도(新都)에서 보설]

〈『대산종사수필법문집』 1. pp.751~752. 원기58년 7월 21일〉

| 배경 및 상황 |

대산 종사는 원기58년(1973) 7월 16일부터 22일까지 청주교당을 방문하였다. 당시 교당 교무는 향타원 박은국 교무였다. 원기57년(1972) 6월 향타원은 교당을 신축하고자 탑동 군용지 1,345평을 육군본부로부터 불하받았다. 그다음 해 교당 교도들을 위로하고자 1주일간 주재하게 되었다. 대산 종사는 7월

21일 일요일 청주교당 법회에서 '고락에 대한 법문'을 내렸다. 수원교당 40명, 청주교당 60명, 천안교당 15명, 괴산교당 5명 외 30명 등이 법회에 함께 하였다.

대산 종사는 고락에 대한 세 가지로 '인간락, 천상락, 극락'으로 법문하였다. 출처에 소개한 내용으로 '고락 법문'으로 대신하고 결론을 소개하면 "신(神)에서, 하늘에서, 다른 것에서 구하지 말고 현실에서, 모든 인류 가운데에서, 자기 자신 가운데에서 구하는 종교가 된다면 15만의 청주 시민의 의식주가 되고 요구하는 종교가 될 것이니 여기 모인 대중이 결심해서 현실에 적응하고 생활 가운데 복락을 구하는 동지들이 된다면 원불교는 청주 시민에게 숨통이 되고 양식이 될 것이다. 수원도 그렇게 될 것이다."라고 하였다.

| 용어 풀이 |

○ **인간락(人間樂)** 사람이 현실의 삶 속에서 누리는 즐거움으로 중생심을 가진 사람이 좋아하는 세간락(世間樂), 오욕락(五慾樂)을 말한다. 곧 식욕·색욕·재물욕·명예욕·수면욕 등 본능적 욕구가 충족되면 즐거워하는 것을 인간락이라 하며, 수(壽)·부(富)·귀(貴)·다남(多男)·강녕(康寧) 등 오복도 인간락에 해당한다.

○ **세간(世間)** ① 인간들이 사는 세상. ② 중생들이 서로 의지하고 살아가는 세계. 세속(世俗)과 같은 뜻.

○ **고해(苦海)** 고뇌가 많은 인간 세상. 이 세상에 괴로움과 근심이 많아 그치지 아니함을 바다에 비유한 말.

○ **천상락(天上樂)** ① 불교에서 육도 중 천상계에서 받게 되는 즐거움. ② 천상계의 천사나 신선들이 누리는 즐거움을 비유하여 수행인들이 생사고락을 해탈하고 육도 윤회를 초월하며 심신의 자유를 얻게 되는 즐거움, 곧 도로써 즐기는 마음 낙을 말함.

○ **강급(降級)** 등급·계급·학급 등이 내려감. 진급(進級)에 반대되는 말로 급수가 떨어진다는 뜻. 우주적 강급과 유정세간(有情世間)의 강급이 있다. 우주적 강급은

우주적 운수(運數)에 따른 미개화(未開化)를 뜻한다. 중생은 그들의 심신작용(心身作用)을 따라 향상하기도 하고 타락하기도 한다. 높게 되는 방향을 진급이라 하고 낮게 되어 가는 방향을 강급이라 한다. 이는 부처[佛]의 견지에서 의미를 규정한 것이므로 사회적인 강급과 반드시 일치한 것은 아니다.

○ **극락(極樂)** 지극히 안락하여 아무런 근심 걱정이 없는 경우와 처지 또는 그런 장소를 뜻하는 말. 불교의 이상세계인 불토(佛土)의 이름으로 아미타불의 전신인 법장비구(法藏比丘)의 이상을 실현한 국토로써 그곳엔 아미타불께서 지금도 계시어 항상 설법하며, 모든 일이 구족하여 즐거움만 있고 괴로움은 전혀 없는 자유롭고 안락한 이상향으로 극락정토(極樂淨土)·무량청정토(無量淸淨土)·무량광명토(無量光明土)·서방정토(西方淨土)라고도 부른다.

○ **선경(仙境)** 신선이 산다는 곳.

제3 훈련편 訓練編

훈련편은 대산 종사가 종법사에 즉위한 뒤 각종 훈련원을 건설하고 훈련에 대한 원훈을 내리며 훈련의 중요성을 강조하고, 재가출가 교도들을 직접 훈련하게 하여 다 같이 성불하도록 조불불사(造佛佛事)를 염원한 법문 총 40장을 수록하였다.

❶ 정기 상시훈련으로 부처를 이루자

대산 종사 말씀하시기를 "대종사께서는 '나의 큰 서원은 일체 동포를 하나도 빠짐없이 부처로 만드는 일이라. 내가 시키는 대로만 하면 누구나 다 부처가 될 수 있다.'라고 하셨나니, 우리는 대종사께서 가르쳐 주신 일원상의 진리를 신앙하고 수행하며 정기 훈련과 상시 훈련으로 거듭나서 한 사람도 빠짐없이 부처를 이뤄야 할 것이니라." 〈훈련편 1장〉

| 출처 |

대종사님은 영생영겁에 하나의 큰 염원이 있었습니다. 그 염원은 일체 동포가 하나도 빠짐없이 부처 되도록 만드시는 일이십니다. 그러므로 일원대도를 대각하신 후에 이를 실현하시기 위하여 법을 제정하시고 새 회상을 여신 후 불일중휘(佛日重輝) 법륜부전(法輪復轉)의 대불사를 시작하셨습니다. 대종사님은 이 일을 시작하면서 조금도 주저하시거나 부족함이 없이 자신만만하시었습니다. 때로는 마음만 있으면 어떤 것이든지 다 부처를 만들 수 있다고 포부 당당하게 설법하시기도 하셨고, 제자들에게는 '내가 시키는 대로만 하라. 그러면 다 부처가 될 수 있다.'고 책임 있게 강조하여 주시었습니다. 또 어느 때는 '내가 내놓은 법이지만 전만고 후만고 하구나. 이럴 수가 있나. 참으로 좋다 좋아.' 하시고 찬탄을 아끼지 아니하셨습니다.

얼마나 당당하신 포부와 경륜의 일대사입니까. 우리는 한 번 명심하고 깊이 반조해 보아야 할 것입니다. 우리 일체 동포들에게 본성 자리, 자성 자리, 불성 자리를 환히 볼 수 있게 하셨고, 그 자리를 육근에 활용하여 그대로 기르고 만들며 힘을 갖추게 하셨으며, 또한 잘 활용하게 하셨습니다. 이처럼 남녀노소 선악귀천을 막론하고 누구나 다 쉽고 빠르고 원만하게 이룰 수 있도록 하여 주셨습니다.

그러나 부처가 저절로 되는 것이 아니라, 일원의 진리를 신앙하고 수행하며 정기 상시훈련을 잘하여야만 대종사님의 염원이 이루어지는 것입니다.

〈『대산종사수필법문집』 2. pp.1609~1610. 원기78년 4월 7일〉

| 배경 및 상황 |

대산 종사는 원기78년(1993) 4월 7일 왕궁 영모묘원 조실에서 법무실장 장산 황직평 교무에게 '정기 상시훈련으로 부처를 이루자'는 내용으로 말씀하였다. "대종사님은 영생영겁에 하나의 큰 염원이 있었다. 일체 동포를 하나도 빠짐없이 부처를 만들자. 내가 시키는 대로만 하면 누구나 부처가 될 수 있다고 자신만만하였다."라고 하시며 우리는 일원상 진리를 신앙하고 수행하며 정기훈련과 상시훈련을 잘하여야 대종사님의 염원이 이루어진다고 하였다.

우리는 삼독 오욕의 마음을 삼학 일심으로 변화시켜 일원기질로 질박아야 한다. 그것은 바로 훈련법으로 길들여야 한다고 강조하였다.

| 용어 풀이 |

○ **일원상의 진리(一圓相-眞理)** 소태산 대종사의 대각에 의하여 밝혀진 우주의 근본 원리와 인간의 본질 등에 관한 궁극적 진리. '교리도'에서는 이 일원상 진리를 법신불이라 선언하고, 또한 이를 우주 만유의 본원, 제불제성의 심인, 일체중생의 본성이라 설명했다. 원불교는 이 일원상의 진리를 최고의 종지로 삼아, 신앙의 대상과 수행의 표본으로서 법신불 일원상을 본존으로 받들어 모신다. 일원상의 진리를 진공·묘유의 양면성(兩面性) 또는 공·원·정(空圓正)의 삼속성(三屬性) 외에, 불생불멸과 인과보응, 변 불변 등 다양한 구조로 파악할 수 있다.

○ **정기훈련(定期訓練)** 공부인에게 정기로 법의 훈련을 받게 하도록 일정 기간을 정하여 삼학 수행의 구체적인 방법인 11과목 훈련을 하는 것을 말한다. 정기훈련 11과목은 정신수양 훈련과목으로 염불·좌선, 사리연구 훈련과목으로 경전·강연·

회화·의두·성리·정기일기, 작업취사 훈련과목으로 상시일기·주의·조행이 있다.

○ **상시훈련(常時訓練)** 평상시 심신을 수행 단련하는 것으로, 시간이나 장소를 따로 정해 놓지 않고 언제 어디서나 훈련 적공하는 수행법이다. 정기훈련에 상대되는 말로서, 일상생활 속에서 언제나 수행을 훈련하는 것을 의미한다.

❷ 훈련하는데 일천 정성을 다하자

> 대산 종사 말씀하시기를 "대종사께서는 나를 구원해 주신 구아주요 가정을 구원해 주신 구가주요 나라를 구원해 주신 구국주요 세계를 구원해 주신 구세주시니, 우리는 보은의 도리를 다하기 위해서라도 자신과 가정과 나라와 세계와 종교를 구원하는 데 힘써야 할 것인바, 그러기로 하면 자신과 교도와 국민과 인류를 훈련하는 데 일천 정성을 다해야 하느니라."
>
> 〈훈련편 2장〉

| 출처 |

한국과 이 세계는 진급기에 있다. 그러므로 잘못된 것은 잘못된 대로 전화위복이 되고 잘된 것은 더욱 잘될 것이다. 특히 이 한국은 새 세상의 주세성자이신 대종사님이 오신 땅이고 회상을 펴신 땅이다. 그냥 오신 것이 아니다. 그러니 세상이 불안정하다고 너무 놀라지들 말라.

대종사님이 구아주(救我主), 구가주(救家主), 구국주(救國主), 구세주(救世主)로 이 땅에 오셨으니 우리는 보은의 도리로 구아, 구가, 구국, 구세, 구교를 하여야 한다. 그래서 항상 훈련 일념으로 자신, 교도, 국민, 인류훈련에 일심을 다하고 구교 일념으로 진리적 신앙[인과보응의 진리]과 사실적 도덕의 훈련[진공묘유의 진리]으로 물질개벽과 정신개벽을 아우르고자 일심을 다해야 한다. 또한 구국, 구세 일념으로 개진(皆眞), 개기(皆技), 개선(皆禪), 보본 운동과 정치는 부(父), 종교는 모(母)의 역할이 원만히 이루어지도록 일심을 다하여야 하겠다.

〈『대산종사수필법문집』 2. pp.66~67. 원기65년 4월 27일〉

| 배경 및 상황 |

대산 종사는 "대종사를 구아주, 구가주, 구국주, 구세주이니 우리는 보은의 도리로 나와 가정과 국가와 교단을 구하여야 한다."라고 하였다.

대산 종사가 이 말씀을 할 때마다 하나하나 음률을 타고 강조하듯 성음에 힘이 어려 있는 느낌이었다. 또한 항상 자신훈련, 교도훈련, 국민훈련, 인류훈련에 일심을 다하고, 구교[救敎, 종교를 구함] 일념으로 진리적 신앙과 사실적 도덕의 훈련으로 물질과 정신개벽을 아울러 일심을 다하고, 구국, 구세 일념으로 인류 개진(皆眞), 인류개기(皆技), 인류개선(皆禪), 인류보본 운동[세계평화 사대운동]과 정치는 부(父) 종교는 모(母)의 역할로 원만히 일심을 다하자고 하였다.

| 용어 풀이 |

○ **구세주(救世主)** 구세성자(救世聖者)와 같은 말. 혼란에 빠진 세상을 구하고 생령을 건질 사명을 띤 주세불(主世佛)·메시아(Messiah). 정산 종사는 '소태산대종사성비명(少太山大宗師聖碑銘)'에서 소태산 대종사를 '구세도중(救世度衆)'하는 '집군성이대성(集群聖而大成)'의 구주(救主)로 받들고 있다.

❸ 일상생활에서 평상심을 기르자

대산 종사 말씀하시기를 "진리를 일상생활 속에서 물을 마시고 숨을 쉬듯이 활용하는 법이라야 만대를 이어 갈 살아 있는 법이라. 평소 일상생활 속에서 정기 훈련과 상시 훈련으로 평상심을 기르는 것이 가장 중요하나니, 특별히 혼자서 애쓰는 것보다 아침부터 저녁까지 대중과 함께 법도 있는 생활을 오래오래 계속하고 보면 나도 모르는 사이에 큰 힘이 쌓이게 되느니라." 〈훈련편 3장〉

| 출처 |

진리가 생활 속에서 물을 마시듯 공기 호흡하듯 뚫고 나가야, 산 법이요 만대의 법이 된다. 정기공부 상시공부를 잘하라. 특별히 혼자 힘들이고 애쓰는 것보다 대중과 같이 아침부터 저녁까지 법도 있게 하여 오래오래 가면 부지중 힘을 얻는 것이니, 평상을 주장하고 일반 규칙을 잘 이행하라. 원로 선생님들이 특별한 공부 아니 하셨다. 처음 나오면 취지 규약을 암송하였고, 다음은 육대요령, 정정요론, 정전의 순서로 그것만을 대종사께서 시키시는 대로 공부하였다.

그러나 다 훌륭한 제자 되시지 아니했느냐?

대공도야(大工陶冶), 모계포란(母鷄抱卵), 사제훈습(師弟薰習)의 삼공덕이 들어 결국 훌륭한 인격을 이루는 것이다. 큰 공장에서 물품을 생산하는 것과 같다. 닭은 종일 무엇을 쪼아 먹어도 소화가 잘된다. 그렇게 먹기 좋아하여 많이 먹고 알을 품어 뜨거운 온도를 품어주어 21일 만에 생명을 만들어 준다.

〈『대산종사수필법문집』 1. p.272. 원기52년 12월 24일〉

| 배경 및 상황 |

대산 종사는 원기52년(1967) 12월 24일 삼동원에서 "진리를 생활 속에서 물을 마시듯 공기를 호흡하듯 뚫고 나가야, 산 법이요 만대의 법이 된다."라고 하였다.

이처럼 '평소 일상생활에서 정기·상시공부로 평상심을 유지하고, 혼자 애쓰는 것보다 대중과 같이 법도 있는 일반 규칙을 잘 이행하라. 그리고 대공도야, 모계포란, 사제훈습의 삼공덕을 꾸준하게 오래오래 공부하라. 그러면 나도 모르는 사이에 큰 힘이 쌓인다.'고 하였다.

| 용어 풀이 |

○ **법도(法度)** 법의 절도(節度), 곧 인격이나 언행이 법에 잘 맞는 것이다. 예법이나 교단법 등을 잘 지키는 것을 '법도가 있다'고 표현한다.

○ **취지규약서(趣旨規約書)** 불법연구회에서 최초로 간행[원기12년(1927)]된 『불법연구회규약』의 다른 이름이다. 이 책에 수록된 '본회의 취지 설명'은 처음 입문하는 회원들의 암기 요목으로 활용되었기 때문에 취지규약서라 부르기도 했다. 또 책 표지가 치자 빛깔이기에 '노란가위 취지서'라 부르기도 했다.

○ **육대요령(六大要領)** 원불교 초기교서의 하나로, 원명은 『보경육대요령(寶經六大要領)』이다. '보배경전'이라는 존명(尊名)이 부여된 데서 알 수 있듯이 교단 최초의 경전이다. 원기17년(1932) 4월에 초판되고 5월에 한글판으로 재판되었다. 교리의 강령을 6장으로 나누어 밝힌 최초의 기본 경전으로 원기28년(1943)에 『불교정전』이 발행되기까지 중심 교서로 사용되었다. 4×6판 양장판으로 총 100쪽 분량이다. 처음에는 국한문 혼용으로 발행됐고 후에 한글 전용으로 인쇄되었다. 표지에 '물질이 개벽되니 정신을 개벽하자'는 개교 표어를 실었고, 제1장 인생의 요도 사은사요, 제2장 공부의 요도 삼강령 팔조목, 제3장 훈련편, 제4장 학력고시편, 제5장 학위등급편, 제6장 사업고시편 등으로 구성되어 있다.

○ **정정요론(定靜要論)** 1927년 5월에 소태산 술(述)로 불법연구회에서 간행된 『수양연구요론(修養研究要論)』의 1~2장에 수록된 문건이다. 원래 『정심요결(正心要訣)』로 불리는 독립된 서적으로 전래의 도교 계통 수련서였는데, 원기2년(1917) 정산 종사가 증산교단(甑山敎團)을 방문했을 때 강일순(姜一淳)의 여식 강순임(姜舜任)을 통해 수집하여 교단에 수용되었다.

○ **대공도야(大工陶冶)** 큰 공장에서 물건을 계속 만들어 내는 것을 의미한다. 도

야는 도기를 만드는 일과 쇠를 주조하는 일이다.

○ **모계포란(母鷄抱卵)** 어미 닭이 알을 품고 병아리를 낳듯이 정성을 들임이다.

○ **사제훈습(師弟薰習)** 스승의 훈증(薰蒸)따라 제자가 익어지는 것이다. 훈습은 향이 그 냄새를 옷에 배게 한다는 뜻으로, 우리가 행하는 선악이 없어지지 아니하고 반드시 어떤 인상(印象)이나 힘을 마음속에 남김을 이르는 말이다. 사제훈증이라고도 한다.

❹ 일원의 기질을 갖추라

대산 종사 말씀하시기를 "과거 종교인 가운데는 심성 단련을 위주로 공부를 하는 사람들이 많았으나, 앞으로 돌아오는 시대에는 심성 단련과 기질 단련을 아우르지 않으면 원만한 종교인이 될 수 없나니, 그대들은 항상 일원상 진리를 바탕으로 훈련하여 완전한 일원의 기질을 갖추기에 힘써야 하느니라." 〈훈련편 4장〉

| 출처 |

과거에는 심성단련에만 위주하였으며, 또한 한편의 수행과 한편의 신앙에 치우쳤기에 도인들도 그러한 기질만 가지고 있었다. 그러나 앞으로는 심성과 기질을 아울러 단련하여 물질의 기질이 아니라 일원의 기질이 완전히 되도록 해 주셨다.

너희들이 같은 수련과 단련을 하더라도 대소유무로 원만구족하고 지공무사하게 된 일원의 진리에 바탕을 두어 일원의 수행, 일원의 신앙, 일원의 훈련을 할 때 그 기질이 일원의 기질로 완전히 바뀔 것이다.

〈『대산종사수필법문집』 2. p.1586. 원기78년 1월 19일〉

| 배경 및 상황 |

대산 종사는 원기78년(1993) 1월 19일 시자를 조실에 불러 묻기를 "너의 기질은 이 회상에 와서 일원상의 진리로 얼마만큼 변화했다고 자신하느냐?"라고 하였다.

"대종사께서는 과거 종교인은 심성단련을 위주로 공부를 한 사람이 많았다. 앞으로는 심성단련과 기질단련을 아울러 단련하여 물질의 기질이 아니라 일원의 기질이 완전히 되도록 해주셨다."라고 하였다.

대산 종사는 "이제는 일원의 진리에 바탕을 두어 일원의 수행, 일원의 신앙, 일원의 훈련을 할 때 그 기질이 일원의 기질로 완전히 바뀔 것이다."라고 하였다.

대산 종사는 이 당시 일원의학, 일원기질, 일원문화, 일원생활, 일원활동, 일원사당, 일원철학, 일원사상, 일원불사 등의 일원화를 강조하였다. 일원화(一圓化)는 법신불 일원의 진리가 널리 퍼져 이 세상의 모든 사람을 제도해주고, 나아가 온 누리와 만생령이 진리화·불은화되는 것을 말한다. 즉 무엇이든지 일원만 붙이면 모두 일원화로 살아나는 느낌이었다. 그래서 대종사님의 '일원주의'가 온 세계에 편만하도록 일원체질로 일원기질이 되도록 일원세상 즉 '하나의 세계'를 주창하였다.

| 용어 풀이 |

○ **심성(心性)** 마음과 성품을 합한 용어. ① 본래부터 타고난 마음씨. ② 내적 감성, 습관, 신념 따위의 특성. ③ 참되고 변하지 않는 마음의 본체.

○ **심성단련(心性鍛鍊)** 심성을 단련한다는 말로 심성수양(心性修養)과 같은 뜻이다. 기질수양과 상대되는 말이다.

○ **기질단련(氣質鍛鍊)** 기질을 변화시켜 단련한다는 말로 기질수양과 같은 말이다.

○ **일원기질(一圓氣質)** 일원상 진리에 합일한 기질이란 말이다. 기질이란 기력과 체질을 아울러 이르는 말로 일원화한 기질이란 뜻이다.

❺ 공부의 효과와 감상을 몸으로 느껴야 한다

대산 종사 말씀하시기를 "교리를 공부하고 훈련할 때는 항상 생활 속에서 끊임없이 대조하며 공부의 효과와 감상을 몸으로 느껴야 하나니, 사은에 대한 은혜를 느낄 때와 느끼지 못할 때, 사요를 실천할 때와 실천하지 않을 때, 삼학 수행을 할 때와 하지 않을 때, 정기 훈련 11과목을 공부할 때와 하지 않을 때, 일원상 법어를 표준으로 할 때와 하지 않을 때, 유무념 대조 공부를 할 때와 하지 않을 때, 진공으로 체를 삼고 묘유로 용을 삼을 때와 삼지 않을 때, 죽기로써 정의를 실천할 때와 하지 않을 때, 법으로 길들일 때와 길들이지 않을 때, 참회를 할 때와 하지 않을 때, 처처불상 사사불공을 할 때와 하지 않을 때, 계문을 지킬 때와 지키지 않을 때, 법위의 단계를 차례로 밟고 올라가면서 공부할 때와 하지 않을 때를 항상 대조하며 살아야 하느니라." 〈훈련편 5장〉

| 출처 |

대종사께서 앞으로 이 회상의 모든 철학과 사상은 모두 개교의 동기와 교법의 총설에 근거하여야 한다고 강조하여 주신 바 있으셨다. 그러므로 우리가 교리 공부와 교리 훈련을 할 때에 동정 간에 육근 동작이 다 광대 무량한 낙원으로 인도받을 수 있도록 힘써야 한다. 이에 따라 광대하고 원만한 종교의 신자가 되도록 여합부절[사물이 꼭 들어맞음]하여야 한다. 그 실례를 들어 말하면 일원상의 진리를 신앙하고 수행 훈련을 하면 꼭 인도가 되고 그 광대하고 원만한 종교의 신자가 됨을 체험하여야 한다.

천지·부모·동포·법률 사은에 대한 보은에서 '먼저 마땅히 사은이 없어도 이 존재를 보전하여 살 수 있을 것인가'를 생각해 보고 아니 할 때와 또 사요를 실천할 때와 아니 할 때, 삼학수행을 할 때와 아니할 때, 또 염불·좌선·강연·회화·성리·의두 등을 공부할 때와 아니 할 때, 주의·조행·상시일기를 할 때와 아니 할 때, 진공으로 체를 삼고 묘유로 용을 삼을 때와 아니 할 때, 법으로 질박을 때와 아니 할 때, 참회를 할 때와 아니 할 때, 계문을 지킬 때와 안 지킬 때, 처처불상 사사불공을 할 때와 아니 할 때, 죽기로써 정의를 실천할 때와 아니 할 때, 일원상 법어를 표준할 때와 아니 할 때, 유무념 공부를 할 때와 아니 할 때, 법위표준을 차제로 밟고 올라가면서 공부할 때와 아니 할 때에 광대 무량한 낙원으로 인도되고 원만한 신자가 되는가 아니 되는가를 항상 대조하여야 한다. 〈『대산종사수필법문집』 2. pp.1619~1620. 원기78년 4월 27일〉

| 배경 및 상황 |

대산 종사는 원기78년(1993) 4월 27일 왕궁 영모묘원에서 법무실장으로부터 사무 보고를 받고 지시 사항과 함께 다음과 같이 말씀하였다.

"근래에 대종사와 정산 종사가 나에게 법의 기운을 많이 내려주신다. 대종사께서 앞으로 이 회상의 모든 철학과 사상을 모두 개교의 동기와 교법의 총설에 근거하여야 한다고 강조하였다. 그러므로 우리가 교리 공부와 교리 훈련을 할 때 동정 간에 육근 동작이 다 광대 무량한 낙원으로 인도받을 수 있도록 힘써야 한다. 그 실례를 들어 말하면 일원상의 진리를 신앙하고 수행 훈련을 하면 꼭 인도되고 그 신자가 됨을 체험하여야 한다. 사은의 은혜와 사요의 실천, 삼학수행과 정기훈련 11과목, 일원상 법어와 유무념 대조, 진공묘유의 체와 용, 죽기로써 정의를 실천, 법으로 길들일 때, 참회할 때, 처처불상 사사불공 할 때, 계문과 법위의 단계를 차례로 올라갈 때와 광대무량한 낙원으로 인도하고 원만한 신자가 되도록 실천할 때와 아니 할 때를 대조하며 살아야 한다."라고 표준을 내려주었다.

| 용어 풀이 |

○ **정기훈련 11과목** 정신수양 훈련과목으로 염불·좌선, 사리연구 훈련과목으로 경전·강연·회화·의두·성리·정기일기, 작업취사 훈련과목으로 상시일기·주의·조행이 있다.

○ **진공체(眞空體)** 일원상 진리의 체(體)를 나타내는 말이다. 진리의 체는 진공의 경지이므로 진공체라 한다. 곧 진리의 체는 언어도단하고 심행처가 멸한 경지라는 뜻이다.

○ **묘유용(妙有用)** 일원상 진리의 용(用)을 나타내는 말. 진리의 용은 묘유의 경지이므로 묘유의 체라 한다. 곧 진리의 용은 만물이 실체가 없는 가운데 여여히 존재하고 있는 모습을 지칭하는 말이다.

❻ 성리는 성태장양하는 공부

대산 종사 말씀하시기를 "성리 공부는 성태(聖胎)를 장양(長養)하는 공부이니 급하게 해서도 안 되고 무작정 화두를 든다고 되는 것도 아니니라. 천년을 공부해도 공부 길을 제대로 잡지 못하면 허무적멸에 빠지기 쉽고 뼈를 깎는 고행도 자칫 병만 키울 뿐 실효를 거두기가 어렵나니, 급하게 서두르거나 게을리하지 말고 오로지 대종사께서 밝혀 주신 훈련법으로 법위등급에 따라 일심으로 정진하다 보면 결국 불지에 이르게 되느니라."

〈훈련편 6장〉

| 출처 |

보일 듯이 보일 듯이 보이지 않고 잡힐 듯이 잡힐 듯이 잡히지 않으나 정녕 있다. 그러므로 수천 년 동안 이 자리를 얻은 성인과 제불제성이 이 자리를 얻었다. 그러나 많은 사람이 이를 잡으려 애를 썼으나 잡지 못하고 헛된 길을 걸었다.

그러니 그 길을 잡아서, 즉 보아서, 장양성태(長養聖胎)를 해야 한다. 성품은 단련하면 광이나 그 은(恩)이 맺힌다고 하므로 금강불성(金剛佛性)이라 한다. 천년을 공부해도 길을 모르고 하면 허무하다. 정진은 일심으로 계속해서 나가라 했는데 형상 있게 육신 정진만 하니 득병(得病)한다. 여섯 과정으로 알맞게 해야 한다. 〈『대산종사수필법문집』 2. p.1876. 원기48년 8월 20일〉

| 배경 및 상황 |

대산 종사가 설한 '성태장양' 법문을 원기48년(1963) 8월 20일 향타원 박은국 교무가 수필하였다. "보일 듯이 보일 듯이 보이지 않고 잡힐 듯이 잡힐 듯이 잡히지 않으나 정녕 있다."라고 첫머리에서 말씀하였다. 그리고 "이것이 바로 성리라는 것이다. 이 공부를 장양성태라고 하였다, 성태장양과 같은 말이다. 성품을 단련하면 금강불성에 이른다고 했다."

또한, 천년을 공부해도 길을 모르면 허무에 빠지기 쉽고 육신의 고행도 자칫 득병하고 만다. 그래서 무작정 화두만 들고 급하게 공부해서도 안 된다고 했다.

대산 종사는 "너무 급하게도 느리게도 말라. 오직 법에 따라 순서 있게 하라. 속(速)히 하다 보면 반드시 큰 병을 얻기 쉽고 또 법 없이 하다 보면 엉뚱한 길로 빠져들고 말 것이니 조심할지니라."라고 공부인에게 경책하였다.

| 용어 풀이 |

○ **성리(性理)** 우주만유의 본래 이치와 인간의 자성 원리를 궁구하는 공부법으로 사리연구의 한 과목이다. 성리란 성리학의 성(性)과 이(理)에서 나온 말로, 성즉리(性卽理)라고 한다. 불교에는 마음의 근본을 불성(佛性) 또는 자성(自性)이라 한다. 선종에서는 화두를 간(看)하여 견성을 구하는 간화선(看話禪), 자성을 적묵영

조(寂默靈照)하여 적적성성(寂寂惺惺)한 경지에 이르게 하는 묵조선(默照禪)이 발달했다. 원불교의 성리는 성리학과 선종의 가르침을 다 포함한다.

○ **장양성태(長養聖胎)** 성태를 장양함. 성인이 될 요소를 마음속에서 기름. 어린 아이가 어머니의 태중에서 자라나는 것과 같이 수행인이 선근 공덕을 마음속에 품고 기르게 되면 장차 성인이 될 수 있다는 의미이다. 장양성태(長養聖胎), 성태 장양이라고도 한다.

○ **화두(話頭)** ① 이야기의 실마리. 화제(話題) ② 선종의 고칙(古則)이나 공안(公案) 등의 1절 또는 1칙을 이르는 말. 스승이 제자에게 지혜를 연마하여 깨치도록 하는 의문의 조목. 임제종에서는 화두를 참구하는 간화선을 주장한다. 원불교에서는 의두(疑頭)라 한다.

○ **허무적멸(虛無寂滅)** 도교에서 말하는 허무와 불교에서 말하는 적멸. 이 세상에 형상 있는 모든 것은 결국은 다 없어지고 만다는 것이다.

○ **법위등급(法位等級)** 원불교에서 수행인(修行人)의 인격과 공부 계위(階位)를 여섯 등급으로 말한 것. 교법(敎法)을 실천하고 법위향상(法位向上)의 훈련을 촉진케 하며 이를 사정(査定)하고 그 결과를 예우(禮遇)하기 위해 제정된 수행 계위이다. 곧 법위향상의 훈련과 법위사정 그리고 법위 예우가 상보성(相補性)을 지니면서 유기적으로 증진되도록 제정된 것으로 보통급(普通級)·특신급(特信級)·법마상전급(法魔相戰級)의 3급과 법강항마위(法强降魔位)·출가위(出家位)·대각여래위(大覺如來位)의 3위이며, 3위는 성인(聖人)의 경지라 한다.

○ **불지(佛地)** ① 부처님의 경지. 중생이 수행하여 보살의 경지를 거쳐 최후에 도달하게 되는 부처님의 경지, 즉 원불교인이 이상으로 하는 최상구경인 대각여래위의 경지. ② 부처님의 땅, 부처님의 나라. 불국토·극락정토를 말한다.

❼ 언제 어디서나 선을 하고 모두 부처로 알아 불공하자

대산 종사 말씀하시기를 "무시선 무처선은 때와 곳을 가리지 않고 선(禪)을 하는 것이요, 처처불상 사사불공은 모두가 부처임을 알아서 불공을 하자는 것이니, 이를 알아야 견성에 토가 떨어진 것이고 진리의 본체를 아는 것이니라. 그러므로 우리는 언제 어디서나 선을 하고 모두를 부처로 알아 불공을 해야 하느니라." 〈훈련편 7장〉

| 출처 |

무시선 무처선은 때와 곳을 가리지 않고 선할 줄 아는 것이다. 일심 연속이 되고 일념이 만년이 되는 것이 사사무애 법계이다. 무시선 무처선은 천하의 대도요 전체가 다할 수 있는 것이다.

두 번째는 처처불상, 사사불공이다. 모든 것이 부처이다. 법당에 모셔져 있는 법신불이나 부처님만을 부처로 아는 것은 1학년이다. 이 전체가 부처님의 화현신으로 아는 처처불상, 이것이 견성의 토를 떼는 것이고 진리의 핵심을 건드리는 것이다. 그러기 때문에 처처불상하니 사사불공하라. 모든 일에 불공하라. 계한을 두지 말고 불공하는 것, 이 사사불공하는 것을 보면 그분이 어떤 도인인가 알 수 있다. 사사불공에 조각나는 도인은 항상 절반이다. 그러므로 처처불상이니 사사불공하는 것을 표준으로 삼아야 하겠다.

〈『대산종사수필법문집』 1. p.1840. 원기63년 1월 1일〉

| 배경 및 상황 |

대산 종사는 원기63년(1978) 1월 1일 '진리의 광명과 함께'라는 제목으로 신년법문을 설하였다. 이를 요약하면 "진리의 광명을 온 누리에 비추도록 하여 평화의 터전을 구축하자. 부처님께서도 오안[五眼, 육안·천안·혜안·법안·불안]을 말씀하시고 진리의 눈을 뜨도록 하셨다. 이 공부가 삼학공부 중 사리연구 공부법이다. 일상생활에 문[聞, 견문을 넓힘], 사[思, 사색으로 스스로 생각함], 수[修, 수증(修證)으로 보림양성함] 공부로 원불님이 되자"고 하였다.

신년법문은 교단과 세상을 향한 메시지이며, 교도들이 한 해 동안 마음공부 표준으로 삼는 보감 될 법문이다. 대산 종법사는 새해 신년하례가 있기 전 새벽에 모인 대중에게 법문을 내린다. 일명 '새해 아침' 법문이다. 삼동원에서 대중의 세배를 받고 내린 법문이 인기가 있었다. 새해 아침의 첫 법문이자 신년법문에 대한 부연 법문이다. 총부 신정절에 모인 수많은 대중보다 적은 수이지만 좁은 장소에서 대산 종사의 숨결을 느끼면서 받든 법문으로 생생함이 더한다. 이 새해 아침 법문의 핵심은 "무시선 무처선과 처처불상 사사불공을 알아야 견성에 토가 떨어진 것이고 진리의 본체를 아는 것이다. 그러므로 우리는 언제 어디서나 선을 하고 모두를 부처로 알아 불공을 해야 한다."는 것이다.

| 용어 풀이 |

○ **무시선 무처선(無時禪 無處禪)** 간단(間斷)없는 선공부(禪工夫). 언제나 삼학병진(三學竝進)하는 공부. 때와 장소를 가리지 않고 한결같이 선을 하라는 말로 원불교 수행의 가장 핵심적인 내용을 밝힌 표어. 삼학 수행의 요령을 얻으면 어느 때나 선을 할 수 있고 어느 경계나 선을 할 수 있다는 공부 길을 제시한 것으로, 줄여서 '무시선'으로만 부르기도 한다. 원불교에서는 이를 동정간 불리선(動靜間不離禪)이라고도 한다.

○ **처처불상 사사불공(處處佛像 事事佛供)** '곳곳이 부처님, 일마다 불공'이라는 의미의 한자 표현으로, 원불교 교리표어. 원불교적 삶의 태도를 적실하게 표현하고 있는 대표적 교의의 하나이다. 소태산 대종사는 불공은 진리불공과 실지불공이 있음을 밝히고 있다. 진리불공은 심고나 기도 등 일원에 대한 신앙 행위를 말하고, 실지불공은 현실 생활 속에서 만유를 부처로 모시고 그에 걸맞은 포괄적 대응을 의미한다.

❽ 일원의 체성에 합하라

대산 종사 말씀하시기를 "흙이 굳으면 단단한 돌같이 되듯이 사람도 법으로 체질화되면 성인이 될 수 있나니, 진리적 종교의 신앙과 사실적 도덕의 훈련으로 스스로 일원의 체성에 합하도록 노력하라. 공부인의 근기에 따라 조금씩 정도의 차이는 있으나 우리가 일거수일투족을 모두 법으로 체질화하기 위해서는, 반드시 눌러야 할 때 눌러주고 풀어야 할 때 풀어 주는 훈련이 뒤따라야 하느니라. 수행이 깊어 가면 깊어 갈수록 항상 스스로를 살펴 어둠을 밝히는 것이 중요하나니 이것이 바로 불퇴전인바, 법으로 알맹이를 채워야 일생이 허망하지 않을 것이니라."

〈훈련편 8장〉

| 출처 |

진리적 종교의 신앙과 사실적 도덕의 훈련으로 기본을 삼아 신앙으로 훈련하여 바로 일원(一圓)이 되도록 하여야 한다.

흙이 굳어서 단단한 돌같이 된다고 하는 데 사람도 법으로 성석(成石) 시켜야 한다. 성석 시킬 때는 본인 힘만으로는 안 되니 위에서 누를 때 눌러 주고, 풀어 줄 때 풀어 주고 이렇게 저렇게 훈련하는 데서 성석이 되노라.

수행 길에 두 길이 있는데 대종사님과 같이 기초부터 궁극에 이르는 분과 생이지지(生而知之)나 학이지지(學而知之)하여 궁극에 이르는 분이다. 전자는 공자, 예수, 석가불, 증자 등이고, 후자는 선사님, 안자(顔子) 등이다.

공부가 깊어 갈수록 자기가 스스로 매(昧)한 줄을 항상 잘 살피어 밝히고 나가는 것이 중요하며 이것이 불퇴전이다. 법으로 알맹이가 차도록 아니하면 항상 찬 것이 없음으로 허전하여 일생을 허망이 지내느니라.

〈『대산종사수필법문집』 1. p.544. 원기56년 9월 20일〉

| 배경 및 상황 |

교단은 원기56년(1971) 10월 7일~12일 개교반백년기념대회를 앞두고 있었다. 호사다마라 할까? 교단은 서울회관을 건립하다가 공사 도중에 남한강개발주식회사가 부도가 났다. 이 일로 인하여 교단 재정은 총제적인 위기를 맞이하였다. 교단은 물밑으로는 부채 문제 수습위를 7월 20일 구성하였다. 한편 수면위로는 개교반백년기념대회의 성공적인 개최를 위해 심혈을 기울이고 있었다. 대산 종사는 원기56년(1971) 9월 20일 진리적 종교의 신앙과 사실적 도덕의 훈련을 강조하고 법의 성석이 굳어지도록 일원의 체성에 합하도록 노력하자고 하였다. 법으로 체질화하기 위해 훈련이 필요하고 불퇴전하는 마음으로 법의 알맹이를 채워야 일생이 허망하지 않을 것이라고 하였다. 물질적인 부채 청산도 중요하지만, 훈련으로 법의 양식을 채우자고 중심을 잡아 주었다.

| 용어 풀이 |

○ **진리적 종교의 신앙(眞理的 宗敎-信仰)** 참된 이치를 밝힌 종교를 바르게 믿음.

○ **사실적 도덕의 훈련(事實的 道德-訓練)** 진리에 근거하여 인간의 삶과 인격을 실직적으로 향상하게 시키는 도덕 훈련.

○ **성석(成石)** 회(灰) 따위가 굳어서 돌처럼 됨.

○ **체성(體性)** 사물의 변하지 않는 근본 성질. 사물의 본질을 체라 하고 작용과 양태를 용이라고 하는데, 그 체는 영원히 변하지 않는 것으로 이러한 본질의 성격을 체성이라고 한다.

○ **근기(根機)** 교법(敎法)을 받아들여 성취할 품성과 능력의 정도.

○ **일거수일투족(一擧手一投足)** 손 한 번 들고 발 한 번 옮긴다는 뜻으로, 크고 작은 동작 하나하나를 이르는 말.

○ **불퇴전(不退轉)** 한번 도달한 수행의 지위에서 물러서지 아니함.

❾ 정정 공부에 힘쓰자

대산 종사 말씀하시기를 "정정(定靜) 공부는 대종사께서 수양의 원칙과 표준으로 밝혀 주신 법문이니, 정(定) 공부는 이 공부 외에 더 좋은 공부가 없고 이 법 외에 더 좋은 법이 없으며 우리 스승 외에 더 좋은 스승이 없다고 한번 마음을 정해 뿌리를 박는 것을 이름이요, 정(靜) 공부는 이렇게 뿌리를 박았다고 하더라도 경계를 따라 마음이 요란해지면 다시 그 마음을 고요하게 하여 맑히는 것을 이름이니라. 따라서 한마음이 고요해지면 천지와 내가 하나로 합해지고 한마음이 드러나면 천지와 내가 통하여 영생에 걸림이 없음을 알아서 정정 공부에 더욱 힘써야 하느니라."

〈훈련편 9장〉

| 출처 |

정정(定靜)은 대종사께서 대각하시고 수양의 원칙과 표준으로 내 주신 법문이시다. 처음에 『수양연구요론』을 제법(制法)하시고는 모든 학자에게 서문(序文)을 작성해 오도록 하여 다 보시고는 하나도 취택하지 아니하시며 당신이 스스로 새 말씀으로 서문을 지으셨다.

그 서문 내용은 "인생의 요도는 수양에 있고, 수양의 목적은 연구에 있으며, 연구의 목적은 혜복(慧福)을 구하는 데 있다."라고 서술하셨다. 여기에 다 들었다. 인생의 제일 좋은 길은 수양에 있다. 내가 30여 년 전에 중병으로 사경에 있을 때 생각하니 아는 것도 별것 아니고 별것 다 소용없고 오직 자기 수양으로 얻은 그것 외에는 아무것도 없더라. 그 수양이라는 것이 바로 정정(定靜)이다.

"글자가 무슨 자인가."

"정할 정, 고요 정 자입니다."

꽉 고정하는 것, 꽉 박는 것이지. 그러니 수양의 최고 요령이 바로 정정이다.

우리 마음이 우리 대종사님의 단전주법과 기타의 모든 법이 다 다시없는 좋은 법이고 이대로 공부해야 하겠다 하고 딱 고정하는 것이다. 그것이 정 자(定字)이다. 그래서 뿌리가 꽉 박히는 것이다. 설사 뿌리가 박혔다 하더라도 오늘같이 바람이 불면 가지가 흔들흔들한다. 그 흔들흔들하는 것을 고요하게 하는 것이 정 자(靜字) 공부이다.

우리 마음이 이 공부 외에 더 좋은 공부가 없고, 이 법 외에 더 좋은 법이 없고, 우리 스승 외에는 더 좋은 스승이 없다 하고 딱 정(定)해지고 나면 그 후로는 고요 정(靜) 자 공부를 해나가야 하는데, 이것이 좋다, 저것이 좋다고 하면 이리 흔들 저리 흔들, 이리저리 흔들흔들하면 정정(定靜) 공부가 아니다. 그러면 평생 공부 못하고 만다.

그러므로 대종사께서 말씀하시기를 과거 천생에 할 것을 일생에 할 수 있고, 일생에 할 것을 나에게 참으로 돌리면 1년에 끝마칠 수 있다고 하셨다. 이 정정만 알아 버리면 영생 일이 결정 나 버린다. 정정! 영생을 개척하고 영생을 잘 살기로 하면 이 공부해야 한다.

〈『대산종사수필법문집』 1. p.1314. 원기61년 1월 5일〉

| 배경 및 상황 |

대산 종사가 원기61년(1976) 1월 5일 오후 삼동원에서 서울교구 교도들에게 신년하례를 받고 내린 법문이다. 법문 서설에서 수양(修養)의 수 자는 때울 수라고 했다. 각자 마음에 구멍이 나서 자성이 새 버렸다. 대종사님이 수양의 원칙과 표준을 정정 공부로 밝혔다. 『수양연구요론』 서문에 '인생의 요도는 수양에 있고, 수양의 목적은 연구에 있으며, 연구의 목적은 혜복(慧福)을 구하는 데 있다.'라고 하였다. 수양이 바로 정정(定靜)이다. 정(定) 공부와 정(靜) 공부를 잘하면 따라서 한마음이 고요해지고 천지와 내가 하나로 통하여 영생에 걸림이 없음을 알아서 정정 공부에 더욱 힘쓰라고 하였다.

| 용어 풀이 |

○ **정정(定靜)** 마음이 안정되고 고요한 것. 안정됨은 마음이 확고하여 흔들리지 않음이고, 고요함은 마음속에 욕심이 가라앉고 청정한 일심을 간직함을 의미한다. 정(定)은 마음을 하나로 안정시켜 삼매의 경지가 되어 흩어지지 아니하는 것이며, 정(靜)은 천만 경계에도 마음이 끌려가지 아니하는 것이다. 내정정 외정정이 있다. 내정정은 일이 없을 때 염불·좌선 등으로 번뇌를 잠재워 온전한 근본정신을 양성하는 것이며, 외정정은 경계를 당해서 대의(大義)로 취사하여 정신을 요란하게 하는 마(魔)의 근원을 없애는 것이다. 내정정과 외정정은 서로 근본이 되므로 아울러 닦아야만 참다운 마음의 안정을 얻게 된다[『대종경』 수행품 19].

○ **수양(修養)** 닦고 기른다는 뜻. 정신수양·사리연구·작업취사의 삼학 가운데 정신수양의 준말로 사용된다. 통상적으로 도를 닦고 덕을 기르는 것을 의미하기도 하고, 심신을 단련하여 지혜와 덕행을 계발하는 것을 의미하기도 한다. 원불교에서는 안으로 분별성과 주착심을 없게 하며, 밖으로 산란한 경계에 끌리지 아니하여, 두렷하고 고요한 정신을 양성하는 것을 말한다.

⑩ 실지 훈련으로 단련하자

대산 종사 말씀하시기를 "사람이 실지 훈련을 소홀히 하면 머리에 스치는 말과 생각만으로 능사를 삼아 겉넘는 사람이 되기 쉽나니, 생활 속에서 그일 그일에 단련하는 훈련을 계속하여야 걸림 없는 취사를 할 수 있느니라."

〈훈련편 10장〉

| 출처 |

어느 때 무슨 일이나 어렵게 잘되지 않으면 두고 1년, 2년 연구하다 보면 일이 풀리고 잘되어지는 길이 생기느니라. 대종사께서 급히 시키시는 일이 있어 자물쇠를 부수고 물건을 내온 일이 있다. 그때 꾸중하시지 않고 목수를 불러 고치라 하시더라. 꾸중하시되 그 일을 보고 하시지 않고, 앞으로 있을 일을 보시고 다시 그르치지 않도록 하기 위한 꾸중만 하시더라. 실지 훈련을 해야 한다. 각자 기질이 자칫하면 머리에 스치는 말과 생각으로 능사로 삼아 겉넘는 사람이 되어버리고 만다. 고로 우리가 실지에서 그일 그일을 단련하여야 무슨 일을 당하든지 척척 걸림 없이 할 것이다.
대종사께서는 물건 착수하시는 것이나 응접하실 때 사과 깎는 것이나, 대(大)에서 소(小)에 이루기까지 보통 사람 몇십 배 빠르고 환하시었다. 이는 영통만이 아니라 실지 훈련에서 단련하신 힘이다.

〈『대산종사수필법문집』 1. pp.355~356. 원기53년 12월 25일〉

| 배경 및 상황 |

대산 종사가 원기53년(1978) 12월 25일 익산 금강리에서 주재할 때이다. "재색은 몸만 망치지만 명예는 영생을 망치는 무서운 해독물이다."라고 전제하며 "어떤 사람이라도 잘못이 있어 자수하거나 고백할 때는 뒷날의 잘못을 염려하거나 과거의 실수나 과오를 생각할 것 없이 용서해야 한다. 그리하여 각성케 하고 앞으로 큰일 할 수 있도록 키워 주며 살려주는 것이 대인의 심법이다."라고 하였다.
이어 말씀하시기를 "실지 훈련을 해야 한다. 각자 기질이 자칫하면 머리에 스치는 말과 생각으로 능사로 삼아 겉넘는 사람이 되어버리고 만다. 고로 우리가 실지에서 그일 그일을 단련하여야 무슨 일을 당하든지 척척 걸림 없이 할 것이다.

| 용어 풀이 |

○ **능사(能事)** 자기에게 알맞아 잘해 낼 수 있는 일.

○ **취사(取捨)** 취하고 버림. 삼학 중 '작업취사'의 준말. 작업취사에서의 취사는 '정의는 취하고 불의는 버리는 것'을 의미한다.

⓫ 스승의 훈증

대산 종사 말씀하시기를 "우리의 훈련법은 장인이 도자기를 빚거나 쇠를 담금질하는 것과 같고, 어미 닭이 알을 품는 것과 같으며, 스승이 제자를 훈습하는 것과 같으니라[大工陶冶 母鷄抱卵 師弟薰習]." 〈훈련편 11장〉

| 출처 |

우리 회상과 제도는 대공도야(大工陶冶), 모계포란(母鷄抱卵), 사제훈습(師弟薰習)이다. 그러므로 회상에 들어와 딴전 안 부리고 훈련만 잘 받으면 여래가 되고 활불이 된다.

천여래 만보살이 어떻게 해서 나오겠느냐?

一. 큰 공장에서 물건을 계속 만들어 내는 것과 같고,

二. 어미 닭이 알을 품고 병아리를 깨는 것과 같다.

三. 수도인은 스승으로부터 귀신도 모르는 가운데 마음 건네는 훈증 없으면 큰 도인 되기 어렵다.

〈『대산종사수필법문집』 1. pp.281~282. 원기53년 1월 13일〉

| 배경 및 상황 |

대산 종사는 원기53년(1978) 1월 13일 신도안 삼동원에서 말씀하시기를 "교도는 입교와 동시에 여래가 될 의무와 권리가 부여되고, 또한 여래행을 할 의무와 권리가 동시에 있다."라고 하였다.

이어서 "우리 회상과 제도는 대공도야, 모계포란, 사제훈습[사제훈증(師弟薰蒸)과 같은 말]이다. 그러므로 회상에 들어와 딴전 안 부리고 훈련만 잘 받으면 여래가 되고 활불이 된다."라고 하였다. 또한, "수도인은 스승으로부터 귀신도 모르는 가운데 마음 건네는 훈증이 없으면 큰 도인 되기가 어렵다. 마치 고아들은 잘 먹이고 잘 입히나 어딘가 모르게 얼굴에 그늘이 있는데 그것은 부모의 따뜻한 사랑이 없기 때문이다. 그러므로 이 회상에 들어와서 한눈팔지 아니하고 훈련만 잘 받으면 여래가 되고 활불(活佛)이 된다."라고 훈련의 중요성을 강조하였다.

| 용어 풀이 |

○ **담금질(薰習)** ① 고온으로 열처리한 금속 재료를 물이나 기름 속에 담가 식히는 일. ② 부단하게 훈련을 시킴을 비유적으로 이르는 말이다.

○ **훈습(薰習)** ① 선악 등의 행동과 사상이 그 여세(餘勢)를 마음속에 뿌리박음. ② 불법(佛法)을 듣고 마음을 차차 닦아 감. 산스크리트로는 바싸나(vāsanā). 불교에서 습관적 행동에 따른 잠재 인상(印象)을 가리키는 말로 어떤 것에 계속하여 자극을 줄 때, 그것이 점차 그 영향을 받는 작용을 뜻하는 말이다.

⑫ 훈련원은 새 마음을 만드는 산실

대산 종사, 중앙훈련원 봉불식에서 말씀하시기를 "훈련원은 새 마음을 만드는 산실이니, 훈련은 곧 인생을 거듭나게 하는 길이라. 우리는 이 훈련을 통해 자성을 세우고 맑히고 밝혀서 새 마음을 갖도록 힘써야 하느니라. 새 마음이란 성현의 마음을 가져 성현의 피를 흐르게 하자는 것이니, 성현의 피가 흘러야 성현의 몸이 되고 성현의 몸이 되어야 전 세계를 성현의 세계로 만들 수 있기 때문이니라. 그러므로 우리는 훈련을 통해 천여래 만보살을 만들고 모든 중생의 복문을 열어 주며 무등등한 대각 도인과 무상행의 대봉공인이 많이 나오도록 해야 하느니라."

〈훈련편 12장〉

| 출처 |

중앙훈련원 봉불식 법문

이 장소는 새 마음을 제조하는 공장이라 해도 되고 대수도요 대정진이요 인생이 거듭나는 장소이다. 우리가 금강같이 불괴, 불매, 불염의 성품을 가져서 살아가자는 것이다. 세계의 보물을 다 가졌다고 할지라도 이 보물 가짐만 못하다. 이제 교당에 가서도 새 마음 갖는 공부를 하시고 이 기회를 당해서 앞으로 많은 종사위, 많은 봉도위, 많은 호법위가 생겨나서 이 세계를 원만 평등하고 지공무사한 대 낙원을 만드는 것이 우리의 사명이다. 그래서 정신수양은 잠심(潛心)하는 공부이고, 사리연구는 마음을 갈고 닦고 궁굴리는 연심(鍊心)이고 작업취사는 정심(正心), 내 마음을 바르게 만들자는 것으로 이 세상을 정세(正世), 바른 세상을 만들자는 것이다.

또 하나 새 마음을 갖는다는 것은 성심(聖心), 성현의 마음을 가져야 하고 그래야 우리의 피가 성혈(聖血)이 된다. 그러지 않으면 악혈(惡血)이 된다. 그러니 내 피가 성혈이냐? 악혈이냐? 살펴야 하겠다.

우리가 성심을 가져야 성혈이 되고 성혈이 되어야 성신(聖身)이 된다. 그러면 전 세계를 성세(聖世)로 만들 수 있다. 그러므로 우리는 훈련을 통해서 잠심(潛心), 연심(鍊心), 정심(正心), 정세(正世), 성심(聖心), 성혈(聖血), 성신(聖身), 성세(聖世)를 만드는 일꾼이 되기로 하면 우리 마음 가운데 새 마음을 가져야 하겠다. 그래서 수천 만성이 발아하고 억조창생에게 복을 열어 주어서 무등등한 대각도인 무상행의 대봉공인이 많이 나서 많은 종사위, 많은 대봉도위, 많은 대호법위가 세상에 많이 배출되기를 빌며 오늘 모이신 분이 다 그 위에 오르기

를 바란다. 〈『대산종사수필법문집』 1. pp.1805~1807. 원기62년 11월 6일〉

| 배경 및 상황 |

대산 종사는 원기62년(1977) 11월 6일 중앙훈련원 봉불 낙성식 법문에서 말씀하시기를 "훈련원은 새 마음을 만드는 산실[제조]이니 훈련은 곧 인생을 거듭나게 하는 길이다. 새 마음은 잠심, 연심, 정심, 정세, 성심, 성혈, 성신, 성세를 만드는 일꾼이 된다는 말이다. 그러므로 우리는 훈련을 통해 천여래 만보살을 만들고 모든 중생의 복문을 열어 주며 무등등한 대각도인과 무상행의 대봉공인이 많이 배출되기를 바란다."라고 염원하였다.

| 용어 풀이 |

○ **중앙훈련원(中央訓練院)** 원기56년(1971년)에 전문 훈련기관의 필요에 따라 상주선원과는 별도로 중앙훈련원 설립을 결의했다. 원기61년(1976)에 중앙총부 부근에 중앙훈련원 신축을 시작하여 이듬해 11월 6일에 낙성 봉불식을 가짐과 동시에 신축 훈련원을 교무의 훈련기관으로 확정했다. 다시 원기75년(1990)에 중앙총부의 확장으로 인하여 중앙훈련원을 이전하기로 하고 익산시 왕궁면 동봉리에 새 훈련원 신축 기공에 착수하여 이듬해인 원기76년(1991) 11월에 준공 및 봉불했으며, 명칭을 중앙중도훈련원으로 변경했다. 명칭 변경은 원남교당 교도인 이중덕[이건희]과 홍도전[홍라희] 부부가 희사하여 이루어진 것을 기념하여 이중덕의 법호인 중산의 중(重)과 홍도전의 법호인 도타원의 도(道)를 따서 중앙훈련원의 명칭에 중도를 넣어 중앙중도훈련원으로 정했다.

○ **산실(産室)** 어떤 일을 꾸미거나 이루어 내는 곳. 또는 그런 바탕이다.

○ **무등등한 대각도인(無等等-大覺道人)** 세상의 어떠한 사람과도 비교할 수 없이 진리를 크게 깨친 불보살. 일원대도를 크게 깨친 사람은 이 세상의 그 어떠한 사람보다도 더 위대하고 훌륭한 사람이란 뜻에서 무등등한 대각도인이라 한다. 일

원대도는 무등등한 대도 정법이요, 일원대도를 크게 깨친 사람은 이 우주의 주인이요, 생사 거래를 자유자재하기 때문에 이렇게 말한다.

○ **무상행의 대봉공인(無相行-大奉公人)** 무상보시를 하는 대봉공인이라는 뜻. 남을 위해 헌신 봉공하는 사람 중에는 유상보시를 하는 사람도 있다. 대각여래위가 되면 언제나 무상보시를 하고, 자신의 모든 것을 아낌없이 헌신 봉공하게 된다. 무등등한 대각도인이라야 무상행의 대봉공인이 될 수 있다.

⑬ 훈련원 지침

대산 종사 말씀하시기를 "훈련원과 선원은 삼세 업장을 녹이는 용광로요 불과를 증득하는 적공실이며, 탐·진·치를 조복 받아 삼세의 대권을 얻는 삼계의 대도사가 되고 사생의 자비 부모가 되는 곳으로, 마음을 찾고 마음을 기르는 도량이니라. 기계도 쓰지 않고 놓아두면 녹이 슬게 되는 것처럼 우리의 삶도 삼학 공부로 훈련을 하지 않으면 본성이 가려지고 오욕과 번뇌로 가득 차게 되느니, 그러므로 우리는 정신수양으로 정신의 자주력을 얻고, 사리연구로 사리 간 연구력을 얻고, 작업취사로 일마다 취사력을 얻어서 육신의 기질까지도 변화시켜야 새 천지 새 역사를 쓸 수 있느니라." 〈훈련편 13장〉

| 출처 |

중앙훈련원의 훈련 지침을 다음과 같이 내려주셨다.

대훈련원, 대선원(大禪院)

一. 삼세 업장을 녹이는 대용광로

二. 대불과(大佛果)를 증득하는 대적공실

三. 탐진치(貪嗔痴)를 조복 받아

삼계의 대권(大權)을 얻고
삼계의 대도사(大導師)가 되고 = 대훈련원
사생의 자비부모(慈悲父母)가 되는

그러므로 훈련원은 심우실(尋牛室), 목우원(牧牛院), 접목실(接木室)인 것이다.

훈련은

(1) 인생은 훈련을 통하여 거듭난다.

- 마음혁명, 도덕부활

(2) 대종사님의 훈련법은 전성(前聖)의 미개척지를 개척하신 구세 제중의 활법이다.

(3) 이대 훈련법으로

- 정신의 자주력, 사리의 연구력, 작업의 취사력을 얻고 육신의 기질 변화가 되어야 새 천지 새 역사가 시작된다.

(4) 훈련의 필요

- 기계도 쓰지 아니하면 녹슬어서 버리게 된다.
- 수양은 우리의 본성을 길러낸다.
- 혜두를 단련하여야 밝은 혜천(慧泉)이 솟는다.
- 각(覺)하여야 참 실천이 된다.
- 일일시시로 자기 훈련, 교화단으로 인류훈련.

(5) 일일시시로 삼학 병진 훈련

- 정신을 수양하여 부동심을 기르고, 사리를 연구하여 지혜 자원을 계발하고, 작업을 취사하여 정의 실천력을 얻어 나가자.

(6) 정기훈련=결제=해제, 상시훈련=해제=결제

〈『대산종사수필법문집』 1. pp.1786~1787. 원기62년 9월 30일〉

| 배경 및 상황 |

대산 종사는 원기62년(1977) 9월 30일 중앙훈련원의 훈련 지침을 내렸다. "대훈련원과 대선원은 삼세 업장을 녹이는 용광로요 불과를 증득하는 적공실이며, 탐·진·치를 조복 받아 삼세의 대권을 얻는 삼계의 대도사요 사생의 자비부모가 되는 곳으로, 마음을 찾고 마음을 기르는 도량이니라."라고 하였다.

대산 종사는 동년 11월 6일 중앙훈련원 봉불 낙성식 법문을 연마하며 '훈련지침'을 밝힌다. 교단 최초의 훈련원을 지어 재가출가가 훈련을 하여 공부인과 인격자를 양성하고자 하였다. 교단은 아직도 선원체제와 훈련체제가 혼재하고 있었다. 교단 초기에는 선원이라는 말을 많이 사용하였다. 이제는 중앙상주선원과 변산 원광선원만 존재하고 여러 훈련기관이 곳곳에 자리하고 있다. 이때부터 훈련기관이 설립되고 선원과 양립하면서 훈련 교재도 마련하고 훈련지도자 양성을 시작하였다.

| 용어 풀이 |

○ **선원(禪院)** 원불교에서 정기훈련을 실시하는 훈련기관. 일정한 기간 각종 교리와 염불·좌선·경전·강연·회화·의두·성리·정기일기·주의·조행 등의 과목을 통해 수련을 쌓는다. 교단 초기에는 선원이라는 말을 많이 사용했으나, 현재에는 훈련원이라는 말을 더 많이 사용한다.

○ **삼세(三世)** 과거·현재·미래를 통칭하여 부르는 말. 삼제(三際)라고도 함.

○ **업장(業障)** 전생에 악업을 지은 죄로 인하여 받게 되는 온갖 장애.

○ **적공실(積功室)** 적공실이란 대산 종사의 표현이다. 일반적으로 적공이란 ① 오래오래 수행 정진하는 것. 삼학 수행을 병진하여 삼대력을 갖출 때까지 심고·기도·염불·좌선 등으로 심공(心功)을 쌓기 위해 용맹정진하는 것. ② 어떠한 일을 성취하기 위해 많은 공을 들이는 것. 덕을 베풀고 공(功)을 이루어 많은 공적을 쌓는 것을 말한다.

○ **탐진치(貪瞋痴)** 욕심·성냄·어리석음. 오욕 경계에서 지나치게 욕심을 내고, 마음에 맞지 않는 경계에 부딪혀 미워하고 화내며, 사리(事理)를 바르게 판단하지 못하는 어리석음. 탐욕심(貪欲心)·진에심(瞋恚心)·우치심(愚痴心)을 말한다. 이러한 마음은 지혜를 어둡게 하고 악의 근원이 되므로 삼독심이라고도 한다.

○ **조복(調伏)** ① 신·구·의(身口意) 삼업(三業)을 잘 조화하여 모든 악행을 제어함. 본능적으로 치달리려는 심신을 도(道)에 맞게 잘 통제하여 도심(道心)이 인심(人心)을 항복 받는 것이다. ② 부처님께 기도하여 그 위력으로 원적(怨敵)과 악마를 항복시킴이다.

○ **삼계도사 사생자부(三界導師四生慈父)** 삼계도사와 사생자부를 합친 말. 시방삼계의 큰 스승이 되고 육도 사생의 자부가 된다는 말. 소태산 대종사나 석가모니불을 일컫는 말이다.

○ **삼대력(三大力)** 삼학 수행을 통해서 얻게 되는 수양력·연구력·취사력 등의 세 가지 큰 힘. 이 세 가지 힘은 일심·알음알이·실행이라는 이름으로도 불린다. 수양력을 자주력이라고도 한다.

⑭ 훈련으로 단련하자

대산 종사 말씀하시기를 "부처와 성현이 되는 길은 삼학 팔조 공부요 일체 생령의 복문을 여는 길은 사은 사요 실천이라. 이를 원만히 이루려면 훈련으로 단련을 해야 하나니, 나날이 때때로 자신 훈련과 교도 훈련과 국민 훈련과 인류 훈련으로 참사람을 만들고 참부처를 만들어 가야 하느니라."

〈훈련편 14장〉

| 출처 |

53불에 대한 유래 말씀하신 후

천불만성(千佛萬聖)의 발아지(發芽地)

천불만성의 발아는 삼학팔조 공부로

억조창생(億兆蒼生)의 개복처(開福處)

사은사요의 실천 생활로 훈련을 해야 한다.

일일시시로 자기 훈련은 자기가 해서 자기는 자기가 만들어야 한다.

자기 일은 자기가 해야 하고 세계 훈련은 교화단으로 하자.

〈『대산종사수필법문집』 1. p.650. 원기57년 9월 22일〉

| 배경 및 상황 |

대산 종사는 원기57년(1972) 9월 22일 금강산 유점사의 53불의 유래를 설명하였다. 석가모니불 멸후 제자들이 석가모니 불상 53구를 제작하여 인연 있는 국토에 임하도록 했는데 월씨국(月氏國)을 경유하여 신라 남해왕 원년(서기4)에 해금강 언덕에 닿아 이에 인연하여 왕이 유점사의 창건을 명했다고 전한다. 이러한 유점사의 창건 연기와 관련하여 금강산은 전불(前佛) 시대의 법기도량이요, 한국은 불국토라는 신앙의 근원이 되어왔다.

대산 종사는 53불 유래를 말씀한 후 "천불만성의 발아는 삼학 팔조 공부로 하고, 억조창생의 복문을 여는 곳은 사은 사요 실천이라고 했다. 이를 원만히 이루려면 훈련으로 단련해야 한다. 먼저 자신 훈련부터 하고 교도 훈련과 국민 훈련과 인류 훈련으로 참사람을 만들고 참 부처를 만들어야 한다."라고 하였다.

| 용어 풀이 |

○ **천불만성(千佛萬聖)** 일천 부처와 일만 성현.

○ **발아지(發芽地)** 초목의 눈이 트는 땅. 천불만성이 발아하는 곳. 천불만성이 발아하는 곳.

○ **억조창생(億兆蒼生)** 수많은 백성. 억·조와 같은 많은 수의 보통 사람인 범부 중생을 의미하며, 억만창생(億萬蒼生)이라고도 한다.

○ **개복지(開福處)** 복이 열리는 곳.

⑮ 선방 문고리만 잡아도 삼세 업장이 녹는다

대산 종사, 한 교도가 입선하기 위해 선비를 저축한다는 이야기를 듣고 기뻐하며 말씀하시기를 "어디 가서 무슨 수로 그 무섭고 어두운 삼세 업장을 녹일 수 있겠는가. 예로부터 선방 문고리만 잡아도 삼세 업장이 녹는다는 말이 있나니, 선방에 입선하는 것이 큰 광명을 받는 길이요 삼세 업장을 녹이는 길이니라." 〈훈련편 15장〉

| 출처 |

각 지방에서 보고하여 오기를 금년도 삼동원에서 실시한 교도 정기훈련이 대단한 성과를 얻어 다녀온 교도들은 모두 법열에 넘쳐 있고 내년에도 꼭 참석하기 위해 훈련 통장을 만들어 지금부터 훈련비 예축을 시작하고 있다고 한다.

매우 기쁜 소식이다. 예부터 '선방 문고리를 잡아도 삼세의 업장이 녹는다.'는 말이 있다. 꼭 그러하다. 선방에 입선한다는 것은 대광명이고 삼세의 업장이 녹아난다. 우리가 어디 가서 무슨 수로 그 무섭고 어두운 삼세의 업장을 녹일 수 있겠느냐? 〈『대산종사수필법문집』 1. p.2093. 원기64년 8월 29일〉

| 배경 및 상황 |

대산 종사는 원기64년(1979) 8월 29일 신도안 삼동원 동용추(東龍湫)에서 시자가 "각 지방에서 삼동원에서 실시한 교도 정기훈련이 성과를 거둬 내년 훈련에 참석하기 위해 훈련통장을 만들어 훈련비를 예축[저축]한다"는 보고를 받고 말씀하였다. "예부터 '선방 문고리만 잡아도 삼세의 업장이 녹는다.'는 말이 있다. 선방에 입선한다는 것은 대광명이고 삼세의 업장이 녹아난다."라고 하였다.

| 용어 풀이 |

○ **입선(入禪)** ① 선 훈련에 입참하는 것. ② 원불교에서는 주로 동선·하선 등의 정기훈련에 들어가는 것. '입선한다', '선 난다'라고도 한다. 교단 초창기의 동선·하선이 교역자 훈련, 수련대회 등으로 정기훈련 형태가 달라진 후에는 선학원생들의 정기훈련까지도 입선이라 한다. ③ 불교 선방에서 좌선을 시작하는 것을 입선. 끝마치는 것을 방선(放禪)이라고 한다.

○ **선비(禪費)** 일정한 선 수행 과정 또는 훈련에 참여하기 위한 비용. 원불교 교도는 일상생활 중 일정한 시간을 내 선 훈련을 받아야 하며, 이때는 선 훈련비용인 선비를 마련하여 선 훈련에 들어가야 한다.

○ **선방(禪房)** 참선하는 방. 선실(禪室)과 같은 말. 시끄러운 속세를 떠나 조용히 참선 수행하는 선실. 무시선 무처선을 수행하는 사람에게는 이 세상 어디나 다 선방이 된다. 불교에서는 참선에 들어간다는 말을 선방에 간다고 표현한다.

⑯ 진리를 잉태하자

대산 종사 말씀하시기를 "대각은 정진 적공의 훈련으로 진리를 잉태하여 탄생시키는 것이니 후진을 훈련시킬 때는 진리를 낳도록 전심전력을 다해야 하느니라. 어머니가 아이를 낳으면 젖이 절로 나오고 사랑이 충만해지듯 수도인도 대각을 하면 만 생령을 살릴 법이 나오고 자비가 넘치게 되느니라." 〈훈련편 16장〉

| 출처 |

조실에서 시자에게 말씀하시기를

대각은 대정진 대적공 속에서 진리를 잉태하여 탄생시키는 것이다. 그러므로 수도인은 진리를 성태장양(聖胎長養)하여 낳아야 한다. 진리를 그리거나 만들거나 쓴다고 해서 대각하는 것이 아니다.

그러므로 우리 교단의 훈련은 진리를 탄생시키는 방법이다. 그러니 후배를 교육할 때 진리를 낳게 하는 데 전심전력(全心全力)을 다 해야 한다. 어머니가 아이를 낳으면 젖이 절로 나오고 사랑의 덩치로 바뀌는 것과 같이 수도인이 대각하면 만 생령을 살릴 젖이 솟고 자비의 덩치로 변화되는 것이다.

〈『대산종사수필법문집』 2. p.1298. 원기74년 4월 3일〉

| 배경 및 상황 |

대산 종사 원기74년(1989) 4월 3일 왕궁 영모묘원 조실에서 시자에게 말씀하시기를 "대각은 대정진 대적공 속에서 진리를 잉태하여 탄생시키는 것이다. 그러므로 수도인은 진리를 성태장양하여 낳아야 한다."라고 하였다.

대각은 대정진과 대적공 속에서 진리를 잉태하여 탄생시키는 것으로 성태를 장양하여 낳아야 한다. 대각은 '낳는다'라고 하며, 예술도 '낳는다'라고 하였다. 그것도 성인을 잉태하여 오래오래 길러야 낳는다는 말이다. 어머니가 아이를 낳으면 젖이 절로 나오고 사랑도 충만해지듯 수도인도 대각을 하면 대자대비가 나온다고 하였다.

| 용어 풀이 |

○ **대각(大覺)** 불(佛)의 진리에 대한 각오(覺悟)를 지칭하는 것으로 각지(覺知)의 이상적 상태. 원불교에서는 일원(一圓)의 진리를 크게 깨침을 말한다. 천조(天造)의 대소유무(大小有無), 존재의 원리와 인간의 시비이해(是非利害), 곧 인간의 행위의 원리를 근본적으로 통달한 상태를 말한다.

○ **정진(精進)** 일심(一心)으로 불도를 닦아 게을리하지 않음.

○ **전심전력(全心全力)** 온 마음과 온 힘.

⑰ 마음 혁명을 이루자

대산 종사 말씀하시기를 "그동안 많은 혁명이 있었으나 불안은 여전히 계속되고 있나니 앞으로는 마음 혁명이 일어나야 할 것이니라. 부처님이나 성현들은 조용한 가운데 마음 혁명을 일으키는 분들로 우리도 이 훈련을 통하여 마음 가운데 조용한 혁명이 일어나도록 정성을 다해야 하나니 그러한 사람이 제일가는 효자요 보은자가 될 것이니라. 그러므로 우리 교단은 공부하는 교단, 훈련하는 교단, 보은하는 교단을 기본 방침으로 삼아 마음 밭을 계발하고 마음 혁명을 이뤄나가는 데 힘써야 하느니라."

〈훈련편 17장〉

| 출처 |

기관장 훈련 시 동용추 계곡에서 '법위등급'에 관한 법문을 소개토록 한 후 말씀하시기를

전 세계적으로 혁명은 많이 일어났지만, 불안은 아직도 많다. 그러나 과거의 혁명으로는 현대의 전 인류에게 새로운 생활을 줄 수는 없다. 그래서 앞으로 새로이 다시 와야 할 혁명 하나가 있는데 이것이 마음 혁명이다. 각자가 조용한 가운데 마음 혁명이 일어나야 한다.

그러므로 우리 대종사께서 대각하신 61년을 당해서 우리는 조용한 가운데 혁명 하나가 일어나서 과거 습관의 기질을 변화시키고 악습을 제거해서 새로운 사람으로 거듭나야 하겠다.

이것이 대종사님의 제일가는 제자요, 효자요, 보은이 될 것이다. 그러므로 공부하는 교단, 보은하는 교단이 우리 일대의 교시(敎示)가 됐으니 마음, 곧 마음 밭 계발을 일으킴으로써 일체의 혁명을 시도할 수 있는 우리 교단이 되어야 하겠다.

그러자면 전 기관을 맡은 기관장님들이 조용한 혁명이 하나씩 일어나길 빌면서 우리 각자 각자가 혁명이 일어나길 빌고 세계는 이 혁명이 일어남으로써 새로운 역사가 일어날 것으로 생각된다.

〈『대산종사수필법문집』 1. pp.1526~1527. 원기61년 8월 21일〉

| 배경 및 상황 |

대산 종사 원기61년(1976) 8월 21일 신도안 삼동원 동용추 계곡에서 훈련에 참석한 기관장들에게 '법위등급' 법문을 소개토록 한 후 말씀하시기를 "부처님이나 성현들은 나팔을 불고 떠들면서 혁명을 한 것이 아니라, 조용한 가운데 혁명을 일으켰다. 그때 이미 세계의 정신 혁명이 일어난 것이다."라고 한 후 "그동안 세계적으로 수많은 혁명이 일어났지만, 불안은 여전하다. 앞으로는 마음 혁명이 일어나야 한다. 성현들은 조용한 혁명을 일으키는 분들이다. 우리도 이 훈련을 통하여 마음 가운데 조용한 혁명이 일어나도록 정성을 다하자. 이것이 대종사님의 제일가는 제자요, 효자요, 보은이다. 우리의 교시는 공부하는 교단, 보은하는 교단이니 마음 곧 마음 밭 계발을 일으킴으로써 일체의 혁명을 시도할 수 있는 우리 교단이 되어야 하겠다."라고 하였다.

마음 혁명이 모든 혁명의 바탕이 되도록 우리부터 조용한 혁명을 일으키자. 이 혁명으로 새로운 역사가 일어날 것이라고 하였다.

| 용어 풀이 |

○ **혁명(革命)** ① 급격한 변혁. 어떤 상태가 급격하게 발전 변동하는 일. ② 이전의 왕통을 뒤집고 다른 왕통이 대신하여 통치자가 되는 일. 옛날 중국에서는 주권자는 천명(天命)에 의하여 한 나라를 주재하는 것으로 믿어, 천명을 거역하여 악정(惡政)을 베풀 때는 천명이 바뀌어 새로운 통치자가 나서는 것으로 믿었으며 이를 역성(易姓)혁명이라고 한다. 현대적 의미로는 기존의 사회 체제를 변혁하기 위해 새로운 세력이 권력을 장악하기 위해 비합법적으로 정권을 교체하는 경우를 혁명이라 하며 이런 경우는 정치혁명에 해당한다.

18 무한동력을 굴리자

대산 종사 말씀하시기를 "부처님들께서는 대도를 증득하여 무한동력을 굴리신 분이시니, 우리도 일원의 위력을 얻고 일원의 체성에 합하도록 서원을 하고, 정기 훈련과 상시 훈련을 꾸준히 계속하여 무한동력을 얻는 데 힘쓸 것이니라." 〈훈련편 18장〉

| 출처 |

훈련 및 무한동력(無限動力)에 대한 법문

불불계세, 성성상전하시는 부처님들께서는 대도를 얻으셔서 무한동력을 일으켜 주셨다. 그 무한동력은 총의 힘으로도 지식의 힘으로도 부귀의 힘으로도 부릴 수 없는 것이며, 오직 그 어른들만이 부릴 수 있겠는가? 우리가 부려야 하겠고 또 부려야 한다는 것은 다 의심할 것이 없을 터이니 다 대답하여 보라.

"일원대도와 삼대력입니다."

"다 같은 말이다. 일원의 위력을 얻도록까지 서원하고 일원의 체성에 합하도록 까지 서원하는 것이다. 그러면 무한동력이 얻어지는데 그러기로 하면 삼대력을 얻어야 한다."

"이 삼대력을 얻기로 하면 매일매일 어떻게 하여야 하는가?"

"훈련하여야 합니다."

"그 훈련법을 대종사께서는 어떻게 만들어 주셨는가?"

"정기훈련과 상시훈련법입니다."

"그러면 이 훈련법을 과거 모든 성인도 내놓으셨는가?"

과거 성인들이 개척하지 못한 것을 개척한 것이 훈련법이다. 그러면 이 훈련법에 따라 매일매일 실지로 훈련하여 나가고 있는가, 상주(常住)로 가정에서나 교당에서나 이 훈련법으로 훈련하고 있는가, 반성하여 보자.

〈『대산종사수필법문집』 1. pp.653~654. 원기57년 10월 교역자 강습〉

| 배경 및 상황 |

대산 종사 원기57년(1972) 10월 제19회 교역자 강습 때 '훈련 및 무한동력'에 대해 말씀하시기를 "불불계세 성성상전하시는 부처님들께서는 대도를 얻으셔서 무한동력을 일으켜 주셨다. 우리도 일원의 위력과 체성에 합하도록 서원하고 정기 상시훈련을 꾸준히 계속하여 무한동력을 얻는데 힘쓰자."라고 하였다.

| 용어 풀이 |

○ **증득(證得)** 바른 지혜로써 진리를 깨달아 얻음.

○ **무한동력(無限動力)** 아무리 사용해도 다함이 없이 지속되는 힘. 인간은 무한

동력을 얻기 위한 기계의 발명을 연구하고 있으나 이루지 못하고 있다.

○ **위력(威力)** ① 사람을 복종시키는 강한 강제력. ② 위풍이 있는 강대한 권세. 권위에 찬 떨치는 힘. ③ 불보살이나 성인이 지니는 위덕(威德)에서 풍기는 힘. 절대자의 불가사의한 힘. ④ 일원상 진리의 위력.

○ **체성(體性)** 사물의 변하지 않는 근본 성질. 사물의 본질을 체라 하고 작용과 양태를 용이라고 하는데, 그 체는 영원히 변하지 않는 것으로 이러한 본질의 성격을 체성이라고 한다.

⑲ 남을 가르칠 때 힘이 쌓인다

대산 종사 말씀하시기를 "냇가의 돌들도 오랜 세월 물에 씻기고 씻기어 둥글고 빛이 나나니 이는 물과 돌이 끊임없이 갈고 닦은 증거라. 공부는 자주 듣고 연마하되 때로는 완전히 거둬들여 일절 쓰지 않는 기간도 가져야 하고 텄다 막았다 막았다 텄다 해야 큰 지혜와 힘이 생기느니라. 그러므로 다른 사람을 훈련시킬 때도 한 번에 모든 것을 가르치려 하지 말고 훈련받는 사람이 소화할 수 있을 만큼 가르치고 단련시키라. 남을 가르칠 때 힘이 쌓이는 것이니 내 힘 쌓는 것으로 저 사람을 가르치면 사심이 생길 틈이 없느니라." 〈훈련편 19장〉

| 출처 |

훈련법을 설명 의견 교환케 하신 후

교단에서도 훈련하지만 자기 지혜 단련은 자기가 해야 한다. 고등 법사의 설법으로도 열리지만 서투른 사람의 아롱아롱 끌듯 말 듯 한 말을 듣고도 확 트인다. 많이 보고 듣는 것도 중요하지만 공부는 혜문(慧門)이 열리는 공부라야 한다. 여기 물에 씻겨 천만년 지낸 돌이 미끄럽게 된 것 보라. 물이 훈련시킨다. 자꾸 듣고 연마하되 때로는 턱 거두어들여 일절 안 쓰는 기간도 가져야 한다. 또 평생 그러면 썩은 물이 되니 텄다 막았다 해야 큰 힘, 큰 지혜가 생긴다.
훈련할 때는 한 번에 다 가르치려 하여서는 안 된다. 저쪽에서 소화할 정도로 가르치고 단련시켜 나가야 한다. 저 사람 가르칠 때 내 힘 쌓이고, 내 힘 쌓는 것으로 저 사람 가르쳐 나가면 사심(邪心)이 생길 틈도 없다.

〈『대산종사수필법문집』 1. pp.629~630. 원기57년 7월 19일〉

| 배경 및 상황 |

대산 종사 원기57년(1972) 7월 19일 계룡산 서용추 계곡에서 '훈련법을 설명하고 의견을 교환하게 한' 후 말씀하시기를 "자기 지혜 단련을 자기가 해야 한다. 법사의 설법으로도 열리지만 서투른 사람의 말을 듣고도 확 트인다. 공부는 혜문이 열리는 공부를 해라. 냇가의 돌들도 오랜 세월 물에 씻기고 씻기어 둥글고 빛이 난다. 공부는 자주 듣고 연마하되 때로는 완전히 거둬들여 일절 쓰지 않는 기간도 가져야 하고, 텄다 막았다 반복해야 큰 혜문이 생긴다. 다른 사람을 훈련할 때도 소화할 수 있을 만큼 단련시켜라. 남을 가르칠 때 힘이 쌓인다. 다른 사람을 가르칠 때 사심이 생길 틈도 없다."라고 하였다.

| 용어 풀이 |

○ **혜문(慧門)** ① 지혜의 문. 사리연구 공부를 오래오래 계속하면 지혜의 문이 열려서 사리를 통달하게 된다. ② 지혜를 밝게 열어 주는 법문.

○ **사심(邪心)** 인간의 도리를 벗어난 못된 마음. 대도정법이 아닌 사도(邪道)를 생각하는 마음을 뜻한다. 대도정법은 사도를 지양하고 정도(正道)를 추구하지만 사심은 특히 인간의 욕심으로 인해 정심을 벗어나 사행(邪行)으로 나아가게 한다.

⑳ 법대로 훈련하면 여래의 싹이 자란다

대산 종사 말씀하시기를 "대종사께서 대소 유무의 이치를 교리에 빈틈없이 밝혀 주시고, 이를 활용할 수 있도록 훈련법을 내주셨으므로, 이 회상은 자연히 천 여래 만 보살을 배출하는 회상이 될 것이니라. 과거 수도인들은 대소 유무 가운데 어느 하나에 빠져 여래가 되기 힘들었으나, 지금은 누구든지 이 법대로 훈련만 하면 자연히 여래의 싹이 트고 자라게 되리니, 교리를 생활 속에 활용하고 대소 유무를 자유자재하도록 훈련을 해야 하느니라." 〈훈련편 20장〉

| 출처 |

대종사께서는 일원대도로 천여래 만보살을 육성하려고 원만한 신앙과 원만한 수행으로 교리를 제법하시고, 대소유무 성리대전(性理大全)하게 해주셨습니다. 그래서 과거의 수도인들은 자칫 잘못하면 대(大)에 빠지거나, 소(小)에 빠지거나, 유(有)에 빠지고, 무(無)에 빠지고, 유무(有無)에 빠지고, 대소(大小)에 빠진다. 아무 곳에나 쉽게 빠질 수 있게 하여 여래가 나오기가 참 힘들었습니다.

그러나 대종사께서는 대소유무를 교리상에 빈틈없이 정확하게 밝혀 주시고, 동시에 그 대소유무를 육근에 성리대전할 수 있도록 정기훈련과 상시훈련법을 내주셨습니다. 그러므로 자연히 이 회상은 천여래 만보살이 배출되고 배양될 수밖에 없습니다. 그렇기 때문에 이 회상이 큰 회상입니다.

대종사께서 우리 회상을 '천여래 만보살의 회상이라'고 하였습니다. 그렇다면 천여래 만보살이 어떻게 해서 배출되는가를 생각해 보아야 합니다. 그것은 교리가 그렇게 되어 있고, 대종사께서 만고의 대법으로 제법하여 놓았기 때문입니다. 우리는 교리대로 훈련만 하면 자연히 여래가 배양되고, 그 싹이 트고 커

나갈 것입니다. 그러므로 교리를 육근에 성리대전하고 대소유무를 자유자재하도록 훈련으로 거듭나도록 하여야 하겠습니다.

〈『대산종사수필법문집』 2. pp.1586~1587. 원기78년 1월 21일〉

| 배경 및 상황 |

대산 종사 원기78년(1993) 1월 21일 왕궁 영모묘원에서 주재하고 있을 때의 일이다. "대종사께서는 일원대도로 천여래 만보살을 육성하려고 원만한 신앙과 원만한 수행으로 교리를 제법하시고, 대소유무 성리대전(性理大全)하게 해 주셨다. 그래서 과거의 수도인들은 자칫 잘못하면 대(大)에 빠지거나, 소(小)에 빠지거나, 유(有)에 빠지고, 무(無)에 빠지고, 유무(有無)에 빠지고, 대소(大小)에 빠진다. 아무 곳에나 쉽게 빠질 수 있게 하여 여래가 나오기가 참 힘들었다."라고 전제하며 대소유무를 성리대전할 수 있도록 정기훈련법과 상시훈련법을 내주셨다.

"우리는 교리대로 훈련만 하면 자연히 여래가 배양되고, 그 싹이 트고 커나갈 것이다. 그러므로 교리를 육근으로 성리대전하고 대소유무를 자유자재하도록 훈련으로 거듭나도록 하여야 하겠다."라고 훈련의 중요성을 밝히고 있다.

| 용어 풀이 |

○ **대소유무(大小有無)** 우주의 본체와 현상과 변화를 설명하는 말. 대(大)란 우주 만유의 근본적인 본체를 말하고, 소(小)란 천차만별·형형색색으로 나타나 있는 현상의 차별세계를 말한다. 따라서 대(大)라는 것은 우주의 진리·본체·실체를 말하는 것이고, 소(小)라는 것은 우주의 삼라만상을 말하는 것이다. 유무(有無)란 우주의 조화·변화를 말한다.

○ **훈련법(訓練法)** 정기훈련법과 상시훈련법을 줄여서 말함.

○ **천여래 만보살(千如來萬菩薩)** 일천 여래와 일만 보살이 출현하게 될 밝은 세

상이라는 뜻으로, 원불교의 미래관을 나타내는 말. 과거 세상은 일여래 천보살이 출현하는 세상이었으나, 미래 세상은 천여래 만보살이 출현하게 되고, 특히 원불교가 그러한 회상이 된다는 뜻. 원불교가 중성공회(衆聖共會)의 대도 회상으로 발전해 갈 것을 강조하는 말로서, 천여래 만보살은 무수히 많은 불보살이라는 뜻이다.

㉑ 일원상 서원문을 지성으로 외우자

대산 종사 말씀하시기를 "일원상 서원문을 외우는 것이 기질을 변화시키는 데 더없이 좋은 방법이 되나니, 일원상 서원문을 지성으로 외우다 보면 언어가 끊어지고 심행처가 없는 자리에 마음이 머물게 되는데, 바로 그 자리가 적멸궁이요 열반락의 자리니라. 부처님께서는 이 자리를 알아 '나 없으매 나 아님이 없는 자리[無我無不我]'에 머무시나니 이것을 알면 세세생생 잘 살 것이요 모르면 맹인이 문고리를 잡았다가 놓쳐 버림과 같은지라 참으로 안타까운 일이니라." 〈훈련편 21장〉

| 출처 |

우리가 일원상 서원문을 외울 때 일원은 언어도단하고 심행처가 끊어진 그 자리에다 우리 마음을 머물 것 같으면 세세생생 잘 살 것이며 바로 그 자리가 적멸궁 자리고 열반낙지(涅槃樂地)가 된다. 부처님과 대종사께서는 그 자리를 아시므로 아무리 복잡하시고 밉고 고움이 있다손 치더라도 **탁 거둬드려 단전에 머무시면 무아유정(無我有定)**이 된다. 내가 너무 진경을 다 건드려 놓아서 다 도인 되겠다. 처음으로 진설(眞說)을 토했는데 이놈들 복 있는 놈들 있는지 모르겠다. 오늘 제불보살마하살이 모였는가 보다. 이것 알면 세세생생 좋은

데 봉사가 문고리 오랜만에 잡고 이것저것 만져 보다 그냥 아니라고 가 버린다. 눈멀었으니 안 보이니까?

〈『대산종사수필법문집』 1. p.1341. 원기61년 1월 20일〉

| 배경 및 상황 |

대산 종사 원기61년(1976) 1월 20일 신도안 삼동원에서 학생을 비롯한 대중에게 '동중정(動中靜) 정중동(靜中動)'에 대하여 설명하는 가운데 일원상 서원문을 언급하며 나온 말씀이다.

출처인 『대산종사수필법문집』에는 **'무아유정(無我有定)'**이라고 하였다. 법어에는 **"'나 없으매 나 아님이 없는 자리[無我無不我]'에 머무시나니"**라고 하였다. 법어 편수과정에서 '무아유정[나 없음으로써 머무름이 있게 된다]'이 '무아무불아'로 변경되었다. 그렇다고 내용에는 차이가 없으나 윤문하여 스승님의 뜻을 살리고 대중에게 쉽게 읽힐 수 있도록 하였다는 점이다.

대산 종사는 "내가 너무 진경을 다 건드려 놓아서 다 도인 되겠다. 처음으로 진설(眞說)을 토했는데 이 사람들 복 있는 사람이 있는지 모르겠다."라고 하였다. 이는 예비교무인 학생들에게 내린 간절한 스승님의 자비심이자 애정 어린 말씀이다.

| 용어 풀이 |

○ **일원상 서원문(一圓相誓願文)** 원기23년(1938) 11월경에 소태산 대종사가 직접 지은 경문으로, 『정전』 교의편 제1장 '일원상' 제4절에 있는 글. 소태산이 깨달은 일원상의 진리를 모든 사람이 함께 깨치고 일상생활에 활용하여 마침내 일원상의 진리와 합일되도록 간절히 서원을 올린다는 내용. 306자의 짧은 내용이지만, 일원상의 진리·사은·삼학·인과의 이치 등 원불교의 기본 교리가 집약되어 있으며 원불교의 진리관·신앙관·수행관·우주관 등이 담겨 있다.

○ **지성(至誠)** 지극한 정성

○ **심행처(心行處)** 마음이 향하여 가고 머무는 곳. 사량 분별·시비 장단 등 마음의 작용(心行)을 뜻한다.

○ **적멸궁(寂滅宮)** 생멸이 함께 없어지고 번뇌 망상이 잠자버린 경지. 곧 자성에 합일된 마음. 거기에는 번뇌 망상·삼독 오욕·분별 시비·사량계교·선악 미추도 없어져 편안하고 고요한 궁전과 같다는 뜻에서 이렇게 말한다. 적멸보궁이라고도 한다.

○ **열반락(涅槃樂)** 열반의 경지에 들어 누리는 즐거움. 열반은 생사의 고해에서 벗어나 해탈을 얻고 모든 번뇌가 끊어진 경지이기 때문에 가장 큰 즐거움이라 하여 열반락이라 한다. 세상의 온갖 즐거움은 모두 허망하고 무상한 것이지만 열반락은 영원한 것이라, 수행인이 구하는 것은 세간락이 아니라 열반락이다.

○ **세세생생(世世生生)** 영원한 세월. 한없는 세월. 영원한 시간을 통해 사람이 태어났다가 죽고 다시 태어나기를 수없이 되풀이하는 것. 사람이 영겁을 통해서 끊임없이 생사를 되풀이하게 되는 것.

○ **제불보살마하살(諸佛菩薩摩訶薩)** 제불보살이란 뜻으로 여러 부처와 보살을 말한다. 보살마하살은 보살을 높여 부르는 말로 보리살타 마하살타(菩提薩痲 摩訶薩痲, bodhisattva-mahāsattva)의 준말.

㉒ 훈련법을 밝힌 대종사의 위대한 점

대산 종사 말씀하시기를 "우리가 잘 살기로 하면 물질적 생산과 정신적 생산을 아울러야 하나니, 산업 기관은 재정을 튼튼히 하여 경제를 발전시키기 위함이요, 훈련 기관은 삼학 공부로 법 있는 인물들을 많이 길러내기 위함이니라. 도가에서는 그중에서도 훈련에 더욱 정성을 들여야 할 것인바, 우리의 훈련법은 우리가 모르는 것을 가르치는 것이 아니라 아는 것을 실행할 수 있도록 하자는 것으로, 이는 과거 성현들이 밝히지 못한 것을 밝혀 주신 대종사의 위대한 점이시니라." 〈훈련편 22장〉

| 출처 |

제1회 기관장 훈련 결제식에서 시자에게 '삼산법문[三産法門, 항산(恒産) 항신(恒身) 항심(恒心)]'을 소개하게 한 후 말씀해 주시기를

우리는 재정적으로만 항산할 것이 아니라, 법 생산(法生産)과 재정(財政) 생산의 양면을 다해야 하겠다. 정신수양·사리연구를 해서 법을 생산해야 하겠다. 또 8대 기관에서는 생산적인 것을 해야 하겠다. 양면을 생산해야 하므로 우리 일은 더욱 더 바쁘다. 늘 생각하는 바이지만 항심·항신·항산 이것이 바로 도(道)이다. 이 도를 가진 이라야 이 세 가지에 다 능하지, 도가 없는 이는 능하지 못한다.

그러기 때문에 우리는 보통급에서 여래위에 가도록 삼산(三産)은 놓지 못하기 때문에 항시 내 일생 중에 항심으로 살았느냐? 항신이 있었느냐? 또 개인·가정·교단·인류를 위해 항산을 했느냐? 해서 각 기관도 소비성보다는 항산을 가져서 항구적인 기관을 이루도록 해야 하겠다. 처음 할 때는 급급하게 했으므로 못했으나 앞으로는 각 기관을 항구적이고 생산적인 면으로 이끌어야 하겠다. 그때 우리 교단은 나라와 세계를 이끌어갈 수 있다.

특별히 모르는 것을 갖고 훈련하는 것이 아니라, 아는 것을 가지고 어떻게 훈련하느냐 하므로 우리는 평상시 대종사께서 밝혀 주신 정기훈련법 상시훈련법으로 하면 된다. 이것이 과거 성현들이 밝히지 못한 위대한 점이다.

〈『대산종사수필법문집』 1. p.1522. 원기61년 8월 20일〉

| 배경 및 상황 |

대산 종사 원기61년(1976) 8월 20일 신도안 삼동원에서 제1회 기관장 훈련 결제식에서 시자에게 '삼산법문(三產法門)'을 소개하게 한 후 말씀하시기를 "우리는 재정적으로만 항산할 것이 아니라, 우리는 법 생산(法生產)과 재정(財政) 생산 양면을 다해야 하겠다. 정신수양 사리연구를 해서 법을 생산해야 하겠다."라고 하였다.

또한, 대산 종사는 "산업기관은 재정을 튼튼히 하여 경제를 발전시키기 위함이요, 훈련기관은 삼학 공부로 법 있는 인물들을 많이 길러 내기 위함이다. 도가에서는 훈련에 정성을 들여야 한다. 이 훈련법은 과거 성현들이 밝히지 못한 것을 밝힌 대종사의 위대한 점이다."라고 강조하였다.

| 용어 풀이 |

○ **삼산(三產)** 항심(恒心) 항신(恒身) 항산(恒產)을 말한다. ① 항심은 한결같은 마음을 가져 자주의 힘을 기름. '늘 지닌 떳떳한 마음. 언제나 변함없이 여여(如如)한 항상된 마음. 신앙과 수행에 있어서 꾸준히 정성으로 일관하는 마음.' ② 항신은 한결같은 몸을 갖는 것으로 몸을 존절히 하여 건강하게 함. ③ 항산은 생활을 유지할 수 있는 일정한 재산과 생업(生業). 생산성 있는 경제 기반을 가지며 매일 수입과 지출을 대조하고 근검저축 절약 절식으로 자립함. 『맹자(孟子)』 등문공장(縢文公章)에 나오는 '항산이 있는 자가 항심이 있다(有恒產者有恒心)'에서 유래한 말. 사람이 살아가기 위해서는 최소한의 항산이 있어야 한다. 그래야만 마음이 흔들리지 않아서 항심(恒心)이 될 수 있다고 보아 '항산이 없으면 항심도 없다'고 함.

㉓ 삼학 병진하는 원만한 수행자

대산 종사 말씀하시기를 "대종사께서 삼학을 편벽되게 닦는 것을 특히 금하셨나니, 우리는 삼대력 중에서 모자라는 점을 스스로 살피고 동지들의 의견도 들어서 삼학을 병진하는 원만한 수행자가 되어야 하느니라. 참 수행자는 능한 것은 감추고 부족한 것은 더 드러내어 능할 때까지 연마를 쉬지 않으므로 점점 더 능하게 되나, 보통 수행자는 능한 것을 감추지 못하므로 도리어 그로 인하여 어두워지나니, 삼학을 편벽되게 닦는 것이야말로 수도인의 큰 업장이며 마장이니라." 〈훈련편 23장〉

| 출처 |

삼학 병진만이 대도를 얻는 길이라는 것을 정확하게 자각하게 되는 것도 불보살 아니고는 될 수 없는 것이다. 큰 도인들은 자기의 능한 점은 감추고 부족한 점을 더 드러내어 능할 때까지 연마를 쉬지 않음으로 결국 과거 능한 점보다 더 능하게 되는 것이다. 그러나 보통 수행자는 능한 것으로 인하여 어두워지고 능한 것을 감추지를 못한다. 능한 점으로 어두워지는 것이 역시 수도인의 무서운 업장이며 크나큰 마장이 된다.

〈『대산종사수필법문집』 1. p.480. 원기55년 10월 24일〉

| 배경 및 상황 |

대산 종사 원기55년(1970) 10월 24일 익산 금강리 신성마을에서 주재할 때 '삼학 병진' 수행에 대해 "대종사님이 삼학을 편벽되게 닦는 것을 금하셨다." 라고 하시며 "삼학 병진만이 대도를 얻는 길이라는 것을 정확하게 자각하는 것은 불보살 아니고는 될 수 없는 것이다. 큰 도인[참 수행자]은 능한 것은 감추고 부족한 것은 더 드러내어 능할 때까지 연마를 쉬지 않으므로 점점 더 능하게 되나, 보통 수행자는 능한 것을 감추지 못하므로 도리어 그로 인하여 어두워지나니, 삼학을 편벽되게 닦는 것이야말로 수도인의 무서운 업장이며 크나큰 마장이 된다."라고 하였다.

『대산종사법어』 제2 교리편 60장에 "대종사께서는 삼학 편수를 특히 금하셨나니 우리는 삼대력 중에서 모자라는 점을 스스로 살핌과 동시에 스승의 지도와 동지들의 의견을 들어서 삼학을 병진해 나가야 하느니라."고 하였다.

여기서 '편벽'이나 '편수'는 같은 뜻이다. 대산 종사는 이와 반대로 삼학을 '원수(圓修)'해야 한다고 하였다.

| 용어 풀이 |

○ **삼학(三學)** 원불교의 중요한 기본 교리의 하나. 일원상의 진리를 깨쳐서 일원의 위력을 얻고 일원의 체성에 합하는 수행 방법으로 정신수양·사리연구·작업취사의 세 가지를 삼학이라고 한다

○ **편벽(偏僻)** 한쪽으로 치우쳐 공평하지 못함. 일원의 진리는 본래 우주만유에 편만해 있으며, 그 속성 또한 공·원·정(空圓正)으로 원만하다. 소태산 대종사는 그러한 진리를 바탕으로 과거 특정 대상에 대한 편협한 신앙을 우주만유 전체를 부처로 모시는 원만한 신앙으로 돌리고, 특수 부분에 치중한 편벽된 수행을 삼학병진의 원만한 수행으로 돌리자고 가르쳤다.

○ **삼대력(三大力)** 〈훈련편 13장〉 용어 풀이 참조.

○ **병진(竝進)** '아울러 나아간다'는 뜻. 어느 한 편에 치우치지 않고 두루 원만하게 신앙과 수행을 아울러 함으로써 완전한 인격을 이루어 가자는 것이다. 원불교 교의의 특징이 되는 기본 정신의 하나로써 소태산 대종사는 여러 방면의 병진을 강조하고 있다

○ **원만(圓滿)** ① 성격이나 인품이 둥글고 너그러워 결함이나 부족함이 없는 것. ② 두 사람의 사이가 좋은 것. 대인관계가 좋은 것. ③ 모든 일이 마음에 흡족하게

잘되는 것. ④ 원불교에서 진리를 설명하거나 교리를 형용할 때 사용하는 '원만' 개념은 유한한 상대적 차원을 넘어선 '절대무루(絕大無漏)' 또는 '완전무결(完全無缺)'의 의미를 포함할 때가 많다.

㉔ 훈련은 대중과 함께하자

대산 종사 말씀하시기를 "정기 훈련법과 상시 훈련법은 대종사께서 일원 대도를 깨치고 그 진리를 체득하도록 내놓으신 법이라. 한 생에 계획하신 것이 아니요 한량없는 생을 오가며 천 여래 만 보살을 만들기 위해 세우신 원력이요 방법이니라. 그러므로 대종사께서는 '혼자 재주를 부리거나 산중으로 들어가는 사람은 큰 성공을 거두기 어려우나 대중과 함께 훈련을 하다 보면 자기도 모르는 사이에 일심이 얻어지고 지혜가 단련되며 취사심도 깊어지게 된다.'라고 하셨느니라. 지금 우리는 항상 똑같은 경전과 방법으로 훈련을 하므로 이를 대수롭지 않게 생각할 수 있으나, 사사로운 마음 없이 계속해서 공을 들이면 마침내 부처를 이룰 수 있나니, 대종사님 말씀을 그대로 믿고 훈련받은 사람들은 그 기운으로 각자가 맡은 일터에서 공부나 사업에 큰 몫을 하였느니라."

〈훈련편 24장〉

| 출처 |

일원대도를 정기훈련법과 상시훈련법으로 마련하여 놓으신 조불(造佛)의 계획은 이 단생 계획이 아니라 무량세(無量世)에 계획하신 원력이요, 방법이다. 대종사님을 모셨던 사람은 그 기운으로 지금까지 공부나 사업에 한몫 크게 하지 않는가. 이렇게 대중이 모여서 훈련받는 가운데에 일심도 얻고, 지혜도 단련되는 것이다. 혼자 재주 부리고 산중으로 들어가는 사람, 큰 성공 없다. 대종사께서도 혼자 산중을 즐기는 사람을 걱정하시고 꾸중하셨다.
우리 공부도 항상 그 경전이요 그 방식이나, 또 하고 또 하며 사사심(私邪心) 없이만 공들이면 조불(造佛) 성불하는 묘방이 된다.

〈『대산종사수필법문집』 1. p.295. 원기53년 2월 27일〉

| 배경 및 상황 |

대산 종사, 신도안 삼동원에서 주재하며 찾아오는 내빈을 맞거나 교도들을 접견하였다. 때는 원기53년(1968) 2월 27일이다. 아직 봄은 오기에 이른 겨울철이다. 이 법문은 대상이 누구인지 기록이 되어 있지는 않으나, 구내에 모인 대중임은 확실하다.
대산 종사는 정산 종사 열반하시고 원기47년(1962) 1월 31일 보궐로 종법사에 선출되었다. 한동안 정산 종사의 마지막 유시인 '삼동원을 사수하라'는 유지를 받들고자 삼동원에 주재하고 있었다. 원기53년 4월경 대산 종사는 익산 금강리로 행가하였다가 중앙총부에 주재하게 된다. 그에 앞서 대산 종사는 원기50년(1965) 3월 26일 종법사로 추대되고 9월 26일 교도 법위향상 특별유시를 내린다. 또한 법위사정과 연계하여 전국에 훈련원 건립을 추진한다.
이 법문도 법위사정을 위해 정기훈련과 상시훈련을 강조하여 천여래 만보살의 회상 건립을 위한 조불불사를 시작하였음을 보여준다.

| 용어 풀이 |

○ **일원대도(一圓大道)** 일원의 진리가 만고대도(萬古大道) 또는 무상대도(無上大道)라는 뜻. 일원의 진리는 우주 만유의 본원이요 언어도(言語道)가 끊어졌으며, 절대 유일의 자리로서 일체의 상대·차별이 끊어졌고, 모든 것을 다 포함했으며, 불생불멸하고 무시무종하여 무한히 돌고 돌아 그침이 없으므로 만고대도요 무

상대도라고 한 것이다

○ **조불(造佛)** 불상이나 부처의 화상(畫像)을 만듦. 생불과 활불을 만듦.

○ **무량세(無量世)** 한량없는 세월.

○ **원력(願力)** 서원·소원의 힘이라는 뜻으로, 본원력·숙원력·대업원력이라고도 한다. 불보살이 도를 이루는 것은 우연히 되는 것이 아니고 원력을 굳게 세워서 수행 정진하는 데에서 이루어지는 것이다. 열반인의 영가도 원력을 굳게 세우고 착심이 없이 떠나야 악도에 떨어지지 않고 천도를 받게 된다.

○ **사사심(私邪心)** ① 개인의 사리(私利)를 위한 일이면서도 정의롭지 못하고 삿된 마음. ② 개인 중심이면서도 불의한 마음.

㉕ 일생일대의 정진기

대산 종사, 학인들에게 말씀하시기를 "대종사 당대에는 여름과 겨울에 3개월씩 6개월 동안 선을 나도록 한바, 이때에는 생사에 관한 큰일 이외에는 서신 내왕까지도 못하도록 해 일생일대의 정진 기간이 되도록 했나니, 그대들도 수학 기간을 일생 최대의 정진기로 삼아 일체 욕심과 사사로운 생각을 끊고 정진 적공하도록 하라. 그리하면 그 힘이 일생도 가고 영생도 가느니라." 〈훈련편 25장〉

| 출처 |

중앙훈련원에서 선학원생들에게 내려주신 법문

쇠는 풀무에 단련하여 나와야 정철[강철]이 되고, 사람은 대훈련의 용광로에서 단련되어야 참된 인격을 이룬다.

대종사님 초창 당시에는 훈련을 동하기로 3개월씩, 6개월을 났다. 훈련 나는 도중에는 자기에게 있는 모든 괴로운 것도 참고, 욕심도 참고, 하고 싶은 것도 참고, 전부 참고, 편지도 사방에서 개인적으로 오는 편지를 다 검열해서 아주 급한 생사에 관한 일 외에는 다 뭉쳐 뒀다가 3개월 후에 다 주고, 면회 온 사람도 다 사절시키고, 그래서 자기 일생 중에 대정진 기간으로 둬서 훈련을 시키곤 했다.

이 훈련의 정진기를 맛을 못 본 재가출가 동지들은 일생을 허황하게 지내기도 하는데, 훈련의 뜻을 알고 정진기를 지낸 동지들은 훈련기에 훈련받은 것을 생각해서 일생을 크게 잘살게 되었다.

이번에 나온 졸업반들은 1년을 나려고 했는데, 교단 사정으로 못해서 6개월 하게 되는데 그 6개월 동안을 자기 일생의 최대의 정진기로 삼아서 일체 욕심, 일체 괴로운 것, 일체 하고 싶은 것을 다 끊고 그 기간 훈련을 잘 받고 적공을 하고 볼 것 같으면 그것이 일생도 가고 영생도 간다.

〈『대산종사수필법문집』 1. p.2018. 원기64년 3월 1일〉

| 배경 및 상황 |

대산 종사가 원기64년(1979) 3월 1일 총부 중앙훈련원에서 선학원생들에게 내려주신 법문이다. 새 학기가 시작되면 신입생과 재학생들이 종법사를 비롯하여 총부 원로 교무들에게 인사를 올리고 법의 훈증을 받는다. 현재도 전통적으로 내려오는 아름다운 풍습이다. 3월 새 학기는 신입생[새도반]들이 중심이 된 훈증을 받는다.

대산 종사는 "쇠는 풀무에 단련하여 나와야 정철[강철]이 되고, 사람은 대훈련의 용광로에서 단련되어야 참된 인격을 이룬다."라고 말씀하시며 훈증을 시작하였다.

대산 종사는 "대종사님 당대에는 동하기 각 3개월 동안 선을 났다. 이때 생사에 관한 큰일 이외는 서신 내왕까지 못 하도록 해 일생일대의 정진 기간을 갖도록 했다. 편지도 검열하고 보관하였다가 선이 끝나면 주었고, 면회 사절은 물론하고 막았다. 선학생들도 수학 기간을 일생 최대의 정진기로 삼아 정진 적공하도록 하라. 그러면 그 힘이 일생도 가고 영생도 간다."라고 훈증하였다.

| 용어 풀이 |

○ **학인(學人)** 공부인. 도(道)를 배우는 사람. 아직 더 배울 것이 남아 있는 사람이라는 뜻으로, 수행자가 자신을 낮춰서 사용하는 말. 현재는 잘 사용하지 않는 말로 선학원생, 예비교역자 등을 일컫는다.

○ **동선(冬禪)** 원불교에서 겨울에 진행했던 선훈련. 원불교 초기 교단 시기에 불교의 안거처럼 여름과 겨울에 3개월씩 정기훈련을 시행했는데 이를 하선·동선이라고 불렀다. 일제 말기에 시국의 혼란으로 훈련기간이 단축되었으며 현재는 동선·하선 제도가 없으므로 훈련이라는 말로 쓰인다.

○ **정철(精鐵)** 잘 불려서 단련한 좋은 쇠붙이.

㉖ 이대 훈련법을 단련하라

대산 종사 말씀하시기를 "훈련이라야 산 종교 산 교단 산 도인이 나오나니, 앞으로는 대학에서도 이 법으로 기본 교육을 삼도록 하라. 남을 제도하려면 먼저 나 자신부터 제도해야 하나니 그리하려면 훈련을 최우선으로 삼아야 하느니라." 〈훈련편 26장〉

| 출처 |

이대(二大) 훈련법을 단련하라.

훈련이라야 산 종교, 산 교단, 산 도인이 나오고 무루지(無漏智)를 얻는 길이 된다. 앞으로 대학에서도 이 법으로 기본 교육을 삼도록 더 노력해야 하겠다. 다른 이를 제도하려면 나부터 제도해야 하고, 그러려면 훈련해야 한다. 그러나 자도(自度)하고 타도(他度)하되 자도하면 타도도 되니 아울러 나가야 한다.

〈『대산종사수필법문집』 1. p.619. 원기57년 6월 19일〉

| 배경 및 상황 |

대산 종사는 원기57년(1972) 6월 19일 '이대 훈련법을 단련하라'는 법문을 하였다. 이대 훈련법은 정기훈련법과 상시훈련법을 말한다. 이 훈련으로 산 종교·산 교단·산 도인이 나오고 무루지를 얻는다. 앞으로 대학에서도 이 법으로 기본 교육을 삼도록 노력하라. 남을 제도하려면[타도] 먼저 자신부터 제도해야[자도] 한다.

대산 종사는 동년 6월 27일 제2대 제53회 임시 수위단회 개회사에서 2대 훈련법을 강조하며 자기 훈련과 교화단 훈련으로 복혜의 문로가 열리게 하자고 하였다. 또한, 동년 7월 2일 신도안 삼동원 전지 휴양 때 2대 훈련법을 자세하게 밝혔다. "이 훈련법으로 자기 훈련은 자기가 해나가고, 단훈련을 통하여 서로서로 훈련해 나가면 자타력이 겸한 삼학 훈련으로 무루지를 얻는 빠른 길이다. 자기 혼자는 안 된다. 우리 같이 여럿이 문답하는 것이 빠르다. 산중에서 혼자 하면 안 된다. 백만, 억만 장애가 따라붙는다."라고 하였다.

| 용어 풀이 |

○ **무루지(無漏智)** 번뇌를 해탈한 성자의 지혜. 진리를 깨쳐 일체의 번뇌 망상을 다 끊어버린 크고 밝은 지혜. 부처님의 지혜. 무루복이 아무리 써도 다함이 없는 것처럼, 무루지를 얻으면 아무리 써도 줄어들지 않는다.

○ **자도(自度)** 자기 자신이 스스로 해탈하는 제도.

○ **타도(他度)** 타인을 구원하는 제도.

㉗ 실지 훈련을 하자

대산 종사 말씀하시기를 "노래도 듣기만 하고 직접 불러보지 않으면 막상 부르려 할 때 부를 수 없는 것처럼, 이 훈련법도 실지 훈련을 통하여 내 것으로 만들지 않으면 힘을 얻을 수 없나니 이는 우리가 크게 주의해야 할 바라. 누구나 이 훈련법으로 10년 정도만 꾸준히 노력하면 반드시 용솟음치는 기쁨을 맛보게 될 것이니라." 〈훈련편 27장〉

| 출처 |

내가 즐겨 듣는 노래가 하나 있는데 그 노래를 약 5년 동안 부르도록 하여 듣기만 하고 내가 직접 안 불러보니까 실지 불러보려고 하니 안 되더라. 항시 내 귀로만 들었지 내 것을 못 만들었다.

정기훈련 과목 11과정과 상시훈련 6과정을 아주 쉽게 말씀하여 주셨는데 참으로 조심하고 조심하여야 할 일이다. 한 10년 꾸준히 하여 보아라. 용솟음칠 기쁨을 맛볼 것이다.

〈『대산종사수필법문집』 1. p.654. 원기57년 10월 교역자 강습〉

| 배경 및 상황 |

대산 종사는 원기57년(1972) 10월 교역자 강습 때 '훈련 및 무한동력'에 대한 법문을 하였다. 이 법문 마지막에 "내가 즐겨 듣는 노래가 있는데 그 노래를 듣기만 했지 직접 불러보지 않아 실지 부르려 하는데 부를 수가 없었다."라고 하였다.

실지 노래 연습을 하지 않아 부를 수가 없듯이 실지 훈련을 하지 않으면 경계를 당하여 당황하거나 실패할 수 있다는 말이다.

| 용어 풀이 |

○ **실지훈련(實地訓練)** 실제의 처지나 경우에 맞게 훈련함.

㉘ 쉬지 않는 공부를 하자

한 학인이 여쭙기를 "어떻게 해야 쉬지 않는 공부를 할 수 있습니까?" 대산 종사 말씀하시기를 "대종사께서는 누구나 쉽게 새 사람이 될 수 있는 방법으로 정기 훈련법과 상시 훈련법을 밝혀 주셨나니, 우리는 정기 훈련을 잘해야 상시 훈련에 도움이 되고 상시 훈련을 잘해야 정기 훈련에 도움이 되는 이치를 알아서 이 두 훈련을 함께 병진해 나가야 할 것이니라. 만일 그 중요성을 알지 못한 채 일생을 허비하고 보면 참으로 허망한 사람이 되고야 말 것이니, 정기 훈련과 상시 훈련을 철저히 해서 과거의 잘못을 참회하고 새 사람이 되도록 쉬지 않는 공부를 해야 하느니라."

〈훈련편 28장〉

| 출처 |

방학을 맞이하는 전 학생들에게 내려주신 법문

내가 이번에 선원생들과 중등부 아이들에게서 세 가지 질문을 받았다.

그 첫째는 어떻게 해야 쉬지 않는 공부를 할 수 있습니까?

둘째는 어떻게 해야 전무출신을 잘할 수 있습니까?

셋째는 어떻게 해서 종법사님이 되셨습니까? 이었다.

오늘 '쉬지 않는 공부의 표준'에 대하여 말해 주겠다.

정기훈련을 법 있게 하여야 상시훈련 시 도움이 되며, 상시훈련을 잘해놔야 정기훈련 시 끌리지 않는 공부의 밑받침이 되는 법이다. 대종사께서 인간 개조를 시키시고 팔자를 뜯어고치는 방법으로 이 정기 상시훈련 공부법을 제정해 주셨다. 그러니 이 정기 상시훈련에 자리가 잡히도록 1학년생은 더욱 철저히 노력해야 하겠다.

일일시시로 자기 훈련, 교화단 훈련으로 국가 세계 훈련, 자기 신분 검사로 인류 검사를 하는 법이라, 이 법은 다른 성인들이 밝히시지 아니하신 교단 만대의 인간 개조의 강령적 표준이 된다.

정기훈련이라고 하는 것은 선학원생들이 정기 과목에 바탕을 둬서 훈련받는 것이다. 이때 정신을 차려 법문을 잘 듣고 법 있는 분을 가까이해서 바른지도 받으면서 소욕을 대욕으로 돌려서 모든 힘과 죽을힘을 다해서 훈련받으면 힘이 생겨서 방학 시 상시훈련을 당할 때 아주 헌거롭다. 그래서 큰 경계가 아무리 있더라도 안 끌리고 주체가 확립되어 있다.

또 이렇게 2년, 3년, 10년, 일생 그렇게 살면 허망한 사람이 되고 만다. 과거에 잘못 저지른 일은 전생사로 잊어버리고 오늘부터 개과천선해서 새사람이 돼라.

그래서 정기훈련 상시훈련을 자기 스스로 잘해야 한다.

〈『대산종사수필법문집』 1. pp.1477~1479. 원기61년 7월 15일〉

| 배경 및 상황 |

대산 종사는 원기61년(1976) 7월 15일 방학을 맞이하는 선원생과 중등부 학생에게 세 가지 문답 질문을 받았다.

첫째는 어떻게 해야 쉬지 않는 공부를 할 수 있습니까?

둘째는 어떻게 해야 전무출신을 잘할 수 있습니까?

셋째는 어떻게 해서 종법사님이 되셨습니까?

이 세 가지 질문 중 '어떻게 해야 쉬지 않는 공부를 할 수 있습니까?'라는 질문에 대산 종사는 '쉬지 않는 공부의 표준'에 대하여 답을 해주었다.

대산 종사는 "정기 훈련을 법 있게 하여야 상시 훈련 시 도움이 되며, 상시 훈련을 잘해야 정기 훈련 시 끌리지 않는 공부의 밑받침이 되는 법이다. 이 두 훈련법을 병진해야 한다. 만일 그 중요성을 알지 못한 채 일생을 허비하면 참으로 허망한 사람이 되고 만다. 남이 모른다고 수월하게 지내면 자기를 평생 속이고 사는 사람이다. 훈련을 할 때는 철저히 해서 과거의 잘못을 개과천선하여 전생사로 돌려 잊어버리고 새사람이 되어야 쉬지 않는 공부를 할 수 있다."라고 답을 하였다.

| 용어 풀이 |

○ **병진(竝進)** 〈훈련편 23장〉 용어 풀이 참조.

○ **참회(懺悔)** 자신이 범한 죄나 과오를 깨닫고 뉘우치는 일. '참(懺)'은 산스크리트의 끄샤마(kṣama)의 음역으로 '인(忍)'을 의미한다. 타인에게 자기 죄의 용서를 비는 것을 뜻하는 말로써, 엄밀히 따지면 실수를 뉘우치는 '회(悔)'와는 의미가 약간 다르지만, 점차로 '참'과 '회'가 동일시되어서 '참회'라는 말이 쓰여 지게 되었다. 참(懺)에 회(悔)자를 보탠 것은 산스크리트와 한어(梵漢) 두 말을 합쳐서 사용한 것이다.

㉙ 결제와 해제

대산 종사 말씀하시기를 "정기 훈련과 상시 훈련을 조석으로 결제하고 해제하라. 아침에 일어나면 정기 훈련을 결제하여 심고·좌선·독경 등을 한 다음 이를 해제함과 동시에 상시 훈련을 결제해 각자의 일터에서 활동을 하고, 오후에 일을 마치면 다시 이를 해제하고 정기 훈련을 결제하여 경전·의두·회화·심고·염불·좌선·일기 등으로 정진하라. 이처럼 매

일매일 결제 해제, 해제 결제를 3년만 계속하고 보면 마침내 큰 힘을 얻게 되느니라." 〈훈련편 29장〉

| 출처 |

서용추 언덕에서 훈련원 일동에게

이제 교리를 해석하고 강의 듣는 것은 그만해도 다들 아니 금년도부터는 좌선이나 와선이나 행선이나 입선이나 활선에 대한 감정을 내가 직접 해서 점수를 주어야 하겠다. 결제와 해제를 조석으로 하되 정기훈련 결제는 기침과 동시에 하여 심고 좌선 독경을 하고 끝나면 해제와 동시 상시훈련 결제를 해서 기관에서 활동하고 오후 일이 끝나면 해제를 하는 동시에 바로 정기훈련 결제를 하여 경전 연마, 공부 이야기, 회화 등을 하며 저녁 심고 후 염불 좌선 등으로 정진해서 정기 상시훈련 결제 해제, 해제 결제를 매일매일 그렇게 해서 3년간만 노력하면 큰 힘 얻을 것이니 다들 그렇게 하라.

〈『대산종사수필법문집』 1. p.1510. 원기61년 8월 9일〉

| 배경 및 상황 |

대산 종사는 원기61년(1976) 8월 9일 삼동원 서용추 계곡 언덕에서 훈련원 일동에게 말씀하시기를 "이제 교리를 해석하고 강의 듣는 것은 그만해도 모두 아니, 금년도부터는 좌선이나 와선이나 행선이나 입선이나 활선에 대한 감정을 내가 직접 해서 점수를 주어야 하겠다."라고 하였다.

그리고 "정기 훈련과 상시훈련을 조석으로 결제하고 해제하라. 아침에 일어나면 정기 훈련을 결제하여 심고·좌선·독경 등으로 결제를 한 다음 이를 해제함과 동시에 상시 훈련을 결제해 각자의 일터에서 활동하고, 오후에 일을 마치면 해제하고 정기 훈련을 결제하여 경전 연마, 공부 이야기, 회화 등을 하며 저녁 심고 후 염불 좌선 등으로 정진해서 정기 상시훈련 결제 해제, 해제 결제를 매일매일 그렇게 해서 3년간만 노력하면 큰 힘 얻을 것이다."라고 하였다.

| 용어 풀이 |

○ **결제(結制)** ① 불교에서 하안거의 처음인 음력 4월 보름날과 동안거의 처음인 10월 보름날에 행하는 의식으로 하안거 결제를 결하(結夏), 동안거 결제를 결동(結冬)이라고도 함. ② 원불교에서 동선, 하선, 강습회, 특별훈련 등을 시작하는 일을 결제라고 하며, 과정을 마치고 행하는 의식을 해제라고 한다.

○ **해제(解制)** 사찰의 선방에서 하안거(夏安居)와 동안거(冬安居)를 마치는 것. 원불교에서 일정 기간을 정해 놓고 하는 선(禪)이나 교리 훈련을 마치는 것. 선이나 교리 훈련을 시작할 때는 결제식(結制式)를 하고 마치게 되면 해제식을 한다.

30 결제와 해제로 동정일여하라

대산 종사 말씀하시기를 "결제는 마음을 묶어 몸을 길들이는 것이요 해제는 기질 변화된 몸을 실지에 활용하자는 것이니, 묶고 풀며 풀고 묶어서 동정 일여가 되도록 힘쓰라. 만약 풀기만 하고 묶지 않거나 묶기만 하고 풀지 않으면 한편에 치우쳐 자유자재하는 힘을 얻지 못하느니라."

〈훈련편 30장〉

| 출처 |

1. 결제(結制)는 마음을 묶어 몸을 제재하는 것이요, 해제(解制)는 마음 묶어 뭉친 것과 몸의 기질 변화 단련에서 실지 활용에 들어가는 것이니 그것은 상시 응용 6조로 다시 결제한다는 것이다. 풀고 묶으며 묶고 풀어 법에 맞도록 즉, 동정일여가 되도록 하여야 한다. 풀기만 하고 묶기만 하여 한 편에 치우치면

자유자재의 힘을 얻을 수 없다.

2. 결제는 또 교육자나 기관원이 그간 흩어진 것을 일정한 기간에 다시 서원 참회와 풀어진 것을 통제도 하면서 묶는 것이다. 일생에 이처럼 묶고 뭉치는 훈련의 기간이 없는 것은 허망하다.

해제는 묶은 것을 쓰는 것이니 결제에서 밉고 곱고 검고 흐린 것을 다 씻어버리며 일원의 절대 자리를 단련하고 실지에 그것이 푸르게 검게 희게 나타나는 것을 알아봐야 한다. 또 이 결제 해제를 일정한 기간에만 하자는 것이 아니고 매일 하자는 것이다. 조석심고·좌선·기도 등은 결제요, 저녁에 푸는 것, 즉 반성하고 사는 것은 해제이다. 그러므로 풀고 묶는 것을 자유자재하여야 한다.

〈『대산종사수필법문집』 1. p.399. 원기54년 10월 4일〉

| 배경 및 상황 |

대산 종사는 원기54년(1969) 10월 4일 익산 금강리 신성마을에서 학인들에게 말씀하시기를 "결제는 마음 묶어 몸을 제재하는 것이요, 해제는 마음 묶어 뭉친 것과 몸의 기질 변화 단련에서 실지 활용에 들어가는 것이니 그것은 상시응용 6조로 다시 결제한다는 것이다. 풀고 묶으며 묶고 풀어 법에 맞도록 즉, 동정일여가 되도록 하여야 한다. 풀기만 하고 묶기만 하여 한 편에 치우치면 자유자재의 힘을 얻을 수 없다."라고 하였다.

| 용어 풀이 |

○ **동정일여(動靜一如)** 원불교 표어의 하나. 동과 정이 한결같음. 동정간(動靜間) 불리자성(不離自性) 공부. 일이 있을 때나 없을 때나 끊임없이 참된 마음을 지키는 공부를 말한다.

○ **자유자재(自由自在)** ① 어떤 범위 내에서 구속 제한됨이 없이 마음대로 할 수 있음, 또는 그러한 행위. 종횡자재(縱橫自在). ② 공부가 최상의 경지에 이른 대각

여래위는 몸과 마음에 자유를 얻어서 자유자재하며, 대자대비로 일체 생령을 제도하되 만능이 겸비한 사람이라고 했다[『정전』 법위등급].

㉛ 선의 강령과 자세

대산 종사 말씀하시기를 "선의 강령은 망념을 쉬고 진성이 나타나게 하며, 물기운은 올리고 불기운은 내리게 하는 것이요, 선의 자세는 곡도를 조이고 척추를 바로 세우는 것이니라[息妄顯眞 水昇火降 緊紮穀道 腰骨竪立]."
〈훈련편 31장〉

| 출처 |

오후 3시 30분에 중앙훈련원 하계 교역자 제5기 훈련에 모인 90여 명의 훈련진과 구내 대중 50여 명이 모인 자리에서 시자에게 수행편 제4 좌선법에 대하여 읽으라고 한 후 말씀하여 주시기를

선의 강령은 식망현진(息妄顯眞) 수승화강(水昇火降)이다.

그리고 좌선의 방법으로 긴찰곡도(緊紮穀道), 요골수립(腰骨竪立)하라. 곡도가 둘이다. 입으로 들어가는 길과 항문으로 나가는 길로 수입과 지출이 맞다. 일체 병의 발생이 허리가 구부러짐으로써 발생이 되는 것이니 어느 때든지 허리가 굽었으면 '나는 죽었다', 굽지 않았으면 '나는 살았다'고 생각하라. 허리를 빳빳하게 하면 방심이 안 된다. 차를 탄다든지 집에 있다든지 항상 허리를 곧게 해서 요골수립해라.

나는 산다는 관념을 갖고 하고, 좌선할 때 혀를 밑으로 내리지 말고, 안 이사이로 항시 붙이는 것이 감로수를 운용하는 모개[길목]가 된다. 그냥 떼버리면 안 된다. 그걸 붙이기 때문에 입을 벌리지 않고 말을 않는다. 평상시에는 그러는

게 좋다. 그것이 연결된다.

식망현진하고 수승화강이라. 이 불이라는 것은 위로 오르기를 좋아하는 것이고, 물이라는 것은 밑으로 내려가기를 좋아하는 데 그러면 사람은 병난다. 물은 위로 오르고 불은 밑으로 내려가야 병이 없는 것이다. 사람이 수입은 적고 지출은 많기 때문에 병이 많다.

〈『대산종사수필법문집』 1. pp.1510~1511. 원기61년 8월 12일〉

| 배경 및 상황 |

대산 종사는 원기61년(1976) 8월 12일 오후 3시 30분에 중앙훈련원 하계 교역자 제5기 훈련에 모인 90여 명의 훈련진과 구내 대중 50여 명이 모인 자리에서 시자에게 『정전』 제3 수행편 제4장 좌선법에 대하여 읽으라고 한 후 말씀하여 주시기를 "선의 강령은 식망현진 수승화강이다. 그리고 좌선의 방법으로 긴찰곡도, 요골수립하라. 곡도가 둘이다. 입으로 들어가는 길과 항문으로 나가는 길로 수입과 지출이 맞다. 일체 병의 발생이 허리가 구부러짐으로써 발생한다. 이 불이라는 것은 위로 오르기를 좋아하는 것이고, 물이라는 것은 밑으로 내려가기를 좋아하는 데 그러면 사람은 병난다. 물은 위로 오르고 불은 밑으로 내려가야 병이 없는 것이다. 사람이 수입은 적고 지출은 많기 때문에 병이 많다."라고 하며 선의 강령과 자세를 자세히 설명하였다.

| 용어 풀이 |

○ **강령(綱領)** 일의 근본이 되는 큰 줄거리.

○ **망념(妄念)** 망령된 생각. 망상(妄想)과 같은 말. 경계에 끌려다니는 중생의 마음. 분별시비심·사량계교심·시기질투심·삼독오욕심·번뇌망상심 등으로 정견을 하지 못하고 망견에서 일어나는 마음이다.

○ **진성(眞性)** 진리의 그대로의 모습. 진여(眞如)와 상통한다.

○ **긴찰곡도(緊紮穀道)** 음식을 적게 먹는 수행법. 음식을 급하게 많이 먹거나 기름진 음식을 먹지 아니하고 채식을 위주로 하는 수행법이다. 음식을 많이 먹거나 기름진 음식을 먹게 되면 몸이 둔해지고 정신이 탁해지게 되어 수행에 큰 방해가 된다. 주로 도교[선도]에서 하는 수행법이다. 곡도는 대장과 항문을 아울러 이르는 말.

○ **요골수립(腰骨竪立)** 좌선 할 때의 바른 자세. 허리를 반듯하게 세우고 똑바로 앉는 자세를 말한다. 허리를 똑바로 세우면 이마·코끝·턱·배꼽이 일직선이 된다. 단전주선의 바른 자세이다. 만약 허리가 곧게 펴지지 않고 허리가 굽어지면 단전주가 잘되지 않는다.

㉜ 요가 선

대산 종사 말씀하시기를 "사시의 순환이나 주야의 변화나 호흡의 개폐 등이 다 만물을 생성시키는 기본 원리니, 요가 선에 있어서 긴장과 이완을 반복시켜 육신의 활력을 솟게 하는 것도 좋은 공부 방법이니라. 특히 극도로 긴장된 생활을 하는 현대인들에게는 모든 신경과 근육, 뼈마디까지도 다 풀어 주고 밖으로 어떠한 소리와 경계와 시비 등도 다 놓아 버리는 살아 있는 선을 해야 하느니라." 〈훈련편 32장〉

| 출처 |

요가 선에 긴장 이완을 번복시켜 육신의 활력이 솟게 하는 것은 진리이다. 우리가 자녀를 키우는 데에도 풀어 버리는 것을 더하도록 하라. 잘못이 있어 회개하면 마음껏 풀도록 하라.

천지의 사시 순환, 주야, 삼한사온, 음양, 한서, 호흡 개폐 모두가 만물을 생성시키는 원리이다. 그러므로 성인들은 이러한 도리를 알기 때문에 귀해도 다 받지 않고 스스로 천한데 거하시고, 천하여도 떨어지지 않으시어 항상 귀하다. 인류의 생활 자체가 많이 긴장되게 되어 있으니 풀어나가는 공부를 시켜야 하겠다. 신경, 힘살, 근육, 뼈마디까지 다 풀어 늦추고 외계의 소리, 경계, 시비 등에 동하지 않고 받아들여 평온, 안정, 평화를 얻어야 이것이 선이요, 진활선(眞活禪)이다. 몸은 일생을 긴장으로 산다. 죽은 후에 긴장을 다 푸나 선은 무시무처로 생활의 긴장, 육신과 마음의 긴장을 풀어 평안하여지니, 이것이 산송장이 되는 생활법이다. 사람이 큰 뜻을 품고 그 목적을 달성하기로 하면 일생을 산송장으로 묻혀 공들여야 한다. 적게는 10~30년이라도 묻혀 공들여야 한다.

〈『대산종사수필법문집』 1. pp.409~410. 원기54년 12월 18일〉

| 배경 및 상황 |

대산 종사는 원기54년(1969) 12월 18일 익산 금강리에서 대중에게 말씀하시기를 "요가 선에 긴장 이완을 번복시켜 육신의 활력이 솟게 하는 것이 진리이다. 잘못이 있어 회개하면 마음껏 풀도록 하라. 사시의 순환이나 주야의 변화나 호흡의 개폐 등이 다 만물을 생성시키는 기본 원리다. 인류의 생활 자체가 많이 긴장되어 있으니 풀어나가는 공부를 시켜야 하겠다. 신경, 힘살, 근육, 뼈마디까지 다 풀어 늦추고 외계의 소리, 경계, 시비 등에 동하지 않고 받아들여 평온, 안정, 평화를 얻어야 이것이 선이요, 진활선(眞活禪)이다."

| 용어 풀이 |

○ **요가(yoga)** 자세와 호흡을 가다듬어 정신을 통일시키고, 궁극적으로는 초자연적인 힘을 얻어 깨달음에 나아가고자 하는 인도 전통의 수련법. 산스크리트에서 '결합한다'는 의미의 유즈(yuj)에서 어원을 찾을 수 있으며, 마음을 긴장시켜 어떤 특정한 목적에 상응 또는 합일한다는 의미를 뜻한다. 석가모니불 이전의 인도 고대 육파철학(六派哲學)에서 수행의 실천 방법으로 요가를 수련했다. 요가의 기

본자세는 결가부좌인데 이는 곧 선의 기본자세이다. 따라서 불교의 선수행은 요가 수행의 연장·발전이라고 볼 수 있다. 그래서 요가선이라는 말까지 생기게 되었다.

○ **번복(飜覆/翻覆)** ① 이리저리 뒤집힘. ② 이리저리 뒤쳐 고침.

㉝ 새 마음 구호

대산 종사, '새 마음 구호'를 정하시니 "새 마음 새 몸 새 생활로 새사람이 되어, 새 가정 새 나라 새 세계 새 회상 이룩하자." 〈훈련편 33장〉

| 출처 |

오전 6시 40분[산보 후에] **삼동원에서 거주하고 있는 교무들 임원들 학생들의 세배를 받으신 후 내려주신 종법사님 법문**

"새 마음 구호가 무엇이냐?"

"새 마음, 새 몸, 새 생활로, 새사람이 되어, 새 나라, 새 세계, 새 회상 이룩하자."

새 마음 즉 과거 마음 버리고, 새 몸, 새 생활로, 새사람이 되어서, 새 나라, 새 세계, 새 회상을 이룩할 수 있는 수신을 해라. 그래서 1년을 결산 짓고 새해를 다시 설계하며 또 일생을 결산 짓고 영생의 새 설계를 하는 그 한마음이 영생의 가볍고 활로가 열리기 때문에 우리는 과거를 결산 짓고 다시 새 설계를 하자.

〈『대산종사수필법문집』 2. p.165. 원기66년 1월 1일〉

| 배경 및 상황 |

대산 종사는 "원기66년(1981) 1월 1일에 오전 6시 40분[산보 후에] 삼동원에서 거주하고 있는 교무들, 임원들, 학생들의 세배를 받으신 후 내려준 종법사님 법문이다. '새 마음 구호가 무엇이냐?' 물으시며 새 마음 즉 과거 마음 버리고,

새 몸, 새 생활로, 새사람이 되어서, 새 나라, 새 세계, 새 회상을 이룩할 수 있는 수신을 하라."고 하였다.

새 마음 구호를 지은 것은 훨씬 오래전이다. 기록상으로 원기65년(1980) 12월 16일 등장하지만, 그 이전임에 틀림이 없다. 선요가를 마치고 새 마음 구호를 외친다. '우리의 다짐! 새 마음, 새 몸, 새 생활로, 새사람이 되어, 새 나라, 새 세계, 새 회상 이룩하자. 야!'라고 외친다. 김준 새마을연수원장이 연수원 원장 시절, 새벽에 국민체조를 하고 '새 회상'만 빼고 이 새 마음 구호를 외쳤다고 전한다.

| 용어 풀이 |

○ **새 마음 구호(口號)** 대산 종사가 지은 구호로 '우리의 다짐'이라고 하였다. 선요가를 하고 외치는 구호를 말한다.

○ **구호(口號)** 집회나 시위 따위에서 어떤 요구나 주장 따위를 간결한 형식으로 표현한 문구.

㉞ 활선

대산 종사 말씀하시기를 "지금 세상은 활선이 필요한바, 활선은 생활 속에서 육근을 통해서 하는 선을 이름이니라. 그러므로 산을 오르내릴 때는 걷는 선이요, 계곡에 앉아 물소리를 들을 때는 듣는 선이요, 아름다운 자연을 볼 때는 보는 선이요, 먹을 때나 말을 할 때는 먹거나 말하는 선이요, 바위에 앉아 마음을 정하고 챙길 때는 마음 선이라 할 것인바, 이 선이 과거에 하루 여덟 시간씩 앉아 선을 하는 것보다 좋으니라."

〈훈련편 34장〉

| 출처 |

시자로 하여금 청주(淸州)지부에서 해주신 '고락에 대한 법문'을 소개하게 한 후 부연해 주시기를

지금은 활선(活禪), 생선(生禪)을 해야 한다. 그러므로 나는 신도에서 매일 계곡에 다녔다. 걸으니 발선이고, 법문을 들으니 귀선이고, 무엇을 먹으니 입선이고, 눈으로 자연을 보니 눈선이고, 몸을 씻으니 세례이고, 마음 챙기니 마음선이다. 육근이 다 선을 해야 한다. 이 선이 과거 불교에서 하루 8시간 앉아 선한 것보다 좋다. 〈『대산종사수필법문집』 1. p.1230. 원기60년 9월 20일〉

| 배경 및 상황 |

대산 종사가 원기60년(1975) 9월 20일 익산 총부에 주재하던 때이다. 시자에게 청주교당에서 해준 '고락에 대한 법문'을 소개토록 한 후 부연해 주시기를 "지금은 활선과 생선(生禪)을 해야 한다. 나는 신도에서 매일 계곡에 다녔다. 걸으니 발선이고, 법문을 들으니 귀선이고, 무엇을 먹으니 입선이고, 눈으로 자연을 보니 눈선이고, 몸을 씻으니 세례이고, 마음 챙기니 마음선이다. 육근을 다 선해야 한다. 이 선이 과거 불교에서 하루 8시간 앉아 선한 것보다 좋다."라고 하였다.

활선이란 생활 속에서 하는 육근 동작이 모두가 선이라는 말이다. 이 선은 특정 장소나 특정한 시기에 하는 선이 아니라 누구든지 할 수 있는 것이다. 대산 종사는 육근 작용이 모두 선이 되어야 비로소 진활선임을 강조하였다.

| 용어 풀이 |

○ **활선(活禪)** 살아 있는 선. 활동하면서 선을 함. 생활하는 그대로가 선이라는 뜻.

○ **육근(六根)** 육식(六識)이 경계(六境)를 인식하는 경우 그 소의(所依)가 되는 여섯 개의 뿌리. 곧 심신을 작용하는 여섯 가지 감각기관으로서, 눈(眼根)·귀(耳根)·

코(鼻根)·입(舌根)·몸(身根)·뜻(意根)의 총칭이다.

○ **신도안(新都)** 계룡산(鷄龍山) 남쪽 지역의 지명으로 신도 '내(內)'를 한글로 '안'이라 쓴 것이며, 한자로 안(安)을 쓰기도 한다. 계룡산은 충남 대전시·공주시·계룡시의 경계에 위치한 산으로 높이 828m의 국립공원이다. 계룡산 주위에는 갑사(甲寺)·동학사(東鶴寺)·신원사(新元寺) 등 많은 사찰이 있으며 신도안은 『정감록(鄭鑑錄)』에 나오는 정씨왕국(鄭氏王國)의 신 도읍지로 유명하다.

신도안 중심부에 있었던 대궐터에는 조선조의 태조 이성계가 무학대사(無學大師)와 정도전(鄭道傳)을 데리고 와서 새로운 수도를 건설하기 위해 공사했다는 주춧돌과 제방의 흔적이 1983년 이 지역 재개발사업 이전까지도 남아 있었다. 또한 이곳은 풍수지리(風水地理)로도 빼어난 길지(吉地)일 뿐 아니라 정감록신앙과 새 왕국 건설의 기지라는 믿음으로 많은 신종교가 자리 잡고 있었다. 지금은 삼군본부인 계룡대가 있다.

신도안과 원불교가 인연을 맺은 것은 원기21년(1936) 4월에 소태산 대종사가 이공주, 전음광과 함께 계룡산에 올라 신도안 지역을 도량 건설의 적지로 점지하고 그 뒤 신도안 근동 남선리에 남선리교당[뒤에 신도교당 현 연산교당]을 신설한 데서 비롯된다. 그러다가 원기43년(1958) 4월 정산 종사의 명에 따라 원불교삼동원이 설립되었다. 1959년 '불종불박(佛宗佛朴)'이 새겨진 초석이 놓여 있던 두마면 부남리에 초가 1동을 매입한 것을 시작으로 원기49년(1964) 법당 신축, 원기52년(1967) 삼동수양원을 개설하는 등 발전을 거듭하여 많은 시설과 용지를 확보했었다.

그 뒤 대산 종사가 오랫동안 정양함으로서 삼동원의 기초를 튼튼히 했다. 그러다가 충남 6·20사업으로 인해 원기69년(1984) 삼동원은 벌곡으로 이전했다.

㉟ 정기 훈련으로 자성 계발에 힘쓰자

대산 종사, 학인들의 설교를 듣고 말씀하시기를 "대종사 당시에는 3개월만 훈련하고 나면 글을 모르는 사람까지도 자성이 계발되어 크게 밝아졌으나, 요즘 학인들은 재주가 있어서 말과 글은 잘 꾸미나 자성 계발은 부족한 듯하니 앞으로 훈련원에서는 정기 훈련으로 자성을 계발하는 데 더욱 힘써야 하느니라." 〈훈련편 35장〉

| 출처 |

모 학생의 설교 안 작성 내용을 다 들어보시고

"대종사님 당시는 참고서 등 일절 못 보게 하시고 훈련하셨다. 그러나 3개월 훈련받고 나오면 일자 무식인도 자성 계발을 많이 하여 밝아졌었는데 지금 학생들은 재주 있는 데도 참고서가 많으니 그것을 인용해 여러 소리 잘 늘어놓으나 자성 계발이 잘 안되는 것 같으니 앞으로 훈련원에서 11과목에 의하여 철저히 자성 계발시키도록 하라"고 지시하시다.

〈『대산종사수필법문집』 1. p.1175. 원기60년 7월 1일〉

| 배경 및 상황 |

대산 종사는 원기60년(1975) 7월 1일 익산 총부에 주재하며 모 학생의 설교안 작성 내용을 들어보고 말씀하시기를 "대종사님 당시는 참고서 등 일절 못 보게 하고 훈련하였다. 그러나 3개월 훈련받고 나오면 일자 무식인도 자성 계발을 많이 하여 밝아졌다. 지금 학생들은 재주는 있는 데도 참고서가 많으니 그것을 인용해 여러 소리 잘 늘어놓으나 자성 계발이 잘 안되는 것 같으니 앞으로 훈련원에서 정기훈련 11과목에 의하여 철저히 자성 계발시키도록 하라"고 지시하시다.

| 용어 풀이 |

○ **자성(自性)** 인간에 갖추어진 본성이라는 의미. 이외에 성품·불성·심지(心地) 등 다양한 표현도 대체로 자성과 상통되는 개념이다.

○ **계발(啓發)** 슬기나 재능, 사상 따위를 일깨워 줌.

36 정기 훈련의 중요성

대산 종사 말씀하시기를 "이 회상에 입문하여 정기 훈련을 하지 않는다면 그것은 마음이 묵었다는 증거라, 더 이상의 발전은 기대하기 어려울 것이니라. 우리가 처음 교단에 들어와 공부할 때는 낮에는 일하고 밤에는 염불·좌선·강연·회화·일기를 했는데 꾸준히 한 사람은 모두 큰 인격을 이루었고 자기 재주만 믿고 꾸준히 하지 않은 사람은 큰 인격을 이루지 못했나니, 특별한 계획을 세우려 하지 말고 정기 훈련 11과목을 중심으로 반복 훈련을 해야 지혜의 문이 열릴 것이니라." 〈훈련편 36장〉

| 출처 |

하계 기관 교무 훈련생들에게

훈련을 1년 동안 단 하루도 안 났다는 것은 그 사람이 묵정밭과 같으며 썩는다는 증거이다. 훈련 나지 아니하면 전무출신 아니다. 새사람이 될 수 없다. 우리가 공부할 때 낮에는 일하고, 밤에는 수양하고 강연 회화를 했다. 그때 같이 꾸준히 한 사람들은 싸잡아 달라지는데 그때 재주 믿고 빠진 사람들 몇 해 후 뚝 떨어지더라. 훈련을 받아야 한다.

훈련원에서 훈련할 때 특별한 시간 짜려고 하지 말고 우리 『교전』 놓고 의지 해석도 하게 하고, 강연 회화도 시키고 하라. 한소리 또 하고 한소리 또 하고 해도 그것 해야 한다.

대종사님 당시 『정정요론』과 『취지규약서』가 있었는데, 그것을 동하 3개월씩 훈련한다. 한번은 조송광(曺頌廣) 선생이 오시어 그것 한 번만 읽으면 될 것을 무엇을 그렇게 배운다고 야단들이나 하면서 3개월 훈련 중 자주 빠지며 딴 일 해대는데 몇 년 후 뒤에 온 딸 공타원(空陀圓) 조전권(曺專權)님과 강연을 하면 딸은 갑을 맡는데 조송광 선생은 유식하고 장로 출신이라 말도 잘하는 데 을이나 병을 맞았다. 이것이 큰일이다.

〈『대산종사수필법문집』 1. pp.1933~1935. 원기63년 8월 12일〉

| 배경 및 상황 |

대산 종사는 원기63년(1978) 8월 12일 삼동원에서 하계 기관 교무 훈련생들에게 말씀하시기를 "훈련을 1년 동안 단 하루도 안 났다는 것은 그 사람이 묵정밭과 같으며 썩는다는 증거이다. 훈련 나지 아니하면 전무출신 아니다. 새사람이 될 수 없다. 우리 공부할 때 낮에는 일하고, 밤에는 수양하고 강연, 회화를 했다. 그때 같이 꾸준히 한 사람들은 싸잡아 달라지는데 그때 재주 믿고 빠진 사람들 몇 해 후 뚝 떨어지더라. 받아야 한다. 조건 없이 받아야 한다. 훈련원에서 훈련할 때 특별한 시간 짜려고 하지 말고 우리 『교전』 놓고 의지 해석도 하게 하고, 강연, 회화도 시키도록 하라. 한소리 또 하고 한소리 또 하고 해도 그것 해야 한다."라고 하였다.

정기훈련 11과목 중심으로 반복 훈련을 실시해야 지혜의 문이 열린다.

| 용어 풀이 |

○ **입문(入門)** 무엇을 배우는 길에 처음 들어섬. 또는 그 길.

○ **묵정밭** 오래 내버려 두어 거칠어진 밭.

㊲ 공부심을 놓지 마라

대산 종사 말씀하시기를 "대종사의 큰 법을 세상에 널리 전하겠다는 서원을 굳게 세우고 공부심을 놓지 말아야 할 것이니, 아무리 여래라 할지라도 공부심을 놓으면 결국 보통 사람과 같이 되고 마느니라. 대종사께서는 7세부터 열반에 드실 때까지 우리보다 억만 배 더 공부하셨고, 과거 성현들께서도 공부심을 놓지 않으셨던 것은 공부하는 사람이라야 영생을 책임질 수 있는 까닭이니라." 〈훈련편 37장〉

| 출처 |

유응현(柳應現), 송자명(宋慈明)에게 신용조합에 대해 보고 말씀을 들으시고

내가 대종사님의 대법을 전하여야겠다는 큰 서원으로 조석으로 원력을 세우고 정력을 쌓아야 한다. 그러면 혜문이 열린다. 지금 별스러운 여래라도 공부심 놓으면 별것 없는 것이다. 대종사님 3세부터 열반하실 때까지 우리보다 억만 배 더 공부하셨다. 석가도 그랬고 육조 혜능(慧能)도 그러하셨다. 공부하는 사람이라야 영생을 책임질 수 있다. 공부를 쉬지 않는 사람은 천지가 아는 성공을 하고 숨은 적공을 한다. 과거는 공부인을 수로 헤아릴 정도이었으나, 우리 회상은 공부인을 헤아릴 수 없이 큰 회상이다.

〈『대산종사수필법문집』 1. p.610. 원기57년 4월 25일〉

| 배경 및 상황 |

대산 종사는 원기57년(1972) 4월 25일 익산 총부에서 유응현, 송자명에게 신용조합에 대해 보고를 들으시고 말씀하시기를 "조합 육성에 힘쓰고 앞으로 교단의 소은행으로 발전시키고 조합과 훈련을 병행시켜라"라고 지시받았다. 또한 "내가 대종사님의 대법을 전하여야겠다는 큰 서원으로 조석으로 원력을 세우고 정력을 쌓아야 한다. 그러면 혜문이 열린다. 지금 별스러운 여래라도 공부심 놓으면 별것 없는 것이다."라고 하였다.

| 용어 풀이 |

○ **송자명(宋慈明, 1926~2015)** 제타원 송자명(濟陀圓 宋慈明) 대봉도는 1926년 9월 7일 경남 거창군 안의면 부친 송중석 모친 차영칠화 여사의 2남3녀 중 3녀 출생하였다. 가족들이 증산교를 믿었던 관계로 3살 때 전라도 원평으로 이주했다. 원기25년(1940) 4월 대종사님을 뵙고 자명이라는 법명을 받았다. 동년 부산 하단교당 공양원으로 3년 근무하고 원기34년(1949) 출가 서원하고 화해교당 보교를 시작으로, 초량교당 보교, 금산[원평]교당 과원 주무, 중앙수양원 총무, 동화병원 총무, 종법실 시봉, 사업부 이사, 수계교당 교무, 반백년사업회 겸직, 공익부 부장, 교무부 순교감, 기장교당 교무, 동래수양원 부원장, 동래수양원 원장, 온천교당 교감을 봉직했다. 일호의 사심이 없는 공심가였던 제타원 대봉도는 원기76년(1991) 퇴임 후, 쉼 없이 수양에 정진하고 적공에 힘을 쌓다가 노환으로 원기100년(2015) 3월 7일 열반하였다. 세수는 90세, 법랍은 74년 11개월, 공부성적 정식법강항마위, 사업성적 정특등5호, 원성적 정특등이다.

○ **여래(如來)** 석가모니의 십호(十號) 가운데 하나. 원불교 대각여래위의 준말.

○ **공부심(工夫心)** 진리를 깨치고 실천하여 인격을 완성하고 보은하려는 일관된 마음.

38 자기 훈련과 신분검사로 정성을 다하라

대산 종사 말씀하시기를 "부처님께서 49년 동안 설하신 팔만대장경은 일체유심조의 이치를 가르치신 것이요 대종사께서 28년간 가르쳐 주신 교법의 핵심은 용심법으로, 이는 죄와 복이 다 자기 마음 가운데 있으므로 각자의 조물주는 바로 자기 자신임을 밝혀 주신 것이니라. 그러므로 정산 종사께서는 항상 '마음을 여유 있고 넉넉하게 쓰라.' 하셨고, 나는 '남의 마음을 고치고 가르치기 전에 자기 마음부터 고치고 가르치라.' 하나니, 자기 훈련과 신분검사로 스스로를 변화시키는 데 정성을 다해야 하느니라." 〈훈련편 38장〉

| 출처 |

소남훈련원(小南訓練院) 봉불식(奉佛式)

부처님께서 무엇을 가르쳤냐 하면 마음자리를 가르쳤다. 오늘 그 역사를 말해 주려고 했는데 시간이 없는 관계로 그 역사는 못 하고 부처님께서 말씀하신 "일체유심조(一切有心造)"니라. 그 팔만대장경이라든지 49년 가르친 것이다. 이 마음이 짓는 바라는 것을 부처님이 가르친 것이다. 그 마음자리는 불생불멸한 자리요 인과보응의 자리다. 부처님이나 단군 성조나 마음자리를 가르친 것이다.

대종사께서 가르쳐 주신 법을 한 말로 말하라고 할 것 같으면 '용심법(用心法)'을 가르쳐 주셨다. 흥한 것도 마음 잘 쓰는 데 있고, 망한 것도 마음 잘못 쓰는 데 있기 때문에 우리가 여기 모인 2,500명 수가 마음을 잘 씀으로써 가정이나 국가나 세계가 화목할 것이고 마음을 잘못 씀으로써 망하게 되기 때문에 마음 잘 쓰는 법을 가져야 한다.

우리 선 법사께서는 50년간을 대종사님을 뵙고 받들었는데 그 어른은 "마음을 여유 있게 쓰라." "마음을 넉넉하게 쓰라." 하셨다. 마음을 여유 있게 쓰려면 항심(恒心), 항상된 마음을 갖고, 항신(恒身), 항상된 몸을 갖고, 항산(恒産), 항상된 생활을 해나가야 한다고 선 법사께서 말씀해 주셨다. 이것이 마음 심 자다.

나도 대종사님을 11살, 13살, 16살 되어서 16살 이후로부터 모시고 산다고 50년을 살았는데 가만히 생각해 보니 너는 그러면 무엇을 대종사께서 배웠느냐 생각해 볼 것 같으면 나는 '제 마음부터 뜯어고쳐라.' 이걸 말하고 싶다. 남의 마음을 먼저 가르치기 전에 제 마음부터 가르쳐라. 제 마음부터 뜯어고쳐라. 그래서 자기 훈련으로 인류훈련 자기 신분검사로 인류 신분검사해서 내 마음을 뜯어고쳐라. 이것을 표준 잡고 항시 내 몸과 마음을 뜯어고치는 정성을 다한다. 〈『대산종사수필법문집』 2. p.389~393. 원기68년 6월 28일〉

| 배경 및 상황 |

대산 종사는 원기68년(1983) 6월 28일 소남훈련원 봉불식에 말씀하시기를 "석가모니 부처님은 '일체유심조', 대종사님은 '용심법', 정산 종사님은 '마음을 여유 있고 넉넉하게 쓰라'고 하였고 나는 '남의 마음을 고치고 가르치기 전에 자기 마음부터 고치고 가르치라'고 하나니, 자기 훈련과 신분검사로 스스로를 변화하는데 정성을 다해라."고 하였다.

| 용어 풀이 |

○ **소남훈련원(小南訓練院)** 완도에 자리한 훈련원으로 구한말 독립운동가와 교육자인 소남(小南) 김영현(법명 金正光) 선생이 원기48년(1963) 이곳 일대를 원불교에 희사하여 농원으로 관리하다가 대산 종법사가 '천불만성을 배출하여 해외교화의 전진기지로 삼자'하여 원기68년(1983) 6월 28일 봉불 낙성식을 올리고 소남 선생님을 기리고자 소남훈련원이라 명하였다.

○ **대장경(大藏經)** 불교 경전을 망라하는 일체경(一切經). 산스크리트 Tripitaka를 번역한 삼장(三藏)을 뜻하며, 이는 석존은 설법인 교설(經)과 교단을 통치하는 계율(律), 그리고 교설의 해설(論)을 망라한다. 곧 경·율·론 삼장(經律論三藏)이며, 불교의 신앙 대상인 불·법·승 삼보(佛法僧三寶) 가운데 법보이다. 석존의 교설

이 팔만사천법문라는 뜻에서 흔히 팔만장경(八萬藏經) 또는 팔만대장경(八萬大藏經)이라 부르며, 단순하게 불경(佛經)이라고도 한다.

○ **일체유심조(一切唯心造)** 인간 세상의 모든 일을 인간의 마음이 들어서 짓는다는 것. 곧 길흉화복(吉凶禍福)·흥망성쇠(興亡盛衰)·희로애락(喜怒哀樂) 등이 다 밖으로부터 오는 것이 아니요, 인간의 마음이 들어서 그렇게 만든다는 것이 기본적인 의미이다.

○ **용심법(用心法)** 마음을 잘 사용하는 법. 자기 마음을 법도 있게 사용하는 방법을 말한다. 소태산 대종사는 사람이 마음을 어떻게 사용하느냐에 따라 현상의 일들, 환경, 문명의 진행 방향이 결정된다고 보는 관점에서 마음 사용하는 법을 중시한다.

39 신분검사의 의의

대산 종사 말씀하시기를 "신분검사는 내가 나를 성현 만드는 법이요 자기 검사로 인류 검사를 하는 법이라. 이는 각자의 시비와 선악을 알기 위함이요, 마음의 주착과 행동의 본말을 알아 삼대력을 얻는 방법을 찾기 위함이요, 공부를 하기 전과 후에 얼마나 기질이 변화되었는지 알기 위함이니, 우리는 이 신분검사로 자기를 변화시키고 부활시켜 자신을 제도하는 동시에 타인도 제도할 수 있어야 하느니라." 〈훈련편 39장〉

| 출처 |

신분검사에 대한 법문

나는 원불교에 와서 어릴 적에 신분검사를 하고 내 마음에 대결정이 되고 대인격은 여기에 있다는 것을 자각하게 되었다.

一. 신분검사의 의의[자기가 자기 성인 만드는 법. 자기 검사로 인류 검사]

(1) 신분검사를 실시하는 것은 공부인 또는 각자의 ㉠시비선악을 알며 ㉡또는 심지(心地)의 주착한 바와 행동의 본래를 알아 ㉢수양, 연구, 취사법으로 인도하는 데 그 적당한 방법으로 얻기 위함이오.

(2) 공부를 하기 전과 공부를 한 후에 기질 변화가 잘되었는가 대조하여 공부를 시작한 후에도 지난해의 정도와 금년의 정도를 대조하여 기질 변화의 잘되고 못 됨을 알기 위함이다.

(3) 이 검사는 교무부에서 주관 실시하고 신분검사표는 감찰원에서 보관한다. 3년 만에 1차씩 실시한다. 그것은 3년이면 어느 정도 기질 변화를 시킬 수 있기 때문이다.

(4) 자기의 신분검사는 자기가 하며 자도(自度)하는 동시에 타도(他度)하기 위함이다. 〈『대산종사수필법문집』 1. p.662~666. 원기57년 11월 23일〉

| 배경 및 상황 |

대산 종사는 원기57년(1972) 11월 23일, '대종사님이 원기12년(1927) 2월에 제정 발표한 신분검사법'에 대하여, "나는 원불교에 와서 어릴 적에 신분검사를 하고 내 마음에 대결정이 되고 대 인격은 여기에 있다는 것을 자각하게 되었다."라고 말씀하시며 신분검사의 의의를 "자기가 자기 성인 만드는 법, 자기 검사로 인류 검사하는 법"이라고 하며 중요성을 역설하였다.

| 용어 풀이 |

○ **신분검사(身分檢査)** 수행 정도와 인격 내용을 당연등급(當然等級)·부당등급(不當等級)·수지대조(收支對照) 등을 통해 스스로 점검함. 개인의 사회적 지위나 계급 또는 법률상의 자격 등 신원(身元)이나 신분(身分)을 외적으로 파악하는 신원조사와 그에 따른 신원보증이 있는 것처럼 소태산 대종사가 원기12년(1927) 2

월에 공부와 사업을 더욱 향상시키고 교단의 인사 대우에도 활용하기 위해 공부인의 수행 정도와 인격 내용을 스스로 점검하도록 당연등급, 부당등급, 수지대조를 통한 신분조사법을 제정 발표하여 시행했다.

㊵ 신분검사의 구분

대산 종사 말씀하시기를 "신분검사에는 당연 등급과 부당 등급과 수지 대조가 있나니, 당연 등급은 사람이 마땅히 실행해야 할 바를 밝힌 것이요, 부당 등급은 사람이 행해서는 안 될 바를 밝힌 것이며, 수지 대조는 수입과 지출을 대조하여 복을 지었는지 빚을 졌는지 점검하는 것이니라. 우리가 부당 등급을 줄이는 일이나 당연 등급을 실행하는 일을 단번에 할 수는 없어도, 한 조목 한 조목 순서 있게 하다 보면 나도 모르는 사이에 부처를 이루게 되느니라." 〈훈련편 40장〉

| 출처 |

二. 신분검사의 구분.

당연등급: 인격의 표준이다. 만점은 원만한 불보살의 위.

부당등급: 사람으로서 해서는 아니 될 점. 영점이 최상.

수지대조: 수지(收支)를 대조하여 빚을 지고 살았는가? 빚을 주고 살았는가? 복을 짓고 살았는가?

三. 처음 이 신분검사를 하는 분은 과거 지내 온 일생을 합함이 원칙이다. 생각하기 어려우면 지난 3년을 기준으로 하여 기재할 것.

〈『대산종사수필법문집』 1. p.662~666. 원기57년 11월 23일〉

| 배경 및 상황 |

대산 종사는 '대종사님이 제정한 신분검사의 구분을 당연등급, 부당등급, 수지대조'를 자세하게 설명하며 "처음 이 신분검사를 하는 분은 과거 지내 온 일생을 합함이 원칙이다. 생각하기 어려우면 지난 3년을 기준으로 하여 기재할 것"이라고 하였다. 또한 "당연등급의 신심과 서원 항목은 장차 보충할 것을 전제하고 만점으로 기록할 수도 있다."라고 하였다.

| 용어 풀이 |

○ **당연등급(當然等級)** 신심·서원·공심·겸양·통제·무상·인내·신의·전일·지혜·청렴·학문·기능·효성·진실·은악양선·심사결단·주밀·수시변역·보시·활동·자비·원만 등 23항목이며 각 항목 점수는 20점으로 하되 다만 기능은 30점으로 하여 각 항목을 여섯 단계로 점검함에 470점이 만점이다. 또한 신심과 서원은 장차 보충할 것을 전제로 하여 만점으로 기록할 수도 있다.

○ **부당등급(不當等級)** 삼십계문 범계 정도와 허위·편심(偏心)·아상(我相) 등 33항목이며, 각 항목 점수는 10점으로 하여 각 항목을 여섯 단계로 점검함에 330점이 가장 범계가 많을 때이다.

○ **수지대조(收支對照)** 한 해의 수지대조를 통해서 자신이 얼마나 복을 장만하고 살았는가 아니면 얼마나 빚을 지고 살았는가를 알아보자는 것으로 수입·지출·대부(貸付)·차용(借用)·혜수(惠受)·혜시(惠施) 등에 관하여 점수로 환산(換算)하여 점검한다.

제4 적공편 積功編

적공편은 대산 종사가 종법사에 즉위하기 전이나 즉위한 후, 퇴임한 후 정진 적공하였던 실제를 보이고, 평생 불건(不健)한 몸으로 정양하며 적공한 실례(實例)와 교단100주년을 맞아 적공하자는 유시를 담은 대적공실 법문 등 총 68장을 수록하였다.

❶ 자수·자각·자립

대산 종사 말씀하시기를 "수행에는 자수(自修)·자각(自覺)·자립(自立)의 세 가지가 있느니라. 첫째, 자수는 생활 속에서 바른 표준을 세워 스스로 닦아나가자는 것이니 일관된 정성을 들이면 마침내 도력이 쌓여 세상의 큰 스승이 될 것이요, 둘째, 자각은 일과 이치로 천만 사물을 접하고 대할 때 서로 배우고 익히며 생각하고 연마하자는 것이니 꾸준히 노력하면 마음 하늘[心天]에 지혜의 태양[慧日]이 솟아 시방세계에 밝은 빛을 비출 것이요, 셋째, 자립은 개인이나 교단이나 국가나 세계를 막론하고 정신·육신·물질의 모든 생활에서 자력을 갖추자는 것이니 자립의 힘이 세상에 넘쳐흐를 때 인류 사회에 큰 보은이 되느니라." 〈적공편 1장〉

| 출처 |

수도삼문(修道三門)

첫째, 자수(自修)하는 길입니다. 성인의 능력이 아무리 장하시고 그 법이 소소(昭昭)하다 할지라도 그 능력을 힘입고 그 법을 받아 스스로 닦아 나아가는 큰 적공(積功)이 있어야 그 수도하는 생활이 헛되지 아니하고 완전무결한 인격에 스스로 접근해 갈 것이나, 만일 그렇지 못하여 이름만 수도한다 하고 실상은 허망한데 빠져 수도하는 바른길을 찾지 못하며 안으로 무엇 하나가 쌓이는 것이 없다면 공연한 시간만 허비할 것인즉, 수도하는 이가 무엇보다도 먼저 동정역순(動靜逆順)을 따라서 무슨 방법으로든지 스스로 닦아 가는 알찬 까닭을 세우고 일관된 정성이 쉬지 않음으로써 부지중 도력(道力)이 쌓여 삼계인천(三界人天)의 큰 스승이 될 것이요.

둘째는 자각(自覺)하는 길입니다. 현하 모든 종교문하에서 신앙만을 위주하고 자각하는 길이 없거나 설사 있다 할지라도 자각하는 실효를 얻지 못할 때에는 종교인이 더욱 어두울 수도 있어서 스스로의 일생을 허망하게 할 뿐만 아니라 중인(衆人)의 영생을 허망하게 그르칠 수도 있음을 우리 모든 종교인은 깊이 명심하고 선각자의 인도를 받아서 자각하는 길을 밟아 나가야 할 것이니, 그러기로 하면 이사간(理事間) 천만 사물을 접하여 서로 배우고 의견을 나누어 익히며 또 생각하고 탁마(琢磨)하며 사색하는 등등의 자각하는 길이 열림으로써 드디어는 심천(心天)에 혜일(慧日)이 돋아 시방세계의 밝은 태양이 될 것이요. 셋째는 자립하는 길입니다. 그동안 많은 종교가에서나 많은 수행자가 의타 생활로 독선기신(獨善其身)이 주가 되어 왔으나, 앞으로의 종교가나 수도인들은 자립하는 길을 잃고는 세상에 서지 못할 뿐만 아니라 세상과 스스로를 위해서 크게 불행한 일이 되고 말 것인즉 교단과 개인을 막론하고 정신, 육신, 물질 기타 모든 생활에 있어서 어떠한 방법으로든지 자립하는 길을 찾아 스스로의 활로(活路) 개척에 튼튼한 기반을 확립시킴과 아울러 그 자립한 힘이 세상에 넘쳐 흘려서 인류사회에 큰 복리(福利)를 끼쳐 주어야 할 것입니다.

〈『대산종사수필법문집』 1. pp.119~120. 원기50년 신년법문〉

| 배경 및 상황 |

대산 종사는 원기50년(1965) 신년법문으로 수도삼문을 내렸다. 수행에는 자수·자각·자립의 세 가지가 있다. 첫째, 자수는 성인의 능력이 아무리 장하고 그 법이 소소(昭昭)하다 할지라도 그 능력을 힘입고 그 법을 받아 스스로 닦아 나아가는 적공이 있어야 그 수도하는 생활이 헛되지 아니하고 완전무결한 인격에 이를 것이다. 둘째, 자각은 현하 종교문하에서 신앙만을 위주하고 자각하는 길이 없거나 설사 있다고 할지라도 실효를 얻지 못할 때는 일생과 영생을 허망하게 그르칠 수도 있으니 명심하고 선각자의 인도를 받아야 할 것이다. 셋째, 그동안 종교가에서 수행자들이 의타 생활로 독선기신(獨善其身)하였으나, 앞으로는 수도인들은 자립하지 않으면 세상에 서지 못할 뿐만 아니라 불행할 것이다.

| 용어 풀이 |

ㅇ **자수(自修)** 스승의 지도나 동지의 도움이 없이 스스로 발심하고 수행 정진함

ㅇ **자각(自覺)** 자신의 형편이나 처지, 본분 따위를 스스로 깨달음.

ㅇ **자립(自立)** 의뢰생활을 벗어나 자신의 힘으로 살며 자기에게 주어진 의무와 책임을 다함.

ㅇ **시방세계(十方世界)** 온 세계. 시방에 있는 무수한 세계. 시방에는 무량무변한 세계가 있으므로 시방세계라 한다. 시방은 동·서·남·북·사유·상·하의 열 가지 방향을 의미한다.

❷ 수행의 구경삼문

대산 종사 말씀하시기를 "수도인이 정성스럽게 수행을 계속하다 보면 마침내 영문(靈門)과 혜문(慧門)과 도문(道門)이 열리게 되나니, 영문은 동정 간에 마음이 막힘없이 통함을 이름이요 혜문은 일과 이치 간에 막힘없이 알게 됨을 이름이요 도문은 육근 동작을 중도에 맞게 사용하는 것을 이름이니라. 영문을 열려면 안으로 늘 멈추는 정정(定靜) 공부를 오래오래 계속하여 천만 경계에 끌리지 않는 부동심을 갖춰야 할 것이요, 혜문을 열려면 안으로 진리를 연마하여 일원의 지혜를 얻고 밖으로 지식을 배우고 체험하는 공부를 하여 천만 사리에 걸림 없는 알음알이를 얻어야 할 것이요, 도문을 열려면 안으로 계율을 지키고 밖으로 옳은 일은 용맹 있게 취하고 그른 일은 용맹 있게 놓는 정의행을 해야 하느니라."

〈적공편 2장〉

| 출처 |

수행의 구경삼문(究竟三門)

1. 영문(靈門)이니, 동정 간 마음을 온전히 멈추는 정정(定靜) 공부를 오래 하고 보면 영문이 열려서 마음 관(觀)하는 대로 막힘없이 알 것이다.

   1) 안으로 늘 멈추는 정정 공부를 오래 해서 천만 경계에 끌리지 않는 일심 즉 부동심을 만들자는 것이요. [내수정정(內修定靜)]

   2) 밖으로 온전한 정신 기운을 흩어버리지 말고 진심이 물들고 새어나가지 않게 하는 공부요. [외방누기(外防漏氣)]

2. 혜문(慧門)이니 사리 간에 대각의 열쇠인 의심을 걸고 연마하고 궁구하는 공부를 계속하면 혜문이 열려서 사리에 막힘이 없을 것이다.

   1) 안으로 의심 한 건씩을 걸어두고 간혹 알맞게 혜두를 연마해서 천만 사리에 걸림이 없는 알음알이 즉 반야지를 나투자는 것이요. [내연진리(內研眞理)]

   2) 밖으로 사리 간 배우고 체험하여 진리를 깨닫는 공부요. [외학사리(外學事理)]

3. 도문(道門)이니 육근을 동작할 때마다 취사하는 공부를 오래 하고 보면 도문이 열려서 인생 정로를 알아 매사에 중도 즉 법도에 어김이 없을 것이다.

   1) 안으로 정의를 양성해서 옳은 일은 아무리 하기 싫어도 용맹 있게 취하고 그른 일은 아무리 하고 싶어도 용맹 있게 놓아서 매매사사에 원만행을 하자는 것이요. [내지정념(內持正念)]

   2) 밖으로 계문을 범하지 말고 솔성요론을 실행해서 오직 중도를 행하는 공부이다. [외행중정(外行中正)]

수행의 최상구경에 이 세 문이 열리는바 공자께서는 도문을 먼저 여신 후 세 문을 갖추셨고, 불타께서는 혜문을 먼저 여신 후 세 문을 갖추셨고, 노자께서는 영문을 먼저 여신 후 세 문을 갖추셨느니라.

〈『정전대의』 pp.115~117. 수신강요 1. 91. 수행의 구경삼문〉

| 배경 및 상황 |

대산 종사는 '수행의 구경삼문'을 『대산종사수필법문집』 2. 박은국 수필본 p.1839 '원기47년(1962) 열외법문'에 소개되었다. 그 후 『정전대의』[초판 원기 62년(1977년) 11월 1일 발행]에 수록하였다.

간략하게 소개하면 1. 영문(靈門)[1) 내수정정(內修定靜) 2) 외방누기(外防漏氣)] 2. 혜문(慧門)[1) 내연진리(內研眞理) 2) 외학사리(外學事理)] 3. 도문(道門)[1) 내지정념(內持正念) 2) 외행중정(外行中正)]으로 정리할 수 있다.

| 용어 풀이 |

○ **구경(究竟)** 궁극의 경지. 완전하다, 지극하다, 철저하다, 마지막이라는 뜻이 있다. 일과 이치 곧 사리의 마지막 최고의 경지를 말한다. 불교에서는 최후 최고의 깨달음에 은유하여 구경각이라고 말한다.

○ **영문(靈門)** 신령스러운 마음이 자유자재로 드나드는 문이라는 뜻으로, 정신수양을 통해서 얻는 마음의 힘, 곧 정력(定力)을 말한다. 정신수양 공부를 오래오래 계속하면 마침내 영문(靈門)이 열린다고 한다.

○ **혜문(慧門)** ① 지혜의 문. 사리연구 공부를 오래오래 계속하면 지혜의 문이 열려서 사리를 통달하게 된다. ② 지혜를 밝게 열어 주는 법문.

○ **도문(道門)** ① 도교(道敎) 또는 도가(道家). 도교에 들어가는 문을 의미한다. ② 도법의 문호. 원불교의 진리 세계인 일원대도를 신앙하게 되는 것을 문에 비유하는 말. 곧 원불교의 진리로 들어오는 문이며, 수행의 길에 들어섬이다.

○ **정정(定靜)** 마음이 안정되고 고요한 것. 안정됨은 마음이 확고하여 흔들리지 않음이고, 고요함은 마음속에 욕심이 가라앉고 청정한 일심을 간직함을 의미한다. 정(定)은 마음을 하나로 안정시켜 삼매의 경지가 되어 흩어지지 아니하는 것. 정(靜)은 천만 경계에도 마음이 끌려가지 아니하는 것.

○ **사리(事理)** 일(事)과 이치(理)를 합하여 부르는 말. 원불교 교리 중 정신수양·

사리연구·작업취사 가운데 연구의 대상을 지칭한다.

❸ 여래위에 올라가는 힘이라야 대적공이다

대산 종사 말씀하시기를 "여래위에 오를 수 있는 힘이라야 대적공이라 할 수 있나니, 약간의 성과를 이루었다고 방심하면 안 되느니라. 천지도 비를 내리려고 하면 몇 날 며칠 공을 들이듯 공부인도 꾸준히 적공을 해야 도를 이룰 수 있느니라." 〈적공편 3장〉

| 출처 |

여래위(如來位)

출가위가 늙은 것이다.

같은 수확 수박인데 더 큰 수박 안 있던가?

다시 내려와서 중생계에 합하여 일하신다. 출가는 알아도 여래위는 모른다. 지난 뒤에야 안다. 대적공은 여래위 올라가는 힘이라야 대적공이다. 조금 되었다고 방심하면 퇴보하고 적공 아니다. 끊임없이 해나가는 것이다. 나이와 관계없다. 〈『대산종사수필법문집』 1. pp.1716~1717. 원기62년 7월 6~7일〉

| 배경 및 상황 |

대산 종사는 원기62년(1977) 7월 6~7일 삼동원 정양 하루가 지나고 다음 날 양타원(良陀圓) 송경심(宋敬心), 용타원(龍陀圓) 서대인(徐大仁), 법타원(法陀圓) 김이현(金理玄), 향타원(香陀圓) 박은국(朴恩局), 김양중(金良中), 김인철(金仁喆), 능타원(能陀圓) 양법관(梁法寬) 외 여러 사람이 법위등급에 대한 법문을 받들었다.

여래위에 대하여서 “출가위가 늙은 것이다. 최고에서 다시 내려와서 중생계에 합하여 일한다. 여래위에 올라가는 힘이라야 대적공이라 할 수 있다. 약간의 성과를 이루었다고 방심하면 퇴보하고 적공이 아니다. 천지 같은 힘이라야 도를 이룰 수 있다.”라고 하였다.

| 용어 풀이 |

○ **여래위(如來位)** 대각여래위의 준말.

○ **적공(積功)** ① 오래오래 수행 정진하는 것. 삼학 수행을 병진하여 삼대력을 갖출 때까지 용맹정진하는 것. ② 심고·기도·염불·좌선 등으로 심공(心功)을 쌓아가는 것. ③ 어떠한 일을 성취하기 위하여 많은 공을 들이는 것. ④ 덕을 베풀고 공(功)을 이루어 많은 공적을 쌓는 것.

❹ 정성이 귀신이다

대산 종사, 학인들에게 ‘성신(誠神)’이란 휘호를 내리시며 말씀하시기를 “정성이 귀신이니, 정성이란 나무나 바위처럼 아침부터 저녁까지 우두커니 서서 일심을 붙들고 사는 것이 아니라, 마음을 자연스럽게 쓰되 마음이 다른 곳으로 흐를 때마다 바로바로 챙기는 것을 이름이니라. 기름진 밭은 본래 풀이 잘 자라지만 그 주인이 부지런히 뽑아 주어 묵혀 놓지 않았을 뿐이니, 사심 잡념이 생길 때마다 정성껏 챙기고 챙겨 그 잡념을 제거하는 것이 올바른 수행법이니라.” 〈적공편 4장〉

| 출처 |

학생들에게 성신(誠神)을 써 주시고 말씀하여 주시기를

성(誠)이라 하면 아침부터 저녁까지 일심으로 하라는 것이 아니요, 자연스럽게 마음을 쓰되 마음이 챙겨지지 않고 다른 곳으로 흐르면 바로바로 챙기는 것이 성이요, 신(神)인 것이다.

그러니 성을 일심의 지속이라고 마음잡는 데에만 표준으로 하면 안 된다. 죽은 공부가 된다. 초목이나 철석은 계속 우뚝하니 있으니 성이고 일심이겠냐? 아니다. 그것은 죽은 것이지 일심이 아니다. 성인도 나면서부터 일심이 되어 열반까지 되었다고 하면 그것은 성인이 아니다. 그것은 목석이 더 잘한다. 산 마음이 어찌 사심 잡념이 없겠느냐?

챙기고 챙기는 데에서 그 잡념이 제거되는 것이다. 밭에 풀이 안 나면 죽은 흙이다. 그러므로 그것은 참 밭이 아니다. 참 밭은 풀이 무성하나 그 주인이 부지런히 뽑아버려 안 묵혀 놓을 뿐이다.

〈『대산종사수필법문집』 1. pp.608~609. 원기57년 4월 22일〉

| 배경 및 상황 |

대산 종사는 원기57년(1972) 4월 22일 익산 총부에서 학생들에게 '성신(誠神)'을 써 주시고 말씀하여 주시기를 "성(誠)이라 하면 아침부터 저녁까지 일심으로 하라는 것이 아니요, 자연스럽게 마음을 쓰되 마음이 챙겨지지 않고 다른 곳으로 흐르면 바로바로 챙기는 것이 성이요, 신(神)인 것이다. 챙기고 챙기는 데에서 그 잡념이 제거되는 것이다. 밭에 풀이 안 나면 죽은 흙이다. 그러므로 그것은 참 밭이 아니다. 참 밭은 풀이 무성하나 그 주인이 부지런히 뽑아버려 안 묵혀 놓을 뿐이니 사심 잡념을 제거하는 것이 올바른 수행법이다."라고 하였다.

| 용어 풀이 |

○ **성신(誠神)** 정성스러운 것이 신이다. 신에게 오로지 참으로 대함.

○ **휘호(揮毫)** 붓을 휘두른다는 뜻으로, 글씨를 쓰거나 그림을 그리는 것을 이르는 말.

❺ 숨은 적공으로 천지 조화가 나온다

대산 종사, 참나무 뿌리로 조각을 하시며 말씀하시기를 "사람이 큰일을 하려면 숨은 적공이 있어야 하나니 몇 생만 숨어서 적공을 하면 천지를 흔들 수 있는 조화가 나오는데 한 평생도 적공하지 않고 걱정만 하고 있으니 안타까울 뿐이라. 참나무도 그 뿌리가 땅속에서 백 년은 공을 쌓아야 뭇 조화를 부릴 수 있듯이 수도인도 한 평생은 숨어서 공을 쌓아야 조화를 얻을 수 있느니라." 〈적공편 5장〉

| 출처 |

참나무 뿌리에 대한 법문

1. 세상에 살아나기로 하면 세상의 뿌리가 있어야 한다. 참 뿌리가 세상에 근원이 되어야 도덕이 살아나는 것이다.

2. 참이 도덕의 뿌리가 되고 세상의 뿌리는 도덕이며, 도덕의 뿌리는 회상이고 [대학, 선원, 각 기관 등이 온상], 회상의 뿌리는 성인이며, 성인의 뿌리는 대각이고, 대각의 뿌리는 공부이다. [의두이다]

3. 대은(大隱)하여야 대현(大現)한다. 사람이 무슨 일을 하려면 적어도 한 돌은 숨고 간을 썩히어야 한다. 적어도 반 돌[30년]은 은(隱)하여야 하느니라. 나무뿌리도 100년 가까이 땅속에 숨기었기에 그 뿌리 자체에 조화가 무궁하게 이루어졌다. 우리도 뜻을 세웠거든 숨어 공을 쌓아야 한다.

4. 이 나무뿌리가 조직이 잘 되었다. 우리 교단도 조직이 확고하고 철저하게 수

립되어야 하겠다. 그 조직 체계와 그 방법은 교화, 교육, 자선, 훈련, 후원, 생산의 여섯 가지 기본 계획하에 조직 계통을 수립하자. 이것이 대종사님의 일원주의인 세계주의를 틈 없이 실현하는 길이니라.

〈『대산종사수필법문집』 1. p.446. 원기55년 6월 24일〉

| 배경 및 상황 |

대산 종사는 원기55년(1970) 6월 24일 금강리 뒷산에서 캐낸 참나무 뿌리를 보고 교도들에게 법문하시기를 "대은(大隱)하여야 대현(大現)한다. 사람이 무슨 일을 하려면 적어도 한 돌은 숨고 간을 썩히어야 한다. 적어도 반 돌은 은(隱)하여야 하느니라. 나무뿌리도 100년 가까이 땅속에 숨기었기에 그 뿌리 자체에 조화가 무궁하게 이루어졌다. 우리도 뜻을 세웠거든 숨어 공을 쌓아야 한다."라고 하였다.

대산 종사는 이 법문에 앞서 원기55년 6월 20일 참나무 뿌리를 보고 진성근(眞誠根)이라 하였다. 진성근이란 참으로 정성스러운 뿌리라는 뜻이다. "세상에는 뿌리가 있어야 살아난다. 그 뿌리가 참이 되어야지 거짓이 되면 안 되는데 우리가 지금 참나무 뿌리에 정성을 들이고 있으니 참이 좋구나. 세상의 뿌리는 도덕이고[참의 뿌리는 도덕], 도덕의 뿌리는 회상이며[회상은 온실과 같다], 회상의 뿌리는 성인이시고, 성인의 뿌리는 대각이며, 대각의 뿌리는 마음공부이다."라고 하였다.

| 용어 풀이 |

○ **참나무** 참나뭇과의 낙엽 교목. 높이는 20~25미터이며, 잎은 어긋나고 긴 타원형으로 가장자리에 톱니가 있다. 5월 무렵에 누런 갈색 꽃이 피고 열매는 다음 해 10월에 견과(堅果)를 맺는다. 열매는 묵을 만드는 데 쓰고 목재는 가구의 재료로 쓴다.

○ **조화(造化)** 만물을 창조하고 기르는 대자연의 이치. 또는 그런 이치에 따라 만들어진 우주 만물.

❻ 역사는 뒷사람이 알아서 한다

대산 종사 말씀하시기를 "수도인이 한결같은 공을 쌓고 쉬지 않는 공을 들이는 것이 쉬운 일은 아니지만 속 깊은 공부로 숨어서 적공을 하되 일을 할 때는 공과를 계교하지 말고 오직 그 일만 사심 없이 하다 보면 그 역사는 뒷사람이 알아서 하느니라." 〈적공편 6장〉

| 출처 |

참나무 뿌리 조각품을 가리키시며 장기준(張基峻), 심은전(沈恩傳) 내외에게 [하와이에 이민 감]

사람이 큰일을 하고자 하고 또한 남다른 일을 하고자 하면 숨은 적공을 하여야 한다. 참나무 뿌리가 저렇게 100년 가까이 땅속에 있었으니 뭇 조화가 생기듯 사람도 적어도 61년 한 돌은 숨어 공을 쌓아야 한다. 공을 한결같이 쌓고 정성이 쉬지 않는다는 것이 보통 일이 아니다.

우리는 그 일만 하고 가면 된다. 그 일이 되고 안 되고 그 일을 하다 살고 죽는 것 생각할 필요가 없다. 그 일만 하고 가면 역사는 뒷사람이 알아서 할 것이니 알리려고도 말고 오직 그 일만 하고 가자.

우리가 몇 생만 숨어서 적공하면 천지를 흔들 조화가 나오는데 60년 한 돌 적공도 못하여 야단들이고 나타내지 못하여 걱정들 하는구나.

〈『대산종사수필법문집』 1. p.732. 원기58년 5월 31일〉

| 배경 및 상황 |

대산 종사는 원기58년(1973) 5월 31일 김제 원평교당에서 정양 중 참나무 뿌리 조각품을 가리키시며 장기준(張基峻), 심은전(沈恩傳) 내외에게 말씀하시기를 "사람이 큰일을 하고자 하고 또한 남다른 일을 하고자 하면 숨은 적공을 하여야 한다. 참나무 뿌리가 저렇게 100년 가까이 땅속에 있었으니 뭇 조화가 생기듯 사람도 적어도 61년 한 돌은 숨어 공을 쌓아야 한다. 공을 한결같이 쌓고 정성이 쉬지 않는다는 것이 보통 일이 아니다."라고 말씀하였다.

| 용어 풀이 |

○ **공과(功過)** 공로와 과실을 아울러 이르는 말.

○ **계교(計較)** 서로 견주어 살펴봄. 요리조리 생각하여 낸 꾀, 계교(計巧). 사물이나 사람에 대해 의심하고 저울질하여 비교하는 것. 경계를 당하여 욕심에 끌려서 이익과 손해, 좋고 나쁠 것을 따져 보는 것.

○ **사심(私心)** 사사로운 마음. 또는 자기 욕심을 채우려는 마음.

❼ 잠자기 전 성찰할 세 가지

대산 종사 말씀하시기를 "내 한 마음 깨칠 때 그 빛이 온 세상을 두루 비쳐 일체중생을 제도하게 되고, 내 한 마음 큰 서원 세울 때 그 소리가 허공 법계에 울려 퍼져 성불의 문이 열리게 되며, 내 한 마음 참회 반성할 때 천지신명이 감응하여 삼세 업장이 청정해지느니라." 〈적공편 7장〉

| 출처 |

김덕전(金德田) 돌잔치에 '정진문(精進文)' 법문에 대한 부연을 다음과 같이

하여 주시다.

수도인들이 저녁에 자기 전에 자기를 성찰할 때,

1. 내 한마음이 깨칠 때 그 빛이 삼천대천세계에 비추어져 육도미륜(六途迷輪) 중생을 제도하게 되고,

2. 내 한마음이 큰 서원이 서질 때 그 소리가 공겁(空劫) 밖에 울려 퍼지고,

3. 내 한마음을 참회 반성할 때 천지신명이 감응하여 영겁 청정해진다. [삼세 업장 다 녹는다] 〈『대산종사수필법문집』 2. pp.727~728. 원기70년 10월 18일〉

| 배경 및 상황 |

대산 종사는 원기70년(1985) 10월 18일 김제 원평교당에서 김덕전(金德田) 돌잔치에 '정진문(精進文)' 법문에 대한 부연으로 수도인들이 잠자기 전에 자기를 성찰할 세 가지 법문을 하였다.

| 용어 풀이 |

○ **육도미륜(六途迷輪)** 중생이 윤회하는 지옥(地獄)·아귀(餓鬼)·축생(畜生)·아수라(阿修羅)·인도(人道)·천도(天道)의 여섯 세계를 미혹·미망·미로·미란 등에 빠져 어찌할 줄 모르고 헤매는 것.

○ **천지신명(天地神明)** 하늘과 땅의 신령. 천지조화를 주재하는 온갖 신령.

○ **공겁(空劫)** 사겁(四劫)의 하나. 이 세계가 무너져 사라지고 다음 세계에 이르기까지의 20중겁(中劫)을 이른다.

○ **업장(業障)** 전생에 악업을 지은 죄로 인하여 받게 되는 온갖 장애.

❽ 삼대력

대산 종사 말씀하시기를 "온전한 마음을 쉼 없이 키워나가야 천지를 움직일 만한 큰 수양력을 얻을 수 있고, 생각 생각을 끊임없이 이어 나가야 천지를 통달할 만한 큰 연구력을 얻을 수 있고, 꾸준한 실천을 계속해 나가야 완전한 인격을 갖추는 큰 취사력을 얻을 수 있느니라."

〈적공편 8장〉

| 출처 |

백암동 계곡에서 시자에게, 4학년 학생에게 해주셨던 법문을 소개토록 한 후 말씀하여 주시기를

일생을 통해 자기가 자기의 온전한 마음을 분으로 시로 일로 월로 년으로 키워 나가는 데서 수양력이 쌓인다. 적다고 무시하고 방심하면 그 사람은 성공을 못한다. 염불이나 좌선을 초, 분, 시, 일, 년으로 해 온전한 정신을 키울 것 같으면 나중에는 일념 만년(一念萬年)이 된다. 그래서 천지를 움직일 수 있는 정력이 생기는 것이다.

생각도 생각에서 생각을 낳고, 생각에서 생각을 낳다 보면 벌어져서 나중에는 크게 진리를 깨쳐서 부처님 같은 어른은 삼세를 관통해서 알아 천지를 조물조물 해석해 내신다.

실천도 한 번 실천했다고 힘이 생기는 것이 아니다. 어려운 것을 생명을 내걸고 실천할 때 큰 힘이 솟고 결국 그 사람이 성자가 되는 것이다. 실천함으로써 성자가 되는 것이다. 수양해서 힘 얻고 생각해서 머리가 벌어졌다고 성자가 되는 것이 아니다. 실천함으로써 성자의 매듭을 짓는 것이다. 그러니 대중은 다 잘해 보라. 〈『대산종사수필법문집』 1. p.1507. 원기61년 8월 7일〉

| 배경 및 상황 |

대산 종사는 원기61년(1976) 8월 7일 신도안 삼동원 백암동 계곡에서 시자에게, 4학년 학생들에게 해주셨던 삼산(三産) 법문[원기61년 7월 30일, 항심(恒心) 항신(恒身) 항산(恒産)]을 소개토록 한 후 삼대력에 대해 설하시고 결어로 다음과 같이 말씀하였다.

"만수(萬修), 만연(萬研), 만덕(萬德)으로 힘을 얻어야 한다. 대종사께서 삼학 중 편수하는 사람, 제일 꾸중하시고 염려하셨으니 삼학을 원만히 수행해 가라."

| 용어 풀이 |

○ **삼대력(三大力)** 삼학 수행을 통해서 얻게 되는 수양력·연구력·취사력 등의 세 가지 큰 힘. 이 세 가지 힘은 일심·알음알이·실행이라고도 함.

⑨ 정신수양

대산 종사 말씀하시기를 "정신수양은 수양을 통해 내정(內定)과 외정(外定)을 얻는 것이라. 이는 흐트러진 마음을 멈추고 가라앉히고 닦는 공부를 계속하여 일심을 얻자는 것이며, 참된 성품을 기르자는 것이며, 그일 그일에 영단을 뭉쳐 나가자는 것이니라. 그러므로 정신수양을 오래오래 계속하면 철주의 중심이 되고 석벽의 외면이 되는 부동심을 얻어 삼세의 업장을 굴리고 다닐 수 있으며, 구경에는 부처님과 같은 큰 정을 얻어 만능을 갖추게 되고 영통을 하게 되느니라." 〈적공편 9장〉

| 출처 |

종법사께서 원기63년도 추계 교역자강습 일요법회에 임석하시어 삼학공

부[其三]에 대한 법문을 내려주셨다.

정신수양은 정신을 수양하자는 것인데, 수(修)와 양(養)은 내정(內定)과 외정(外靜)을 얻는 길로 늘 흐트러지는 우리의 정신을 멈춰서 가라앉혀 닦는 공부를 억만 번 해나가자는 것이다. 이는 일심이 되자는 것이고 양성(養性) 본래의 천성(天性)을 기르자는 것이고 그일 그일에 영단을 뭉쳐 나가는 것이다.

이 영단(靈丹)에는 단전(丹田)의 뭉치, 서원(誓願)의 뭉치, 원심(怨心)의 뭉치로 뭉쳐진 심단(心丹)이 있고, 기운으로 뭉친 기단(氣丹)과 육신에 뭉쳐진 신단(身丹)이 있다. 그래서 수양 공부를 오래오래 하고 보면 철주의 중심이 되고 석벽이 외면이 된 부동심이 되는 것이니 이를 수양력이라 한다.

〈『대산종사수필법문집』 1. p.1965. 원기63년 10월 27일〉

| 배경 및 상황 |

대산 종사는 원기63년(1978) 10월 27일 추계 교역자강습 일요법회에 임석하여 삼학공부[其三]에 대한 법문을 설하였다.

정신수양은 구경에는 무능으로 만능을 갖추어 영통을 얻는 공부다. 영통이란 심령(心靈)을 통한 자리를 말한다.

| 용어 풀이 |

○ **내정(內定)** 정신수양 공부의 한 방법. 안으로 마음이 어지럽지 아니하고, 마음이 평화롭고 맑으며, 천만 번뇌를 잠재우는 공부. 내정정(內定靜).

○ **외정(外靜)** 바깥 경계에 마음이 끌려가지 않고 마음의 안정을 얻는 정신수양 공부. 외정정(外定靜).

○ **영단(靈丹)** 깊은 수양으로 얻어진 신령스러운 마음의 힘. 심단(心丹)[단전(丹田) 뭉치, 서원(誓願) 뭉치, 원심(怨心) 뭉치]과 신단(新丹)[육근 뭉치]이 있다.

○ **철주중심 석벽외면(鐵柱中心 石壁外面)** 쇠기둥이나 석벽은 바람이 아무리

불어도 무너지지 않고 튼튼한 것처럼, 수행자의 신심이나 수행력이 천만 경계에도 흔들리지 않을 정도로 철저하고 튼튼하다는 말.

○ **영통(靈通)** 신령스러운 우주의 진리를 통달하는 것. 도통·법통과 함께 삼통의 하나. 정신수양에 전심전력하여 수행이 최상구경에 이르고 보면 신령의 문이 열려, 보고 듣고 생각하지 아니해도 천지 만물의 변태와 인간의 인과보응의 이치가 훤히 알게 되는 신통한 힘.

⑩ 사리연구

대산 종사 말씀하시기를 "사리연구는 연구를 통해 일과 이치를 연마하는 것이라. 이는 보고 듣고 사색하고 수증(修證)하는 공부를 계속하여 알음알이를 얻는 것이며, 참된 성품을 보는 것이며, 그일 그일에 바른 깨달음을 얻는 것이니라. 그러므로 사리연구를 오래오래 계속하면 대소유무와 시비 이해의 이치를 모두 아는 연구력을 얻을 수 있으며, 구경에는 만지(萬智)를 갖추게 되고 도통을 하게 될 것이니라." 〈적공편 10장〉

| 출처 |

사리연구는 사리를 연구하자는 것인데 연(硏)과 구(究)는 마탁(磨琢), 갈고 쫓는 것으로 문견(聞見)하고 사색(思索)하고 수증(修證)하는 것을 억만 번 해나감으로써 이뤄지는 것이다. 이는 알음알이를 얻자는 것이며 견성하자는 것인데 부처를 본다는 것으로 대(大)의 자리를 보는 초견성과 대(大)가 소(小)가 되고, 소가 대가 되는 것을 아는 중견성과 대소유무를 다 아는 상견성의 단계가 있다.

그리고 그일 그일에 정각(正覺)하자는 것인데 바르게 깨닫는 것도 사물에 문리, 학문에 문리, 진리에 대한 문리가 나야 한다. 그래서 연구 공부를 오래오래 하고 보면 진리의 눈을 떠서 대소유무와 시비이해의 이치를 요달하여 연구력을 얻게 된다.

연구의 구경은 무루대지를 통하여 만지(萬智)를 갖추고 명암(明暗)을 자유롭게 되는 것이다. 그리고 도통(道通)을 얻게 되는 것인데 도통이란 진리를 통달한 자리이다.

〈『대산종사수필법문집』 1. pp.1965~1966. 원기63년 10월 27일〉

| 배경 및 상황 |

대산 종사는 추계 교역자강습에서 이어서 "사리연구는 구경에는 무지로 만지(萬智)를 갖추어 도통을 얻는 공부다. 도통이란 진리를 통달한 자리다."라고 하였다.

| 용어 풀이 |

○ **마탁(磨琢)** ① 마음공부에 힘쓰고 덕행을 쌓아가는 것. 수행 정진하는 것. ② 성리연마·의두연마에 힘쓰는 것. ③ 어떤 일을 미리 연마·연습하는 것. ④ 시문(詩文)을 지을 때 고치고 다듬어서 절묘하게 하는 것. ⑤ 옥(玉)이나 돌 같은 것을 갈고 쪼고 닦아서 아름답게 만드는 것.

○ **문견(聞見)** 보거나 듣거나 하여 깨달아 얻은 지식.

○ **사색(思索)** 어떤 것에 대하여 깊이 생각하고 이치를 따짐.

○ **수증(修證)** ① 수(修)는 삼학을 수행하는 것, 증(證)은 일원의 위력을 얻고 일원의 체성에 합하는 것. 일원상의 진리와 내가 하나가 되는 것. ② 수행과 증득. 수행을 통해서 진리를 깨달아 얻는 것.

○ **도통(道通)** 사물의 오묘 불가사의한 이치를 깨달아서 통하는 것. 대소유무의 이치와 시비이해의 일에 능통·통달하는 것.

⑪ 작업취사

대산 종사 말씀하시기를 "작업취사는 취사를 통해 악을 버리고 선을 취하는 것이라. 이는 그른 일은 죽기로써 끊고 옳은 일은 죽기로써 계속하여 실행력을 얻는 것이며, 솔성의 힘을 얻어 그일 그일에 바른 행을 하는 것이니라. 이처럼 작업취사를 오래오래 계속하면 중심(中心)·중도(中道)·중화(中和)의 실천력을 얻고, 금강과 같은 칼로 삼독심을 제거하는 결단력을 얻을 수 있으며, 구경에 이르러서는 대와 소를 자유자재하는 만덕을 갖추게 되고 법통을 하게 될 것이니라." 〈적공편 11장〉

| 출처 |

작업취사란 작업을 취사하자는 것인데 취(取)와 사(捨)는 취선(取善) 사악(捨惡)으로 불의는 죽기로 끊고 정의로 죽기로 실천하기를 억만 번 해나가는 것이다. 이는 실행을 잘하자는 것이며 솔성하자는 것이다. 그리고 그일 그일에 정행(正行)하자는 것인데 솔성요론 16조, 사은사요를 실천하자는 것이며 비행(非行)인 30계문과 다생(多生) 악습관력(惡習慣力)을 제거해 나가는 것이다.

취사공부를 오래오래 하고 보면 중심(中心) 중도(中道) 중화(中和)의 실천력을 얻게 되는 것이니 이를 취사력이라 한다. 또한 계력(戒力)이라고도 하는 것이니 금강이도(金剛利刀)로 제거삼독심(除去三毒心)하는 결단력이 있게 되는 것이다.

그래서 작업취사의 구경은 일행삼매(一行三昧)가 되고 자비만행(慈悲萬行)을 나투는 만덕존상(萬德尊像)이 되고 무위대행(無爲大行)의 천지행(天地行)을 이루어 대소(大小)를 자유롭게 되는 것이다.

그리고 법통(法通)을 얻게 되는 것인데 이것은 법도 있는 생활이 되는 것이다.

〈『대산종사수필법문집』 1. p.1966 원기63년 10월 27일〉

| 배경 및 상황 |

대산 종사는 추계 교역자강습에서 이어서 "작업취사는 구경에는 무능으로 만능(萬能)을 갖추어 법통을 얻는 공부다. 법통이란 법도 있는 생활을 말한다." 라고 하였다.

| 용어 풀이 |

○ **취선사악(取善捨惡)** 선은 행하고 악은 버리는 것. 정의는 실행하고 불의는 행하지 않는 것.

○ **솔성(率性)** 천도(天道)에 순응하고, 나아가 천도를 자유자재로 활용하는 것. 모든 사람에게 본래 갖추어진 일원상의 진리 곧 불성[본성]을 회복하여 그것을 일상생활 속에서 잘 활용해 가는 것이다. 일원상의 진리와 같이 원만구족하고 지공무사한 본래 성품을 잘 사용하는 것.

○ **중화(中和)** 치우침이 없고 올바른 상태. 덕성(德性)이 중용을 잃지 아니한 상태. 유교의 윤리사상.

○ **금강(金剛)** ① 금속 가운데 가장 단단한 금강석을 일컫는 말인데, 신성이나 공부심이 확고하여 어떠한 경계나 유혹 앞에서도 흔들리지 않는 것을 말한다. ② 반야의 지혜, 곧 사리연구력을 얻으면 어떠한 무명 번뇌도 물리칠 수 있다는 말.

○ **삼독심(三毒心)** 탐욕심(貪欲心)·진에심(瞋恚心)·우치심(愚癡心)의 세 가지 번뇌. 줄여서 탐·진·치 삼독심이라고 한다. 이 삼독심은 모든 죄악의 근본이 된다.

○ **법통(法通)** 마음공부가 최상구경에 도달하여, 천조의 대소유무의 이치를 보아다가 인간의 시비이해의 일을 밝혀서, 만세 중생이 거울삼아 본받을 만한 대경대법(大經大法)을 제정할 수 있는 큰 힘을 얻는 것. 영통(靈通)·도통(道通)과 함께 삼통(三通)의 하나로서, 삼통 가운데에서도 법통을 얻기가 제일 어렵고, 대원정각을 해야만 얻을 수 있다.

⑫ 삼학 공부로 삼대력을 얻고 보면

대산 종사 말씀하시기를 "삼학 공부로 삼대력을 얻고 보면 정신의 안정과 진리의 밝은 눈을 얻어 영생을 정로(正路)로 살게 되며, 삼계의 자비 부모가 되고 일체 생령을 빠짐없이 제도할 수 있는 큰 능력을 갖게 될 것이니라. 수양 공부를 위해서는 절대 안정하고 흥분하지 말며 매일 만 보 이상 선보(禪步)를 하고, 연구 공부를 위해서는 심사 묵조(深思默照)로 바른 지각을 얻고 성현의 경전을 매일 독서하며 심사(心師) 심우(心友)와 서로 의견 교환을 하여 진리를 단련하고, 취사 공부를 위해서는 그른 일은 죽기로써 끊고 옳은 일은 죽기로써 실행하며 매사에 신경 쓸 일을 처음부터 짓지 말 것이니, 정당한 목표와 계획을 세우고 1년, 10년, 30년, 대적공을 하는 중에 큰 공부가 이루어지느니라." 〈적공편 12장〉

| 출처 |

삼대력을 얻으면 정신에 대안정과 진리의 밝은 눈을 얻어서 영생을 탄탄한 정로(正路)와 대로(大路)로 살게 되며 이럼으로써 삼계의 대도사가 되고 사생의 자비 부모로서 삼신(三身)을 구비하신 여래로서 일체 영생을 빠짐없이 제도할 수 있는 대능력을 갖추게 되는 것이다.

〈『대산종사수필법문집』 1. p.1966. 원기63년 10월 27일〉

대수양 一. 절대 안정하라.

一. 절대 흥분치 말 것. [거북은 흥분하지 않으므로 수(壽)한다]

一. 매일 만 보 이상 선보(禪步)를 하라.

대연구 一. 심사묵조(深思默照)로써 바른 지각을 얻는다.

一. 성경현전(聖經賢典)을 일과로써 독서한다.

一. 심사(心師) 심우(心友)로 서로 의견 교환과 진리를 단련한다.

대취사 一. 그른 일은 죽기로써 끊고, 옳은 일은 죽기로써 하자.

一. 매사에 당초부터 신경 쓸 일은 절대로 금한다.

一. 일생 중 정당한 목표와 계획을 세우고 1년 10년 30년 대적공의 실천이 있어야 한다. [100일, 1,000일 기도]

一. 일생과 영생을 큰 서원 밑에 큰 목적을 세우고 단기로 1주일을 비롯한 49일, 100일, 1천일 이상 1만일까지 기도 정진의 대공(大功)을 올리자.

〈『대산종사수필법문집』 2. pp.505~506. 원기69년 1월 30일〉

| 배경 및 상황 |

대산 종사의 원기63년(1978) 10월 27일 '삼대력 결과'의 법문과 원기69년(1984) 1월 30일 '대수양, 대연구, 대취사' 법문을 병합하여 윤문한 것이다.

| 용어 풀이 |

○ **정로(正路)** 올바른 길. 또는 정당한 도리.

○ **삼계(三界)** 불교의 세계관으로 중생들이 생사 윤회하는 미망의 세계를 3단계로 나누어 욕계(欲界)·색계(色界)·무색계(無色界)의 세 가지로 설명하며 삼유(三有)라고도 한다.

○ **선보(禪步)** 선하는 마음으로 걷는다. 선심으로 산보나 산책하는 일.

○ **심사묵조(深思默照)** 고요하게 깊이 생각하여 내면을 비춤.

○ **심사(心師)** ① 내 마음속에 모시고 있는 스승. 지식·기능의 스승이 아니라 내 마음을 키워 주는 스승. ② 내 마음을 스승으로 삼는다는 말. 내 마음이 곧 부처 마음이기 때문에 내 마음을 스승으로 삼는다. 이때의 마음은 사량 계교심이 아니라 본래 마음이다. 자기 마음의 스승이 가장 큰 스승이다.

○ **심우(心友)** 마음과 마음이 서로 통하는 벗. 이심전심·심월상조·심심상련·심심상인 하는 도반. 심우(心友)·심사(心師)가 있어야 공부가 빠르다.

⑬ 세 가지 가뭄과 해소책

대산 종사 말씀하시기를 "지금 세계는 오랜 가뭄을 해갈할 비를 간절히 기다리고 있으나, 아직 정신적인 가뭄을 해갈하는 데까지는 생각이 미치지 못하고 있나니, 오늘은 우리가 당면한 세 가지 가뭄과 그 해소책에 대해 말해 주리라. 첫째는 정신의 가뭄이니 이 가뭄이 들면 불안과 초조, 공포와 망상으로 머리에 불이 붙게 되므로, 이 불을 끄려면 염불·좌선·심고·기도·주문 등을 기본으로 공부하되 육신 노동도 적당히 하여 정신을 함축해야 할 것이요, 둘째는 지혜의 가뭄이니 이 가뭄이 들면 사리에 어두워져 죄 받고 복 받는 이치를 모르고 하늘에 복만 내려달라고 빌게 되므로, 이를 해소하려면 경전·강연·회화·의두·성리·정기 일기 등으로 지혜가 거울같이 밝게 열리도록 계발해야 할 것이요, 셋째는 실천의 가뭄이니 이 가뭄이 들면 세상에 거짓이 가득 차 서로 속이려고만 하므로 삿된 길로 가거나 죄의 구렁에 빠져서 금수 같은 생활을 면하지 못하게 되므로, 이를 해소하려면 상시 일기·주의·조행 등으로 정의는 죽기로써 취하고 불의는 죽기로써 버리는 실행의 힘을 길러야 하느니라." 〈적공편 13장〉

| 출처 |

교역자강습 시 일요 법회에 '가뭄에 대하여'

내 오늘은 가뭄에 대하여 말하고자 한다. 지금 서아프리카 일대와 인도와 중공, 소련 등에 수년간씩 가물어 식량난에 봉착하였고, 서아프리카와 일부의 인도 지방에서는 2천만에 가까운 동포가 희생되었다 한다. 참으로 산지옥 생활이다.

가뭄으로 온 인류가 무서운 고통을 받고 있어 물이 귀중한 줄을 알게 되었으나 정신적 가뭄으로 받는 고통이나 성인의 법우(法雨)에 대해서는 생각이 미치지 아니하며 설사 그것을 고통스럽게 알고 정신의 가뭄을 해소하려 하나 그 방법이 막연하다. 그래서 오늘 삼대 가뭄을 말하고 그 해소책을 밝혀 인류에게 정신의 가뭄을 해소토록 하고자 한다.

세 가지 가뭄은 정신의 가뭄, 지혜의 가뭄, 실천의 가뭄 등이다. 이 세 가지 가뭄으로 인하여 불이 붙지 않은 인류는 38억 가운데 몇이나 있을까?

"첫째, 정신의 가뭄이 나타나는 현상에 대하여 대답해 보라."

한 교무 "정신 기운이 솟아나지 못하여 몽롱하고 가라앉아서 죽은 정신이 됩니다."

"그러나 내 다시 말하여 주리라."

불안과 초조와 공포와 번민 망상이 되어 머리에 불이 붙어 타 버린다. 먹통이 되어 버린다. 그렇게 되고도 잘 살 수 있을 것인가?

지옥이 따로 없다. 그것이 산지옥이다. 집은 고층이 많은데 그 속에서 사는 사람들은 공포와 초조와 불안으로 번민 망상은 더 심하다.

"이 가뭄을 해소하려면?"

"염불, 좌선, 기도, 심고, 주문 등의 공부입니다."

"맞았다."

그 공부해야 한다. 또 육신 노동을 적당히 함으로써 해소된다. 금년 들어 총부 직원들이 적당한 노동 즉 풀매기 등으로 정신을 집중하고 있다. 이는 모두 실질적인 안정 법이다.

"둘째, 지혜의 가뭄이 들면 어떠한 현상이 나타나는가?"

한 교무 "사리(事理)에 어두워져 예의염치가 없는 사람이 됩니다."
"맞았다."
내 다시 말하여 주리라. 지혜의 가뭄이 들었으므로 사리가 어두워져서 죄불죄 복불복의 이치를 모른다. 명산대천에 가보면 많은 사람이 그냥 복만 내려달라고 빌어 댄다. 누구한테 내려달라고 하느냐고 물어보면 그것은 모른다. 그것이 바로 지혜의 가뭄에서 오는 것이다. 지혜 문이 닫히고 어두워지는 것을 모른다.
이 지혜의 가뭄을 해소하기로 하면 어떻게 해야 하는가?
강연, 회화, 의두, 성리, 정기 일기, 감각 감상 등 대종사께서 그렇게 밝혀 주셨으니 우리가 10년쯤 공부하면 지혜가 거울같이 환히 열릴 것이다.
셋째, "실천에 가뭄이 들면 어떤 현상이 나타나는고?"
한 교무 "정의를 실천하지 못하고 불의만 행하여서 죄고에 헤매게 됩니다."
"맞았다."
내 다시 말하여 주리라. 거짓이 유행된다. 부자간에도 부부간에도 서로 속이려고만 한다. 또 사곡(邪曲)된다. 길이 아닌 개구멍으로 가는 것, 그것이 사곡이다. 또 불의의 죄 구덩이에 빠진다. 이 가뭄은 금수의 세계라 할까 천상의 세계라 할까.
그러면 사람이 다니는 길로 다니게 하려면 어떻게 해야 할까?
그것은 정의는 죽기로 실천하고 불의는 죽기로써 않도록 하라. 종합하면 정신의 가뭄에는 정신 함축, 지혜의 가뭄에는 지혜 계발, 실천의 가뭄에는 정의 실천으로 표본 삼아라.

〈『대산종사수필법문집』 1. pp.795~796. 원기58년 9월 23일〉

| 배경 및 상황 |

대산 종사는 원기58년(1973) 9월 23일 교역자강습 때 일요법회에서 말씀하시기를 "지금 서아프리카 일대와 인도와 중공, 소련 등이 수년간씩 가물어 식량난에 봉착하였고, 서아프리카와 일부의 인도 지방에서는 2천만에 가까운 동포가 희생되었다 한다. 참으로 산지옥 생활이다."라고 말하며 세 가지 가뭄과 해소책을 질의문답식으로 법문하였다.

"가뭄으로 온 인류가 무서운 고통을 받고 있어 물이 귀중한 줄을 알게 되었으나 정신적 가뭄으로 받는 고통이나 성인의 법우(法雨)에 대해서는 생각이 미치지 아니하며 설사 그것을 고통스럽게 알고 정신의 가뭄을 해소하려 하나 그 방법이 막연하다. 그래서 오늘 삼대 가뭄을 말하고 그 해소책을 밝혀 인류에게 정신의 가뭄을 해소토록 하고자 한다. 세 가지 가뭄은 정신의 가뭄, 지혜의 가뭄, 실천의 가뭄 등이다."라고 말하였다.

| 용어 풀이 |

○ **해갈(解渴)** 목마름을 해소함. 비가 내리고 가뭄을 겨우 벗어남.

○ **함축(含蓄)** 겉으로 드러내지 아니하고 속에 간직함.

○ **법우(法雨)** 중생을 교화하여 덕화를 입게 함을 비에 비유하여 이르는 말.

⑭ 나가대정

대산 종사 말씀하시기를 "나가 대정(那伽大定)은 용상 대정(龍象大定)을 말함이니 동정 간에 끊임없이 큰 정에 드는 것을 이름이니라. 본래 용상 대정은 일상생활 속에서 큰 정에 들어 그 힘을 활용하자는 데 그 목적이 있었으나, 시일이 흐름에 따라 그 뜻이 잘못 전해져 용이나 코끼리같이 오래 앉아 정(定)에 들어야 부처를 이룬다고 생각하는 사람이 많으니라. 그러므로 대종사께서는 과거 수도인들처럼 일 없을 때 정정(定靜)만을 편벽되게 닦을 것이 아니라, 동하여도 분별에 착이 없고 정하여

도 분별이 절도에 맞는 동정 일여 공부로 나가 대정에 들 수 있도록 수행의 길을 밝혀 놓으셨느니라." 〈적공편 14장〉

| 출처 |

나가대정(那伽大定)에 대하여

① 나가대정은 곧 용상정이니 크고 큰 정(定)이라는 뜻으로 동정 간에 끊임이 없는 대정을 말한다. 그러므로 나가대정은 정정(定靜)만을 편벽되이 닦아서 얻어지는 것이 아니요, 동정 간에 끊임없이 삼학을 아울러 삼대력을 얻어지는 큰 힘이다. ② 본래의 뜻은 생활하고 활동하면서 이 대정을 얻을 수 있고, 활용할 수 있도록 바른길을 전하셨으나 시일이 흐르고 역사가 변천함에 따라 그 뜻이 그릇 전해지게 되었다. [석가불은 바르게 전해졌는데, 그 후 제자들이 오래 앉아 있어야만 하는 것으로 알고 전해졌다] ③ 대종사께서 다시 이를 시정하여 깨우쳐 주셨으며, 대도인이 무수히 나오도록 하셨다. 대각여래위의 표준 조항 중 동하여도 분별에 착이 없고 정하여도 분별이 절도에 맞는다고 하신 동정일여의 법문이 바로 이 나가대정을 말씀하신 것이다. 동하여도 분별에 착이 없다는 것은 육식(六識)이 육진(六塵) 중에 출입하되 섞이지도 아니하고 물들지도 아니하여 매양 중도행을 하는 것이다.

〈『대산종사수필법문집』 1. p.350. 원기53년 11월 7일

| 배경 및 상황 |

대산 종사는 원기53년(1968) 11월 7일 익산 금강리 신성마을[신정묵 家]에서 '나가대정'에 관해 말씀하시고 "대각여래위의 표준 조항 중 동하여도 분별에 착이 없고 정하여도 분별이 절도에 맞는다고 하신 동정일여의 법문이 바로 이 나가대정을 말씀하신 것이다. 동하여도 분별에 착이 없다는 것은 육식이 육진 중에 출입하되 섞이지도 아니하고 물들지도 아니하여 매양 중도행을 하는 것

이다."라고 하였다.

| 용어 풀이 |

○ **나가대정(那伽大定)** 용정(龍定)·용상정(龍象定). '나가'는 용을 뜻하며 '대정'은 큰 삼매라는 의미. 이를 합쳐서 용정이라고 함. 무궁무진한 조화력을 가진 부처님의 큰 정력(定力)을 말한다. 용은 항상 고요한 가운데에서 사심 잡념 없애기를 계속하여 능히 큰 신통 변화를 나타내기 때문에 부처님의 큰 정력에 비유한 것이다.

○ **분별(分別)** 불교에서 모든 사물과 존재의 본성을 보지 못하고 겉모습에 매달려 판단하고 사유·추론하는 의식 작용을 말하는 부정적 의미의 용어. 원불교에서는 대소유무의 이치와 시비이해의 일을 사량(思量)하여 식별하는 것 또는 세상살이의 경험을 쌓아서 천만 사물에 적당한 판단을 내리는 것. 그리고 정의·불의·진실·거짓을 확실하게 판단하는 것 등을 의미하는 긍정적인 의미로 사용하기도 한다.

○ **절도(節度)** 일이나 행동 따위를 정도에 알맞게 하는 규칙적인 한도.

○ **동정일여(動靜一如)** 원불교 표어의 하나. 동과 정이 한결같음. 동정간(動靜間) 불리자성(不離自性) 공부. 일이 있을 때나 없을 때나 끊임없이 참된 마음을 지키는 공부를 말한다.

⑮ 선은 본래 일직심이다

대산 종사 말씀하시기를 "선(禪)은 본래 일직심(一直心)의 생활을 말함이니 사사물물을 대할 때마다 한결같은 마음을 계속해 나가는 것이니라. 그러므로 우리가 선을 하는 것은 정신 작용과 육근 활동을 쉼 없이 하는 가운데 큰 정을 얻고 큰 지혜를 얻어 세상을 밝히자는 것으로, 선을 하는 사람은 늘 밖으로 나가는 마음을 멈춰 고요한 생활을 하고, 어리석은 마음을 밝혀 지혜의 생활을 하며, 모나고 모자란 마음을 바루어 원만한 생활을 하느니라." 〈적공편 15장〉

| 출처 |

선이란 단시(單示)란 뜻이다[단시심(單示心)]. 입(立), 행(行), 좌(坐), 와(臥)의 유사종선(有四種禪)의 일직심(一直心) 생활이다.

사사물물에 일심을 보이는 뜻이 되어야 한다. 한결같이 일심만 계속하면 그것이 바로 선(禪)인 것이다. 여래선법(如來禪法)이다. 시간과 공간, 종과 횡, 정신작용과 육근 활동에 쉴 틈 없는 대정(大定)을 얻는 방법이요, 혜광(慧光)을 가지게 하는 원동력이요, 세상을 밝힐 방법이다.

늘 멈추면서 정려(靜慮)의 생활을 하고 산란한 생활을 온전한 생활로 하게 하며, 고요하고 두렷한 데를 늘 비추어 모나고 모자람이 없게 하는 길이다. 원동태허(圓同太虛)에 반조하면서 무흠무여(無欠無餘)의 생활이 계속되어야 한다.

공적영지(空寂靈知) 그 마음으로 일을 접하고 처리하면 선(禪)을 잘함이 된다.

실생활에 들어 자성에 늘 비추면서 착 없이 그 일을 지으면서 원만행을 하라.

〈『대산종사수필법문집』 1. p.296. 원기53년 2월 27일〉

| 배경 및 상황 |

대산 종사는 원기53년(1968) 2월 27일 신도안 삼동원에서 정기훈련법과 상시훈련법은 조불(造佛) 성불하는 묘방이 된다고 말씀하시고 "현실에서 초연한 생활이 선인(禪人)의 생활이다. 선리[禪理, 선(禪)에서 깨닫는 이치]를 알고 하면 자자구구(字字句句)가 성금[成金, 금을 이루고]이고 모르고 하면 와륵이다."라고 하였다.

| 용어 풀이 |

○ **일직심(一直心)** 언제나 한결같은 마음.

○ **사사물물(事事物物)** 모든 일과 모든 물건. 또는 모든 현상.

○ **여래선법(如來禪法)** 여래의 가르침으로 깨닫는 선(禪). 당나라 화엄종(華嚴宗)의 승려로 교선일치(敎禪一致)를 주장했던 종밀(宗密)이 세운 5종선[외도·범부·소승·대승·최상승] 중의 최상승선(最上乘禪)을 말한다. 정확히는 여래청정선(如來淸淨禪)이라고 한다. 선종에서는 석가모니가 이룬 선의 경지로 진귀 조사(眞歸祖師)를 찾아가 구경(究竟)에 든 조사선(祖師禪) 이전의 습선(習禪)으로 본다. 『능가경(楞伽經)』에 나오는 이 말을 종밀은 부처의 경지에 머물며 중생을 위해 묘법(妙法)의 일을 행하는 것이므로, 교선일치(敎禪一致)를 주장, 달마(達摩)가 전한 최상승선이라고 했다.

○ **정려(精慮)** ① 조용히 생각하는 것. 깊이 생각하는 것. ② 선정(禪定). 마음을 통일하여 진리를 생각하는 것.

○ **원동태허 무흠무여(圓同太虛無欠無餘)** 초기 교서의 하나인 『불교정전』에 표어로 사용한 말로서, 일원의 진리를 설명하는 말이다. 원래 중국 선종의 제3조 승찬이 지은 『신심명(信心銘)』에 나오는 말이다. 진리는 두렷하고 원만하기가 저 허공 같아서 모자라는 것도 남는 것도 없다는 뜻이다. 우리의 본래 마음은 원만하고 두렷하므로 무어라 표현할 수 없다. 방법적으로 저 허공에 비유한 것이다. 마음은 허공 같아서 원만하고 두렷하며 남는 것도 없고 모자라는 것도 없다. 마음은 펴놓으면 우주에 가득 차고 거둬들이면 겨자씨보다 더 작은 것이다. 마음은 또 밝기로는 태양보다 더 밝은 것이지만 어둡기로는 칠흑보다 더 어두운 것이다.

○ **공적영지(空寂靈知)** 텅 고요한 가운데 신령스럽게 앎.

○ **와륵(瓦礫)** 깨진 기와 조각이란 뜻으로, 하찮은 물건이나 사람을 비유적으로 이르는 말.

⓰ 삼대력 얻는 길

대산 종사 말씀하시기를 "천만 경계를 대할 때 수양력 얻는 빠른 길은 늘 멈추고 멈추어 정력을 쌓는 것이요, 가라앉히고 가라앉혀 안정력을 얻는 것이요, 닦고 닦아 청정심을 기르는 것이니라. 천만 경계를 대할 때 연구력 얻는 빠른 길은, 늘 묻고 배워 지식을 얻는 것이요, 생각하고 생각하여 큰 깨달음을 얻는 것이요, 갈고 닦아 맑은 혜광이 솟게 하는 것이니라. 천만 경계를 대할 때 취사력 얻는 빠른 길은, 늘 참고 참아 큰 인내력을 얻는 것이요, 옳은 것을 실천하고 실천하여 덕행을 펴는 것이요, 그른 것을 끊고 끊어 결단력을 세우는 것이니라." 〈적공편 16장〉

| 출처 |

제22회 교역자 해제 법설

삼대력 얻는 길

정신에 있어 수양력을 얻어 나가는 빠른 길은

첫째, 일용천만(日用千萬) 경계 중에 늘 멈추고 멈추어서 대정력(大定力)을 쌓아가는 것이요. 둘째, 일용천만 경계 중에 늘 가라앉히고 가라앉혀서 대안정력을 얻어 나가는 길이요. 셋째, 일용천만 경계 중에 늘 닦고 닦아서 대청정심(大淸淨心)을 길러나가면 마음에 철주의 중심이 확립되어 결국 대수양력을 얻게 됩니다. 수양 공부는 한 말로서 이르자면 멈추고 가라앉히고 닦는 공부를 하나부터 백, 천, 만, 억까지 하는 대정성심으로 적공을 들이는 것입니다.

사리에 있어서 연구력을 얻어 나가는 빠른 길은

첫째, 모든 사물을 대할 때 늘 묻고 배워서 대지식을 얻어 나가는 것이요. 둘째, 모든 사물을 대할 때 생각하고 생각해서 대각을 이뤄가는 것이요. 셋째, 모든 사물을 대할 때 갈고 갈아서 대혜광(大慧光)이 솟아나게 함으로써 결국 대연구력을 얻게 됩니다. 연구 공부를 한 말로써 이르자면 묻고 생각하고 가는 [연마] 공부를 하나부터 백, 천, 만, 억까지 쉬지 아니하고 대정성심으로써 적공을 들이는 것입니다.

작업에 취사력을 얻어 나가는 빠른 길은

첫째, 일용천만 경계를 대할 때 아닌 것을 늘 참고 참아서 대 인내력(大忍耐力)을 얻어 나가는 것이요. 둘째, 일용천만 경계를 대할 때 옳은 것을 늘 실천하고 실천해서 대덕행(大德行)을 나투어갈 것이요. 셋째, 일용 천만 경계를 대할 때 그른 것은 끊고 끊어서 대결단력(大決斷力)을 세워나가면 결국 대취사력(大取捨力)인 계력(戒力)을 얻게 됩니다. 취사 공부를 한 말로써 이르자면 참고 끊고 실천하는 공부를 하나부터 백, 천, 만, 억까지 죽기로써 하는 대정성심으로 적공을 들이는 것입니다.

〈『대산종사수필법문집』 1. pp.1261~1262. 원기60년 10월 28일〉

| 배경 및 상황 |

대산 종사는 원기60년(1975) 10월 28일 제22화 교역자훈련 해제식에서 '삼대력 얻는 길'이란 제목으로 법문하였다.

정신에 있어 수양력을 얻어 나가는 빠른 길

① 대정력 ② 대안정력 ③ 대청정심

사리에 있어 연구력을 얻어 나가는 빠른 길

① 대지식 ② 대각 ③ 대연구력

작업에 있어 취사력을 얻어 나가는 빠른 길

① 대인내력 ② 대덕행 ③ 대결단력

| 용어 풀이 |

○ **삼대력(三大力)** 〈적공편 8장〉 용어 풀이 참조.

○ **일용(日用)** 날마다 씀.

○ **정력(定力)** 정신수양으로 마음에 요란함이 없이 정신 통일이 된 상태를 통해 얻게 되는 힘. 선정(禪定)에 의하여 마음을 적정(寂靜)하게 이끄는 힘이다.

○ **청정심(淸淨心)** 맑고 깨끗한 우리의 본래 마음. 곧 자성을 가리킴.

○ **계력(戒力)** 계를 지킨 공력(功力), 계덕(戒德)이라고도 한다. 계율을 잘 지킴으로써 나타난 공덕.

⑰ 삼학 수행의 표준

대산 종사 말씀하시기를 "삼학 공부는 끊임없는 정신수양으로 선정력을 얻어 자성·본성·불성을 회복하고, 끊임없는 사리연구로 지혜력을 얻어 심월(心月)·혜월(慧月)·성월(性月)을 솟게 하며, 끊임없는 작업취사로 실천력을 얻어 중심·중도·중화의 꽃을 피우자는 것이니라."〈적공편 17장〉

| 출처 |

대구교구와 목포교구 교도 대중 접견

부처님께서 도솔천 내원궁에 계시다가 사바세계에 오셨습니다. 도솔천 보신 분 계십니까? 도솔천이 배꼽 밑 제하(臍下) 3촌 단전입니다.

대구교구 700명이 대구교구 내원궁에 계시다가 오늘 총부에 내의하셨습니다. 여기 오신 분 모두 부처님이십니다. 부처님은 부처님인데 깨닫지 못했기 때문에 중생입니다. 목포교구 350명이 목포교구 내원궁에 계시다가 오늘 총부로 내의하셨는데 부처님은 다 같이 부처님인데 깨닫지 못했기 때문에 중생입니다. 부처님께서 도솔천 내원궁에 계시다 인도 가비라성에 오셨고 대종사께서 내원궁에 계시다가 한국 영광 땅에 오셨습니다.

정신수양의 천수(千修), 만수(萬修), 억만수(億萬修), 무량수(無量修)로 대선정력(大禪定力)을 얻어 자성(自性), 본성(本性), 불성(佛性)을 회복하고, 사리연구는 천연(千研), 만연(萬研), 억만연(億萬研), 무량연(無量研)으로 대지혜력(大智慧力)을 얻어 심월(心月), 혜월(慧月), 성월(性月)을 솟게 하고, 작업취사로 천행(千行), 만행(萬行), 억만행(億萬行), 무량행(無量行)으로 대실천력(大實踐力)을 얻어 중심(中心), 중도(中道), 중화(中和)를 이루자. 그리하여 연도수덕(研道修德) 광불도량(廣佛道場)이 되게 하여야 하겠습니다.

〈『대산종사수필법문집』 2. pp.1196~1197. 원기73년 5월 15일〉

| 배경 및 상황 |

대산 종사는 원기73년(1988) 5월 15일 중앙총부 반백년기념관에서 대구교구와 목포교구 교도 대중을 접견하며 말씀하시기를 "부처님께서 도솔천 내원궁에 계시다가 사바세계에 오셨다. 이 두 교구 교도들도 내원궁에 계시다가 오늘 총부에 내의하셨다. 정신수양의 천수, 만수, 억만수, 무량수로 대선정력을 얻어 자성, 본성, 불성을 회복하고, 사리연구는 천연, 만연, 억만연, 무량연으로 대지혜력을 얻어 심월, 혜월, 성월을 솟게 하고, 작업취사로 천행, 만행, 억만행, 무량행으로 대실천력을 얻어 중심, 중도, 중화를 이루자. 그리하여 연도수덕 광불도량을 만들자."라고 하였다.

| 용어 풀이 |

○ **선정력(禪定力)** 참선하여 산란한 마음을 고요하게 통일하는 힘. 입정삼매·좌선삼매의 경지에 들어가는 힘. 일체의 사량 분별심을 놓고 본래의 마음을 찾는 힘. 좌선할 때 일체의 번뇌망상·사량계교가 끊어진 상태를 말한다. 선(禪)이란 범어(梵語) 선나(禪那)의 준 말이요, 정(定)이란 한문으로 번역한 말로서, 선정이란 범어와 한문을 함께 사용한 것이다. 육바라밀의 하나이지만, 불교 수행의 가장 기본

이 된다.

○ **지혜력(智慧力)** ① 사리연구 공부를 통해서 얻게 되는 마음의 힘. 대소유무의 이치와 시비이해의 일을 밝게 아는 힘. ② 반야의 지혜. 불생불멸의 진리와 인과보응의 이치를 깨달아 생사해탈을 얻는 힘. ③ 육바라밀의 하나. 일체의 사리(事理)를 능히 알고 정사(正邪)를 분별하는 힘. ④ 사물의 도리나 선악을 분별하는 마음 작용의 힘.

○ **실천력(實踐力)** ① 신앙과 수행을 아울러 행하는 힘. 자타력 병진신앙. 자타력 병진수행을 실제로 행하는 힘. ② 작업취사를 바르게 행하는 힘. ③ 실제로 동작이나 행위로 나타내는 것. 실지로 행하는 힘.

⑱ 중도와 세계평화

대산 종사 말씀하시기를 "앞으로는 수행도 중도로 해야 하는바, 견성도 대원견성(大圓見性)이라야 하고 양성도 대원양성(大圓養性)이라야 하며 솔성도 대원솔성(大圓率性)이라야 할 것이므로, 견성도 양성과 솔성을 겸해야 하고 양성도 견성과 솔성을 겸해야 하며 솔성도 견성과 양성의 공부를 겸해야 대원만행이 되어 큰 공덕이 나타나게 되리라."

〈적공편 18장〉

| 출처 |

중도(中道)와 세계평화(世界平和)

새해에는 온 인류가 대립과 찬 기운을 해소하여 포근한 하나의 세계 일가(世界一家)를 이룩하여야 하겠으니, 그러기로 하면 온 인류가 중용(中庸)의 도(道)를 힘써 실천하여야 하겠습니다. 과거의 모든 성현께서 그 시대와 그 사회의 인심을 따라 여러 가지 방편과 가르침으로 우매한 우리 생령(生靈)들을 깨우쳐 선도하고 교화(教化)해 오셨습니다. 불교는 견성(見性)을, 도교는 양성(養性)을, 유교는 솔성(率性)을 주로 하여 교화해 왔습니다.

그러나 새 시대에 접어든 앞으로는 견성도 대원견성(大圓見性)이라야 하고 양성도 대원양성(大圓養性)이라야 하며 솔성도 대원솔성(大圓率性)이라야 합니다. 공부도 견성과 양성의 공부에 솔성의 공부가 아울려져야 원만하고 참다운 수행의 공덕이 나타나게 될 것입니다. 솔성을 잘하기 위해서는 중(中)과 화(和)의 표준이 있어야 합니다.

〈『대산종사수필법문집』 1. pp.1041~1042. 원기60년도 신년법문〉

| 배경 및 상황 |

대산 종사는 원기60년(1975)도 '중도와 세계평화'라는 제목으로 신년법문을 내리며 말씀하시기를 "'중(中)'이란 희로애락의 감정과 분별이 발하기 이전, 소심(素心)의 상태로서, 우주의 대진리와 합일한 무한동력이요, '화(和)'란 이러한 '중(中)'에 바탕을 두어 희로애락의 감정과 분별을 나타내되 절도에 맞아 일체 만물이 그 하고자 하는 바를 다 얻게 하는 활생(活生)의 덕을 말합니다.

그러므로 중용의 도를 체 받아 집착 없는 마음에 바탕하여 희로애락의 감정과 분별을 법도 있게 활용하면 원만한 솔성으로 만물을 능히 화육시키는 중화(中和)의 덕에 이를 것입니다. 따라서 한 사람이라도 이 도를 알아서 널리 중화하면 천하가 드디어 안정과 화육(和育)을 얻게 되고 한 사람이라도 도에 큰 원을 발하여 지극히 정성하고 보면 천하가 드디어 성실무위(誠實無僞)하여 가고, 이와 같은 큰 자리를 보아 명상(名相)에 공(空)한 지덕(智德)을 갖추고 보면 천하에 겸양한 덕이 충만할 것입니다. 이러한 대덕(大德)을 갖추는 사람은 반드시 하늘의 명을 오롯이 받을 것이며 또한 대도는 이러한 사람을 기다려서 비로소 행해질 것입니다."라고 하였다.

| 용어 풀이 |

○ **대원견성(大圓見性)** 크고 원만한 성품을 본다는 의미 또는 도를 깨닫는다는 말로 오도(悟道)라고도 한다.

○ **대원양성(大圓養性)** 크고 원만한 일원과 같이 원만구족하고 지공무사한 자기의 성품을 기르고, 천만 경계 속에서도 일원의 체성을 잘 지키는 것이다.

○ **대원솔성(大圓率性)** 크고 원만한 진리와 천도(天道)에 순응하고, 나아가 천도를 자유자재로 활용하는 것이다.

⑲ 육장 육학 육도 공부

대산 종사 말씀하시기를 "우리가 잘 살기로 하면 육근을 감출 줄 아는 육장(六藏) 공부와 육근으로 배울 줄 아는 육학(六學) 공부와 육근을 도 있게 쓸 줄 아는 육도(六道) 공부를 해야 하는바, 육장 공부는 천 번 만 번 마음을 멈추고 고요히 하는 천만 정정 공부요 천 번 만 번 닦고 행하는 천만 수행 공부요 무능(無能)으로 전능(全能)을 얻고 만능(萬能)을 얻는 공부니라. 육학 공부는 육근을 통하여 수많은 법문과 크고 높은 진리를 배우고 깨달아 학문과 도학을 아울러 갖추어서 무지(無智)로 전지(全智)를 얻고 만지(萬智)를 얻는 공부며, 육도 공부는 육근을 쓸 때 넘치고 모자람이 없는 중도 실행으로 무량 자비와 무상 보시를 베풀어 무덕(無德)으로 전덕(全德)을 쌓고 만덕(萬德)을 쌓는 공부니라."

〈적공편 19장〉

| 출처 |

동명훈련원 봉불식의 법문

육장(六藏)	천만정정(千萬定靜) 천만수행(千萬修行)	만능(萬能) – 전능(全能)
육학(六學)	백천법문(百千法門) 무상묘의(無上妙意)	만지(萬智) – 전지(全智)
육도(六道)	무량자비(無量慈悲) 무상보시(無相布施)	만덕(萬德) – 전덕(全德)

〈『대산종사수필법문집』 2. p.254. 원기66년 9월 28일〉

| 배경 및 상황 |

대산 종사는 원기66년(1981) 9월 28일 대구 동명훈련원 봉불식 때 '육장, 육학, 육도 공부'에 대해 말씀하며 대구동명훈련원 창건주 호산(晧山) 여동명(呂東明) 선생의 뜻을 받들어 교단에 희사한 아들 여원광(呂圓光)과 며느리 임원각행(林圓覺行) 내외분의 효성과 거룩한 뜻을 치하하였다.

그 후 원기67년(1982) 4월 6일 대산 종사는 "육근을 육장(六藏)하는 수행은 바로 잠심(潛心) 공부이고, 육근을 육학(六學)하는 수행은 연심(鍊心) 공부이며, 육근을 육도(六道)하는 수행은 정심(正心) 공부이다. 이 세 가지 공부만이 오직 성불제중의 큰 불과를 나투는 것이니, 이 공부로 기필코 여의보주 얻기를 간절히 바란다."라고 부연하였다.

| 용어 풀이 |

○ **육장(六藏)** 육근을 잘 갈무리함.

○ **육학(六學)** 육근을 잘 배울 줄 앎.

○ **육도(六道)** 육근을 쓸 때 넘치고 모자람이 없이 중도 실행.

20 네 가지 선법

대산 종사, 입선·행선·좌선·와선에 대해 말씀하시기를 "입선을 할 때는 두 다리를 적당히 벌리고 서서 곡도를 긴장시킨 후 단전에 마음을 주하되 처음에는 부처님과 같이 한 손은 하늘을 향해 위로 올리고 한 손은 땅을 향해 아래로 내리고 하다가 나중에 익숙해지면 양손을 자연스럽게 내려도 되느니라. 행선을 할 때는 우주의 큰 기운이 발뒤꿈치까지 내려오도록 해야 하나니 걸을 때는 팔자걸음으로 걷지 말고 되도록 발끝이 일직선으로 향하게 하되 발뒤꿈치부터 땅에 닿게 하는 것이 좋으니라. 좌선을 할 때는 평좌나 반가부좌도 무방하나 결가부좌로 하는 것이 좋으며 손은 단전 밑에서 포개어 엄지를 마주 대거나 한 손은 단전 밑에 한 손은 무릎 위에 올려놓아 하늘과 땅을 향하는 것이 음양이 골라 맞느니라. 와선을 할 때는 배는 바닥에 대고 베개는 얕게 베며 한편으로 누워서 잠들지 않고 선을 하되 눕는 방향은 부처님과 같이 오른쪽으로 눕는 것이 좋으니라. 이상 네 가지 선법에 대해 자세히 말함은 좌선을 기본으로 하되 부득이한 경우 선을 할 수 없다 하지 말고 상황에 맞게 선을 놓지 않고 꾸준히 하라는 뜻이니라." 〈적공편 20장〉

| 출처 |

4학년 학생들에게, 종법사께서 학생들이 그동안 생활하였던 내역을 말씀들으시고 법문 내려주심

내가 30세까지는 잠잘 때 외에는 누워 본 일이 없다. 그랬는데 30대 이후 아픈 뒤로는 척추를 제대로 못 쓰게 되기 때문에 앉아 있지 못해서 이거 안 되겠다 싶어 마산 갔을 때 4종[행선(行禪), 좌선(坐禪), 입선(立禪), 와선(臥禪)]의 선을 가지고 여태까지 30년간 해 왔다.

좌선은 30세까지 병들지 않고 눕지 않고 해봤고, 그 뒤에 허리를 못 쓰고 앉아 있지 못하니 나 스스로 입선을 한번 해봐야 하겠다 해서 서서 두 팔을 올려서, 두 팔을 내려서 해도 그것도 안 돼, 그래서 긴찰곡도하고 몸을 턱 서서 했는데 나중에 누가 서서 하는 부처님 사진을 가지고 왔는데, 내가 하는 방법과 같더라. 양주나 원평 있을 때는 행선을 했다. 그전 서른 살 전까지는 가부좌도 하고 했지마는 신도안 가서도 가부좌를 하는 데 선하는 도반들은 가부좌하는 게 좋다. 이것이 요가 한 시간 하는 폭보다 낫다. 그러니 다리가 짧다 하더라도 그것 상관없다.

손을 합치면 좋다는데 나는 열이 많으니 합치면 발열이 되므로 하나는 손바닥을 위로, 하나는 아래로 부처님처럼 해서 음양을 고르는 것이 좋더라. 하기(下氣)시키면 그날 저녁 꿈도 없고 잠도 잘 오고 하더라.

나는 누울 때도 반듯하게 눕지를 못한다. 나는 항시 와선을 이렇게 한다. 배를 땅에다 깔고 베개를 얕게 베고 누우면 잠이 와도 좋고 안 와도 좋고 그래서 일생을 그렇게 표준 잡았다. 그런데 누우면 잠이 와져 시간 외에는 잠을 안 자도록 해서 나는 표준을 자수문(自修門)에 대해서 와선을 그렇게 표준 잡았다.

〈『대산종사수필법문집』 1. pp.1438~1442. 원기61년 6월 12일〉

| 배경 및 상황 |

대산 종사는 원기61년(1976) 6월 12일 원불교학과 4학년 학생들이 그동안 생활하였던 내역[감상담]을 듣고, 학생들에게 『교리실천도해』에 있는 삼학 법문을 하였다. 그중에 4종의 선(禪)인, 입선·행선·좌선·와선에 대해 말씀하였다. 결론으로 "좌선을 기본으로 하되 부득이한 경우 선을 할 수 없다고 하지 말고 상황에 맞게 선을 놓지 않고 꾸준히 하라는 뜻이다."라고 하였다.

| 용어 풀이 |

○ **긴찰곡도(緊紮穀道)** 음식을 적게 먹는 수행법. 음식을 급하게 많이 먹거나 기름진 음식을 먹지 아니하고 채식을 위주로 하는 수행법이다. 음식을 많이 먹거나 기름진 음식을 먹게 되면 몸이 둔해지고 정신이 탁해지게 되어 수행에 큰 방해가 된다. 주로 도교[선도]에서 하는 수행법이다. 곡도는 대장과 항문을 아울러 이르는 말.

○ **평좌(平坐)** ① 격식을 차리지 않고 편하게 앉음. 의자에 앉지 않고 땅이나 구들바닥 따위에 궁둥이를 대고 앉음. ② 보통의 좌석.

○ **결가부좌(結跏趺坐)** 좌선할 때 완전한 책상다리를 하고 앉는 가부좌. 가(跏)는 발바닥, 부(趺)는 발등을 의미한다. 오른쪽 발을 왼쪽 허벅다리 위에 얹어놓고, 왼쪽 발을 오른쪽 허벅다리 위에 올려놓는다. 왼 손바닥을 오른 손바닥 위에 겹쳐 배꼽 밑에 편안히 놓는다. 이를 불좌(佛坐) 또는 여래좌(如來坐)라고도 한다. 오른쪽 발을 왼쪽 허벅다리 위에 놓고 다음에 왼발을 오른쪽 허벅다리 위에 놓는 것을 항마좌(降魔坐)라 하고, 이와 반대를 길상좌(吉祥坐)라 한다.

○ **단전(丹田)** 사람의 배꼽 아래로 한치 다섯 푼쯤 되는 곳으로, 좌선할 때 단전에 기운을 모으면 정신이 상쾌하고 수승화강이 잘되며 정력(定力)을 얻는다. 일상생활 속에서도 단전에 힘을 모으면 건강과 용기가 솟아난다. 불교의 좌선법과 도교의 수련법에서는 단전을 매우 중요시한다.

㉑ 대원주

대산 종사 말씀하시기를 "생사의 경계를 넘나드는 기로에서 우연히 '대원주(大圓呪)'가 떠올랐나니, 크고 두렷한 기운을 함양하여 걸음걸음이 삼계를 뛰어넘고, 크고 두렷한 기운을 함양하여 생각 생각이 중생을 제도하게 하소서[涵養大圓氣 步步超三界 涵養大圓氣 念念度衆生]." 하는 글귀

이니라. 〈적공편 21장〉

| 출처 |

내가 우연히 납월 7일[원기31년 1월 9일]에 게송이 하나 나와 '함양대원기(涵養大圓氣)하야 보보초삼계(步步超三界)하고 함양대원기하야 염념도중생하리라.' 서원 하나가 세워지고 그러면서부터는 생명을 자연에 맡기고 그때는 우리 영주가 없던 때라 그때 내가 힘을 얻은 것은 대원주(大圓呪)로써 힘을 얻었다.

〈『대산종사수필법문집』 1. p.1440. 원기61년 6월 12일〉

| 배경 및 상황 |

대산 종사는 원기61년(1976) 6월 12일 원불교학과 4학년생들에게 '대원주' 주문을 소개하였다.

"예타원 전이창 교무가 지병을 염려하며 서원기도를 올리라는 뜻으로 '대원주'의 친필을 내렸다. "내가 30대 무렵 서울에서 몹시 아파 눕지도 못하고 앉지도 서지도 못하여 생사의 갈림길에 있을 때, 최대의 원력을 세우고 심고와 기도로 생활했다. 그때[원기31년 1월 9일] 양주 장포동으로 전지 요양을 하러 가서 우연히 '함양대원기 보보초삼계 함양대원기 염념도중생'하리라는 서원을 세웠다."라고 하였다.

| 용어 풀이 |

○ **기로(岐路)** 여러 갈래로 갈린 길.=갈림길.

○ **대원주(大圓呪)** 대산 종사가 양주에서 정양할 때 우연히 떠오른 주문으로 '대원주'라 이름 붙였다. 함양대원기(涵養大圓氣) 보보초삼계(步步超三界) 함양대원기(涵養大圓氣) 염념도중생(念念度衆生).

㉒ 수양력의 네 가지 단계

대산 종사 말씀하시기를 "물을 많이 가두어야 큰 배를 띄울 수 있듯이 우리의 정신도 저축이 많아야 큰 위력을 발휘할 수 있느니라. 수양력은 저축의 정도에 따라 다음 네 가지 단계로 구분할 수 있나니, 첫째는 살얼음 같은 수양력으로 밟기만 하면 그냥 깨지는 단계요, 둘째는 강 얼음 같은 수양력으로 한번 얼면 몇 개월은 녹지 않는 단계요, 셋째는 철석 같은 수양력으로 단단하여 잘 부서지지 않으나 용광로에 들어가면 녹아 버리는 단계요, 넷째는 부처님 같은 수양력으로 수백만 년을 가더라도 항상 그대로인 단계로, 우리는 부처님 같은 수양력을 얻는 데 힘써야 정신의 자주력을 얻어 인류를 구원할 수 있느니라." 〈적공편 22장〉

| 출처 |

청년 지도자들에게 '정신수양(精神修養) 예축(豫蓄)'에 대하여

세계에서 제일 큰 댐이 어느 것이며, 세계에서 제일 많은 저축을 한 사람은 누구인가?

저수량이 많을수록 큰 배를 띄울 수 있고, 저축금이 많을수록 그 위력이 생겨난다. 정신의 저축고가 많은 사람은 얼마나 될까. 내가 강령적으로 그 저축법을 말해 주겠다. 육근(六根)을 사용할 때 꼭 쓸 때만 쓰고 필요 없이 쓰지는 말라. 그리고 꼭 쓸 자리에도 다 쓰지 말라.

이렇게 수양을 많이 하고 보면 수양력이 생기는데 수양력에는 사종(四種)이 있다. 첫째, 살얼음 같은 수양력이다. 밟으면 그냥 꺼지는 수양력이다. 둘째, 강 얼음 같은 수양력이다. 한번 얼면 겨울 동안 3개월은 간다. 셋째, 철석같은 수양력이다. 쇠나 돌이 단단하기는 하나 이것도 결국 부서져 버리거나 녹아버린다. 넷째, 부처님 같은 수양력이다. 이 수양력은 수백만 년 가도 항상 그대로

이다.

이와 같이 부처님 같은 수양력을 얻으면 그것이 바로 정신의 자주력을 얻은 것이다. 여러분은 청년 지도자가 되었으니 자기 수양력을 가져 인류를 구출할 수 있는 수양력을 쌓으라. 돈이나 물은 많이 저축하면 인류의 마음에 불을 켜 줄 수 있으니 그러하기를 바란다.

〈『대산종사수필법문집』 1. pp.764~765. 원기58년 8월 5일〉

| 배경 및 상황 |

대산 종사는 원기58년(1973) 8월 5일 신도안 삼동원에서 청년 훈련을 마치고 인사차 온 청년들에게 '정신수양 예축'에 대해 네 가지로 말씀하시기를 "첫째는 살얼음 같은 수양력, 둘째는 강 얼음 같은 수양력, 셋째는 철석같은 수양력, 넷째는 부처님 같은 수양력"이라고 하였다. 이 수양력으로 인류를 구원하는 마음의 불을 켜라고 당부하였다.

| 용어 풀이 |

○ **예축(豫蓄)** 미리 저축한다는 뜻.

㉓ 욕심을 참는 공부

대산 종사 말씀하시기를 "우리가 지금 욕심을 참는 공부를 하는 것은 작은 욕심을 큰 욕심으로 키워 영생을 잘 살자는 것이니, 마치 좋은 과일을 얻기 위해 처음 몇 년간 수확하지 않고 열매를 모두 따 주는 것과 같은 이치니라. 그러므로 우리가 영생을 잘 살기로 하면 반드시 욕심을 절제하고 조절하고 중도를 잡아나가야 하나니, 만약 욕심을 참지 않고 일생을 마치게 되면 그 영(靈)이 땅에 떨어져 천만 갈래로 흩어져 보잘것없이 되고 마느니라. 그러므로 나는 대종사께서 '나이가 마흔이 되면 수염에 불 끄듯 공부하라.' 하신 법문을 받들어 마흔 살부터 더욱 금욕하고 정진 적공하였느니라." 〈적공편 23장〉

| 출처 |

원남, 제기, 흑석, 불광 교도들에게[동용추 계곡에서]

황직평(黃直平) 시자의 '칠욕 법문' 소개 후 말씀하시기를

우리가 오늘만 살 것 같으면 저금할 것 없다. 뭐 하려고 저금하느냐. 오늘 배가 터지든지 똥을 싸든지 다 먹어 버리지, 그러나 내일이 있어서 저금하는 것이다. 내일이 있고 내년이 있고 내생이 있기 때문에 하는 것이다. 그러니 우리가 욕심을 참자는 것이 욕심을 보내자는 것이 아니라 참으로 큰 욕심으로 영생을 잘 보내자는 것이다.

내가 한 20대에 나무 전지하는 법을 배워다. 나중에 훌륭한 과실나무를 만들기 위해 따 줄 놈 따 주고, 놔둘 놈 놔두고 해서 조절해 준다.

그러니 우리가 영생을 사는데 절제(節制), 이 칠욕을 절제해야 한다. 끊을 것 끊고 절제를 해야 하고 또 어느 정도 조절을 시켜야 한다.

그래서 나중에는 중도를 잡아야 한다. 금욕하지 않고 죽는 영이라는 것은 다 흩어져서 땅에 떨어져 백산(百散)이 되어 천산, 만산이 되어 보잘것없는 것이 되어 버린다. 그러기 때문에 대종사께서 나이 40이 되면 수염에 불 끄듯이 하라고 하셨는데 지금은 연수가 높아져서 50이 되면 불 끄듯이 해야 한다.

〈『대산종사수필법문집』 1. pp.1214~1216. 원기60년 9월 3일〉

| 배경 및 상황 |

대산 종사는 원기60년(1975) 9월 3일 신도안 삼동원 동용추계곡에서 원남, 제기, 흑석, 불광교당 교도들에게 황직평 시자의 '칠욕 법문' 소개 후 말씀하시기를 "욕심을 참는 공부는, 작은 욕심을 큰 욕심으로 키워 영생을 잘살자는 것이다."라고 부연하였다.

| 용어 풀이 |

○ **칠욕(七慾)** 식욕(食慾), 수면욕(睡眠慾), 재욕(財慾), 남녀욕(男女慾), 명예욕(名譽慾), 유일욕(遊逸慾), 인연욕(因緣慾)을 말한다.

○ **절제(節制)** 정도에 넘지 아니하도록 알맞게 조절하여 제한함.

㉔ 숙승봉과 업진봉의 뜻

대산 종사, 완도 소남훈련원에서 숙승봉과 업진봉을 가리키시며 "숙승은 쉬어 가는 스님이라는 뜻으로 선정 삼매에 들어 몸과 마음을 크게 쉬는 대휴 대헐(大休大歇)을 이름이요, 업진은 본래 걸릴 것도 없는 청정한 자성에 들어 업을 다함을 이름이니라." 하고 말씀하신 뒤, 글을 한 수 지으시니 "숙겁에 쉬어가는 스님네들 스님네들, 삼세 업장이 다 쉬었으니 개운하리 개운하리. 다실랑 짓지 말고 깨끗하게, 다실랑 짓지 말고 깨끗하게."

〈적공편 24장〉

| 출처 |

숙승봉(宿僧峰) 업진봉(業盡峰)에 대한 법문

숙(宿)이라는 말이 쉬어가라는 말이다. 숙겁에 여러 스님네가 쉬어갈 장소란 말이다. 누가 오면 하루 쉬어가라고 않더냐? 그래서 숙이란 선정삼매(禪定三昧)로 대휴대헐(大休大歇)한다는 뜻이다. 성품을 봐서 일원상의 정정(靜定)에

든다. 그래서 일상삼매(一相三昧) 일행삼매(一行三昧)가 된다. 성품을 봐서 정에 들면 업이 다할 것이란 말이다. 업진청정본무애(業盡淸淨本無碍)라 업이라고 하여 청정하여 본래 걸릴 것이 없을 것이다.

"숙겁에 쉬어 가는 스님네들 삼세업장이 다 쉬었으니 개운하리. 다실랑 짓지 말고 깨끗하게" 그러면 영겁이 가볍다. 큰 도력을 얻은 수도인들은 양계에서 활동할 수 있고 영계에서 쉬기도 하는데 거기는 시간 가는 줄 모른다. 숨 한 번 쉰 것이 속세 몇천 년이 가기도 한다. 쉬는 기간이 49일, 백일, 백년, 천년, 만년, 일겁, 소겁, 중겁, 대겁 지내는데 턱 한 번 멈추는 사이에 그렇게 지내게 된다. 쉬는 것이 선정삼매에 드는 것이다.

〈『대산종사수필법문집』 2. pp.253~254. 원기66년 7월 23일〉

| 배경 및 상황 |

대산 종사는 원기66년(1981) 7월 23일 완도 소남훈련원에서 숙승봉(宿僧峰)과 업진봉(業盡峰)에 대한 법문을 하고 글을 한 수 지으시니 "숙겁에 쉬어가는 스님네들 스님네들, 삼세 업장이 다 쉬었으니 개운하리 개운하리. 다실랑 짓지 말고 깨끗하게, 다실랑 짓지 말고 깨끗하게."라고 하였다. 노랫말에 곡을 붙여 노래로 전하고 있다.

| 용어 풀이 |

○ **선정삼매(禪定三昧)** 불교의 근본 수행 방법 가운데 하나. 반야(般若)의 지혜를 얻고 성불하기 위해 마음을 닦는 수행. 불교 대승보살들의 수행덕목인 육바라밀의 하나로 선(禪)·입정을 통해 얻는 마음. 청정일심. 천만 경계를 대해서도 마음이 흔들리지 않고 적적성성한 경지.

○ **대휴대헐(大休大歇)** 일체의 사량 분별·번뇌 망상·사심 잡념 등을 다 놓아 버리고 텅 빈 마음이 된다는 말. 이렇게 되면 천만 경계에도 마음이 끌려가지 않고,

언제나 마음이 편안해지며, 악업을 짓지 않게 된다. 크게 쉰다는 것은 수행을 쉬지 않는다는 것이 아니라, 악업 짓기를 다 쉬어버린다는 뜻이다.

○ **숙겁(宿劫)** 오랜 세월. 아득한 과거로부터 무한한 미래까지의 영원한 세월.

㉕ 열 가지 삼매

대산 종사, 열 가지 삼매(三昧)에 대해 말씀하시기를 "선정 삼매, 염불 삼매, 감로(甘露) 삼매, 해탈 삼매, 와선 삼매, 선보 삼매, 낙고(樂苦) 삼매, 독서 삼매, 설법 삼매, 사상(事上) 삼매니라." 〈적공편 25장〉

| 출처 |

열 가지 삼매(三昧)

첫째는 선정삼매(禪定三昧)로 선정삼매에는 선과 도인법(導引法)과 요가와 기도로써 삼매에 드는 경지고,

둘째, 염불삼매(念佛三昧)인데 지성으로 때 따라서 염불을 하게 되면 삼매에 들게 되는데 삼매란 정정(正定)으로 솥으로 말할 것 같으면 세 발이 고정되어서 움직이지 않는 것과 같이 부동하다는 것이다.

셋째, 독서삼매(讀書三昧)인데 성경현전(聖經賢典)을 배우고 깨우쳐 내가 인생을 다시 거듭나고 다시 설계하는 독서의 삼매다.

넷째, 사상삼매(事上三昧)인데 매일 일을 할 때 일 가운데 사심 잡념 없이 살고 볼 것 같으면 삼매에 드는데 그것이 사상삼매다.

다섯째, 해탈삼매(解脫三昧)로 내가 피부병을 앓을 때 몸을 벗어야 하겠다고 해서 공기 맑고 조용한 바다라든지 산에 가서 몸도 벗고 마음도 벗어버려 해탈에 드는 것이 바로 해탈삼매다.

여섯째, 선보삼매(禪步三昧)로 산책이나 어디 갈 때는 반드시 선보삼매에 드는 것이 좋다. 될 수 있는 대로 조석으로 선보삼매가 좋으니 선보삼매에 들도록 하자.

일곱째는 와선삼매(臥禪三昧)인데 한때 내가 피부병이 성할 때 앉지도 서지도 걷지도 못할 때 가만히 누워서 선정(禪定)에 들었는데 와선삼매가 좋더라.

여덟째는 낙고삼매(樂苦三昧)로 내가 종기로 최고의 아픔에 처했을 때 스스로 허허 웃으면서 위안하여 낙고하였다. 그러니 최고의 고가 돌아올 때 고를 낙으로 하여 고가 고가 아닌 낙으로 화하도록 하는 것이다. 과거에 수운 대신사가 사형을 당하셨을 때나, 예수님이 십자가에 못 박히실 때나 이차돈 성자가 사형을 당한 때나 낙고의 경지로써 삼매에 들었다. 다른 사람들은 그런 상황에서 원망했지만, 이분들은 기꺼이 받아들여 낙고삼매에 들었다.

아홉째는 감로삼매(甘露三昧)로 생수를 마실 때 입에 넣고 너무 뜨겁지 않게 너무 차지 않게 하여 감로 즉, 단 이슬이 되도록 하여 한 컵을 마실 때 10분이 됐든지 20분이 됐든지 그 시간이 삼매가 되게 하는 것인데 그것이 바로 감로삼매이다.

열째는 설법삼매(說法三昧)로 자기의 수행담이라든지 앞으로의 계획이라든지 대중에게 유익한 대 설법을 할 때 너도나도 아무 사량계교 없이 또 설법을 들을 때에 원망과 미움과 예쁨과 싫음이 없는 삼매의 경지에 들게 되는데 그것이 설법삼매다. 〈『대산종사수필법문집』 2. pp.755~756. 원기71년 1월 1일〉

| 배경 및 상황 |

대산 종사는 원기70년(1985) 9월 27일 '열 가지 삼매의 경지'라고 강령만 설하고 다음 해 원기71년(1986) 1월 1일 신년법문의 부연법문으로 자세하게 해설하여 법문으로 완정하였다.

열 가지 삼매의 결어로 "우리가 일생을 통하여 새벽으로부터 아침, 오전, 오후,

저녁을 살아갈 때 그냥 무조건 살아가는 것보다는 삼매의 경지인 선정삼매, 염불삼매, 독서삼매, 사상삼매, 해탈삼매, 선보삼매, 와선삼매, 낙고삼매, 감로삼매, 설법삼매에 들어서 대 선정(大禪定)의 나가대정에 들어서 대정진 대정진 대정진 대정진 대적공을 쌓아서 자성이 금강같이 불괴(不壞), 불매(不昧), 불염(不染)의 경지에 들어야 할 것이니 그렇게 된다면 일생이 보람 있고 큰 힘이 쌓여 영생의 문이 크게 열리리라 봅니다."라고 소개하였다.

| 용어 풀이 |

○ **도인법(導引法)** 도교에서 선인(仙人)이 되기 위한 양생술(養生術)의 하나. 호흡을 통하여 바른 기(氣)를 체내에 깊숙이 끌어들이면서 몸을 굽히고 펴며 누르고 문지르는 굴신안마(屈伸按摩) 등을 통해 심신을 조정하는 방법이다.

○ **정정(正定)** 팔정도의 하나. 산란한 생각을 끊고, 참으로 마음이 안정되는 것.

○ **성경현전(聖經賢傳)** 성인(聖人)의 글을 경(經)이라 하고 현인(賢人)의 글을 전(傳)이라 한다.

㉖ 십정기

대산 종사 말씀하시기를 "광산에는 광맥이 있듯이 일원 대도에도 그 맥이 있는바 우리도 이 기운을 찾아 기르고 힘을 얻어야 할 것이니라. 그 기운을 열 가지로 나누어 살펴보면, 첫째는 원기(元氣)이니 천지의 으뜸이고 비롯되는 만물을 생생 약동하게 하는 기운이요, 둘째는 정기(正氣)이니 사람에게 있는 어짊과 바름의 기운이요, 셋째는 정일 지기(精一之氣)이니 정밀하고 한결같은 기운이요, 넷째는 호연지기(浩然之氣)이니 천하를 막힘없이 툭 트고 온통 감싸는 기운이요, 다섯째는 도기(道氣)이니, 도심이 어리어 나타나는 기운으로 일체의 사사로운 마음이 없는 기운이요, 여섯째는 중기(中氣)이니 우주의 중심이 되는 중화(中和)의 기운으로 만물을 낳고 기르는 기운이요, 일곱째는 영기(靈氣)이니 소소 영령한 기운으로 일과 이치를 당하여 밝고 슬기롭게 헤쳐 나가는 기운이요, 여덟째는 진기(眞氣)이니 천지자연의 참되고 실다운 기운으로 거짓과 허위를 털어버리고 진리의 인증을 얻는 기운이요, 아홉째는 지기(至氣)이니 지극하고 간절한 마음이 어리어 나오는 기운으로 진리의 구경처에 합일하여 무한한 위력을 발휘할 수 있는 기운이요, 열째는 대원정기(大圓正氣)이니 우주 만유를 다 통합하여 두루 감싸고 두루 갖추어 나오는 기운으로 이 기운을 얻어야 일체중생의 의지처가 되고 우주 만유와 알뜰한 윤기를 통할 수 있느니라. 이 열 가지 바른 기운이 비록 이름과 설명은 다를지라도 그 가운데 어느 한 기운만 얻고 보면 결국 일원대도에 계합하여 대원정기를 얻을 수 있나니 그대들도 이 열 가지 정기를 체 받아 불보살이 되기 바라노라." 〈적공편 26장〉

| 출처 |

개교경축사

대원정기(大圓正氣)를 체득(體得)

광산에 광맥이 있듯이 일원대도를 찾아가는 데에도 그 맥이 있는 것입니다. 삼세의 모든 불보살께서도 이 무한한 생성력의 원천이 되는 대원정기를 함양하였기 때문에 육도 세계를 자유자재로 거래하였던 것입니다. 그러므로 우리도 이 기운을 찾아 길러야 하고 마침내는 이 힘을 얻어야 할 것이니, 이를 다시 열 가지로 나누어 보자면,

하나는 원기(元氣)입니다. 이는 이 천지의 으뜸이 되고 비롯하는 기운이며, 만물을 생성 약동케 하는 근원이 되는 힘입니다. 수도에 크게 적공을 한즉 심력

이 뭉치고 영단(靈丹)이 커져서 본래의 원기를 회복하게 되는 것이며, 이 원기를 회복하면 어떠한 순역 경계에도 흔들리지 아니할 것입니다.

둘은 정기(正氣)입니다. 하늘에는 음양이기(陰陽二氣)가 있고 땅에는 강유이기(剛柔二氣)가 있으며, 사람에게는 인의이기(仁義二氣)가 있으니. 이 인의의 두 기운이 곧 정기입니다. 이 바른 마음을 끝까지 간직하여야 천지의 바른 기운이 응하고 진리의 가호가 끊임없을 것입니다.

셋은 정일지기(精一之氣)입니다. 오직 정밀하고 한결같은 기운이니, 이 기운을 얻어서 과거의 많은 대인은 억조창생을 구원하셨고 오탁한 세상을 정화하였던 것입니다.

넷은 호연지기(浩然之氣)입니다. 천하를 막힘없이 툭 트고 온통 감싸는 기운입니다. 이 기운이라야 원망하고 해하려는 마음과 막히고 구애된 기운을 다 털어버리고 온 인류와 일체중생을 감싸주게 될 것입니다.

다섯은 도기(道氣)입니다. 이는 도심이 어려서 나타나는 기운으로서 안으로 도가 어리면 이에 도기가 따라 응하는 것입니다. 이 기운이 어리는 곳에는 일체의 사사심(私邪心)이 사라져 버리는 것입니다. 도기가 충만한 곳에는 도리어 일체의 사기(邪氣)가 돌아와 화(和)하게 되고, 천만 경계 속에서도 법도에 넘치는 일이 없이 매사를 도로써 행하고 도로써 살아가는 심법이 나오게 되는 것입니다.

여섯은 중기(中氣)입니다. 이는 중화의 기운으로 이 기운이 우주의 중심이 되는 것이니, 이 중화지기(中和之氣)를 갖춘 성자가 많이 나와야 천지가 제 위치를 얻고 세상은 안정 속에서 생성화육하게 될 것입니다.

일곱은 영기(靈氣)입니다. 이는 소소영령한 기운으로서 이 기운이라야 어떠한 일과 이치를 접해서도 꿰뚫어 밝게 아는 힘이 솟아나는 것이니, 이 기운을 얻고 보면 아무리 어렵고 큰일이 맡겨져도 슬기롭게 헤쳐나가는 지혜가 솟아날 것입니다.

여덟은 진기(眞氣)입니다. 이는 참되고 실다운 기운으로서 이 힘은 진실이 곧 보배인 줄을 알고 일체의 거짓과 허위를 털어버리며, 안으로 참되고 실답게 살아감으로써 쌓여 가는 것입니다. 이 기운을 얻으면 진리의 인증을 받는 대인이 되는 것입니다.

아홉은 지기(至氣)입니다. 지극하고 간절한 마음이 어리어 나오는 기운입니다. 간절한 정성이 일백 골절에 깊이 스며들고 구천에 사무쳐야 이 기운을 얻게 되며 드디어는 진리의 구경처에 합일하여 무한한 위력을 발휘하게 되는 것입니다.

열은 대원기(大圓氣)입니다. 크게 두렷하여 우주 만유를 다 통합하며 두루 감싸고 두루 통하고 두루 갖추어서 나오는 기운입니다. 이 기운을 얻어야 일체중생의 의지처가 되어 주고, 일체시(一切時) 일체처(一切處)에서 한 중생 한 물건과도 빠짐없이 알뜰한 윤기를 통하게 하고 공적영지와 진공묘유가 가림 없이 드러나서 본연 그대로 작용할 것입니다.

이상에서 밝힌 십정기가 이름과 설명은 각각 다를지라도 사실은 그 가운데 어느 한 기운만 얻고 보면 결국 일원대도에 결합하여 대원정기를 얻을 것입니다. 그러므로 우리는 어느 방면으로든지 혈심 적공하여 십정기를 얻어서 일원세계 건설에 합력하여 대종사님과 삼세 제불제성께 알뜰한 보은하는 자가 되어야 하겠습니다.

〈『대산종사수필법문집』 1. pp.1377~1378. 원기61년 3월 26일〉

| 배경 및 상황 |

대산 종사는 “교단에서 6·25 한국전쟁 후, 해(害)를 당하거나 희생자가 거의 전무함을 알고 총부에서 공사하여 영산성지에서 ‘한국전쟁 희생자’의 봉고제를 모시기로 했다. 성산 성정철, 숭산 박광전, 대산 종사 등 6명이 대표로 ‘대종사님과 법신불 사은의 은혜 속에 모두 희생 없이 무사하게 이 전란을 겪었으니 감사합니다.' 하고 봉고하고 영산에 며칠 머물며 또 기원을 올리면서 이 십기(十氣)를 생각했었다."라고 그 유래를 말씀하였다.

대산 종사는 그 후 20여 년간 연마하여 십기를 '십정기(十正氣)'라고 하고 원기61년(1976) 3월 26 대각개교절 경축사 법문으로 '대원정기를 체득하자'고 하였다.

| 용어 풀이 |

○ **광맥(鑛脈)** 암석의 갈라진 틈에 유용 광물이 많이 묻혀 있는 부분. 광분(鑛分)이 섞인 물이 암석의 틈에 스며들어 광분이 가라앉음으로써 생겨난다.

○ **생생약동(生生躍動)** 시들거나 상하지 아니하고 생기 있고 활발하게 움직임.

○ **소소영령(昭昭靈靈)** 소소(昭昭)는 사리가 밝고 뚜렷한 모양을 말한다. 소소영령하다는 것은 마음이 깨어 있어 밝고 신령스러운 것을 묘사하는 용어이다.

○ **윤기(倫紀)** 사람과 사람 사이에 서로 지켜야 할 도리를 지키고 행하여 통하게 되는 기운.

27 정신의 아버지

대산 종사 말씀하시기를 "우리가 정신수양을 하자는 것은 정신이 혼탁하고 미혹해서는 잘 살 수 없는 까닭이니라. 우리의 정신에는 아버지인 성품이 있고 아들인 마음이 있고 손자인 뜻이 있나니, 정신은 본래 밉지도 곱지도 크지도 작지도 않은 성품 그대로를 타고났으나 정신의 아들인 마음이 손자인 뜻에게 본성 자리를 빼앗겨 혼탁해지고 미혹해졌느니라. 그러므로 우리는 뜻이 마음으로 마음이 정신으로 정신이 성품으로 돌아갈 수 있도록 정신수양에 힘써야 하느니라." 〈적공편 27장〉

| 출처 |

세계평화 기원대법회 및 이북교화위원회 발족 봉고 법회시 영산성지 대각터에서 5천여 대중에게 내려주신 법문

나는 정신을 그대로 갖고 있는가. 내 정신이 혼탁했는가. 미혹했는가.

정신이 혼탁하고 미혹하여 잘 산 사람은 없습니다. 그러기 때문에 정신을 수양하자는 것은 내 정신을 닦자는 것입니다. 정신수양에 중요점이 정신을 닦자는 것입니다. 정신이 천만 가지로 흩어져 있습니다. 그것을 우리가 통일하자는 것입니다.

"그런데 정신의 아버지, 정신의 아들, 정신의 손자가 있는데, 아는 양반 있는가? 물어봐라."

"정신의 아버지는 성품, 정신의 아들은 마음, 정신의 손자는 뜻입니다."

"맞았다. 여기 염주 줘라." [향나무 단주를 교도에게 내려주시다]

정신이 아버지 성품한테 온전히 받았는데 정신의 아들 마음이 손자에게 뺏겨서 정신이 혼탁하고 미혹해져 버렸다. 그래서 할아버지 머리를 전부 빼 버려서 본성 자리를 떠나기 때문에 우리가 껍질만 가지고 다닙니다. 그러니 희로애락애오욕, 일곱이 마음으로 마음에서 정신으로 정신에서 성품으로 가는 시간을 가져야 하겠습니다.

〈『대산종사수필법문집』 1. pp.2032~2036. 원기64년 4월 6일〉

| 배경 및 상황 |

대산 종사가 원기64년(1979) 4월 6일 영산성지 대각터에서 '세계평화 기원대법회 및 이북교화위원회 발족 봉고 법회' 때 5천여 대중에게 내려주신 법문으로, '성품과 정신과 마음과 뜻을 할아버지, 아버지, 아들, 손자'로 비교하여 정신이 혼탁하고 미혹하여 손자인 뜻[칠정, 희·노·애·낙·애·오·욕(喜怒哀樂愛惡欲)]에게 정신이 빼앗겨버렸다. 우리는 뜻이 마음으로, 마음이 정신으로, 정신이 성품으로 돌아갈 수 있도록 정신수양에 힘쓰자고 하였다.

| 용어 풀이 |

○ **혼탁(混濁)** 불순물이 섞이어 깨끗하지 못하고 흐림.

○ **미혹(迷惑)** 무엇에 홀려 정신을 차리지 못함.

○ **성품(性品)** 본성(本性), 곧 태어나면서부터 본래적으로 지닌 성질을 말한다. 성품은 인간의 마음을 통하여 우주의 본체를 밝히려는 입장에서 심체(心體)라고도 한다.

○ **정신(精神)** 인간의 마음이나 생각, 의식. 사물을 느끼고 생각하며 판단하는 능력이나 그런 작용. 육체나 물질에 대응하는 의미이다. 어떤 사물의 근본을 이루는 의의나 이념의 의미로도 쓰인다.

㉘ 세 가지 맑은 기운

대산 종사 말씀하시기를 "정정요론에 수양을 많이 하면 세 가지 맑은 기운인 삼청진궁(三淸眞宮)을 얻는다 하였나니, 첫째, 태청(太淸)은 무(無)의 경지로 모든 티끌이 다 가라앉아 때가 끼지 않은 자리요, 둘째, 허청(虛淸)은 무무(無無)의 경지로 텅 빈 자리요, 셋째, 현청(玄淸)은 역무무(亦無無)의 경지로 더 크고 깊은 텅 빈 자리라. 이 자리에 이르면 기운이 구천 위에 솟아 눈에 보이는 일월성신은 수도인의 정령(精靈)보다 밑에 있느니라." 〈적공편 28장〉

| 출처 |

전주, 원남 교도들에게 내리신 법문

우리가 일생만 살 것 같으면 그렇게 할 필요도 없겠지만 영생을 살기 때문에 우리 지혜를 계발해서 진리의 눈을 뜨는데 착안해야 하겠다. 그리고 정정요론(定靜要論)을 본 사람 있으면 말해 보라. 수양을 많이 하고 보면 세 가지 맑은 기운을 얻는다고 하였는데 과목을 많이 하면 허령, 지각, 신명으로 통하듯이 수양을 많이 하면 세 가지 기운을 받는다. 누구 들은 사람 있으면 말해 보라. 삼청진궁(三淸眞宮)의 기운을 말해 보라.

첫째 태청(太淸), 둘째 허청(虛淸), 셋째 현청(玄淸)이라 하시고,

그런데 그렇게 수양을 많이 하고 보면 삼청진궁(三淸眞宮)의 기운을 얻고, 연구 공부를 많이 하고 보면 허령, 지각, 신명을 얻는데 누구나 모두 이 세 가지를 고루 얻는 것이 아니다. 신명은 세상일을 끊고 전문적으로 하는 사람에게나 나타나고 우리는 지각(知覺)에서 토를 떼고 보면 거기에서 출가위나 여래위도 오를 수 있다.

대종사님 법은 모두 대중화해서 세 가지 삼청기운(三淸氣運)을 받는다는 것은 태청(太淸), 허청(虛淸), 현청(玄淸)인데, 태청이란 모든 진루(塵累)가 가라앉아서 때가 끼지 않은 것, 이것이 태청지경의 가장 높은 경지이고, 허청(虛淸)이란 텅 비었다. 현청(玄淸)이란 검을 현(玄)이라 하는 것인데 첫 단계 태청은 '무(無)'이다. 이 모든 진루가 끊어진 무의 지경이다. 그다음 허청(虛淸)은 '무무'다. 없고 없는 자리이다. 현청은 '역무무(亦無無)'다. 또한, 없고 없다. 이 자리에 이르게 되면 우리의 기운이 하늘 구천(九天) 위에 솟는다. 지금 우리 눈에 보이는 일월성신은 수도인의 정령(精靈)보다 밑에 있다고 그러하셨다. 일월성신보다 몇천 배 높이 솟는다.

〈『대산종사수필법문집』 1. pp.1847~1850. 원기63년 1월 5일〉

| 배경 및 상황 |

대산 종사는 원기63년(1978) 1월 5일 신년하례 때 전주, 원남교당 교도들에게

말씀하시기를 “정정요론에 수양을 많이 하면 세 가지 맑은 기운인 삼청진궁을 얻는다. 첫째는 태청, 둘째는 허청, 셋째는 현청 자리라, 이 자리에 이르면 기운이 구천 위에 솟아 눈에 보이는 일월성신은 수도인의 정령보다 밑에 있다.”라고 하였다.

| 용어 풀이 |

○ **정정요론(定靜要論)** 1927년 5월에 소태산 술(述)로 불법연구회에서 간행된 『수양연구요론(修養研究要論)』의 1~2장에 수록된 문건. 원래 『정심요결(正心要訣)』로 불리는 독립된 서적으로 전래의 도교 계통 수련서였는데, 원기2년(1917) 정산 종사가 증산교단(甑山教團)을 방문했을 때 강일순(姜一淳)의 여식 강순임(姜舜任)을 통해 수집하여 교단에 수용되었다.

○ **삼청진궁(三淸眞宮)** 도교에서 신선이 산다는 세 신[태청, 허청, 현청].

○ **구천(九天)** ① 하늘의 가장 높은 곳. 구소(九霄)·구중천(九重天)·구만리장천(九萬里長天)이라고도 한다. ② 하늘을 아홉 방위로 나누어 이르는 말. 동서남북의 사방과 동남·서남·동북·서북의 사유 그리고 중앙을 말한다.

○ **일월성신(日月星辰)** 해와 달과 별을 통틀어 이르는 말.

○ **정령(精靈)** ① 초목이나 무생물 등 갖가지 물건에 붙어 있다는 혼령. 나무·돌·산·강 등 모든 것에 제각기 정령이 깃들어 있다고 믿고 숭배하는 것이 정령신앙이다. ② 육체를 떠난 죽은 이의 혼백. 성령·정혼(精魂)이라고도 한다. ③ 만물의 근원이요 생명력의 원천을 이루는 불가사의한 천지의 기운. 동양 전래 사상은 해와 달과 별 등이 천지 만물의 정령이라 믿었다. 이는 천지 만물의 소소영령하고 신령스러운 진리의 기운이 해·달·별 등의 기운과 통해 있다는 의미로 보인다.

㉙ 세 가지 혼

대산 종사 말씀하시기를 "혼에는 생혼(生魂)·영혼(靈魂)·각혼(覺魂)이 있나니, 생혼은 주로 식물이 가지고 있는 혼이요, 영혼은 주로 육도사생이 가지고 있는 혼이요, 각혼은 사람만이 가지고 있는 진리를 깨달을 수 있는 혼으로, 과거의 모든 성자와 대종사께서는 인류의 혜두를 단련시켜 각혼을 열도록 해 주셨느니라. 특히 각혼에는 허령(虛靈)·지각(知覺)·신명(神明)이 있나니, 허령은 주송이나 기도 등으로 일심이 되어 솟아오르는 영지요, 지각은 사색과 오랜 연마를 통해 얻어지는 것이요, 신명은 신령한 지혜를 터득함을 이름이니라. 과거에는 한때의 기도나 주문으로 허령이 열려 사람의 오고 감이나 천기 등을 미리 알면 도인이라 하였으나, 허령은 평생 가는 것이 아니라 자칫 큰 죄를 짓기 쉬우므로 허령이 열릴 때를 무섭게 알아서 감추고 일생을 참으면 지각을 얻고 신명을 얻을 수 있느니라." 〈적공편 29장〉

| 출처 |

대전교구 교도들에게

영혼(靈魂), 생혼(生魂), 각혼(覺魂)이다. 영혼은 동물 전체 육도사생이 다 가진 것이다. 식물계는 영혼은 없다. 생혼, 사는 기운이다. 지상이나 바다 가운데서도 생혼만 가진 것이 많다. 각혼은 사람만이 가지고 있다. 깨달을 각자인데 진리를 깨달아 진리의 눈이 떠진다는 것이 그것이다. 여태까지 성현이 나시지 않았다면 각혼을 얻을 수 없는데, 과거 부처님이나 공자님이나 예수님이나 우리 대종사께서 탄생하셔서 모든 인류의 혜두를 단련시켜서 각혼을 열도록 해주셨기 때문에 금년에는 진리의 눈을 뜨도록 하자.

각혼 가운데에는 허령, 지각, 신명 이 세 가지가 있다. 허령이란 것은 자기가 주송을 한다든지 하여 일심이 된 결과 그냥 막 솟아오르는 것인데 영 솟듯이 하는 것이다. 허령은 믿을 수가 없다. 그리고 지각이라는 것은 사색해서 생각하고 생각해서 나가는 것이고 신명은 터득한 것이다. 대개 여태까지 도인이라고 하면 지방에서 기도도 하고 수도를 해서 이 허령이 열린 것을 말했다. 그런데 허령이 평생을 가느냐 하면 그렇지 않다. 허령이 열리면 맞기도 하고 혹 안 맞기도 하나, 말하여 혹 맞으면 기뻐서 돈도 생기고 재색명리가 생긴다. 그러면 3년밖에 못 간다. 그런데 이것은 쓰는 것이 아니다 해서 허령을 일생 참으면 지각으로 신명으로 올라갈 수 있다.

〈『대산종사수필법문집』 1. pp.1842~1844. 원기63년 1월 3일〉

| 배경 및 상황 |

대산 종사는 원기63년(1978) 1월 3일 대전교구 교도들에게 신년하례를 받고 말씀하시기를 "영혼, 생혼, 각혼을 말하고, 각혼 가운데에는 허령, 지각, 신명이 세 가지가 있다. 허령은 3년 못 간다. 허령을 참고 지각과 신명으로 올라가야 한다."라고 하였다.

| 용어 풀이 |

○ **생혼(生魂)** ① 사람의 혼백(魂魄). ② 동식물의 생활해 나가는 힘.

○ **영혼(靈魂)** ① 인간의 신체적·정신적 활동의 원동력으로 생각되는 실체. 영(靈)은 불가사의하다는 뜻, 혼(魂)은 정신이라는 뜻. 육체 밖에 따로 정신적 실체가 있다고 생각되는 것. ② 죽은 사람의 넋. 정혼(精魂)·혼령(魂靈)·혼백(魂魄)이라고도 한다.

○ **각혼(覺魂)** 사람이나 동물이 감각하는 힘. 사람만이 가지고 있는 진리를 깨달을 수 있는 혼.

○ **육도사생(六道四生)** 육도에서의 네 가지 생. 태생, 난생, 습생, 화생이다.

○ **천기(天機)** ① 우주 만물의 모든 조화를 꾸미는 하늘의 기밀·기틀. 곧 천지자연의 기능. ② 중대한 기밀.

㉚ 칠일 입정 칠일 설법

대산 종사 말씀하시기를 "절에 가면 적멸보궁(寂滅寶宮) 대적광전(大寂光殿)이라는 현판을 볼 수가 있나니, 적멸보궁은 부처님께서 도솔천 내원궁에서 입정 삼매에 드신 것을 말함이요, 대적광전은 크게 고요하고 크게 밝은 집에 머무신 것을 이름이니라. 부처님은 사바세계에 살되 세속에 물들지 않으시므로 한 마음 내고 한 마음 들이는 7일 입정 7일 설법을 자유자재하셨나니, 우리도 이 자리를 맛보아서 부처님과 같이 무시선 무처선 공부를 해야 할 것이니라." 〈적공편 30장〉

| 출처 |

절에 가보면 대적광전(大寂光殿)이라고 크게 써 붙였는데 크게 고요하고 빛나는 집이란 뜻이다. 바로 부처님을 뜻하는 것이다. 부처님은 사바세계에 사시되 물들지 않고 사시므로 한 생각을 내시어 사바세계를 위해 설법하실 때는 설법하시고 거둘 때는 거두시어 칠일입정 칠일설법(七日入定 七日說法)을 하신다.

〈『대산종법사법문집』 제3집. 제3편 수행 83. pp.173~175.〉

| 배경 및 상황 |

대산 종사는 원기61년(1976) 8월 12일 오후 3시 30분에 중앙훈련원 하계 교역자 제5기 훈련에 모인 90여 명의 훈련진과 구내 대중 50여 명이 모인 자리에서 시자에게 『정전』 제3 수행편 제4 좌선법에 대하여 읽으라고 한 후 말씀하여 주시기를 "절에 가볼 것 같으면 대적광전(大寂光殿)이다. 크게 비어서 두렷한 한 불덩이가 이루어진단 말이다. 부처님은 사바세계에 사시되 물들지 않고 사시므로 한 생각을 내시어 사바세계를 위해 설법하실 때는 설법하시고 거둘 때는 거두시어 칠일입정 칠일설법을 하신다."라고 하였다.

| 용어 풀이 |

○ **적멸보궁(寂滅寶宮)** 불상을 모시지 아니하고 법당만 있는 불전(佛殿).

○ **대적광전(大寂光殿)** 절의 법당 가운데 비로자나불을 본존으로 모시는 본당.

○ **도솔천(兜率天)** 육욕천의 넷째 하늘. 수미산의 꼭대기에서 12만 유순(由旬) 되는 곳에 있는 미륵보살이 사는 곳으로, 내외(內外) 두 원(院)이 있는데, 내원은 미륵보살의 정토이며, 외원은 천계 대중이 환락하는 장소라고 한다.

○ **내원궁(內院宮)** 도솔천의 내부. 미륵보살의 처소(處所)를 이른다.

○ **사바세계(娑婆世界)** 괴로움이 많은 인간 세계. 석가모니불이 교화하는 세계를 이른다

31 동정일여 공부에 힘쓰자

대산 종사 말씀하시기를 "우리가 모태 중에 있을 때는 불보살과 같은 자성 보물을 가졌으나 세상에 나온 후로는 눈과 귀와 입 도둑에게 다 빼앗기고 빈 껍질만 남았느니라. 눈 도둑은 사방을 두리번거리며 날뛰느라 바쁘고, 귀 도둑은 남의 비밀이나 나쁜 소리를 들으려 바쁘고, 입 도둑은 인정과 도리를 성글게 하고 좋은 인연을 끊어버려 온갖 죄를 짓느라 바쁘나니, 세상에서 아무리 부자요 권리가 있는 사람이라도 자성 보물을 도둑맞고 일생을 마치면 천하에 그같이 슬픈 일이 또 어디 있겠는

가. 그러므로 우리는 동정 일여의 공부에 힘써서 안전하게 보물을 지켜야 하느니라." 〈적공편 31장〉

| 출처 |

남부민, 해운대, 청학, 가야교당 교도들에게 '동중정(動中靜) 정중동(靜中動)'에 대한 해석 법문을 다음과 같이 해주시다.

우리가 모태 중에 있을 때는, 대종사님과 부처님과 예수님과 공자님과 똑같은 보물을 가졌는데 모태 중에서 우리가 나오면 눈, 입, 귀 세 도적 왕이 그 보물을 다 도적질해 가 버리고 못 쓸 껍질만 남기어 내던져 버린다.

눈, 이놈은 번쩍번쩍 사방을 두리번거리며 속에 있는 자성을 도적질해 가느라고 미친놈 날뛰듯 야단이다. 돈 벌려고 하는 것이 아니라, 자성 도적질해다가 내버리고 팔아먹으려고 밤낮없이 뻔덕뻔덕 야단이다.

이 귀란 놈도 온갖 소리 다 들어서 저 사는 데 좋게 하여야 하는 데 남의 비밀이나 듣고, 여러 가지 나쁜 소리 들어 못쓰게 된다. 역시 이 자성을 도적질해다 팔아먹으려고 야단이다.

입은 예부터 구시화복지문(口是禍福之門)이요, 구경시화(口輕是禍)라 하였는데, 입 이놈이 안 할 말을 해서. 잘생겨서 훌륭한 자격을 갖추고 넉넉하고 평안한 집에서 아주 잘 사는데, 입, 이 도적놈이 정신없이 도적질해서 정리(情理)도 시끄럽게 만들고 온갖 죄를 다 짓게 된다. 이 입이 없으면 괜찮을 터인데 형제지간의 정리는 말할 것도 없거니와 모든 좋은 인연도 끊어버린다. 그러니 입, 귀, 눈이 도적의 왕이 되며, 자성 보물을 훔쳐다 미친놈 날뛰듯 이리저리 다 흩어버린다. 다 알겠는가. 내 말이 허황한 말, 영어가 아니지. 세상에서 아무리 부자였고, 권리를 가지고 살았다 해도 갈 때 자성 보물 다 도적맞고 흩어버리고 가면 천하에 그것같이 슬픈 일이 없다.

그래서 옛 말씀에 "구규지사(九竅之邪) 재호삼요(在乎三要) 가이동정(可以動

靜)"이라고 했다. 아홉 구멍의 삿된 것이 세 구멍에 주장되어 있으니 가히 동하였거든 정하라고 하였다. 동하였거든 별 재주 부리지 말고 정[수양]하라는 것이다. 〈『대산종사수필법문집』 1. pp.1336~1339. 원기61년 1월 19일〉

| 배경 및 상황 |

대산 종사는 원기61년(1976) 1월 19일 남부민, 해운대, 청학, 가야교당 교도들에게 '동중정(動中靜) 정중동(靜中動)'에 대한 해석 법문을 다음과 같이 말씀하시기를 "우리는 모태 중에 있을 때는 불보살 자성 보물을 가졌으나 세상에 나온 후로 눈과 귀와 입 도둑에게 빼앗기고 빈 껍질만 남았다. 천하에 그같이 슬픈 일이 또 어디 있겠는가. 그러므로 우리는 동정일여의 공부에 힘써서 안전하게 보물을 지키자."라고 하였다.

| 용어 풀이 |

○ **자성(自性)** 인간에 갖추어진 본성이라는 의미. 이외에 성품·불성·심지(心地) 등 다양한 표현도 대체로 자성과 상통되는 개념이다.

○ **동정일여(動靜一如)** 원불교 표어의 하나. 동과 정이 한결같음. 동정간(動靜間) 불리자성(不離自性) 공부. 일이 있을 때나 없을 때나 끊임없이 참된 마음을 지키는 공부를 말한다.

32 무문관

대산 종사 말씀하시기를 "어떤 수도인들은 문을 잠그고 그 속에 앉아 선을 하는 것을 무문관(無門關)이라 하나 참다운 무문관은 육근문을 닫고 자성을 바라보는 것[無門觀]이니, 참다운 토굴이 내 몸 안에 있음을

알아 무너지지도 어두워지지도 물들지도 않는 자성 금강을 회복하는 데 힘쓰라." 〈적공편 32장〉

| 출처 |

무문관은 옛날 조사나 수행자들이 정진하기 위해 일체 문을 닫고 들어앉아 공부하는 것을 주장해 왔다. 그러나 내가 말하는 무문관(無門觀)은 그것이 아니다. 조석으로 우리 육근문을 잘 닫을 줄 알고 수행하는 것이다. 그러면 병도 낫는다. 또 토굴에 들어가 정진한다고 하여 그런 수행을 주장해 왔는데 그것이 진짜 토굴이 아니라, 아버지 어머니가 낳아 길러주신 이 좋은 몸이 토굴이다. 이것이 진짜다. 〈『대산종사수필법문집』 1. p.1314. 원기61년 1월 5일〉

무문관(無門觀)

이는 부처님에게 더하지도 않고 우리에게 덜하지도 않고 같은 것인데 우리는 자성 자리를 잃어버리기 때문에 부서져 버리고 어두워져 버리고 물들어져 버린다. 그러기 때문에 자성 금강을 불괴(不壞), 불매(不昧), 불염(不染)[무너지지 않고, 어둡지 않고, 물들지 않도록] 하려면 토굴 속에 턱 넣어서 때우고 고치는 것을 외부로 가지 말고 여기에 집어넣어서 파손된 것이 다시 이어지고 어두운 것이 밝아지고 물든 것이 닦아지도록 해야 한다.

〈『대산종사수필법문집』 1. p.2040. 원기64년 5월 7일〉

| 배경 및 상황 |

대산 종사의 '정신수양의 요체'란 법문에 무문관, 존야기, 성리대전, 육근문 개폐 규제 자유, 정중동 동중정, 악고명심, 보림함축 묵언안식, 긴찰곡도 요골수립, 식망현진 수승화강 등이 있다.

무문관이란 문이 없는 것을 관(觀)하라는 뜻이다. 종래의 선가의 무문관(無門

關)의 관은 빗장 관(關)이고, 대산 종사 무문관의 관(觀)은 볼 관이다. 굳이 두 가지 뜻을 비교하자면 선가의 무문관은 문이 없는 곳에서 빗장을 잠그고 토굴에 들어앉아 생사를 걸고 수행 정진함을 의미하고, 대산 종사의 무문관은 장소에 구애됨이 없이 어디나 선방이기에 생활 속에 단전을 떠나지 않고 단전 토굴에 들어 문이 없는 것을 관하며 육근문을 자유자재로 출입하자는 뜻이라고 할 수 있다.

자성이 무너지지 않고, 어둡지 않고, 물들지 않게 하려면 단전 토굴 속에 들어야 한다. 부처님에게 더하지도 않고 우리에게 덜하지도 않은 자성 자리를 잃어버렸기 때문에 부서져 버리고, 어두워져 버리고, 물들어져 버린다. 그러기 때문에 단전에 집어넣어 파손된 것은 다시 잇고, 어두운 것은 밝히고, 물든 것은 닦도록 해야 한다.

| 용어 풀이 |

○ **무문관(無門關)** 오랜 기간 밀폐된 집 속에서 외부와 접촉하지 않고 용맹정진하는 것. 중국 송나라 때의 선승 무문혜개(無門慧開)가 지은 『선종 무문관(禪宗 無門關)』의 약칭. 48개의 공안(公案)을 해설한 선서(禪書). 『벽암록』 『종용록』과 함께 널리 알려져 있다.

○ **토굴(土窟)** 땅을 파서 굴과 같이 만든 큰 구덩이.

○ **금강(金剛)** ① 금속 가운데 가장 단단한 금강석을 일컫는 말인데, 신성이나 공부심이 확고하여 어떠한 경계나 유혹 앞에서도 흔들리지 않는 것을 말한다. ② 반야의 지혜, 곧 사리연구력을 얻으면 어떠한 무명 번뇌도 물리칠 수 있다는 말. ③ 몹시 단단하여 파괴되지 않는 성질, 또는 그런 물건.

㉝ 존야기

대산 종사 말씀하시기를 "만물이 낮에 자라는 것 같으나 실은 밤에 자라는 것이요, 봄에 자라는 것 같으나 실은 겨울에 자라나니, 맹자께서 말씀하신 존야기(存夜氣)는 밤기운을 길러 성품을 보존한다는 말로 이것이 바로 선(禪)이니라. 고요하되 비치지 못하면 참다운 선이 아니고 비치되 고요하지 못하면 그것도 참다운 선은 아니므로[寂而照 照而寂], 대종사께서는 '정신은 항상 적적한 가운데 성성함을 가지며 성성한 가운데 적적함을 가지라.' 하셨나니 우리도 욕심에 끌려 소리를 내지 말고 모든 시비가 공한 자리에서 소리를 내고 그 자리를 기를 줄 알아야 하느니라. 대종사께서도 저녁이면 꼭 전등을 끄고 존야기를 하셨으므로 나도 '저녁 시간은 내 시간이다.' 하고 항상 존야기를 하느니라."

〈적공편 33장〉

| 출처 |

내가 일전에 서울에서 온 사람에게 이런 말을 해주었다. 모든 만물이 봄과 여름에 큰다는 것은 큰 오산이다. 어느 때 크느냐. 만물이 가을과 겨울에 숙살(肅殺)을 당한 그 압력이 위축되어 봄과 여름에 크는 것이지, 그냥 봄과 여름에 크는 것은 아니다. 봄과 여름에 큰다고 하면 그 사람은 실패하는 사람이다. 그러기 때문에 무서운 눈과 서리와 바람 폭풍 속에, 가을 겨울 때에 아주 위축되고 축소됐다가 그때 커지는 것이다.

그리고 만물이 낮에 크는 줄 알지만, 낮에 크는 것이 아니다. 밤에 크는 것이다. 밤에 위축되어 눌렸다가 낮에 크는 것이다.

〈『대산종사수필법문집』 1. p.1561. 원기61년 10월 9일〉

존야기(存夜氣)

적이조(寂而照)하고 조이적(照而寂)해야 한다. 적이조(寂而照)하지 못하면 진선(眞禪)이 아니고 조(照)하면서 적(寂)하지 못 하면 아니 된다. 그러므로 성성적적시(惺惺寂寂是)요 적적성성시(寂寂惺惺是)라 그것이 최고 경지이다. 이 사람은 여기에 욕심이 끌리는 것이 있으면 저 사람은 저기에 끌리는 것이 있는데 그것이 다 구적해 버렸다. 일만 시비가 공(空)했다,

〈『대산종사수필법문집』 1. p.1561. 원기64년 5월 7일〉

존야기, 맹자님이 하신 말씀이다. 밤기운을 보존해야 한다. 그런데 낮에 활동하는 것은 밤에 잘 자고 쉬고 편안하게 안정을 얻고 나면 그 이튿날 생생약동하는 기운이 나 가지고 활동을 하듯이 1년을 말하더라도 겨울에 풍우상설에 견디어서 봄이면 생기가 나서 여름에 무성하듯이 그러하므로 수도인은 역경, 어두울 때 외로울 때 자기의 영생을 개척하게 된다. 존야기 참 좋은 공부다. 대종사님을 내가 13년을 모셨는데 꼭 저녁에는 전등을 끄시고 존야기 하셨다. 특별한 일이 아니면 저녁 시간은 관계를 말라 하셨다.

〈『대산종사수필법문집』 2. p.863. 원기71년 8월 19일〉

| 배경 및 상황 |

대산 종사는 "존야기란 밤기운을 기른다는 뜻이며 우리의 성품을 보존한다는 뜻이다. 모든 만물이 낮에 크는 것으로 알고 있으나 실은 밤에 크는 것이다. 또 봄과 여름에 크는 것 같아도 겨울 동안 찬 기운이 압기(壓氣)하므로 기운이 뿌리에 저장 함축되었다가 봄에 그 기운이 발동해서 커지는 것이다. 고요한 가운데 비추지 못하면 참 선(禪)이 아니고, 비추면서 고요하지 못하면 아니 된다. 그러므로 초롱초롱한 가운데 고요해야 하고, 고요한 가운데 밝고 밝아야 그것이 최고 경지이다. 보통 수양인들은 한 곳에 기울어 버린다. 또 만뢰구적한 자

리를 기르는 것이다."라고 하였다.

| 용어 풀이 |

○ **맹자(孟子)** 중국 전국 시대의 사상가(B.C.372~B.C.289). 자는 자여(子輿)·자거(子車). 공자의 인(仁) 사상을 발전시켜 '성선설'(性善說)을 주장하였으며, 인의의 정치를 권하였다. 유학의 정통으로 숭앙되며, '아성(亞聖)'이라 불린다.

○ **존야기(存夜氣)** 맹자가 제시한 도덕 수양의 한 방법. 만물이 잠든 깊은 밤의 평화롭고 고요한 맑은 기운을 잘 보존한다는 뜻.

○ **적적성성(寂寂惺惺)** ① 선(禪)의 진경(眞境)을 나타내는 말. 적적은 고요하고 고요하여 일체의 사량 분별·번뇌 망상이 텅 비어 버린 경지. 성성은 소소영령한 것. 좌선의 진경은 적적무기(寂寂無記)나 성성산란(惺惺散亂)이 아니고, 적적성성·성성적적한 경지이다. ② 적적은 진리의 체(體), 성성은 진리의 용(用), 적적은 진공, 성성은 묘유, 적적은 공적, 성성은 영지.

○ **만뢰구적(萬籟俱寂)** 밤이 깊어 아무 소리 없이 아주 고요해짐. 자연 속에 나오는 온갖 소리가 고요해짐.

○ **압기(壓氣)** 기세를 누름.

34 성리대전

대산 종사 말씀하시기를 "우리의 본래 성품 자리는 크게 온전하나 육근문의 개폐와 규제를 할 줄 모르고 함부로 흩어버리므로 온전하지 못한 것이니, 보림 함축(保任含蓄)하고 묵언 안식(默言安息)하고 무문관(無門觀)하여 우리의 성품을 온전하게 보존해야 하느니라. 장자의 '남화경'에 혼돈 왕이 남해의 숙 임금과 북해의 홀 임금을 초대하여 융숭한 대접을 하였는데, 두 임금이 감사의 보답으로 '다른 사람은 모두 구멍이 있으나 혼돈은 구멍이 없으니 구멍을 뚫어 주자.' 하여 하루에 한 구멍씩 일곱 구멍을 뚫어 주었더니 곧바로 죽어버렸다는 이야기가 있느니라. 이는 다름 아닌 우리 본성에 구멍이 뚫리면 죽는다는 이야기로 성리대전(性理大全)하여 구멍이 뚫리지 않도록 하고 부득이 뚫렸다면 곧바로 때워야 할 것이니, 선이나 무문관, 존야기로 성품을 온전하게 길러야 일생이 허망하지 않으리라." 〈적공편 34장〉

| 출처 |

성리대전(性理大全)에 대하여 말씀하시기를 "우리의 본래 성품 자리는 크게 온전한 것인데 육근문을 개폐와 규제를 할 줄 모르고 함부로 다 흩어버리며 살므로 온전하지 못한 것이다. 그러므로 보림함축(保任含蓄) 묵언안식(默言安息)하고 무문관해서 우리의 성품을 온전하게 보존해야 한다.

장자의 남화경에 이런 예화가 있다. '혼돈(渾沌)이란 왕이 있었는데 남해의 임금인 숙(儵)과 북해의 임금인 홀(忽)이 혼돈왕의 초대를 받아 잘 먹고는 그 은혜에 보답하기 위하여 선사할 것을 상의한 결과 다른 사람은 모두 구멍이 있는데 이 혼돈은 구멍이 없으니 구멍을 뚫어 주자 하고 하루에 한 구멍씩 일곱 구멍을 뚫어 놓으니 혼돈이 죽어 버렸다.'고 한다. 그것은 다름 아니라 우리 본성 자리는 구멍만 뚫리면 죽는다는 것이다. 그러니 성리대전(性理大全)하여 구멍이 뚫리지 않아야 한다. 부득히 뚫렸으면 다시 때워 메꿔야 한다. 선(禪)이나 무문관(無門關) 존야기(存夜氣)로 성품을 온전하게 해야 일생을 살고 가는데 허망하지 않다."

〈『대산종법사법문집』 3. 제3편 수행 63. 원기61년 1월 1일〉

| 배경 및 상황 |

대산 종사는 "내가 전주에서 학교 다닐 때 용머리고개에 있는 우리 선조 묘소[5대조]를 참배하러 가는데, 노인 몇 분이 증산(甑山) 선생께서 '전라도에서 큰 부처님이 나온다고 하셨다.' 하며 '원형이정(元亨利貞) 천상지도(天常之道) 성리대전(性理大全) 이목구비(耳目口鼻)'는 말들을 하였다. 그런데 내가 6월에 김소원행[서전주교당 교도]으로부터 지압 치료를 받는데, 성리대전 이목구비 원형이정 천상지도를 말하므로 깨친 바 크다. 현무경(玄武經)에 포교오십년(布教五十年) 종필(終畢) 성리대전(性理大全) 이목구비(耳目口鼻)라는 말이 있어 내 방향을 생각했었다. 교단은 이단치교 법치교단의 원칙을 세우고 각자는 자력을 세워야 한다는 것이다. 내 개인으로는 내가 지금 살았다는 생각 없다. 송장과 같다. 그러나 내 개인적으로 이러고저러고 할 일이 아니므로 성리대전 이목구비하고 있는 것이다."라고 하였다.

| 용어 풀이 |

○ **성리대전(性理大全)** 중국 명나라 성조 13년(1415)에 호광(胡廣) 등이 황제의 명에 따라 편찬한 책. 주자(周子), 장자(張子), 주자(朱子) 등 여러 학자의 성리설(性理說), 이기설(理氣說)을 모아 수록하였다.

○ **보림함축(保任含蓄)** 보림이란 수행인이 진리를 깨친 후에 안으로 자성이 요란하지 않게 잘 보호하고, 밖으로 경계를 만나서 끌려가지 않게 잘 보호하는 공부. 보호임지(保護任止)의 준말. 보호임지란 '안으로 자성이 어지럽지 않게 잘 보호하고, 밖으로 경계에 부딪혀 유혹당하지 않는다[內保自性而不亂 外任境界而不惑]'는 뜻. 함축이란 마음속 깊이 수양력을 쌓아 가는 것. 깊이 간직하여 드러나지 아니하는 것. 마음속 깊이 품고서 쌓아두는 것.

○ **묵언안식(默言安息)** 아무런 말도 하지 않고 편히 쉼.

○ **남화경(南華經)** 『남화진경(南華眞經)』의 약칭으로 장자(莊子)가 지은 『장자

(莊子)』를 가리키는 말.

○ **혼돈(混沌)** ① 천지개벽 초에 하늘과 땅이 아직 나뉘지 아니한 상태. ② 사물의 구별이 명확하지 않고 애매모호한 상태. ③ 사회질서가 혼란하고 문란한 상태.

35 육근문 개폐 규제 자유

대산 종사 말씀하시기를 "'육근문 개폐 규제 자유'는 육근문을 열 줄도 알고 닫을 줄도 아는 공부니 천만 경계를 대할 때마다 육근문에 검문소를 설치하여 마음이 법 없이 들어왔다 나갔다 하지 못하도록 온전한 생각으로 취사하는 공부니라. 특히 육근문을 개폐할 때는 열에 셋은 부득이 열더라도 나머지 일곱은 닫아 함축할 줄 알아야 하나니, 불보살들의 행적을 돌아보면 그중 둘이나 하나만을 열어 놓고 사셨으나 범부와 중생들은 열을 다 열어 놓고 살므로 본성이 죽거나 도둑을 맞아 빈 껍질만 남게 되었느니라. 그러므로 항상 챙기는 마음으로 유무념 대조와 주의·조행 공부를 잘하여 육근을 중도에 맞게 열고 닫아서 의식의 자유와 호흡의 자유와 육신의 자유를 얻고 보면, 일체고액에서 해탈하는 경지에 이를 뿐 아니라 생사 거래에 자유를 얻고 육도 윤회를 임의 자재하는 불보살의 능력을 얻게 될 것이니라." 〈적공편 35장〉

| 출처 |

육근문을 10의 6은 닫아야 한다. 6이 아니라 7은 닫아야 한다. 셋은 부득이해서 열더라도 셋도 너무 많다. 불보살의 지내신 행적을 보면 둘 하나 열고 다 닫지 셋도 안 된다. 그런데 우리 실력이 없는 사람은 열을 다 열어 놓고 사니 본성이 다 죽어버리고 참 것은 다 잊어버리고 도둑맞고 빈껍데기만 돌아다니다 날아가 버린다. 그러기 때문에 반드시 6~7할은 닫아야 한다. 여닫고 규제하고 하면 거기서 나오는 것이다.

〈『대산종사수필법문집』 1. pp.1307~1308. 원기61년 1월 1일〉

둘째는 우리의 육근문(六根門)을 잘 열어 쓰고 닫을 줄을 알아야겠습니다. 세상의 인심은 화려한 물질문명에 끌려서 의식(意識) 출입의 규제가 없이 무질서하게 사용하므로 정신의 자주력(自主力)을 잃고 예의염치와 윤리와 도덕마저 소멸하게 되었습니다. 그러므로 천만 경계를 대할 때마다 마음을 일단 멈추어서 온전한 생각으로 취사하는 공부를 하여 치연히 작용하는 의식 출입을 철저히 규제하고 관리하여 육근문 개폐를 자유롭게 조정하고 과불급이 없는 중도행(中道行)을 하여야 하겠습니다. 이와 같이 항상 챙기는 마음으로 유무념(有無念) 대조와 주의 조행 공부를 잘하여 육근을 중도에 맞게 개폐하고 보면 의식의 자유와 호흡의 자유와 육신의 자유를 얻어 일체 고액에서 해탈하는 경지에 이를 뿐 아니라 나아가서는 생사 거래에 자유를 얻고 육도 윤회(六途輪廻)를 임의자재하는 불보살의 능력을 얻을 것입니다.

〈『대산종사수필법문집』 1. pp.1305~1306. 원기61년 신년법문〉

| 배경 및 상황 |

대산 종사는 원기61년(1976) '정신의 자주력 함양'이란 제목으로 신년법문을 내렸다. 그중 둘째에 '육근문을 잘 여닫고 쓰자'고 하였다.

총부 및 기관 대전교당, 신도 등의 교도들에게 세배받고 말씀해 주시기를 "금년에 특히 우리의 자성을 회복하고 천심을 길러서 크게 두렷한 바른 기운을 함양하자는 것이 나의 뜻이다. 이것은 전 교도, 전 국민에게 전 인류에게 바라는 바다. 그러니 우리는 새해에 임하여 진리로 살고 법으로 살고, 도로 살아서 교(敎)가 되어야 억조창생이 봉대하고 억조창생에게 복리(福利)가 미칠 것이니 우리는 그 생활을 하자."라고 하였다.

그리고 "육근문을 10의 6은 닫아야 한다. 불보살의 지내신 행적을 보면 하나나 둘을 열고 다 닫지 셋도 안 된다. 그런데 우리 실력이 없는 사람은 열을 다 열어 놓고 사니 본성이 다 죽어버리고 참은 다 잊어버리고 도둑맞고 빈껍데기만 돌아다니다 날아가 버린다. 그러기 때문에 반드시 6~7할은 닫아야 한다. 여닫고 규제하고 하면 거기서 나오는 것이다."라고 하였다.

| 용어 풀이 |

○ **주의(注意)** 사람이 육근을 동작할 때 하기로 한 일과 안 하기로 한 일을 경우에 따라 잊어버리지 아니하고 실행하는 마음을 이름

○ **조행(操行)** 사람으로서 사람다운 행실 가짐을 이름이니, 이는 다 공부인으로 하여금 그 공부를 무시로 대조하여 실행에 옮김으로써 공부의 실효과를 얻게 하기 위함이다.

○ **임의자재(任意自在)** 일정한 기준이나 원칙 없이 하고 싶은 대로 자유자재함.

㊱ 면면약존 용지불근

대산 종사 말씀하시기를 "도덕경의 면면약존(綿綿若存) 용지불근(用之不勤)은 노자 사상의 정수로 실올은 끊길 듯하면서도 면면히 이어져 있고 쓰이되 다함이 없어 수고롭지 않다는 말이니, 우리가 선을 할 때 무시선 무처선으로 마음공부를 계속하다 보면 그 마음이 항상 불방심(不放心)이 되어 면면약존 용지불근이 되느니라. 노자께서 모태 중에서 80년을 머물렀다는 말씀은 자성을 떠나지 않고 80년을 사셨다는 뜻이니 여래란 와도 오는 것이 아니며 가도 가는 것이 아닌 자리로, 도가 없는

이는 면면약존 용지불근의 마음이 되지 못하므로 있으면 다 써버리고 없으면 아쉬워하나 도가 있는 사람은 한 생각을 한결같이 만년을 이어 가느니라.” 〈적공편 36장〉

| 출처 |

면면약존(綿綿若存) 용지불근(用之不勤)

동양의 최고 철학은 불교, 유교, 도교 삼대 사상인데 그 가운데에 도교의 사상을 대표적으로 밝힌 것이 바로 곡신불사(谷神不死) 면면약존 용지불근이란 편에 있다.

노자(老子)를 만든 것이 바로 이 사상이라는 것이다. 노자가 복중재팔십년(復中在八十年)이라고 전해 오고 있는데 어떻게 모태중재팔십년(母胎中在八十年)이 되겠는가. 그것은 바로 자성 중에 80년 살다 갔다는 말이다. 예로부터 성인들은 성태장양(聖胎長養)이라고 한다.

선을 무시선 무처선으로 마음공부를 잘하면 그 마음이 항상 불방심(不放心)해서 간단히 없다. 이것이 바로 면면약존하는 것이다. 실올이 면면(綿綿)해서 10년, 100년, 1,000년 가더라도 한결같다. 그래서 그저 있는 것 같다. 그래서 한고비 넘는다.

부처님은 여래(如來)라 하는 데 오는 것같이 오는 것 아니다. 거기에 법이 들어 있다. 내이불래(來而不來)요 거이불거(去而不去) 그것이 여래다. 바로 면면약존이다. 면면해서 있는 것 같지, 그러나 용지불근이다. 써도 다하지 아니한다. 부지런히 하지 아니한다는 것이다. 여여히 계속해 한결같이 나가는 것, 그것이 선이고 무시선 무처선이다. 도가 없는 사람은 면면약존과 용지불근을 못 한다. 있으면 다 써 버리지, 있는 것을 쓰지 않고 써도, 부지런히 아니하는 것을 못 한다. 일념만년(一念萬年)이다. 한 생각이 만년을 평평히 한결같이 나가는 것이 용지불근이다. 〈『대산종사수필법문집』 1. p.1516. 원기61년 1월 9일〉

| 배경 및 상황 |

대산 종사는 "노자사상의 정수를 '곡신불사(谷神不死) 시위현빈(是謂玄牝) 현빈지문(玄牝之門) 시위천지근(是謂天地根) 면면약존(綿綿若存) 용지불근(用之不根)'이라 했다. 동양의 최고 철학은 불교, 유교, 도교 삼대 사상이다. 그 가운데 도교의 사상을 대표적으로 밝힌 것이 바로 『도덕경』이다."라고 하였다.

| 용어 풀이 |

○ **도덕경(道德經)** 『도덕진경(道德眞經)』의 약칭으로 노자(老子)가 지은 『노자(老子)』를 가리키는 말.

○ **면면약존(綿綿若存)** 진리가 있는 듯 없는 듯하면서도 영원불멸하여 아무리 쓰고 또 써도 다함이 없다는 말.

○ **용지불근(用之不勤)** 아무리 써도 지치지 않는다. 써도 다하지 아니한다.

37 잠거포도 괄낭순회 도광산채

대산 종사 말씀하시기를 "정신수양을 위해서는 잠거포도(潛居抱道)하고 괄낭순회(括囊順會)하며 도광산채(韜光鏟彩)하라. 도를 간직한 채 숨어 지낼 줄 알고, 주머니를 닫고 때를 기다릴 줄 알며, 빛을 스스로 감출 줄 아는 것이 정신수양이니라." 〈적공편 37장〉

| 출처 |

부교무들에게 내려주신 법문

근본적으로 수양에 입각해서 잠거포도(潛居抱道) 포도잠거(抱道潛居) 할 것을 계획을 세우고, 또 괄낭순회(括囊順會)니 때가 되면 다 될 것이니 그 자리가 아니면 입 다물라. 앞으로 도덕만 갖추면 천하 대우 다 돌아온다. 그러니 자기가 미리 뛰려고 말라. 괄낭순회해서 때가 되면 동하라. 망동(忘動) 경동(輕動)을 하면 자기 손해뿐만이 아니라 교단의 손해가 크다. 도가 있어 남이 안 써 주는 것 그것 좋다. 도광산채(韜光鏟彩) 항상 빛을 감추어서 무늬를 긁는 것, 이것이 노자나 장자가 최고의 수양 방법으로 알고 그 길대로 했으니, 오늘 부교무들 다시 한번 마음 가다듬고 각성해서 이 법문대로 수양해 자기 인격을 그렇게 만드는 데 노력할지언정 세상에서 나를 써 주고 안 써 주고를 바라지 말라. 안 써 주면 그것이 저축되어 오히려 정신적 부자가 된다. 없는 것을 팔아먹는 것은 곤란한 것이다.

〈『대산종사수필법문집』 1. pp.1347~1350. 원기61년 1월 25일〉

| 배경 및 상황 |

대산 종사는 "정신수양을 하려면 도를 간직한 채 숨어 지낼 줄 알고, 주머니를 닫고 때를 기다릴 줄 알며, 빛을 스스로 감출 줄 아는 것이다."라고 하였다. 잠거포도나 포도잠거는 같은 뜻이다. 중요한 것은 잠거만 해서는 안 된다. 도를 품고[抱道]를 반드시 해야 한다.

| 용어 풀이 |

○ **잠거포도(潛居抱道)** 수행인이 남의 눈에 뜨이지 않게 숨어 살면서 법력을 더욱 향상하기 위해서 수행 정진하는 것. 수행인에게는 반드시 잠거포도의 시기가 필요하며, 이 기간에 법력이 크게 증진된다.

○ **괄낭순회(括囊順會)** 괄낭은 주머니를 여민다, 말이 적다는 뜻. 입을 다물고 함부로 아는 체하지 않으며, 아무리 큰 능력이 있어도 없는 듯이 하며, 조용하고 순리대로 세상을 숨어서 살아간다는 말. 이는 혼란한 시대에 생명을 보존하기 위해서나, 큰 능력을 갖춘 인물이 자기의 능력을 더욱 키우고 소인배들의 중상모략을

받지 않기 위해서나, 또는 수행자가 숨어서 더욱 수행 정진하는 방법이다.

○ **도광산채(韜光鏟彩)** 빛을 칼집에 감추고 문채를 깎는 것. 재능·학식·지혜를 숨겨버리고 있는 듯 없는 듯 평범하게 살아가는 것.

38 음중양생 양중음생

대산 종사 말씀하시기를 "음 가운데 양이 생기고 양 가운데 음이 생기는 것[陰中生陽 陽中生陰]이 진리의 조화라. 진리는 뺏으려면 반드시 주는 법이니 줄 때 조심해서 잘 받고 빼앗길 때 조심해서 잘 뺏겨야 잘 받을 수 있느니라. 특히 겨울은 음이 극할 때요 여름은 양이 극할 때라. 이때 정(靜)과 중(中)을 표준으로 삼아야 천지조화에 날뛰는 사람이 되지 않나니, 그러므로 돈과 명예와 권리에 빠지지 말고 정중(靜中)으로 살아야 하느니라."

〈적공편 38장〉

| 출처 |

음중양생(陰中陽生) 양중음생(陽中陰生)

진리가 뺏으려면 주는 법이다. 뺏어 갈려면 주니까 줄 때 조심해서 받아야 하고 잘 뺏기면 우리가 받아 오는 사람이 되기 때문에 뺏길 때 조심 있게 해야 한다.

그러니 연세로 말할 것 같으면 지금이 음극(陰極)이다. 음극이 될 때니 극에 대해서는 정을 가져야 하고 중을 가져야 한다. 또 여름에 양극이 될 때 정을 가져야 하고 중을 가져야 한다. 그러면 우리가 천지조화에 날뛰는 사람이 되지 않는다. 전 인류가 천지조화의 조롱을 받고 날뛰는 사람이 되기 때문에 우리 생활에 불행을 가져온다. 그러니 음이 극할 때나 양이 극할 때 정을 갖고 중을 표준 삼아서 살 것 같으면 그 사람은 편안한 생활을 할 것이다. 그러기 때문에 돈이 돌아올 때 명예가 돌아올 때 권리가 돌아올 때 사람은 미치고 일생을 망치는 것이다. 그러니 무엇이 돌아올 때 정중(靜中)을 표준 잡고 나가야 한다.

〈『대산종사수필법문집』 1. p.1307. 원기61년 1월 1일〉

| 배경 및 상황 |

대산 종사는 "음 가운데 양이 생기고 양 가운데 음이 생기는 것이 진리의 조화라 하였다. 전신전수라, 전신(全信)하면 전수(全受), 반신(半信)하면 반수(半受), 무신(無信)하면 무수(無受)한다. 전탈전여(全奪全與)라, 진리가 다 뺏어야 다 주는 이치가 있다."라고 하였다.

음중생양 양중생음은 음양의 조화, 즉 진리의 조화를 말한다. 사계절이 순환하고 여름이 극하면 음이 서서히 자라고 겨울이 극하면 양이 서서히 기지개를 켜기 시작한다. 이 이치를 알면 진리의 조화에 속지 않는다.

대산 종사는 "음(陰)은 나쁠 때인데 그때는 정(靜)과 중(中)을 표준으로 해야 한다. 몹시 나쁠 때 극할 때에는 동하면 그 경계에 오히려 몰린다. 그러니 그때는 정(靜)을 표준화해서 후퇴 후퇴해서 날 잡아 잡수시오 하고 쥐 죽은 듯이 엎드려야 한다. 그러면서 몰아쳐 오는 그 경계가 지나간 후에 살짝 일어나야 한다. 그것과 대립하려고 나서면 구렁에 더 빠지고 결국 죽어버린다. 그러니 아주 극한 악경(惡境)과 불안이 심할 때는 후퇴해서 정(靜)을 표준으로 하여 다음 나갈 준비를 해야 한다. 좋을 때는 항상 혼자 다 차지하고 다 쓰려고 말아서 나누어 갖고 나누어 가져라. 그래야 오래오래 간다."라고 하였다.

| 용어 풀이 |

○ **천지조화(天地造化)** 하늘과 땅이 일으키는 여러 가지 신비스러운 조화.

○ **정중(靜中)** 조용한 경계에서 마음의 안정을 얻는 것.

㊴ 좌선할 때 잠이 오면 잠을 깨우는 것이 공부다

한 학인이 "좌선을 할 때 잠이 쏟아져서 고민입니다." 하고 사뢰니, 대산 종사 말씀하시기를 "잠을 깨우는 것이 공부니 잠이 올 때마다 챙기고 또 챙겨서 꾸준히 정성을 들이라. 신도안 삼동원 밭에 돌이 많았지만 나는 괴로워하지 않았나니, 그 돌들을 일체 생령이라 여기고 그 돌로 담장을 쌓는 것이 불보살 만드는 길이라 생각하니 오히려 돌들이 모자랐느니라."

〈적공편 39장〉

| 출처 |

2학년 여학생들에게 말씀하여 주시기를

한국은 성지인 동시에 도덕의 모국이다. 그러므로 너희 각자도 도덕이 살아야 하겠다. 그래야 세계의 도덕이 살아나고 일체중생이 활생한다. 너희 소리가 진리의 소리이다. 나는 너희에게서 진리 소리를 듣는다. 말을 하여 보라. 심심상련 아니하면 어떤 인물도 별것이 아니다. 심심상련하면 합일한다.

학생이 "저는 좌선 시 잠을 자니 고민입니다." 하니, "잠을 깨우는 것이 공부 아니냐?" 하시고, "마음도 가라앉을 때 챙기고 또 챙기면 성인이 된다. 정성하면 할수록 그만큼 되는 것이 진리이다."

나는 신도안에 돌 많은 것을 괴로워하지 않는다. 나는 돌을 볼 때 일체생령으로 보며 앞으로 교도가 많아야 일을 할 수 있으므로 오히려 돌이 적구나.

〈『대산종사수필법문집』 1. p.177. 원기51년 8월 31일〉

| 배경 및 상황 |

대산 종사는 원기51년(1966) 8월 31일 신도안 삼동원에서 정양 중일 때 원불교학과 2학년 여학생들에게 말씀하여 주시기를 "한국은 성지인 동시에 도덕의 모국이다. 각자의 도덕이 살아야 세계의 도덕이 살아나고 일체중생이 활생(活生)한다."라고 하며 학인들과 문답 감정을 하였다.

한 여학생이 "저는 좌선할 때 잠이 오니 걱정입니다."라고 하니 대산 종사는 "잠을 깨우는 것이 공부 아니냐?" 하고 "마음도 가라앉을 때 챙기고 챙기면 성인이 된다. 정성이 진리다."라고 하며 용기를 주었다.

| 용어 풀이 |

○ **일체생령(一切生靈)** 우주 전체에 존재하는 모든 생명체.

○ **심심상련(心心相連)** 마음과 마음이 서로 통하고 뜻이 합하여 항상 마음으로 소통하는 것.

⑩ 무시선 무처선을 표준하여라

한 제자가 "항상 청정한 마음을 지키고자 하오나 사심 잡념이 끊이지 않아서 걱정입니다." 하고 사뢰니, 대산 종사 말씀하시기를 "땅이 살아 있으므로 풀이 나고, 물이 살아 있으므로 물결이 치며, 마음이 살아 있으므로 사심 잡념이 생기는 것이니라. 풀이 나면 뽑고 또 뽑고 일을 할 때나 쉴 때나 항상 마음을 챙겨서, 곤하면 잠자고 배고프면 밥 먹는 일을 일심으로만 하면 그것이 곧 활선이니, 특별히 없애거나 구하려 하지 말고 무시선 무처선을 표준 잡아 수행하면 되느니라." 〈적공편 40장〉

| 출처 |

최수인화(崔修仁華)가 "저는 항상 청정념(淸淨念)을 지키고자 하나 사심, 잡념이 끊이지 않습니다."

종법사님 말씀하시기를 “땅이 살아 있고 물이 살아 있기에 풀이 나고 물결이 치는 것과 같이, 우리 마음에 마음이 일어나는 것도 마찬가지다. 풀이 나면 뽑아버리고 또 뽑아버리며 활선(活禪)을 하라. 일을 바꾸면서 마음을 챙기기도 하며 곤하면 자고, 배고프면 밥 먹고 하지. 특별히 제거하고 구하려고 말도록, 시시선(時時禪) 처처선(處處禪) 무시선(無時禪) 무처선(無處禪)으로 하라.”

〈『대산종사수필법문집』 1. p.333. 원기53년 8월 16일〉

| 배경 및 상황 |

대산 종사는 원기53년(1968) 8월 16일 익산 금강리 신성마을에서 주재할 때 전무출신을 퇴임하고 중앙수양원에서 정양 중인 경타원 최수인화가 방문하여 담화를 나누다 문답 감정을 하였다.

“저는 항상 청정한 생각을 지키고자 하나 사심 잡념이 끊이지 않습니다.”라고 묻기에 대산 종사는 이 같은 법문을 하였다. “우리 마음에 마음이 일어나는 것도 마찬가지다. 풀이 나면 뽑아버리고 또 뽑아버리며 활선(活禪)을 하라. 일을 바꾸면서 마음을 챙기기도 하며 곤하면 자고, 배고프면 밥 먹고 하지. 특별히 제거하고 구하려고 말도록, 시시선 처처선 무시선 무처선으로 하라.”고 하였다.

| 용어 풀이 |

○ **최수인화(崔修仁華, 1889~1980)** 본명은 최수엽(崔壽燁). 법호는 경타원(慶陀圓). 1889년 4월 27일 전북 임실군 운암면 입석리 부친 정우(鼎雨)와 모친 이씨의 딸로 출생. 19세에 익산군 북일면 정씨가문으로 출가, 시가와 친가가 독실한 천도교인이었다. 남편이 실수로 가산을 탕진한 뒤로 행방불명되어 마음을 잡지 못하던 중 원기19년(1934)에 박상지화의 지도로 소태산 대종사의 일체유심조 법문을 듣고 최제우(水雲 崔濟愚)의 후신이라 믿게 되면서 독실한 신성으로 일관했다[『대종경』 변의품 30].

남편이 객지에서 사망했다는 비보를 접한 뒤로 원기21년(1936) 전무출신을 단행하고 총부 순교직을 맡아 익산과 전주 지방의 순교 활동을 전개했다. 일찍이 소태산의 부촉하신 말씀을 받들어 광복 뒤 이리 신사(神社)를 접수하여 교당으로 만들고 한국전쟁으로 미군 주둔지로 징발당하자 휴전 뒤 다시 고등선원을 만드는 일에 갖은 신고와 열성을 다했다. 총부를 비롯하여 이리·삼례·전주교당 순교와 교무를 역임하고 중앙수양원에서 정양하다가 1980년 1월 19일에 열반했다.

○ **청정념(淸淨念)** 더럽거나 속되지 않고 맑고 깨끗한 생각. 죄가 없이 깨끗함. 계행이 조촐한 생각.

41 불이문

대산 종사 말씀하시기를 "큰 의심이 있어야 크게 정하여 크게 깨칠 수 있고, 하나의 큰 의심이 오롯한 생각으로 뭉쳐 만 가지 의심이 텅 빈 경지가 되어야 대원정각을 이루나니[大疑之下 必有大定大覺 一疑專念之下 萬疑俱空大圓正覺], 이 공부로 불이문(不二門)에 들기 바라노라."

〈적공편 41장〉

| 출처 |

불이회(不二會) 홍도전(洪道田) 외 15명

단전을 쑥으로 떠본 일이 있냐. 앉아서 10년, 20년, 30년을 주(住)하는 것도 좋은데 단전에 쑥뜸 질을 해서 하루에 한 방부터 시작해서 2, 3, 5천 방, 만 방만 뜨면 단전에 힘이 강화된다고 의약계에서 말을 한다. 내가 20대에 위가 고장이 나서 전신이 아프고 해서 고생을 하고 있는데 경상도 학자가 쑥뜸을 하면 좋다고 해서 6개월을 뜨는데 그때는 무식하고 무엇을 몰라서 그냥 생살에다 아무것도 안 대고 쑥뜸을 뜨는데 죽기 아니면 살기니까 그 아픔을 참는데 대단히 어렵더라. 죽기 아니면 살기니까 이럴 때 정진을 한번 해야겠다 해서 정진에 최고 목표를 두고 한 방, 두 방, 세 방, 만 방을 떴다. 그러고 나니 일체 잡병도 없어지고 내가 어려운 경계를 당할 때는 생각이 단전에 있으면 모든 경계가 다 녹아 버린다.

정진하는 데는 10년, 20년을 두고 하는 것도 좋지마는 자기가 무슨 계획이 있어서 생사하고 바꾸지 않을 그런 정진을 할 계기가 있어야 합니다. 서울 불이회에서 정진 수도하시는 분들이 계신다고 해서 나라도 좋고 세계도 좋은 광명이 비칠 것으로 생각하였다. 하려면 뜨겁게 해야 한다. 흐지부지하면 안 된다. 한 생 살다가 가기는 가는데 도솔천 내원궁에 계시다가[서울] 이리로 내의하는 불이회원들이 내의를 하셨습니다. 내의(來儀)는 내의인데 부처님과 같이 깨닫지 못했기 때문에 그 이름을 불(佛)이라 하지 않고 중생이라고 합니다.

다음과 같이 공부하여 불과를 얻으시기를 바랍니다.

일념만년 우만년(一念萬年又萬年)

대의지하(大疑之下) 필유대정대각(必有大定大覺)

일의지하(一疑之下) 필유대정대각(必有大定大覺)

일심소도(一心所到)에 금석가투(金石可透)

불이문(不二門)에 들어야 열반이 됩니다.

〈『대산종사수필법문집』 2. p.1205. 원기73년 5월 25일〉

일의전념지하(一疑專念之下)에 만의(萬疑)가 구공(俱空)하여 대종사께서나 석가세존께서 대원정각(大圓正覺)을 하신 것입니다. 생로병사는 무엇이며 내가 어디서 왔으며 어디로 갈 것인가 부모님의 춘수는 어떻게 되는 것이며 하는 의심으로부터 일의전념지하에 만의가 구공해서 대원정각을 하신 열쇠가 대의단(大疑團)입니다. 〈『대산종사수필법문집』 2. p.1190. 원기73년 4월 28일〉

| 배경 및 상황 |

대산 종사는 원기73년(1988) 5월 25일 익산 왕궁 영모묘원에서 원남교당 불이회(不二會)를 접견하며 불이문(不二門) 법문을 하였다.

일념만년 우만년(一念萬年又萬年)

대의지하(大疑之下) 필유대정대각(必有大定大覺)

일의지하(一疑之下) 필유대정대각(必有大定大覺)

일심소도(一心所到)에 금석가투(金石可透)

불이문(不二門)에 들어야 열반이 됩니다.

앞서 동년 4월 28일 대각개교절 부연법문으로 '일의전념지하(一疑專念之下)에 만의(萬疑)가 구공(俱空)하여 대종사께서나 석가세존께서 대원정각(大圓正覺)을 한 열쇠가 대의단(大疑團)입니다.'라고 말하였다.

이 두 법문을 합쳐 법어에 "大疑之下 必有大定大覺 一疑專念之下 萬疑俱空大圓正覺, 이 공부로 불이문(不二門)에 들기 바라노라."고 하였다.

| 용어 풀이 |

○ **불이문(不二門)** 불이법문(不二法門)의 준말. 상대와 차별이 끊어진 절대적인 하나의 진리라는 뜻. 불이(不二)란 둘이 아닌 하나의 경지를 뜻함.

○ **대원정각(大圓正覺)** 원불교에서 말하는 가장 큰 깨달음의 경지. 진리를 원만하고 크고 바르게 깨닫는 것. 소태산 대종사의 대각을 말한다.

42 일심정력으로 의단을 해결하여 깨달음을 얻자

대산 종사 말씀하시기를 "대종사께서 수행하신 경로는 서원 일심이요 신심 일심이요 수행 일심이니, 우리도 일심 정력으로 의심의 뭉치를 해결하여 큰 깨달음을 이루어야 하느니라. 대종사께서도 '내 이 일을 장차 어찌할꼬.' 하는 한 생각으로 입정 삼매에 들어 대각을 이루셨느니라."

〈적공편 42장〉

| 출처 |

원기69년 대각개교절 부연법문

대종사께서 수행하신 경로를 볼 것 같으면 오직 서원일심(誓願一心), 신심일심(信心一心), 수행일심(修行一心), 그 한마음 이외는 깰 것이 없다고 그러셨다. 그러기 때문에 항시 법문 중에 일심 정력을 들이대라. 일심 정력을 들이대고 깨지 못할 것 같으면 여러분이 나한테 와서 질문해 보라. 일심 정력을 들이대고 의단의 뭉치, 의심의 뭉치가 열쇠의 뭉치가 되기 때문에 진리가 되었든지 무엇이 되었든지 의단이 뭉쳐야 한다. 대종사께서도 '내 이일을 장차 어찌할꼬?' 하는 한 생각이 입정삼매에 드신 최대의 원인이 되었다. 내가 어떻게 살 것이냐, 내가 이렇게 살 것이냐 하는 의심이 내 이 일을 장차 어찌할꼬? 하는 의단의 뭉치가 대각의 열쇠가 되어서 우리 만 중생의 정신의 부모가 되셨다.

〈『대산종사수필법문집』 2. p.528. 원기69년 4월 28일〉

| 배경 및 상황 |

대산 종사는 원기69년(1984) 4월 28일 오전 10시 30분 총부 기념관에서 대각개교절 경축사에 이어 법문을 하였다. 대각개교절 경축사가 공식적인 법문이라면 대각개교절 법문은 종법사의 부연법문인 셈이다.

"서원일심, 신심일심, 수행일심하여 우리도 일심 정력으로 의단을 해결하여 큰 깨달음을 이루자."라고 하였다.

| 용어 풀이 |

○ **수행(修行)** 행실, 학문, 기예 따위를 닦음. 종교적·도덕적으로 큰 인격을 이루기 위해 취해지는 특별한 훈련 방법이다.

○ **정력(定力)** 〈적공편 16장〉 용어 풀이 참조.

○ **입정삼매(入定三昧)** 선정(禪定)에서 삼매에 드는 것. 입정은 성품의 본래에 합일하여 일체의 사념이 돈망한 상태를 말하며, 삼매란 입정의 극치로서 자타의 분별이 사라진 경지이다.

○ **의단(疑團)** 의심 덩어리, 의심 뭉치라는 뜻. 어떤 일에 대해 마음속에 늘 풀리지 않는 의심 의문이 뭉쳐 있는 것이다.

43 대각을 하는 네 가지 방법

대산 종사 말씀하시기를 "대각은 일심 정력을 들이고, 일편단심이 되며, 일심 기도를 하고, 일심합력을 해야 이루어지느니라." 〈적공편 43장〉

| 출처 |

대전교당, 상주교당, 재무부, 전주교구 출가단

대각의 4단계[대각을 하는 네 가지 방법]

一. 일심정력(一心定力) 아침부터 저녁까지, 연초부터 연말까지 일심정력을 들여대야 한다.

二. 일편단심(一片丹心) 가다가 할까 말까 하면 안 된다. 조각이 나면 안 된다.

三. 일심기도(一心祈禱) 앞으로 성불하려면 일등 무당이 되어야 한다고 옛사람이 말한 바 있다.

四. 일심합력(一心合力) 일심합력으로 나가야 한다.

이 네 가지로 나가는 사람은 결정코 대각을 할 수 있다.

〈『대산종사수필법문집』 2. p.984. 원기72년 4월 4일〉

| 배경 및 상황 |

대산 종사는 원기72년(1987) 4월 4일 삼동원을 방문한 대전교당, 상주교당, 재무부, 전주교구 출가단원들에게 대각의 4단계[대각을 하는 네 가지 방법]를 말씀하였다. "일심정력·일편단심·일심기도·일심합력으로 정진하면 결단코 대각을 할 수 있다."라고 하였다.

그리고 또 한 가지 방법으로는, "① 서원 일심으로, 시방에 다북차고 충만하며 구천에 솟는 서원이라야 하고, ② 신성 일심, 위법망구(爲法忘軀) 위공망사(爲公忘私)로 삼세에 일관해야 하고, ③ 삼학 정진 일심, 정시공부와 상시공부로 대적공으로 하여야 한다."라고 하였다.

| 용어 풀이 |

○ **일심정력(一心定力)** 한마음으로 어지러운 생각을 없애고 마음을 한곳에만 쏟는 힘을 이른다

○ **일편단심(一片丹心)** 한 조각의 붉은 마음이라는 뜻으로, 진심에서 우러나오는 변치 아니하는 마음을 이르는 말.

○ **일심기도(一心祈禱)** 한마음으로 기도 올림. 사심 잡념·번뇌 망상이 끊어진 온전한 마음으로 기도함.

○ **일심합력(一心合力)** 한마음 한뜻으로 뭉치는 화합과 단결의 정신.

44 부처님의 오안

대산 종사, 시각장애인들에게 말씀하시기를 "부처님은 다섯 개의 눈을 갖고 있다고 하였나니, 첫째는 육안(肉眼)으로 현실의 일체 색을 분별하는 눈이요, 둘째는 천안(天眼)으로 삼세를 직관하는 신령한 눈이요, 셋째는 혜안(慧眼)으로 대소 유무의 이치를 보고 일체의 선악 시비를 분별하는 견성한 눈이요, 넷째는 법안(法眼)으로 견성 성불하여 일체 법을 지어 중생을 제도하는 눈이요, 다섯째는 불안(佛眼)으로 이상의 네 가지 눈을 다 갖추어 만능 조화와 천만 방편을 구비하고 일체중생을 대자대비로 보며 중생을 제도하는 부처님의 눈이라. 진리가 그대들에게 지금의 눈을 주신 것은 더 큰 것을 주기 위함이므로 불행을 다행으로 돌려 부처님의 심안을 얻는 성자가 되기 바라노라." 〈적공편 44장〉

| 출처 |

오안(五眼)

一. 육안(肉眼) 육신에 있는 눈으로서 현실로 보이는 고저청탁(高低淸濁)과 청홍적백흑(靑紅赤白黑)의 일체 색을 분별하는 눈이요.

二. 천안(天眼) (1) 삼세를 직관하는 영안(靈眼)을 이름이요. (2) 천안은 심안(心眼)을 이름이니 일체 선악 시비 정사(正邪)를 분별하는 눈.

三. 혜안(慧眼) (1) 우주만상의 진리를 보는 눈. (2) 대소유무의 이치를 보는 눈.

四. 법안(法眼) 견성성불을 하여 일체 법을 지어서 일체중생을 제도할 만한 능력을 갖춘 눈이요.

五. 불안(佛眼) 이상 사안(四眼)을 갖춘 눈으로써 만능 조화와 천만 방편이 구비하여 일체중생을 보니 그 눈 가운데는 오직 대자대비와 대 평등심과 대 공정심과 대 무상심과 대 원만심만 가득 찬 눈으로 주소일념(晝宵一念) 중생만 제도하기로 하나니. 그러므로 그 눈이 한 번 비치는 곳에는 잔인심(殘忍心)이 있는 중생이 자비심을 내게 되고, 차별심이 있는 중생이 평등심을 내게 되고, 삿(邪)된 중생이 정심을 내게 되고, 상(相) 있는 중생이 상을 내지 아니하고, 편벽된 중생의 욕심이 자연 담백하여지고, 원망심이 있는 중생의 원망심이 자연 사라지게 하는 눈이다. 〈『대산종사수필법문집』 1. p.1672. 원기62년 4월 29일〉

| 배경 및 상황 |

대산 종사가 원기62년(1977) 4월 29일 변산 제법성지 방문 중 내린 법문이다. 원기58년(1973) 6월 10일과 원기61년(1976) 10월 9일 사직교당 박청수 교무와 시각장애 학생들을 접견하고 오안에 대한 녹음 법문을 들려준 후 불안에 관해 부연하였다. 이 오안 법문은 진리의 눈을 뜨자는 목적이다. 앞에 소개한 오안 법문을 정리하여 '오안' 법문을 완정하였다. 이 다섯 가지 눈을 가진 자는 대원정각한 부처님뿐이다. 불안(佛眼)은 오안 중 하나이지만 부처님의 자비스러운 눈을 말한다. 이 오안을 다 갖춘 자가 원만한 눈을 소유하였다고 할 수 있다.

| 용어 풀이 |

○ **직관(直觀)** 일반적으로 판단, 추리 등의 사유 작용을 덧보태지 않고 대상을 직접적으로 파악하는 인식 작용. 철학적 의미로는 인식능력 또는 인식의 한 방법으로 사유와 대립하는 인식 작용을 말한다.

○ **심안(心眼)** 사물을 살펴 분별하는 능력. 또는 그런 작용.

㊺ 성품의 체와 용

대산 종사 말씀하시기를 "성품 자리를 체(體)로도 해석하고 용(用)으로

도 해석할 줄 알아야 하느니라. 체 자리에서 보면 본래 낳고 멸함도 없고 크고 작음도 없고 더럽고 조촐함도 없는 것이나, 용 자리에서 보면 그대로 있는 것이 아니요 윤회하며 짓고 받는 인과로 나타나는 것으로, 그것 하나만 잡으면 견성하여 영겁이 열리지만 잡지 못하면 작은 집에서 벗어나지 못한 채 예뻐하고 미워하고 옳다 그르다 하며 사나니, 그러므로 성품 자리를 보아 넉넉하게 살아야 하느니라." 〈적공편 45장〉

| 출처 |

'생사 인과' 법설 소개 후

성품 자리가 불생불멸이라는 것을 용(用)으로도 해석하지마는 체(體) 자리에서 말할 것 같으면 본래 낳는 것도 없고, 멸함이 없는 그것이 우리의 본성이며 우리의 성품 자리다. 그런데 그것이 그대로 있는 것이 아니라, 윤회하면서 선인선과(善因善果), 악인악과(惡因惡果)로 나타난다. 일원상 자리가 곧 불생불멸한 자리인데 일원상만 그런 것이 아니라 우리 각자가 다 불생불멸한 것이니 사량 계교를 해서 낳고 죽는다고 한다. 체(體) 자리는 낳는 것도 멸한 것도 큰 것도 적은 것도 더러울 것도 조촐할 것도 없다. 그것이 우리 본래 자리다.

그것 하나 잡아 버리면 견성이고 영겁이 열리는데 그걸 못 봤기 때문에 항상 적은 집에서 울을 벗어나지 못하고 소심 동동(憧憧)해서 미워하고 예뻐하고 좋고 나쁘고 이렇게 산다. 그걸 보아 버리면 아! 그런 것이지 세상에는 좋은 사람도 있고, 미운 사람도 있는 것이지 밉다고 본성까지 태우도록 미운 것이 없고, 예쁘다고 죽도록 예뻐할 것이 없다.

양주에서 정양하고 있을 때 다른 사람들은 내가 병들어 곧 죽을 줄 알았지만, 망태 하나 짊어지고 대지 산천으로 다니면서 느껴오는 것이 이 천지에 나 혼자 한가롭고 재미난 사람이 없는 것 같더라.

〈『대산종사수필법문집』 1. pp.651~652. 원기57년 10월 11일〉

| 배경 및 상황 |

대산 종사는 원기57년(1972) 10월 11일 익산 총부에서 교역자 강습 중 시자의 '생사 인과' 법설 소개 후 말씀하시기를 "성품 자리를 불생불멸로 용으로 설명하지만 체 자리에서 보면 본래 낳는 것도 아니요 멸함이 없는 것이 우리의 본성이며 성품 자리다. 이것은 윤회하며 선인선과 악인악과로 나타난다. 그것 하나만 잡으면 견성하여 영겁이 열리지만 잡지 못하면 작은 집에서 벗어나지 못한 체 소심 동동거린다. 그러니 성품 자리를 보아 한가롭고 넉넉하게 살자." 라고 하였다.

| 용어 풀이 |

○ **체(體)** 사물의 본체 또는 근본적인 것을 가리키는 말. 우주 만물이나 일체 차별 현상의 근본으로서 상주불변하는 진리의 본래 모습 또는 진리 그 자체. 진리와 사물을 체와 용의 두 측면으로 나누어 각각의 의미와 상호 연관성 속에서 사물을 이해하는 사고방식을 체용론(體用論)이라 한다.

○ **용(用)** 진리의 작용. 진리와 사물을 체와 용의 두 측면으로 나누어 각각의 의미와 상호 연관성 속에서 사물을 이해하는 사고방식을 체용론이라 한다. 그 가운데 용(用)이란 사물의 작용 또는 현상, 파생적인 것을 가리키는 개념으로 사용된다.

○ **조촐** 아담하고 깨끗함.

○ **소심(小心)** 대담하지 못하고 조심성이 지나치게 많음.

○ **동동(憧憧)** 마음이 잡히지 않아 안정되지 못한 상태.

46 견성 후에도 꾸준히 회복하여 합일하자

대산 종사 말씀하시기를 "생함도 없고 멸함도 없는 자리에서 생과 멸이 있는 것이 변·불변(變不變)의 진리요 성리인바, 이 성리를 바탕으로 공부해야 정신이 맑고 밝고 바르게 커져서 탐·진·치가 일어나더라도 곧바로 비추어 녹여버리나니, 그러지 못한 사람은 처음에는 큰 공부를 하는 것 같으나 갈수록 보잘것없게 되므로 견성 후에도 꾸준히 그 자리를 회복시켜 합일해 가야 하느니라." 〈적공편 46장〉

| 출처 |

법은 받는 사람 없이 나오는 법이 없고, 일은 작업하는 사람 없이 되는 법은 없다. 생함도 없고 멸함도 없는 자리에서 생과 멸이 있는 그것이 성리 자리이다. 바로 변, 불변의 진리이다. 이 성리에 토가 떨어져야 그때부터 큰 공부가 시작되는 것이다. 이 성리에 바탕을 둬 공부하여 갈수록 크고 맑고, 밝으며 바르다. 또 탐·진·치가 설사 일어난다고 하여도 바로 비추어 녹여버린다. 그렇지 못하면 처음에는 매우 큰 공부하는 것 같으나 갈수록 쪼그라들어 보잘것없다. 견성 후에도 꾸준히 회복시켜 그 자리에 합일시켜야 내 것이 되지, 그렇지 아니하면 역시 중생이다. 그러나 그 중생과 달라 언젠가는 합일시킬 수도 있다.

〈『대산종사수필법문집』 1. p.615. 원기57년 5월 17일〉

| 배경 및 상황 |

대산 종사는 원기57년(1972) 5월 17일 익산 총부에서 성리에 대하여 말씀하시기를 "변·불변의 진리가 성리다. 이 성리를 바탕으로 공부해야 탐·진·치가 일어나더라도 비추어 녹여버린다. 견성 후에도 꾸준히 회복하여 그 자리에 합일하여야 한다."라고 하였다.

| 용어 풀이 |

○ **변·불변(變不變)** 변하고 변하지 않음을 아울러 이르는 말. 궁극적 진리인 일원

상 진리의 속성 중의 하나. 일원상의 진리는 변의 진리와 불변의 진리라는 양면으로 해석할 수 있다.

○ **성리(性理)** 우주 만유의 본래 이치와 인간의 자성 원리를 궁구하는 공부법으로 사리연구의 한 과목이다.

○ **탐·진·치(貪瞋癡)** 욕심·성냄·어리석음. 오욕 경계에서 지나치게 욕심을 내고, 마음에 맞지 않는 경계에 부딪혀 미워하고 화내며, 사리(事理)를 바르게 판단하지 못하는 어리석음. 탐욕심(貪欲心)·진에심(瞋恚心)·우치심(愚癡心)을 말한다. 이러한 마음은 지혜를 어둡게 하고 악의 근원이 되므로 삼독심이라고도 한다.

47 성리를 깨치고 천지에 합일하자

대산 종사 말씀하시기를 "성리를 모르는 사람은 국량이 트이지 않아 화분 속의 나무와 같이 크게 자라지 못하고, 성리를 아는 사람은 국량이 트여 대지에 뿌리박은 나무와 같이 크게 자랄 수 있느니라. 성인은 이 광활한 천지에 뿌리를 내리고 있으므로 항상 평안하고 걸림이 없나니, 성인에게 천지를 부릴 수 있는 권리를 누가 부여해 준 것이 아니라 스스로 성리를 깨치고 천지에 합일하였으므로 그 권리를 잡아다 쓰는 것이니라."

〈적공편 47장〉

| 출처 |

전원배 교수가 원광대학에서 강의하게 된 기연을 들으시고 내리신 법문을 소개 후 말씀하시기를

같은 나무라도 화분 속에 뿌리를 박고 있으면 오므라져서 움츠리고 있으나 대지에 뿌리를 박으면 활발하고 씩씩하게 자란다. 대 회상에 뿌리를 박고 큰 스승님 밑에서 크면 대지에 뿌리를 둔 나무와 같다. 화분에 뿌리를 둔 나무라도 그 독[화분]을 확 깨고 나와 대지에 뿌리를 두면 바로 새 힘을 탄다.

그러나 법에 뿌리를 두어 힘을 탄다고 바로 업을 면하는 것은 아니다. 멸할 수는 있다. 더욱 성리에 집어넣으면 만년 죄업도 녹아버린다. 진급이 되면 경멸(輕滅)해지고 정(定)에 들면 보복을 잊고 넘어선다.

〈『대산종사수필법문집』 1. p.627. 원기57년 7월 10일〉

| 배경 및 상황 |

대산 종사는 원기57년(1972) 7월 10일 신도안 삼동원에서 전원배 교수가 원광대학교에서 강의하게 된 기연을 듣고 내린 법문을 소개한 후 말씀하시기를 "성리를 모르는 사람은 국량이 트이지 않아 화분 속의 나무와 같다. 성인은 대지에 뿌리박은 나무와 같아 크게 자랄 수 있다. 성인은 스스로 성리를 깨쳤기에 그 권리를 잡아다 쓴다."라고 하였다.

| 용어 풀이 |

○ **전원배(田元培, 1903~1984)** 1914년 군산보통학교를 거쳐 선린상업학교[현재 선린인터넷고등학교]를 졸업한 뒤 일본으로 건너가 고학으로 도쿄외국어학교[지금의 도쿄외국어대학]를 졸업하였다. 이어 1932년에 경도제국대학[지금의 경도대학] 철학과를 졸업하였으며, 귀국하여 서울에서 협성신학교(協成神學校) 교수로 재임하였다. 1933년 조선철학회를 창설하였고, 이어 『동광(東光)』 편집장, 『서해공론(西海公論)』 주간을 거쳐 1941년에 조선생약주식회사 기획부장직을 맡았다. 광복 이후에는 평소의 포부인 철학사상의 보급 실현을 위하여 연희전문학교·연희대학교·전북대학교·중앙대학교 등의 교수를 거쳐 원광대학교 교수 및 대학원장을 역임하면서 많은 신진 학도를 길러냈다. 1960년에 한국철학회 회장을 역임하였고, 원광대학교로부터 명예 철학 박사 학위를 받았다.

○ **국량(局量)** 남의 잘못을 이해하고 감싸 주며 일을 능히 처리하는 힘.

○ **광활(廣闊)** 막힌 데가 없이 트이고 넓음.

48 성리에 토를 떼자

대산 종사 말씀하시기를 "성리를 오래오래 연마하면 어느 순간 마음이 환히 열리는 것을 견성이라고 하는데, 보통 수도자들은 조금만 열리면 다 된 듯 넘치고 조금만 막히면 퇴굴심을 내서 걱정이니라. 성리에 토가 떨어져야 그때부터 성리에 바탕한 진정한 공부가 시작되는 것이니, 견성이란 우리가 저 산봉우리를 본 것에 불과함을 알아서 정상을 향해 오르되 거기에 머물지 말고 다시 내려와 사람들과 더불어 흔적 없이 살 줄 알아야 하느니라." 〈적공편 48장〉

| 출처 |

견성은 어쩌는지 모르게 오래오래 연마하다 보면 되고, 마음이 환하게 열리는 것인데 보통 수도하는 사람들은 조금 보면 다 된 듯 넘쳐 버리고 안되면 퇴굴심이 나니 걱정이다. 성리에 토가 떨어져야 그때부터 큰 공부가 시작되고, 탐·진·치가 일어난다고 할지라도 바로바로 비추어 보아 녹여버린다. 그렇지 못한 사람은 굉장한 공부를 하는 것 같으나 고만한 주머니같이 크지 못한다. [화분, 대지]

일은 견성 후에 들었다. 견성 후에 꾸준히 회복시켜[수증(修證)] 그 자리에 합일시켜야 내 것이 되지, 그렇지 못하면 역시 중생이다. 그러나 보통 중생과는 다르고 언젠가는 합일시킬 수도 있다. 견성은 저 산봉우리를 본 것과 같다. 실은 본 것이 아니라 안 것이다. [見=알 견] 보는 것으로 생각하니 엉뚱한 방향이 된다. 상봉을 알았으면 점령해 버려야 한다. [회복] –앞 작은 봉우리만 알고 뒤에 숨은 더 큰 봉우리 모르면 안 된다.– 그러나 점령해서 거기 머물러 있으면 가치가 없다. 다시 내려와 여인동락(與人同樂)해야지 이것이 흔적 없는 경지이다.

〈『대산종사수필법문집』 1. p.632. 원기57년 7월 22일〉

| 배경 및 상황 |

대산 종사는 원기57년(1972) 7월 22일 신도안 삼동원에서 견성에 대해 말씀하시기를 "견성을 오래 연마하다 보면 마음이 환히 열린다. 보통 수도인은 조금만 열려도 다 된 줄 알고 넘치고 안되면 퇴굴심을 낸다. 성리에 토가 떨어져야 큰 공부가 시작되고 탐진치 삼독심이 일어나면 녹여버린다. 견성 후에는 수증(修證)하고 합일해야 한다. 견성은 저 산봉우리를 본 것 같다. 상봉을 알았으면 정복해야 한다. 그러나 상봉에 머무르면 안 된다. 다시 내려와서 흔적 없이 남과 더불어 즐겨야 한다."라고 하였다.

| 용어 풀이 |

○ **퇴굴심(退屈心)** 수도인이 순역 경계에 부딪혀서 정진하지 못하고 물러서거나 타락하는 마음.

○ **토(吐)** 한문의 구절 끝에 붙여 읽는 우리말 부분.

○ **광활(廣闊)** 막힌 데가 없이 트이고 넓음.

○ **여인동락(與人同樂)** 남과 더불어 즐김.

㊾ 견성의 3단계

대산 종사 말씀하시기를 "견성에는 3단계가 있나니, 첫째는 초견성(初

見性)으로 불생불멸의 본체 자리와 일체중생의 본성 자리인 대의 자리를 아는 것이요, 둘째는 중견성(中見性)으로 대가 변하여 소가 되고 소가 변하여 대가 되는 대와 소의 자리를 아는 것이요, 셋째는 상견성(上見性)으로 대가 소가 되고 소가 대가 되며 유가 무로 되고 무가 유로 변하는 대소 유무의 자리를 아는 것이니라. 이 세 단계를 거쳐야 견성에 토를 뗀 사람이니라."

〈적공편 49장〉

| 출처 |

서울, 정릉, 중구교당 교도들에게 '견성의 3단계'

견성을 하는 단계는 세 가지가 있는데 그것은 곧 초견성, 중견성, 상견성이다. 초견성을 했다 하는 것은 앞의 자성시불이다. 자성 자리, 진대지(盡大地)가 이한 성품 자리이다. 대 자리를 깬 것이 곧 초견성이다. 그 자리를 보아야 한다. 그 자리는 불생불멸하고 인과가 있는 자리이다. 이것을 아는 것이다. 중견성을 대(大) 자리가 소(小)로 변한다. 그래서 이 대를 나누어서 낱낱이 소로 만들 줄 아는 것이 중견성이고, 그러니까 초견성을 대 자리 하나만 아는 것이고, 중견성은 대와 소를 아는 것 대가 소가 되고 소가 대가 되는 것을 아는 것이며, 상견성은 전체에 토를 뗀 것으로 대가 소로 되고 소가 대로 되며 유(有)가 무(無)로 무가 유로 변화하는 것을 아는 것이다.

〈『대산종사수필법문집』 1. pp.1853~1855. 원기63년 1월 7일〉

| 배경 및 상황 |

대산 종사는 원기63년(1978) 1월 7일 신도안 삼동원에서 '견성의 3단계'를 서울, 정릉, 중구교당 교도들에게 말씀하시기를 "견성에는 3단계가 있다. 초견성, 중견성, 상견성이다. 초견성은 대 자리 하나만 아는 것이고, 중견성은 대와 소를 아는 것, 대가 소가 되고 소가 대가 되는 것을 아는 것이 중견성이며, 상견성은 전체에 토를 뗀 것으로 대가 소로 되고 소가 대로 되며 유(有)가 무(無)로 무가 유로 변화하는 것을 아는 것이다."라고 하였다.

| 용어 풀이 |

○ **본체(本體)** 사물의 정체(正體). 현상(現象)의 근본에 있는 실체(實體). 현상이 가변적임에 반해서 근본에 있는 항존적 절대 존재. 일상적 감성이나 이성에 의하여 지각되거나 파악될 수 없고, 오직 종교적 체험이나 심미적 직관에 의해서만 파악(體認)될 수 있는 우주의 궁극적 실상(實相).

○ **본성(本性)** 사람이 선천적으로 타고난 성질. 사물이나 현상에 원래부터 있던 고유한 특성. 인간의 근원적 본래 성품을 이르는 것으로 본래 마음, 자성, 불성, 진성 등으로도 표현한다.

○ **진대지(盡大地)** 이 세상 만물이 몸을 싣고 살아가는 이 땅 전체를 가리키는 말.

○ **대소유무(大小有無)** 우주의 본체와 현상과 변화를 설명하는 말. 대(大)란 우주 만유의 근본적인 본체를 말하고, 소(小)란 천차만별·형형색색으로 나타나 있는 현상의 차별 세계를 말한다. 따라서 대(大)라는 것은 우주의 진리·본체·실체를 말하는 것이고, 소(小)라는 것은 우주의 삼라만상을 말하는 것이다. 유무(有無)란 우주의 조화·변화를 말한다.

50 부처님을 아는 단계

대산 종사 말씀하시기를 "부처님을 아는 데에도 단계가 있나니, 비유하자면 등상불이 부처인 줄 아는 사람은 초등학생 수준이요, 삼천 년 전 석가모니 부처님만이 부처인 줄 아는 사람은 중학생 수준이요, 저 사람도 깨치면 부처요 나도 깨치면 부처인 줄을 아는 사람은 고등학생 수준이요, 우주 만상이 다 부처의 화신임을 아는 사람은 대학생 수준이요, 나의 자성이 부처인 것을 깨친 사람은 대학원생 수준이니라. 우리가 공부할 때 밖에서만 구하지 말고 안으로 돌려 자성이 부처인 것을 깨치면 항마도 되고 출가도 되고 여래도 되나니, 자기를 업신여기거나 포기하지 말고 자성불을 깨치는 데 적공해야 하느니라." 〈적공편 50장〉

| 출처 |

서울, 정릉, 중구교당 교도들에게

요즘 흔히 부처님을 친견하러 간다고 하고, 많은 명산대천(名山大川)을 다니는데, 지금 대개 부처님 친견한 정도가 초등학교 정도밖에 되지 않는다. 중학교 정도도 못 되는 것 같다. 내가 점수를 준다면 30점이나 줄까. 100점을 못 주고 부처님이 금산사 절에 계시는데 밥도 못 잡수는 분에게 밥을 주고 복을 내라. 아들을 내라. 딸을 내라 하는 것이 모두 초등학교 정도다. 중학교 정도는 금산사의 금으로 만든 부처님이 참 부처님이 아니라, 3천 년 전의 가비라성에서 왕궁 태자로 계시다가 유성 출가하셔서 도를 깨친 부처님만 부처님임을 아는 것이다. 이는 한 단계 더 높은 사람이다. 60점 정도 줄거나? 고등학교는 각유불(覺有佛)이라 깬 분들이 모두 부처님이다. 그대로 깨치면 부처님이고 나도 깨치면 부처님이다 해서 각유불(覺有佛)이라고 아는 것은 고등학교이다.

그다음은 진대지가 일진불(一眞佛)이라. 이 우주 만상 천삼라(天森羅) 지만상(地萬像) 화화초초(花花草草)가 다 부처님의 화신이고 다 부처님이다. 이는 대학의 정도이다. 그리고 그다음 박사 정도는 무엇이겠는가?

'내 오늘 박사논문 통과를 시킬 테니 말해 보라.'라고 하시고 '그것은 다른 것이 아니라 자성불이 시불(是佛)이라.'

내 이 자성(自性)이 불(佛)이다. 이것을 깨치고 보면 바로 박사가 되는 것이다. 항시 외부에 저쪽에만 맞다, 아니다 하지 말고 턱 영대를 안으로 돌려서 자성이 이 부처로다. 이것 하나만 깨 버리면 그 경지에서 항마도 되고 출가도 되고 여래도 될 수 있으니 그걸 알아야 한다.

자기 부처를 업신여기고 왜 항상 자기 포기를 하느냐? 나는 약하고 못 한다, 그것이 아니다. 내가 아직 못 깨서 그러지 깨면 나도 부처다. 그리고 깨고 안 깨고 간에 모두 부처다. 그래서 자성시불(自性是佛)이다.

〈『대산종사수필법문집』 1. pp.1853~1855. 원기63년 1월 7일〉

| 배경 및 상황 |

대산 종사는 원기63년(1978) 1월 7일 신도안 삼동원에서 서울, 정릉, 중구교당 교도들에게 '부처님을 아는 단계'에 대하여 말씀하였다.

1단계 등상불이 부처인 단계=초등학생

2단계 석가모니가 부처인 단계=중학생

3단계 깨치면 부처인 단계=고등학생

4단계 우주 만상이 부처의 화신인 단계=대학생 수준

5단계 자성이 부처인 단계=대학원생

| 용어 풀이 |

○ **등상불(等像佛)** 석가모니불의 형상을 본떠 만들어 놓은 불상(佛像)을 의미한다. 석가모니불이 열반한 후 제자들이 그를 사모하는 마음이 간절하여 석가모니불을 닮은 형상을 만들어 놓고 이를 숭배하기 시작한 것이 그 유래가 되었다.

○ **석가모니(釋迦牟尼)** 붓다에 대한 존칭. 석가모니불이라고 쓰는 것이 올바른 표현이다. 석가모니란 산스크리트 샤카무니(śakyamuni)의 음을 따서 한역한 것이다. 석가(釋迦)는 종족의 이름, 모니(牟尼)는 성자라는 뜻이다. 석가모니는 석가종족의 성자라는 뜻이고, 거기다가 부처님이라는 말을 더 붙여서 최대의 존칭을 나타낸다. 부처님·석가여래·석가세존·석가모니·석존·석가모니불 등 여러 가지 존

칭 가운데 석가모니불이 최대의 존칭이다.

○ **화신(化身)** 부처가 중생을 교화하기 위해 여러 모습으로 변화하는 일, 또는 그 불신(佛身). 좁은 의미에서는 부처의 상호(相好)를 갖추지 않고 범부·범천·제석·마왕 따위의 모습을 취하는 것을 뜻한다.

○ **영대(靈臺)** 신령스러운 곳이라는 뜻으로 마음·정신을 이르는 말. 마음의 작용은 매우 신령스럽고 무궁무진한 조화가 있으며 그 경지는 한없이 오묘 불가사의한 것이기 때문에 영대라 한다.

○ **자성불(自性佛)** 우리의 자성이 곧 부처라는 뜻. 모든 사람은 본래부터 부처가 될 수 있는 성품 곧 자성불을 지니고 있다. 자성불은 사람의 내면에 원래 내재한 원만구족하고 지공무사하며 청정무애한 부처의 속성이다.

51 정리건곤대 한중일월장

대산 종사 말씀하시기를 "대종사께서 김광선 선진에게 '정리건곤대(靜裏乾坤大) 한중일월장(閒中日月長)'이라는 옛글 한 구절을 주시니, 고요함 속에 천지가 크고 한가한 가운데 일월이 길다는 뜻이니라. 불보살들은 고요함 속에 자성을 키워 천지를 한숨에 마셨다 뱉었다 하고, 한가한 가운데 일월의 지혜를 기르나니 무엇을 걱정하고 무엇을 쌓으려고 욕심을 부릴 것인가. 이 공부를 해야 나도 제도 받고 남도 제도할 힘이 생겨 앞길이 영겁토록 광명할 것이니 쉼 없이 적공하는 수행인이 되기를 바라노라."

〈적공편 51장〉

| 출처 |

교무강습 결제식

대종사께서 팔산(八山) 김광선(金光旋) 대봉도님에게 글 한 귀를 내려주셨는데 '정리(靜裡)에 건곤대(乾坤大)라.' 고요한 속에 건곤을 키우고 '한중(閑中)에 일월장(日月長)이라' 한가한 가운데에 일월이 길다. 한가한 가운데 일월의 지혜가 큰다고 그 말씀을 하셨어. 그렇기 때문에 이 선 중에 '정리에 건곤대'하고 '한중에 일월장'하는 그 공부를 우리가 하여야 하겠어. 그래야 영겁에 우리의 앞길이 광명할 것이고, 우리 자도(自度)로 되는 가운데 타도(他度)로 되는 것이니 항상 배움 장을 당할 때는 사심, 잡념, 망상이 일어날 때마다 정리에 건곤을 기원하고, 한중에 딴생각하지 말고 일월의 대 광명을 발하는 지혜를 길어나게 하여야 하겠단 말이여. 그래서 영겁에 우리가 자기도 제도 받고 남도 제도할 수 있는 교역자가 되어야 하겠습니다.

또 이 글을 단편으로 해석할 수 없어 폭이 넓어서 여러 가지로 해석할 수가 있어. 그러나 내가 생각할 때는 정리에 건곤대하고 고요한 속에 자성을 키웠다. 그러기 때문에 도법을 길들일 때 불보살이나 선객들이 말을 하기를 건곤탄토객(乾坤呑吐客)이라고 한다. 이 선기 중에 아니 일생을 통해서 영생을 통해서 자기도 제도 받고 남도 제도 할 수 있는 대적공을 하여야 하겠습니다.

〈『대산종사수필법문집』 2. pp.261~262. 원기66년 10월 22일〉

| 배경 및 상황 |

대산 종사는 원기66년(1981) 10월 22일 신도안 삼동원에서 교무 강습 결제식 법문으로 '정리건곤대 한중일월장'이라는 옛글을 소개하였다. 고요함 속에 건곤[천지]을 키우고 한가한 가운데에 일월이 길다. 불보살들은 건곤탄토객(乾坤呑吐客)이라 하였다. 즉 하늘과 땅을 한입에 삼켰다 내었다 하는 수행인이라는 긍지를 품고 적공하였다.

| 용어 풀이 |

○ **김광선(金光旋, 1879~1939)** 본명은 성섭(成燮). 법호는 팔산(八山). 법훈은 종사. 소태산 대종사의 구도 당시 의형(義兄)으로 정신적 물질적으로 후원·조력했고, 소태산이 대각을 이루자 최초의 제자가 되었다. 구인제자의 한 사람으로서 교단 창업에 앞장섰고, 원기9년(1924) 불법연구회창립총회 후 익산 총부 건설 당시 공동체 삶에 참여하여 전무출신했다. 농업부원을 시작으로 총부 감원, 영산 서무부장, 마령교당 교무, 원평교당 교무 등을 역임하면서 교단 창업에 혈심과 공심의 표준이 되었다.

○ **건곤(乾坤)** 하늘과 땅을 아울러 이르는 말.=천지.

52 대공심 대공심

대산 종사 말씀하시기를 "세계에서 가장 큰 산도 흙과 돌이 쌓인 것이요, 4대 성인도 적공을 통하여 대공심(大空心)과 대공심(大公心)을 이룬 것이니, 시방을 다 담고도 남는 마음이 크게 텅 빈 마음이요, 시방을 다 좋게 해 주고도 남는 마음이 크게 공변된 마음이니라. 크게 텅 빈 마음에서 도력(道力)이 나오고 크게 공변된 마음에서 덕력(德力)이 나오나니, 도력은 삼대력이 뭉쳐서 된 힘이요 덕력은 자비와 희사가 뭉쳐서 된 힘이니라."

〈적공편 52장〉

| 출처 |

이호춘(李昊春) 선생의 회갑식에 가시어 말씀하시기를

"세계에서 가장 큰 산을 태산(泰山)이라고 하나 그 산을 해부해 보면 토석지합(土石之合)에 불과하며, 또 세계의 대인을 사대성인(四大聖人)이라고 하는 데 무엇으로 대성인이 되셨는가를 살펴보면 두 가지 마음이 제일 많이 뭉치셨기 때문이다. 그것은 대공심(大空心)과 대공심(大公心)이다. 시방을 다 담고도 남는 마음, 시방을 다 좋게 해주고도 남는 마음이 대공심 대공심이다. 세상 사람들에게도 다 각기 소유물이 있고 모든 만물도 주인이 있다. 그러나 허공만은 주인이 없다. 이 허공은 성인이라야 능히 소유할 수 있는 것이다. 크게 빈 마음 가운데에서 도력이 나온다. 그 도력은 삼대력(三大力)으로 대해탈(大解脫)·대정각(大正覺)·대중정(大中正)의 힘이다. 이와 같이 삼대력은 도력을 낳고 도력은 대공심(大空心)을 낳는다. 또 크게 공변된 마음 가운데는 덕력(德力)이 생긴다. 이 덕력은 대자비심(大慈悲心)과 대희사심(大喜捨心)이다. 오늘 회갑을 맞은 항산(恒山)께서는 부지런히 정진하시어 크게 텅 빈 마음으로 항심(恒心)을 삼고 크게 공변된 마음으로 항산(恒産)을 삼으시기를 부탁한다."

〈『대산종사수필법문집』 1. pp.22~23. 원기47년 3월 18일〉

| 배경 및 상황 |

임인(壬寅), 원기47년(1942) (음)2월 13일. 신흥교당에서 항산(恒山) 이호춘(李昊春) 선생의 수연(壽宴)을 맞이하였다. 영산성지에서 종법사 취임 봉고를 마친 후 대산 신종법사님은 대사모와 함께 회갑식에 임석하였다. 다음 법문을 윤산(潤山) 김윤중(金允中) 법감에게 일독케 하고 약 30분간 설법하였다.
대산 종사는 "성인들의 보배 삼는 마음 두 가지가 있으니, 하나는 공심(空心)이요 하나는 공심(公心)이라. 항산 동지는 공심(空心)으로 항심(恒心)을 삼고, 공심(公心)으로 항산(恒産)을 삼기를 바랍니다."라고 회갑식을 축하하였다.

| 용어 풀이 |

○ **이호춘(李昊春, 1902~1966)** 본명은 재천(載天). 법호는 항산(恒山). 1902년 2월 13일, 전남 영광군 묘량면 신천리 신흥에서 부친 홍범(洪範)과 모친 김태상옥

(春陀圓 金泰相玉)의 4남매 중 장자로 출생했다. 관향은 함평(咸平)이다. 어려서부터 천성이 강의정직(剛毅正直)하고 지견이 영특 총명하여 장부의 기상이 엿보였다. 집안이 빈한한데다 부친이 또한 일찍 열반하여 학업은 짧았으나 통달한 견해와 조리 있는 담론은 매양 중인의 경복을 받았으며, 12세에 일가의 호주가 되어 능히 가계를 진흥시켰다. 자녀 공전·현조와 장손 정원이 전무출신했다.

○ **대공심(大空心)** 삼독 오욕·사량계교·시기 질투·선악귀천·염정미추·원근친소·희로애락·시비장단 등 온갖 중생심이 텅 비어 진리와 하나가 된 마음.

○ **대공심(大公心)** 큰 공심. 크게 공변된 마음이다.

53 성인의 위대한 점

대산 종사 말씀하시기를 "방도 빈방이라야 살림살이를 들여놓고 살 수 있듯이 우리의 마음도 텅 비어야 일체중생을 다 제도할 수 있느니라. 그러므로 일체 만물을 다 포용하는 허공이 가장 크다 할 수 있으나 성인의 마음은 이 허공까지 다 포용하므로 더욱 크다 할 수 있나니, 성인의 위대한 점은 허공의 주인이 되어 대자대비로 일체 생령을 제도하심이니라."

〈적공편 53장〉

| 출처 |

부안지부에서 '수행삼심(修行三心)'에 대하여

집도 빈집이라야 살림살이와 사람이 들어가서 살 수 있듯이 허공은 텅 비었으므로 일체 만물을 다 포용하는 것이다. 그러나 마음 자체는 일체 만물과 허공법계까지 다 포용하므로 천하에서 제일 크다. 형상 있기도 형상 없기도 한 것이 성인의 마음이다. 세상에서 형상 있는 것으로 제일 부드러운 것은 물이요,

형상 없는 것으로 제일 부드러운 것은 허공이고, 있기도 없기도 하여 제일 부드러운 것은 성인의 마음이다.

〈『대산종사수필법문집』 1. p.454. 원기55년 7월 4일〉

| 배경 및 상황 |

대산 종사는 원기55년(1970) 7월 4일 우중(雨中)에 하섬을 향하여 출발하여 도중 김제교당에서 '수도인의 세 가지 일과'에 대해 말씀하고 부안교당에서 '수행삼심(修行三心)'에 대하여 설하고 하섬에 입도하여 두 달 정도 주재하며 『정산종사법어』 초안 자문판의 첫 감수에 임하였다.

부안교당에서 대산 종사가 설한 '수행삼심'은 "① 허공같이 크고 빈 마음을 가지라. [守心은 如大虛空하고] 마음이 비면 천지도 그 안에 들어가리라. ② 일월같이 두렷하고 밝은 마음을 단련하라. [明心은 如圓日月하고] 마음이 밝으면 사리에 걸림이 없으리라. ③ 물같이 부드럽고 바른 마음을 쓰라. [用心은 如柔流水하라] 마음이 부드럽고 바르면 모든 사람이 이를 법받아 따르리라."라고 하였다.

| 용어 풀이 |

○ **포용(包容)** 남을 너그럽게 감싸 주거나 받아들임.

○ **허공법계(虛空法界)** 보이지 않는 진리를 텅 빈 허공에 비유한 말. 진리는 허공과 같아서 텅 비어 있으되 모든 법과 조화를 다 포함하고 있다.

(54) 삼공 법문

대산 종사, 병중에 있는 한 제자에게 말씀하시기를 "큰 안정으로 일체를 해탈하되 관공(觀空)·양공(養空)·행공(行空)을 표준 잡고 공부해야 할 것이니, 관공은 유와 무도 없고 과거·현재·미래도 없고 너와 나도 없고 생과 사도 없는 그 자리를 보는 것이요, 양공은 모든 법이 공한 자리를 기르는 것이요, 행공은 모든 법이 공한 자리를 드러내 상 없는 마음으로 덕을 베푸는 것이니라."

〈적공편 54장〉

| 출처 |

중환(重患)에 있는 균산(均山) 정자선(丁慈善)에게

대안정으로 일체 해탈하되 관공(觀空), 양공(養空), 행공(行空) 공부로 하라고 법문을 내려주시다.

관공, 생사와 거래가 없는 그 자리를 비추어 볼 것.

양공, 절대의 그 자리를 기르는 것.

행공, 대무상행(大無相行)을 행하는 것이다.

〈『대산종사수필법문집』 1. p.1015. 원기59년 12월 3일〉

| 배경 및 상황 |

대산 종사는 원기59년(1974) 12월 3일 병중에 있는 정자선에게 '삼공' 법문을 내리며 대안정으로 일체 해탈하라고 하였다.

균산님은 젊은 시절부터 꿈꾸어 오던 해외교화 포부를 이루기 위해 원기58년(1973) 1월 27일 미주 시카고교당 순교감으로 부임했다. 부임 후 《한국일보》 시카고 지사를 방문하여 원불교의 미국 포교활동에 대하여 설명했고, 3월 15일 자 《미주뉴스》에 '시카고에 원불교 포교'라는 제목으로 소개되기도 했다. 이는 미주에 교역자가 건너가 시도한 최초의 언론을 통한 소개였다. 그러나 그는 50이 넘은 나이로 해외 개척의 선구자가 되려 했으나 건강이 극도로 쇠약해져 귀국했고, 끝내 회복하지 못하고 원기59년(1974) 12월 20일 중앙총부에서 열반했다. 원기62년(1977) 생전에 교화계에 봉직하면서 틈틈이 정리했던

『예화집』이 유고집으로 간행되었다. 원기73년(1988) 9월 제124회 수위단회에서는 그의 높은 공덕을 추모하면서 대봉도의 법훈을 추서키로 결의했다.

| 용어 풀이 |

○ **정자선(丁慈善, 1922~1974)** 본명은 재탁. 법호는 균산(均山). 법훈은 대봉도. 1922년 9월 26일 전남 영광군 백수면 길룡리에서 부친 익수(益秀)와 모친 박구공화(朴具空華)의 3남 2녀 중 장남으로 출생했다. 14세에 영광국민학교를 졸업하고 부친이 경영하던 제재소 일을 돕다가, 20세 되던 원기26년(1941) 1월 23일 정학현의 연원으로 영산에서 입교하고 이어 전무출신하여 총부 학원에서 수학했다. 원기27년(1942) 총무부 서기로 출발하여 이듬해 서울교당 서기로 근무했다. 8·15 광복이 되자 박창기의 적극적인 주선과 후원으로 원기31년(1946) 동국대 불교학과에 입학, 원기35년(1950) 5월 졸업과 동시에 총무부 서기로 봉직했다. 이듬해 6월 다시 동국대 영문과에 편입, 원기38년(1953) 3월에 졸업 후 이리동중학교 교사로 얼마 동안 있었으나 원기40년(1955) 4월부터 장수교당 교무로 일선 교화를 시작하여 원기42년(1957) 제원·금산·대전 등지에 교당을 창립하고 초대 교무로 부임하여 충남지방에서 15년간 교세 발전의 기반을 닦았다.

○ **삼공(三空)** '관공(觀空), 양공(養空), 행공(行空)'을 말한다.

55 삼반물

대산 종사 말씀하시기를 "어머님께서 열반하실 무렵 '뿌리 없는 나무 한 그루, 음양 없는 땅 한 조각, 메아리 없는 한 골짜기'에 대해 나에게 세 차례나 물으셨으나, 대종사께서 '성리는 함부로 가르쳐 주는 것이 아니다.'라고 하셨으므로 그 의심을 풀어 드리지 못한 것이 늘 마음에 걸

렸나니, 이 성리 자리를 알아 마음대로 활용할 수 있어야 생사 인과를 자유하고 중생의 껍질을 벗을 수 있느니라." 〈적공편 55장〉

| 출처 |

선조 합동 제사 시 '여유, 심사, 음덕' 법문 소개 후

어머님께서 열반 무렵까지 세 차례 물으셨으나 대종사께서 함부로 가르쳐 주는 것이 아니라 하시어 그 의심을 못 풀어 드린 것이다. 어머니 당신을 위해서. 무근수일주(無根樹一株), 무음양지일편(無陰陽地一片), 무음향지일곡(無音響之一谷)이었다.

사실은 이미 밝혀 놓으셨는데 너무 쉽기에 엉뚱한 생각을 하는 것 같다. '영천영지영보장생(永天永地永保長生)' 이를 화두로 많이 들라. 이 자리를 알아서 많이 주물러야 생사 인과를 자유하고 여유, 심사, 음덕도 이 주머니 속에 있다. 이것을 주물러야 중생 껍질 벗는다. 그 소식이 그 소식이니 나보고 묻지 말고 자득하라. 〈『대산종사수필법문집』 1. p.635. 원기59년 7월 29일〉

| 배경 및 상황 |

대산 종사는 원기57년(1972) 7월 29일 김씨 선조 합동제사 때 '여유, 심사, 음덕' 법문 소개 후 삼반물을 설하였다.

대종사께서 "성리는 함부로 가르쳐 주는 것이 아니다."라고 하셨으므로 그 의심을 풀어 드리지 못한 것이 늘 마음에 걸렸다. 대산 종사는 원기45년(1960) 7월 29일 모친 봉타원님이 열반하시자 어머님 영전에 고사를 올리며 삼반물로 영천영지 영보장생의 화두로 삼아 한번 더 힘을 뭉치기를 염원하고 이 성리 자리를 알아 대불과를 성취하도록 하소서! 라고 하였다.

| 용어 풀이 |

○ **안경신(安敬信, 1885~1960)** 본명은 성녀(姓女). 법호는 봉타원(鳳陀圓). 법훈은 대희사. 전북 진안군 상전면 새보리에서 부친 양열(亮烈)과 모친 윤채운(尹彩雲) 사이에서 외동딸로 출생. 단아한 외모에 품성이 자비하고 영민하며 품행이 방정하고 예절과 교양이 단련되었으며 부모와 조상에 대한 효성이 극진했다. 김인오(連山 金仁悟)와 결혼하여 강하고 곧은 아내로서 대산 종사를 비롯한 5남매를 낳고 기르며 동네의 애경사는 특별한 정성으로 대했다. 원불교 초창기인 원기9년(1924) 10월 3일에 최도화(三陀圓 崔道華)의 연원으로 입교했으며 시어머니 노덕송옥(賢陀圓 盧德頌玉), 아들 대산 종사 등과 함께 만덕산에서 소태산 대종사의 법문에 귀의하여 온 가족이 동참하도록 협력하고 자녀들을 정법 문하에 입문하게 했다. 교당 창립시는 소태산을 생불로 모시고 투철한 신앙생활을 했다. 개인 일을 마다하고 찾아오는 동지들의 식사를 제공하고 순교(巡教)를 자진하여 담당하는 등 교화 활동을 적극적으로 추진하면서 교당 유지를 전담하다시피 했다.

○ **삼반물(三般物)** 그늘이 지지 않는 땅, 메아리가 울리지 않는 산골, 뿌리가 없는 나무를 통틀어 이르는 말.

56 조금씩 공부하다 보면 큰 힘이 쌓인다

학인이 여쭙기를 "저는 공부가 잘 안되니 어떻게 해야 합니까?" 대산 종사 물으시기를 "네가 얼마나 공부하였느냐?" 답하기를 "일 년 했습니다." 말씀하시기를 "조금 더 해보라. 일 년 한 것이 백 년 한 것과 같은 사람도 혹 있으나, 급하게 마음먹고 하는 사람은 먼 길을 못 가나니, 죽기로써 조금씩 조금씩 공부를 하다 보면 큰 힘이 쌓이게 되느니라."

〈적공편 56장〉

| 출처 |

저번에 학생 하나가 와서 저도 공부가 잘 안 됩니다. 그러더라.

"네가 얼마나 했느냐?"

"1년 했습니다."

"조금 더해 봐라."

"아무리 해도 갑갑해서 못 하겠습니다."

"가서 조금만 더해 봐라." 하고 내가 그랬다.

물론 1년 한 것이 100년 한 것과 같은 사람도 있지, 그러나 벌써 속(速)하게 마음먹고 나온 사람은 먼 길을 못 가. 하여튼 아까 그 죽기로써 하기를 하나부터 열 그다음은 뭐냐? 백, 또 천, 또 만, 또 십만, 또 백만, 또 천만, 또 억, 그렇게 정력을 쌓아가라. 그러면 그 정력은 내 것이 되어 버려, 또 우리가 깨달아야 하지 않겠느냐? 우리에게 제일 필요한 것이 정력이지 수양 아까 말한 그 기름 붓는 것이지, 또 해봐라. 하나, 열, 백, 천, 만, 백만, 천만, 억, 십억, 백억, 천억, 조 …, 그렇게 배우고 깨달아 봐라. 그렇게 하여 깨달은 것은 내 것이 되어 버린다. 또 취사(取捨)하는 데 또 하나부터 세어 봐라. 하나, 열, 백, 천, 만, 백만, 천만, 억, 십억, 천억, 조, 십조, 백조, 천조, 경 그렇게 행을 실행해 봐라. 정력(定力)도 그렇게 쌓고 정력이란 그 다른 것이 아니라 정할 정(定) 자가 이 멈춘다는 뜻이다. 아까 그 하나 둘 … 억까지 너희는 잘 세어 봐라. 이제 새로운 역사가 창조되게 우리가 함께 염원하자.

〈『대산종사수필법문집』 1. pp.1060~1061. 원기60년 1월 20일〉

| 배경 및 상황 |

대산 종사는 원기60년(1975) 1월 20일 신도안 삼동원에서 학생들에게 말씀하였다. "'옳은 일은 죽기로써 생명을 바치고 해보고, 그른 일은 죽기로서 생명을 바치고 끊어버리고', 그것만 챙겨버리면 힘을 얻는데 어떻게 할 것이냐?" 한

학생이 "저는 공부가 잘 안 됩니다."라고 하니 "네가 얼마나 했느냐?" 물으셨다. "1년 했습니다."라고 답하니, "조금 더 해 봐라."라고 하였다.

대산 종사는 "물론 1년 한 것이 백 년 공부와 같은 사람도 있다. 그러나 조급하여 빠르게 하면 안 된다. 공부가 잘될 때까지 조금만 더 해라"고 하였다. 학생에게 용기를 주고 격려해 주고자 하는 말씀이지만 "수양이란 단시일에 속히 이루어지지는 않는다. 꾸준히 계속해야 큰 힘이 쌓인다."라고 하였다.

| 용어 풀이 |

○ **공부(工夫)** 사전적 의미로는 학문과 기술을 닦는 일. 원불교에서는 삼학수행으로 제생의세(濟生醫世)하는 모든 노력을 이른다. 공부는 원래 공부(功扶)를 의미했다. 그 뜻과 형태가 축약되어 현재 공부(工夫)라는 용어로 사용되고 있다. 본래는 공(功)은 성취하다, 부(扶)는 돕는다는 뜻으로 무엇을 도와 성취하다는 의미를 지녔다.

57 유무념 대조 공부의 실례

대산 종사 말씀하시기를 "유무념 대조 공부는 가까운 주변에서부터 대조 건수를 찾아야 하나니, 자기와 먼 공부 표준을 잡거나 무관한 일을 건수로 잡으면 실속 없는 공부가 되기 쉬우니라. 유무념 대조를 오래오래 계속하다 보면, 마음의 큰 중심이 잡혀 공부 표준이 서고 감각 감상이 수없이 일어나 일기 기재할 것이 많아지며, 심신 작용 간 시비 이해에 밝고 바른 마음이 길들어서 삼라만상이 나에게 법문을 설하는 부처님으로 보이게 되어, 마음에 힘이 생기고 중심이 잡혀 경계와 내가 둘이 아닌 평안함과 고요함이 그대로 일관되느니라." 〈적공편 57장〉

| 출처 |

유무념 공부란 멀리 있는 것이 아니다. 가까운 곳에서부터, 주변의 일부터 유무념을 잡아야 한다. 처음 온 아이가 불을 때고 굴뚝 배출기 모터를 끄지 않았던 것 같구나. 이처럼 유무념이란 멀리서 찾을 것이 아니라 자신이 담당하고 있는 일에서부터 건수를 잡아야 한다. 그렇지 않고 요원한 공부 표준을 잡거나 자기와 무관한 일 등을 건수로 잡으면 밤새 빈 모터 돌아가듯이 헛도는 인생이 될 것이다.

그리고 이 일을 시자진들에게 알리도록 하라. 조실 일은 하루만 빠지면 큰일 나고 말 것이다. 밤새 굴뚝으로 따뜻한 공기가 빠져나가 방이 차면 어찌 되겠냐. 좋은 일 하고서 복이 빠져나가는 것 같을 것이다. 이 유무념으로 평소 선업 짓는 데 힘쓰도록 하라. 〈『대산종사수필법문집』 2. p.1582. 원기78년 1월 15일〉

| 배경 및 상황 |

대산 종사는 원기78년(1993) 1월 15일 익산 왕궁 영모묘원 조실에서 종법사께서 밖에서 무슨 소리가 나는 것을 듣고 시침 드는 시자 주성균 교무에게 무슨 소리냐고 묻기에 시자 대답하기를 '아마 비행기 지나가는 소리인 것' 같다고 말씀드렸다.

다음 날 새벽 시자가 종법사님의 세숫물을 떠올리고 밖으로 나와 그날의 기후와 온도, 그리고 바깥 동정을 살피고 조실로 들어오려고 하는 데 조실 굴뚝에서 소리가 나는 것 같아 쳐다보니 빈 배출기[모터]가 돌고 있었다. 그래서 시자가 느낀 점이 있어 이 사실을 종법사께 말씀드리고, '유무념 공부란 자기 일부터 해야 할 것 같습니다.'고 하였더니 종법사께서 부연하여 말씀한 법문이다.

| 용어 풀이 |

○ **유무념대조법(有無念對照法)** 심신을 작용할 때 유념으로 처리했는지 무념으

로 처리했는지 대조하여 공부하는 법. 유념 또는 무념으로 처리한 번수를 조사하여 기재하게 함으로써 일상의 삶이 공부의 표준에 맞게 이루어지도록 한다. 대조의 방법은 공부의 정도에 따라 다르나 대체로 '온전한 생각으로 취사하는 것'을 원칙으로 하되 처음에는 경계를 대하여 마음을 멈추어 생각하고 취사했으면 유념, 멈추지 않고 생각할 여유도 없이 되는대로 처리했으면 무념으로 기재한다.

○ **요원(遙遠)** 아득히 멂.

○ **감각감상(感覺感想)** 사물이나 자연현상을 통하여 느낀 생각이나 진리의 깨달음. 감각이나 감상을 기재시키는 뜻은 대소유무의 이치가 밝아지는 정도를 대조하기 함이다.

○ **심신작용(心身作用)** 마음을 운용하고 몸을 사용하는 모든 행위.

○ **시비이해(是非利害)** 옳고 그르고 이롭고 해로운 것. 즉 인간 세상에서 일어나는 모든 일을 말한다. 대소유무가 우주의 진리를 설명하는 특유의 범주로서 이(理)로 통칭한다면, 시비이해는 인간의 현실 세계에서 일어나고 있는 모든 일을 말하며 사(事)로 통칭된다.

○ **삼라만상(森羅萬象)** 우주 안에 있는 온갖 것의 일체를 말함. 우주에 있는 온갖 사물과 현상. 우주에 형형색색으로 나열된 온갖 현상.

58 염불 10송

대산 종사, '염불 10송'을 내리시니 "이 염불의 인연으로 삼계 업장이 소멸하여지이다. 나무아미타불. 이 염불의 인연으로 시방세계가 청정하여지이다. 나무아미타불. 이 염불의 인연으로 이매망량이 항복하여지이다. 나무아미타불. 이 염불의 인연으로 육근이 항상 청정하여 대지혜 광명이 발하여지이다. 나무아미타불. 이 염불의 인연으로 심량이 광대하여 제불 조사의 심인을 닮을 만한 대법기가 되어지이다. 나무아미타불. 이 염불의 인연으로 생사의 자유를 얻어 육도를 임의로 왕래하게 하여지이다. 나무아미타불. 이 염불의 인연으로 무량세계 무량겁에 무량 중생으로 하여금 불도를 이루게 하여지이다. 나무아미타불. 이 염불의 인연으로 삼세 진루(三世塵漏)가 다 사라지고 심월만 홀로 빛나게 하여지이다. 나무아미타불. 이 염불의 인연으로 삼계의 유주 무주 고혼을 다 천도하게 하여지이다. 나무아미타불. 이 염불의 인연으로 무량아승기겁에 흐를지라도 대서원, 대법륜, 대불퇴전이 되어지이다. 나무아미타불."

〈적공편 58장〉

| 출처 |

염불십송

1. 이 염불의 인연으로 삼계업장(三界業障)이 소멸(消滅)하여지이다. 나무아미타불(南無阿彌陀佛).

2. 이 염불의 인연으로 시방세계(十方世界)가 청정하여지이다. 나무아미타불

3. 이 염불의 인연으로 이매망량(魑魅魍魎)을 여차(如此)히 항복하여지이다. 나무아미타불.

4. 이 염불의 인연으로 육근이 항상 청정하여 대지혜 광명을 발하여지이다. 나무아미타불.

5. 이 염불의 인연으로 심량(心量)이 광대하여 제불조사의 심인(心印)을 닮을 만한 대법기(大法器)가 되어지이다. 나무아미타불.

6. 이 염불의 인연으로 생사에 자유를 얻어 육도(六途)를 임의(任意)로 왕래(往來)케 하여지이다. 나무아미타불.

7. 이 염불의 인연으로 무량세계(無量世界), 무량겁(無量劫)에, 무량중생(無量衆生)으로 하여금 불도를 이루어지이다. 나무아미타불.

8. 이 염불의 인연으로 삼세진루(三世塵漏)가 다 사라지고 심월(心月)만 독조(獨照)케 하여지이다. 나무아미타불.
9. 이 염불의 인연으로 삼계의 유주(有主) 무주(無主)의 고혼(孤魂)을 다 천도케 하여지이다. 나무아미타불.
10. 이 염불의 인연으로 무량아승지겁(無量阿僧祗劫)에 흐를지라도 대서원(大誓願) 대법륜(大法輪) 대불퇴전(大不退轉)이 되어지이다. 나무아미타불.

〈『대산종법사법문집』 제2집 p.53. 원기50년 2월 20일〉

| 배경 및 상황 |

대산 종사는 원기65년(1980) 9월 3일 숭타원(崇陀圓) 박성경(朴性敬)과 승타원(承陀圓) 송영봉(宋靈鳳) 교무에게 다음과 같은 글을 주었다.

심오미타현(心悟彌陀現) 마음을 깨치면 아미타불이 나타나고
심미미타은(心未彌陀隱) 마음이 미하면 아미타불이 숨는다.
범성유하별(凡聖有何別) 범인과 성인이 어찌 구별이 있으리오.
일념미오연(一念未悟然) 한 생각 아직 깨치지 못하였기에 그러하나이다.

여기에 염불십송(念佛十頌)을 함께 주었다. 염불십송은 대산 종사가 원기30년(1945) 4월~원기31년(1946) 3월경 양주 정양 당시 구상하였다고 『구도역정기』 김대거 편에 구술하였다.

| 용어 풀이 |

○ **삼계(三界)** 중생들이 생사 윤회하는 미망의 세계를 3단계로 나누어 욕계(欲界)·색계(色界)·무색계(無色界)를 말한다.

○ **업장(業障)** 〈적공편 7장〉 용어 풀이 참조.

○ **시방세계(十方世界)** 〈적공편 1장〉 용어 풀이 참조.

○ **이매망량(魑魅魍魎)** 온갖 도깨비와 귀신. 이매는 산이나 내에 있다는 네발 도

깨비. 망량은 도깨비. 이매는 인면수신(人面獸身)에 네 다리를 가졌고 사람 홀리기를 좋아하며, 망량은 수신(水神)으로 세 살 어린애 같고 적흑색이라 함[『사기』 오제기주].

○ **심량(心量)** 마음의 국량, 또는 그릇. 사람·경계·대상을 포용하고 수용할 수 있는 마음의 크기.

○ **심인(心印)** 마음으로 인증한 경지. 주로 선가(禪家)에서 언어나 문자에 의하지 아니한 불타의 내심(內心)의 실증(實證). 수행자가 언어·문자로 표현할 수 없는 궁극의 경지를 성취했음을 스승이 마음으로 인증함을 표현하는 말이다.

○ **육도(六途)** 육취(六趣)라고도 함. 중생이 업의 원인에 따라 필연적으로 윤회하는 여섯 세계. 지옥(地獄)·아귀(餓鬼)·축생(畜生)·아수라(阿修羅)·인도(人道)·천도(天道)를 육도라 한다.

○ **삼세진루(三世塵漏)** 과거 현재 미래의 티끌 같은 번뇌

○ **독조(獨照)** 홀로 찬란히 비친다는 뜻.

○ **무주고혼(無主孤魂)** ① 제사를 지내거나 무덤을 돌봐 줄 후손이 없는 외로운 혼령. 무자귀(無子鬼)라고도 한다. 이러한 혼령은 악귀가 되어 살아있는 사람을 해치기도 한다고 한다. ② 천도 받지 못하고 허공을 떠도는 외로운 혼령. 이런 영혼을 위해서 특별 천도재를 지내준다.

○ **무량아승기겁(無量阿僧祇劫)** 한량없는 겁(劫)의 수가 무한하다는 뜻으로 무한히 긴 시간, 무량겁을 나타내는 말. 영원한 세월이라는 뜻.

59 염주를 굴리는 의미

대산 종사 말씀하시기를 "염주를 굴리는 것은 염주를 세는 데 그 뜻이 있는 것이 아니라, 잃어버린 마음을 다시 찾아 본심을 회복하는 데 그

뜻이 있느니라." 〈적공편 59장〉

| 출처 |

처음 염주게(念珠偈)를 내려주시며 다음과 같이 법문하여 주셨다.

염주를 돌리는 것은 돌리는 데에 그 의미가 있는 것이 아니라 '잊은 마음 다시 찾자'는데 큰 뜻이 있는 것이다. 나무로 만든 이 염주는 가염주(假念珠)이니 각기 본래 소유하고 있는 진염주(眞念珠)를 이 가염주로 찾아 활용하자는 것이다. 한 번, 두 번, 한 시간, 두 시간, 1년, 2년, 일생 그와 같이 오래오래 진염주를 적공으로 끼면 결국 우리의 본래 진면목이 나타날 것이다. 세상은 염주라 하면 이 가염주에만 온갖 것을 다 꾸미고 자랑삼아서 다니니 이는 헛된 생이 되기 쉽다. 우리의 진염주를 쉬지 않고 쓸 때 영생이 헛되지 않고 밝을 것이다. 그러므로 요임금님께서도 정사를 하시다 보니 당신의 진염주를 잃고 산다고 놀라시며 다시 1주일간 입산하시어 진염주를 찾아 내려오셨다고 한다. 그런 어른들도 진염주를 찾으려 1주일 결제하신 것이 아닌가. 우리도 기관이나 교화 선상에만 오래오래 있고 보면 자연 흩어 쓰기만 하니 매하기 쉽다. 그러니 조석으로 진염주 찾고 강습 때 빠지지 말고 입선하여 묶는 적공을 들여야 하지 그렇지 아니하면 일생이 허망할 수 있다.

〈『대산종사수필법문집』 1. p.399. 원기54년 10월 11일〉

| 배경 및 상황 |

대산 종사는 원기54년(1969) 10월 11일 익산 총부에서 염주를 내리며 '염주게'를 주었다.

증(贈) 염주게(念珠偈)

한마음 열릴 때 진불[眞佛, 참 부처]이 나타나고, 한마음 닫힐 때 진불이 가리나니 제불중생이 무엇이 다르리오. 다만, 한마음 열리고 닫히는 사이니라.

일념오시진불현(一念悟時眞佛現) 일념미시진불은(一念迷時眞佛隱)
제불중생하등별(諸佛衆生何等別) 단유일념미오간(但有一念迷悟間)

| 용어 풀이 |

○ **염주(念珠)** 염불할 때 손으로 돌려서 염불하는 수효를 헤아리는 불구(佛具). 숫자를 헤아린다고 하여 수주(數珠)라고도 한다. 이는 염불할 때나 진언을 외울 때, 또는 절을 할 때 그 수를 헤아리기 위해서 사용하는 것으로 여러 개의 보리자·금강주·모감주·염주나무 등의 열매를 실로 꿰어서 만든다. 또한 염주는 번뇌를 끊는 도구로 활용되기도 한다. 일심이나 본래심을 회복하는 데 도움을 주는 도구로 광범위하게 사용되고 있다. 염주 하나를 굴릴 때마다 번뇌가 끊어짐을 상징하므로 일념으로 염주를 돌림에 따라 부처님 광명이 자신에게 충만해지고 죄업이 소멸한다는 의미가 있다.

60 기원문 [1]

대산 종사 기원문을 지으시니 "천지하감지위 부모하감지위 동포응감지위 법률응감지위, 피은자 김대거는 정심 재계하옵고 삼가 법신불 사은 전에 고백하옵나이다. 하늘은 만물을 다 덮어주시고 땅은 만물을 다 실어주시며 성인은 만물을 다 호념하여 화지육지(化之育之)하시나니, 불제자 김대거도 대종사님과 정산 종사님과 삼세 제불 제성님과 마음을 연하고 기운을 통하여 천지인 삼재에 합일할 수 있도록 큰 광명과 위력을 내려 주시와 도명 덕화의 주인공이 되게 하여 주시옵소서! 일심으로 비옵나이다."

〈적공편 60장〉

| 출처 |

기원문(祈願文)

천지하감지위(天地下鑑之位)

부모하감지위(父母下鑑之位)

동포응감지위(同胞應鑑之位)

법률응감지위(法律應鑑之位)

피은자 某는 정심(淨心) 재계(齋戒)하옵고 삼가 법신불 사은전에 고백하옵나이다.

하늘은 만물을 다 덮어주시고, 땅은 만물을 다 실어주시고, 불성(佛聖)은 만물을 다 호념(護念)하여 화지육지(化之育之)하게 하여 주시옵나니

불제자 某는 대종사님과 삼세 제불제성님들과 마음을 연하여 천·지·인 삼재(三才)에 합일할 수 있도록 큰 광명과 위력을 밀어주시와 도명덕화(道明德化)의 주인공이 되게 하여 주시옵소서.

일심을 모아 받들어 비옵나이다.

〈『대산종사수필법문집』 1. p.587. 원기57년 2월 10일〉

| 배경 및 상황 |

대산 종사는 원기57년(1972) 2월 10일 익산 총부에서 '기원문'을 내렸다. 위 기원문은 기원문 〈1〉이라고 한다. 기원문은 4종이 있고 기원문 결어까지 하면 다섯 가지라고 한다.

기원문 〈1〉은 천지인 삼재(三才)에 합일하고자 하는 염원이 담긴 글이다. 우주의 주장이 되는 하늘과 땅과 사람을 통틀어 이르는 말이다. 우주의 주인이 되는 사람으로 하늘의 신령스러운 기운과 땅의 만물을 다 실어 주신 기운과 사람의 기운 즉 대중의 기운과 삼세제불 제성들의 만물을 호념하고 화육(化育)하신 기운에 마음을 연하고 합일하여 광명과 위력을 받고자 하는 간절한 원력이

뭉친 서원문이다.

| 용어 풀이 |

○ **기원문(祈願文)** 마음속으로 염원하는 일이 꼭 이루어지도록 진리 앞에서 빌 때 그 비는 내용을 문장으로 작성한 글. 공식적인 원불교 의례행사에는 대부분 기원문을 작성하여 봉독한다. 일반적으로 "천지하감지위 부모하감지위 동포응감지위 법률응감지위 원기○○년 ○월 ○일에, 불제자 ○○○는 삼가, 법신불 사은전에 그 장래 혜복을 기원하옵나니"의 내용으로 시작하여 그 바라는 내용과 다짐의 내용을 담고 마지막으로는 법신불 사은 앞에 고백하고 모든 것을 다 바쳐 비는 내용으로 구성된다.

○ **하감지위(下鑑之位)** 위에서 아래를 굽어살피는 존엄한 자리라는 뜻. 법신불 사은전에 심고나 기도를 올릴 때 천지은과 부모은은 위에서 굽어살피고 보호하며 은혜를 내려준다는 뜻에서 하감지위라고 한다. 동포은과 법률은은 수평적 상호적 지위에서 감응한다고 보아 응감지위라고 한다.

○ **응감지위(應鑑之位)** 응감하고 감호해주는 자리. 심고나 기도 때 사용하는 말인데, 동포은이나 법률은이 좌우에서 기운을 응하고 도와주며 보호해 달라는 뜻에서 동포 응감지위, 법률 응감지위라 한다[『정전』 심고와 기도].

○ **피은자(被恩者)** 은혜를 입은 사람. 원불교에서 법신불 사은으로부터 큰 은혜를 입은 사람이라는 뜻으로 사용.

○ **정심(淨心)** 모든 사람이 본래부터 갖추어 있는 자성 청정심. 이 마음을 찾으면 곧 부처가 된다.

○ **재계(齋戒)** ① 몸과 마음을 깨끗이 하고 부정(不淨)한 일을 멀리하는 것. ② 몸·입·뜻(身口意)의 삼업을 청정히 하는 것. 원불교의 각종 의식, 특히 기도·천도재·대재 때 등에는 반드시 심신을 깨끗이 함.

○ **호념(護念)** ① 불보살이 선행을 닦는 중생에 대하여 온갖 마장을 제거해주고

옹호해주며 깊이 사랑해주는 것. ② 중생이 불보살을 마음속에 잊지 않고 염송(念誦)하는 것.

○ **화지육지(化之育之)** 화육(化育). 천지자연이 만물을 생육(生育)하는 작용하여 길러준다는 뜻.

○ **삼재(三才)** 중국의 고대 사상에서 우주의 세 가지 근원을 뜻하는 말로써 하늘(天)·땅(地)·사람(人)을 가리킨다.

○ **도명덕화(道明德化)** 도로써 중생의 마음을 밝혀 주고, 덕으로써 일체중생을 교화한다는 말. 일원의 진리로써 중생의 무명 번뇌를 밝혀 지혜를 빛나게 해주고, 도덕행으로써 중생을 구제하는 것. 이는 불보살이 하는 일이요, 대도 정법이 지향하는 길이다.

61 능한 바를 감추라

대산 종사 말씀하시기를 "누구나 공부할 때는 어느 한 방면에 능한 바를 다 쓰지 말고 감추어 둘 줄 알아야 하느니라. 내가 원평에서 약을 캐며 기도할 때 신령스러운 문구가 솟아나 글을 써보니 과거의 문장가보다 못할 바가 없고, 중앙총부에서 붓글씨를 써보니 옛 명필보다 못할 것 없다는 생각이 들었으나 그때 한 생각 돌려 글 문을 닫고 붓을 던져 쓰지 않았나니, 내가 잘하는 데 치우치지 아니하고 함축하였기에 뒷날 대종경을 정리할 수 있는 힘이 솟았느니라." 〈적공편 61장〉

| 출처 |

어느 화가가 기도를 오래 계속하면서 성화를 그렸다는 말씀을 들으시고

"기도의 위력과 그 얻는 것이 반드시 그와 같이 크나, 반만 해도 큰 것이니 조심하여야 한다." 하시며 주의시켜 주심.

대종사님의 대도정법에서 수행을 못 한 사람들은 기도 중 위력이 나타나면 취미를 붙이고 일능(一能)에 치우치고 보면 결국 놓을 때 놓을 줄 몰라 오히려 더 큰 해를 당하고 마는 것이다. 공부하는 중 위력이 나타나고 능이 생기면 일단 끊고 성품으로 백지화시켜야 다시 크고 튄다. [그 기간은 1개월 = 1년 = 수년] 이런 것은 대도 회상이 아니면 할 수 없는 일이다. 내가 원평에서 채약과 기도 생활로 영문이 열릴 때 그대로 나가면 천하에 못 할 것 없이 다할 것 같았다. 그러나 대종사께서 일능에 치우치면 대도를 얻지 못한다는 법문을 생각하며 마구 쏟아지는 영감, 영지, 영문 등을 다 막고 닫아 거두어 버렸다.

〈『대산종사수필법문집』 1. p.587. 원기55년 6월 3일〉

| 배경 및 상황 |

대산 종사는 원기55년(1970) 6월 3일 익산 총부에서 어느 화가가 기도를 오래 계속하면서 성화를 그렸다는 말씀을 들으시고 "기도의 위력과 그 얻는 것이 반드시 그와 같이 크나, 반만 해도 큰 것이니 조심하여야 한다." 하시며 주의시켜 주었다.

내가 영문이 열릴 때는 학문이나 문장이나 신통이나 타심통이나 갖다 들이대면 다 될 것 같더라. 그러나 대종사께서 일능에 치우치면 대도를 얻기 어렵다고 하시기에 다 거두고 막아 버렸다. 그리고 오직 법을 어떻게 전할꼬 하고 법을 통하는 데에만 주력하였다. 딴 것도 할 수 있었으나 정력 소모가 되므로 아니하는 것이다.

| 용어 풀이 |

○ **채약(採藥)** 약초나 약재를 캐거나 뜯어서 거둠.

○ **영문(靈門)** 신령스러운 마음이 자유자재로 드나드는 문이라는 뜻으로, 정신수

양을 통해서 얻는 마음의 힘, 곧 정력(定力)을 말한다. 정신수양 공부를 오래오래 계속하면 마침내 영문(靈門)이 열린다고 한다.

○ **함축(含蓄)** ① 마음속 깊이 수양력을 쌓아 가는 것. ② 깊이 간직하여 드러나지 아니하는 것. 마음속 깊이 품고서 쌓아두는 것. ③ 내용이 매우 풍부한 것. 의미가 매우 깊은 것.

62 삼대불공법

대산 종사, '3대 불공법'에 대해 말씀하시기를 "첫째는 불석 신명(不惜身命) 불공이니, 진리와 스승과 법과 회상을 위하여 신명을 아끼지 않고 다 바치는 불공이요, 둘째는 금욕 난행(禁慾難行) 불공이니, 재색 명리의 세상 낙을 이 공부 이 사업하는 데 돌려 큰 정진과 적공으로 고통마저도 참고 받아들이고 즐길 줄 아는 불공이요, 셋째는 희사 만행(喜捨萬行) 불공이니, 일체 생령을 구원하는 것을 천직으로 여기고 정신·육신·물질로 기쁘게 무념무상의 보시를 하는 불공이니라." 〈적공편 62장〉

| 출처 |

개교경축사

삼대불공법(三大佛供法)

나는 오늘 수행정진 삼대불공법을 밝혀 이 뜻깊은 날을 기념하고자 합니다. 첫째, 불석신명(不惜身命)의 대불공입니다. 법을 위해서는 신명을 아끼지 않는 불공행으로 사람들은 누구나 자기의 신명을 소중히 알고 아낍니다. 둘째, 금욕난행(禁慾難行)의 대불공입니다. 이는 욕심을 참고, 하기 어려운 일을 능히 행하는 불공행으로 성불제중의 큰 서원 아래 세속적인 적은 욕심을 넘어서서 그 큰 목적을 이루는 것입니다. 셋째, 희사만행(喜捨萬行)의 대불공입니다. 이는 정신 육신 물질 세 방면으로 기쁘게 보시하는 불공행으로써 불석신명의 불공을 하고 금욕 난행의 불공을 하는 것은 결국 이 희사만행의 불공을 하자는 것입니다. 〈『대산종사수필법문집』 1. p.869. 원기59년 3월 26일〉

| 배경 및 상황 |

대산 종사는 원기59년(1974) 3월 26일 대각개교절 개교경축사에 '삼대불공법'을 내렸다. 이 삼대불공법은 여래의 수행 불공법이자 수행[수도] 정진을 위한 불공법으로 여러 차례 밝혔다. 불공을 구체적으로 실천하고자 밝힌 법문이다. 대각개교절 공식 법문으로 "우리는 누구에게나 그 어느 때, 그 어느 곳에서든지 정신 육신 물질로 아낌없이 희사하되 계교사량(計較思量)을 두지 말고 온통 다 바쳐버리는 생활로 나아가야 하겠습니다. 우리가 이런 큰 회상을 만나지 못하였다면 어떻게 이 크고 원만한 수행정진 삼대불공법을 행할 수 있겠습니까. 만일 이 세상에 삼대불공법으로 수행하는 수도인이 없다면 천지는 한갓 공각(空殼)에 지나지 않을 것입니다."라고 결말을 짓고 있다.

| 용어 풀이 |

○ **삼대불공법(三大佛供法)** 대산 종사가 제창한 수행 정진을 위한 세 가지의 불공법이다. ① 불석신명불공(不惜身命佛供): 이는 진리·법·회상·스승에 대해 자기의 신명을 아끼지 아니하고 다 바치는 불공을 말한다. ② 금욕난행불공(禁慾難行佛供): 이는 재·색·명리에 대한 욕심을 돌려 원불교의 공부와 사업에 크게 정진하여, 인고(忍苦)·안고(安苦)·낙고(樂苦)를 하는 불공을 말한다. ③ 희사만행불공(喜捨萬行佛供): 이는 세계와 인류와 일체동포를 구원하는 것을 천직으로 하여, 정신·육신·물질을 기쁘게 무념보시하는 불공이다.

○ **불석신명(不惜身命)** 사람의 몸과 목숨. 나라를 위해 신명을 다 바치면 충신이

라 했고, 신명을 다 바치는 신성(信誠)이 있어야 도를 이룰 수 있다.

○ **금욕난행(禁慾難行)** 욕심을 제어하고 어려운 수행을 하는 것. 금욕이나 고행 등 하기 힘든 일.

○ **희사만행(喜捨萬行)** 자기가 가진 재물을 공익사업에 보시 희사하고 대도 정법의 모든 수행을 닦아 가는 것.

63 여래의 세 가지 큰 원

대산 종사 말씀하시기를 "여래의 세 가지 큰 원은 만능(萬能)·만지(萬智)·만덕(萬德)을 갖추는 것이니, 이를 위해서는 무능(無能)·무지(無智)·무덕(無德)이 되어야 하고 전능(全能)·전지(全智)·전덕(全德)이 되어야 하느니라. 만능을 갖추려면 무능으로써 능한 것을 온전히 하여 전능이 되고 만능이 되어야 하고, 만지를 갖추려면 무지로써 전지가 되고 만지가 되어야 하며, 만덕을 갖추려면 무덕으로써 덕을 온전하게 하여 전덕이 되고 만덕이 되어야 하나니, 무등등한 만능, 대반야지(大般若智)의 만지, 무위대행(無爲大行)의 만덕을 우리의 수행 표준으로 삼아야 하느니라. 부처님을 삼계의 대도사요 사생의 자부라 하는 것은 이 세 가지 원을 이루시어 만덕존상(萬德尊像)이 되셨기 때문이니라."

〈적공편 63장〉

| 출처 |

훈련생 교무들에게

부처님을 만덕존상(萬德尊像)이라고 하는 데 보통 성인은 만덕을 하지 못한다. 만덕을 하려면 무덕으로써 덕이 없는 것같이 하여 전덕으로 덕을 온전히

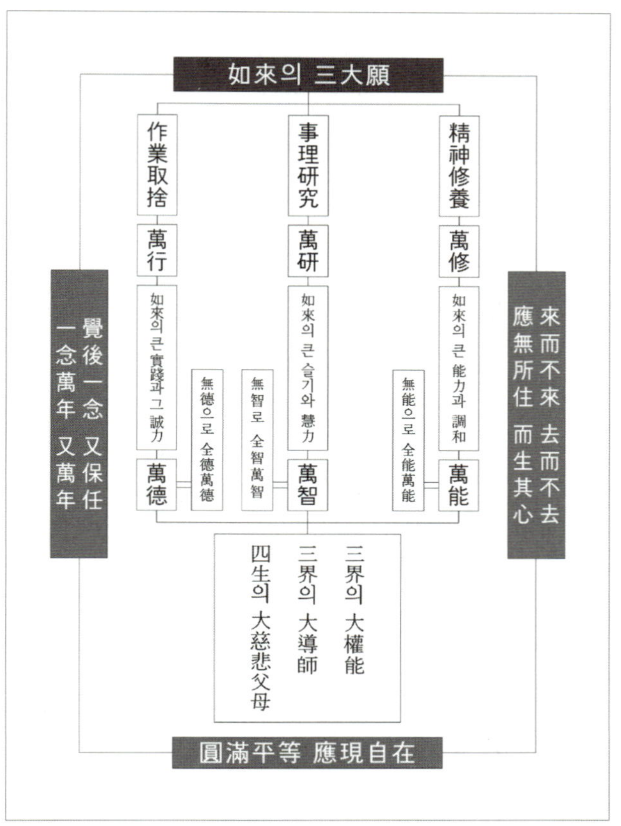

하여 만덕이 되는 것이다. 무등등한 만능! 대반야지의 만지, 만덕을 최상의 목표로 하여야 한다. 그리고 일생 수행의 표준으로 삼아야 한다. 그런데 세상에 조금 똑똑한 사람은 다 흩어버리고 평생을 살다가 껍질만 남기고 간다.

〈『대산종사수필법문집』 1. p.544. 원기69년 6월 17일〉

법사단 봉고식

여래의 삼대원이 있는데, 첫째는 만능 조화를 가지는 것이 원이고 능력이며, 둘째 만지(萬智)를 가지는 것이 여래의 둘째 원이고, 셋째는 만덕(萬德)이다. 수도인이 만능과 만지와 만덕만 갖출 것 같으면 그것은 다 성공이 되는 것이다. 그러면 만능 만지 만덕이 어디서 나오냐? 우리 대종사께서 전해주신 삼학으로 정신을 수양하여 만수(萬修)를 하면 만능(萬能)이 되고, 사리연구를 하여 만연(萬研)으로 만 번 억만 번 단련하고 볼 것 같으면 만지(萬智)를 얻고, 작업취사를 하여 만행(萬行)으로 만행 억만행을 함으로써 만덕(萬德)을 갖추기 때문에, 정신수양으로 만수(萬修) 억만수(億萬修)를 하여야 하고, 사리연구를 연구하여 만연(萬研) 억만연(億萬研)을 하여야 하고, 작업취사를 하여 만행(萬行) 억만행(億萬行)을 하고 보면, 바로 큰 힘을 얻게 된다.

〈『대산종사수필법문집』 2. p.676. 원기70년 4월 11일〉

| 배경 및 상황 |

대산 종사는 '여래의 세 가지 큰 원'이란 '여래의 삼대원'을 달리 부르는 말로 '무능으로 전능 만능과 무지로 전지 만지와 무덕으로 전덕 만덕'으로 '무등등한 만능·대반야지의 만지·무위대행의 만덕'을 수행 표준으로 삼으면 삼계의 대도사와 사생의 자비부모로 세 가지 원을 이룬 만덕존상이 된다고 했다. 이 '여래의 삼대원'은 누누이 말씀하신 법문이다. 그래서 다양하게 만능 만지 만덕을 갖추고 무능 무지 무덕이 되어야 전능 전지 전덕이 되어야 한다고 하였다. 여래의 삼졸(三拙) 삼능(三能)으로 만능은 능졸자유요, 만지는 명암자유요, 만덕은 대소자유로 자유자재한다. 또한, 여래는 졸렬한 것같이 하다가도 때를 따라 능해야 한다. 대도인은 능한 자리에서 자취를 감추면 중생들이 몰라본다고 하였다.

| 용어 풀이 |

○ **만능(萬能)** 모든 일에 다 능통하거나 모든 일을 다 할 수 있음. 또는 그런 것.

○ **만지(萬智)** 온갖 이치를 깨닫고 사물을 정확하게 처리하는 힘.

○ **만덕(萬德)** 대각여래위의 큰 도인이 갖춘 여러 가지 덕행. 많은 선행(善行).

○ **무능(無能)** 어떤 일을 해결하는 능력이 없음.

○ **무지(無智)** 지혜나 꾀가 없음.

○ **무덕(無德)** 덕이나 덕망이 없음.

○ **전능(全能)** 어떤 일에나 못함이 없이 능함. 완전무결한 능력.

○ **전지(全智)** 아무 데도 막히거나 모자람이 없는 온전한 지혜. 완전무결한 지혜.

○ **전덕(全德)** 완벽한 덕. 완전하여 아무런 결함이 없는 도덕.

○ **무등등(無等等)** 비교하고 대등(對等)할만 한 것이 없다는 뜻.

○ **반야지(般若智)** ① 근본지·청정지·영지·무루지의 근본. 무명의 반대. 원만구족하고 지공무사한 마음. 곧 참된 본성. 이무애(理無礙) 사무애(事無礙) 이사무애(理事無礙)한 사리 통달의 지혜. 반야와 지는 서로 같은 뜻인데, 이를 강조하기 위해서 반야지라 한다. ② 반야종지와 같은 뜻으로, 미망(迷妄)과 고통의 세계를 극복하고 평화안락한 극락세계에 돌아오는 지혜.

○ **무위대행(無爲大行)** 함이 없는 큰 덕행.

○ **삼계도사 사생자부(三界導師 四生慈父)** 삼계도사와 사생자부를 합친 말. 시방 삼계의 큰 스승이 되고 육도사생의 자부가 된다는 말. 소태산 대종사나 석가모니불을 일컫는 말.

○ **만덕존상(萬德尊像)** 많은 선행이나 덕행과 지위가 높고 귀한 형상.

64 삼전 법문

대산 종사 말씀하시기를 "우리가 가꾸어야 할 세 가지 밭이 있으니 그것은 바로 영전(靈田)·법전(法田)·덕전(德田)이니라. 첫째, 영전은 대종사께서 대각하신 일원의 진리를 이름이니, 하나면서 열이고 열이면서 하나인 자리요 영생토록 죽지 않는 자리요 죄를 지으면 벌을 주고 복을 지으면 복을 주는 자리요 신령스러워 밝고 어둡지 아니한 자리며, 둘째,

법전은 대종사께서 이루어놓으신 일원 회상을 이름이니, 법이 담겨 있는 자리요 삼세 제불 제성이 함께 법을 받는 자리요 법등을 시방 삼세에 비추는 자리며, 셋째 덕전은 대종사께서 개척하신 일원의 세계를 이름이니, 여기는 천지·부모·동포·법률의 사은 밭에 덕을 뿌리는 자리요 뿌린 자리마다 덕의 꽃이 피는 자리니라." 〈적공편 64장〉

| 출처 |

제주 국제훈련원 봉불식 법문

오늘 봉불을 기념하여 삼전(三田) 법문을 소개하고자 한다.

첫째 영전(靈田)이니, 대종사께서 대각하신 일원의 진리이다. 이 영전은 하나이면서 열이요, 열이면서 하나인 자리로, 영생불사한 자리요, 죄지으면 죄 주고, 복 지으면 복 주는 자리로 영명불매(靈明不昧)한 자리다. 씨앗은 뿌리지 아니하면 썩어 버리고, 밭은 빈 밭이 되어 버리고 만다. 우리 재가출가는 이 진리에 씨를 뿌리기 위해 서원을 세운 불보살들이다. 그러므로 진리인 영전에 대각성불의 종자를 심고 가꾸어야 한다.

둘째 법전(法田)이니, 대종사께서 이루어 놓으신 일원의 회상이다. 이 법전은 삼세 제불제성이 공회(共會)하고 공생(共生)하고 공락(共樂)하는 자리요, 법이 담겨 있는 자리요, 법등이 시방삼세에 비추는 자리다. 씨앗은 뿌리지 아니하면 썩어 버리고, 밭은 빈 밭이 되어 버리고 만다. 우리 재가출가는 이 회상에 씨를 뿌리기 위해 서원을 세운 불보살들이다. 그러므로 이 회상인 법전에 영겁 주인의 종자를 심고 가꾸어야 한다.

셋째 덕전(德田)이니, 대종사께서 개척하신 일원의 세계이다. 이 덕전은 일체생령 구류중생, 천지, 부모, 동포, 법률에 덕을 뿌리는 자리요, 화피초목 덕화만방한 자리다. 씨앗은 뿌리지 아니하면 썩어 버리고 밭은 빈 밭이 되어 버리고 만다. 우리 재가출가는 이 사은에 씨를 뿌리기 위해 서원을 세운 불보살들이다. 그러므로 사은인 덕전에 제중 보은의 종자를 심고 가꾸어야 한다.

〈『대산종사수필법문집』 2. pp.688~690. 원기70년 5월 15일〉

| 배경 및 상황 |

대산 종사는 원기70년(1985) 5월 15일 제주국제훈련원 봉불 기념식에 임석하여 '삼전법문'을 내린다.

삼전 법문의 요지는 진리인 신령스러운 밭에 대각 성불의 종자를 심고, 회상인 법의 밭에 영겁 주인의 종자를 심고, 사은인 덕의 밭에 제중 보은의 종자를 심고 가꾸자는 것이다.

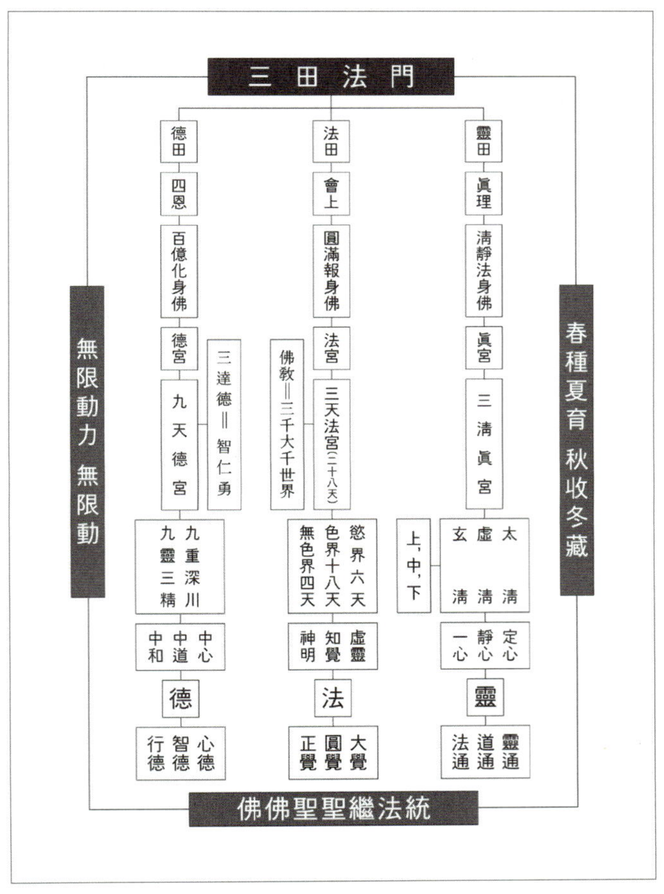

| 용어 풀이 |

○ **영생불사(永生不死)** 영원히 죽지 않고 삶.

○ **영명불매(靈明不昧)** 신령스럽고 명백하고 어둡지 않음.

○ **공회(共會)** 함께 모임.

○ **공생(共生)** 서로 도우며 삶.

○ **공락(共樂)** 같이 즐김.

○ **시방삼세(十方三世)** 시방은 우주의 공간적인 표현. 삼세는 과거·현재·미래로서 우주의 시간적인 표현. 우주 전체를 시방삼세라 한다.

○ **구류중생(九類衆生)** 구류생(九類生) 또는 구류지생(九類地生)이라고도 한다. 과거생에 지은 선악의 행위에 따라 금생에 몸을 받을 때 아홉 가지의 형태가 있다고 한다. ① 태로 태어난 태생(胎生), ② 알로 태어난 난생(卵生), ③ 습한 곳에서 태어난 습생(濕生), ④ 변화하거나 탈바꿈하여 태어난 화생(化生), ⑤ 빛이 있어 태어난 유색(有色), ⑥ 빛이 없이 태어난 무색(無色), ⑦ 생각이 있어 태어난 유상(有想), ⑧ 생각이 없이 태어난 무상(無想), ⑨ 생각이 있지도 없지도 않게 태어난 비유상(非有想) 비무상(非無想)을 말한다. 이 세상의 모든 중생을 아홉 가지로 분류한 것.

○ **화피초목(化被草木)** 덕화가 사람이나 짐승뿐 아니라 초목까지도 미친다.

○ **덕화만방(德化萬方)** 덕행으로 교화하여 중생을 감화시키는 능력이 세상에 두루 미침.

65 항산 항신 항심

대산 종사 말씀하시기를 "세상에 잘 사는 법이 많이 있으나 그중에서 제일 잘 사는 법은 항산(恒産)·항신(恒身)·항심(恒心)을 잘하는 것이니

라. 첫째, 항산은 한결같은 경제 살림을 이름이니, 항산을 하려면 생산성 있는 경제 기반을 가지며 매일 수입과 지출을 대조하고 근검저축 절약 절식으로 자립을 해야 하느니라. 둘째, 항신은 한결같은 몸을 갖는 것이니, 항신을 하려면 먹는 것을 조심하고[戒食], 색을 조심하고[戒色], 명예를 조심[戒鬪]하여 자력을 세워야 하느니라. 셋째, 항심은 한결같은 마음을 가져 자주의 힘을 길러야 하나니, 항심을 하려면 아침저녁으로 심고를 올리고 선정에 들며 젊을 때부터 10년, 20년, 30년을 기도 일념으로 계속해야 일생을 잘 살고 영생을 잘 살 수 있느니라."

〈적공편 65장〉

| 출처 |

학생 강습을 마친 학생들에게 [서울, 대구, 부산]

'삼산(三産)'

여러분에게 한 말 하고 싶은 것은 우리가 세상을 잘 살려면 살림살이가 풍부해야 한다.

첫째는 자기 마음 가운데 항심(恒心), 항상 된 마음을 갖고 나가는 것이 제일 살림이다. 항심이란 것은 단적으로 표현할 것 같으면 내가 아침저녁으로 심고 생활을 10년을 지켜서 해봐라. 그 항심을 20년을 갖고 나가 봐라. 30년간을 하면 주위에서 부모라든지 형제라든지 친구라든지 모두 알 수 있다.

둘째는 항신(恒身) 항상 된 몸을 가져야 한다. 자기 생명을 귀하게 여기고 천하를 준다 해도 자기 생명을 연명해 갈려는 마음이 있을 것이고 몇천억이 있다 하더라도 자기 몸 병들어 죽지 않으려고 한다. 자기가 지금부터 항상 된 몸을 가져야 한다. 조금 전에 어떤 학생이 아침 일찍 일어난다고 말했는데 항상 된 몸을 가지려면 일찍 일어나고 일찍 자는 그것 하나만 가져도 된다.

셋째는 항산(恒産)을 가지려면 어떤 기술 하나씩을 가져야 한다. 일생을 살아갈 때 나도 잘살고 남도 잘살고 인류도 잘살게 하려면 이 세 가지[三産] 살림살이를 가져야 하는 데 첫째 항심, 둘째 항신, 셋째 항산, 재산 기술을 가져야 한다.

〈『대산종사수필법문집』 1. pp.1190~1193. 원기60년 7월 31일〉

4학년 학생들과 원친회(圓親會) 강습 차 온 36명의 학생에게 서용추 계곡에서 '삼산(三産)법문' 소개 후 부연해 주시기를

항심(恒心), 항상 된 마음이 좋다고 생각들 되는가.

그러면 항심을 하는 데 자기 표준을 하나씩 세워나갈 수 있는가.

또 항신(恒身)에 대해서 표준을 잡을 수 있는가.

고기나 밥을 배불리 먹이고 예쁜 자식은 먹이지 말라 했다. 항신(恒身)을 갖는 데 먹는 걸 조심[계식(戒食)]해야 하고, 색을 조심[계색(戒色)]하고, 명예를 조심[계투(戒鬪)]하자. 투(鬪)라는 것은 명예다.

그다음은 항산(恒産), 직업 하나씩을 가질 것이다. 그래 저금통장들 가져야 한다. 부모가 돈 주면 다 쓰고 또 주쇼, 또 주쇼 하면 그것은 하등 인간이다.

〈『대산종사수필법문집』 1. pp.1495~1497. 원기61년 7월 29일〉

| 배경 및 상황 |

대산 종사는 '세상에서 잘 사는 법'으로 항산(恒産)·항신(恒身)·항심(恒心)이라 했고 또한, '삼산(三産) 법문'이라고 하였다. 삼산 법문은 상황 따라 서로 순서를 변경하기도 했다.

대산 종사 종법사위에 오른 후 초기부터 항산·항신·항심을 일관되게 주장하였다. 때로는 남녀노소를 불문하고 항심을 말하기도 하고, 때로는 경제인에게는 항산을, 정치인에게는 항심과 항산으로 국가 경제를 부흥하도록 정책적인 제안을 하기도 하였다.

삼산 법문의 요지를 '세계평화의 사대운동'의 인류개기운동(人類皆技運動)에

서 밝히기를 "정신의 자주력을 얻어서 항심(恒心)으로써 항상 된 마음을 가져야 하고, 육신의 자활력을 얻어서 항신(恒身)을 하며. 경제의 자주력으로 항산을 하자."라고 강조하기도 했다.

| 용어 풀이 |

○ **항산(恒産)** 생활을 유지할 수 있는 일정한 재산과 생업(生業). 『맹자(孟子)』 등문공장(滕文公章)에 나오는 '항산이 있는 자가 항심이 있다[有恒產者有恒心]'에서 유래한 말. 사람이 살아가기 위해서는 최소한의 항산이 있어야 한다. 그래야만 마음이 흔들리지 않아서 항심(恒心)이 될 수 있다고 보아 '항산이 없으면 항심도 없다'고 함.

○ **항신(恒身)** 한결같은 몸을 만들어 규칙적인 활동으로 건강을 유지함.

○ **항심(恒心)** 늘 지닌 떳떳한 마음. 언제나 변함없이 여여(如如)한 항상된 마음. 신앙과 수행에 있어서 꾸준히 정성으로 일관하는 마음.

○ **선정(禪定)** 반야(般若)의 지혜를 얻고 성불하기 위해 마음을 닦는 수행. 불교 대승보살들의 수행덕목인 육바라밀의 하나. 선정이란 마음이 산란해지는 것을 멈추고, 마음을 고요하게 통일하여 입정삼매에 들어가는 것을 의미한다.

66 사람이 길러야 할 네 가지 도

대산 종사 말씀하시기를 "사람이 길러야 할 네 가지 도[四養之道]가 있으니 그것은 바로 양정(養精)·양신(養身)·양덕(養德)·양현(養賢)이니라. 첫째, 양정은 고요하고 두렷한 본래의 정신을 기르자는 것으로, 새벽과 저녁에는 수도 정진하는 시간을 정하여 좌선을 하고 일상생활 속에서 무시선법으로 정력(定力)을 쌓는 적공을 해야 하느니라. 둘째, 양신은 몸을 잘 관리하고 길들이자는 것으로, 적게 먹고 많이 씹으며, 말은 적게 하고 묵묵함을 지키며, 근심은 적게 하고 많이 잊으며, 옷은 검소하게 입고 목욕을 많이 하며, 욕심은 적게 하고 많이 비우며, 생각은 적게 하고 활동을 많이 하며, 적당한 운동과 휴식을 겸해야 하느니라. 셋째, 양덕은 덕을 기르자는 것으로, 대종사께서 어느 곳 어느 일을 막론하고 오직 은혜가 나타나는 것을 덕이라 하셨나니 안으로 근검절약하고 밖으로 헌신 봉공하는 생활로 인류의 무지·빈곤·질병을 퇴치해야 하느니라. 넷째, 양현은 어진 마음과 어진 사람을 기르자는 것으로, 단체나 국가도 주인이 없으면 빈 껍질이요 세계도 불보살이나 성현이 나오지 않으면 빈 껍질이니, 인류 사회를 책임질 수 있는 인재를 많이 배출해야 하느니라."

〈적공편 66장〉

| 출처 |

제2차 훈련 교무 해제식에서 내린 법문

네 가지 기르는 법[사양지도(四養之道)]이라. 나서부터 크고, 늙도록 까지 기르지 않으면 안 되는 네 가지가 있는데, 첫째는 양정(養精), 둘째는 양신(養身), 셋째는 양덕(養德), 넷째는 양현(養賢)이다.

첫째는 양정으로 정신을 길러야 한다. 예전부터 사람이 만물 중에 제일 영특하다 하였는데, 이 우주에는 구령삼정(九靈三精)의 기운을 받아 우리가 구규(九竅)가 되어서 구령(九靈)이 되었는데, 이 구령을 수양을 안 할 것 같으면 퇴폐하여 약화하기 때문에 우리가 단단히 수양하여야 하는 데 막연히 수양하는 것이 아니라, 교전에 밝혀 주셨듯이 수양은 내적인 것과 외적인 것이 있는데, 여하튼 우리가 좌선을 철저히 하여야 하겠다.

둘째는 양신으로 대종사께서 우리 몸은 만사만리(萬事萬理)의 근본이라고 말씀하셨다. 그리고 부처님을 모시고 다니는 거마(車馬)다. 그러므로 몸을 함부로 하는 사람은 공부가 없는 사람이다. 따라서 몸 관리를 잘하여야 한다. 나도 30대에 건강이 안 좋아져 40대부터는 도인법을 하였고, 50대부터는 요가를 하여 지금까지 하는 데 요가가 건강에 좋은 것 같다. 그러므로 우리가 자기 육신 관리를 잘하도록 하여야 한다.

셋째는 양덕이라. 덕을 길러야 한다. 덕은 위로부터 만대를 전하여야 하므로 양덕을 해야 하는데 선 종법사께서 그러셨다. 유가의 사서삼경의 경중에 최고의 것이 중용인데 중용 가운데도 중화(中和)라고 하셨다.

넷째는 양현으로 어진 이를 길러야 한다. 세계도 불보살이나 성현이 나오지 않으면 빈 껍질이고 나라도 단체도 그 주인이 없으면 나라와 단체도 빈 껍질이다.

〈『대산종사수필법문집』 2. pp.708~710. 원기70년 7월 14일〉

미래의 준비

개인과 사회와 국가와 세계와 교단이 먼 미래를 준비하기 위해서는 다음의 네 가지 도[四養之道]를 길러야 하겠습니다.

첫째는 양정 공부로 우리의 두렷하고 고요한 본래의 정신을 기르는 길입니다. 새벽과 저녁에는 수도 정진하는 시간을 정하여 좌선이나, 와선이나, 입선이나, 행선을 하고 밥 먹을 때도 선식(禪食)으로, 잠잘 때도 선면(禪眠)으로, 행주좌와(行住坐臥) 어묵동정(語黙動靜) 간에 무시선(無時禪)으로 온전한 정력(定力)을 쌓는 적공을 드려야 하겠습니다.

둘째는 양신으로 우리의 몸을 잘 기르는 길입니다. 대종사께서는 우리의 몸은 만사만리(萬事萬理)의 근본이라고 말씀하셨고 또 부처님을 모시고 다니는 수레라고 하셨습니다. 그러므로 몸을 잘 관리하고 단련하고 길들여야 하겠습니다. 도인법이나 요가 등의 적당한 운동과 활동과 휴식을 취하여 양신을 하여야 하겠습니다.

셋째는 양덕으로 덕을 기르는 길입니다. 대종사께서 "덕이라 하는 것은 어느 곳 어느 일을 막론하고 오직 은혜가 나타나는 것이니 가장 큰 덕은 대도를 깨달은 사람으로서 능히 유무를 초월하고 생사를 해탈하며 인과에 통달하여 삼계화택(三界火宅)에 헤매는 일체중생으로 하여금 한 가지 극락에 안주케 하는 것이 제일 큰 덕"이라고 말씀하셨습니다. 그러므로 우리는 이 큰 덕을 기르기 위하여 안으로 근검절약하고 밖으로 헌신 봉공하는 생활로 사대봉공회[四大奉公會=在家, 出家, 國家, 世界]를 더욱 활성화해 인류의 영(靈)과 육(肉)의 무지와 질병과 빈곤을 퇴치하여야 하겠습니다.

넷째는 양현(養賢)으로 안으로 어진 마음을 기르고 밖으로 어진 사람을 많이 길러야 하겠습니다. 세계도 불보살이나 성현이 나오지 않으면 빈 껍질이요 국가나 단체도 주인이 없으면 빈 껍질입니다. 인류사회를 책임질 수 있는 인재를 많이 배출하도록 하여야 하겠습니다.

〈『대산종사수필법문집』 2. pp.753~755. 원기71년도 신년법문〉

| 배경 및 상황 |

대산 종사는 '사람이 길러야 할 네 가지 도를 양정·양신·양덕·양현이라고 하였다. 원기70년(1985) 7월 14일 완도 소남훈련원 동백숲에서 제2차 교역자훈련 해제식 때 처음 밝힌 법문이다. 이 법문을 연마하고 보충하고 부연하여 이듬해인 원기71년(1986) 신년법문으로 밝혔다.

| 용어 풀이 |

○ **수도 정진(修道精進)** 도를 닦아 힘써 나아감.

○ **묵묵(默默)** 말없이 잠잠함.

○ **헌신 봉공(獻身奉公)** 자기의 몸을 아끼지 않고 다 바쳐 공중을 위해 희생적으로 일하는 것. 공익사업에 자신을 다 바치는 것. 무아봉공과 같은 뜻.

67 인생 5기

대산 종사, '인생 5기(人生五期)'에 대해 말씀하시기를 "천지가 사시의 질서를 어기지 않고 순리에 따라 운행하므로 만물이 나고 자라 결실을 거두듯 사람도 시기를 잃지 않고 일생을 살아야 그 생이 보람되고 영생이 완전해지느니라. 첫째는 대창시기이니 모태 중에서 심신의 기운이 어리고 형체를 이루는 시기로 타력만을 힘입는 때라, 태모(胎母)를 비롯한 주위 인연들은 간절한 마음과 기원 일념으로 태교에 힘써야 할 것이요. 둘째는 대학업기이니 바른 신앙을 바탕으로 도학과 과학을 아울러 가르치고 배워서 성숙하는 때라, 유년기에는 부모와 주위 인연의 따뜻한 사랑과 올바른 가르침으로 모범을 보여 스스로 실천하게 할 것이요, 소년기에는 원만하고 바른 스승의 지도를 받고 원만하고 바른 벗을 사귀도록 할 것이요, 청년기에는 원대한 이상과 포부를 가지고 역량을 키우며 큰 경륜으로 큰일을 경영한 분들을 모시고 본받는 공부를 해야 할 것이요, 셋째는 대수련기이니 앞날의 포부를 실현하기 위하여 수련을 쌓고 계획을 세우는 때라, 자기 생활을 개척해 나갈 한 가지 이상의 기술을 습득하고 마음 개조로 기질 변화를 이루며 인도의 대의를 배워 실천하는 도덕 훈련을 해야 할 것이요, 넷째는 대활동기이니 그간 배우고 수련한 바를 자신과 세계를 위하여 널리 베풀어 쓰는 때라, 지중하신 사은에 보은하여 인생의 가치를 실현해야 할 것이요, 다섯째는 대준비기이니 일생을 결산하고 내생을 준비하기 위하여 자연을 벗 삼고 성리를 체 삼아 참 나를 찾고 기르는 때라, 서원 일념으로 영원한 세상에 새 생명의 종자를 품어 내생을 위한 새싹을 틔워야 하느니라." 〈적공편 67장〉

| 출처 |

개교경축사

인생의 도표(道標) [人生五期]

천지는 사시의 질서가 있어서 이를 어기지 아니하므로 만물이 나고 자라 결실을 거두는 차서를 얻게 되는 것같이 사람도 한생을 통하여 그 시기를 잃지 아니하면 일생이 보람되고 영생이 완전할 것이요, 그 시기를 잃으면 일생이 허망하고 영생이 위태로울 것입니다.

1. 대창시기(大創始期)

모태 중에서 심신의 기운이 어리고 형체를 이루는 때요, 이 세상에 태어나 타력만을 힘입는 때이다.

첫째, 태모(胎母)를 비롯한 주위 인연의 간절한 마음과 환경이 태아의 영식(靈識)에게 영향을 주는 것이니 기원 일념으로 태교를 잊지 말 것이요. 둘째, 부모를 비롯한 주위 인연이 마음과 말과 행동을 바르게 갖고 삼가 좋은 기운이 미치고 본받게 할 것이요. 셋째, 특히 살생과 모지고 막된 말을 삼가야 할 것이다.

2. 대학업기(大學業期)

참되고 바른 신앙에 바탕하여 도학과 과학을 아울러 가르치고 배워서 성숙하는 때이다.

첫째, 유년기에는 부모님과 주위 인연의 따뜻한 사랑과 올바른 가르침으로 모범을 보여주어 스스로 실천하게 할 것이요. 둘째, 소년기에는 원만하고 바른 스승의 지도를 받고 벗을 사귈 것이요. 셋째, 청년기에는 원대한 이상과 포부를 가지고 역량을 키우며 큰 경륜으로 큰일을 경영한 분들을 모시고 본받는 공부를 해야 할 것이다.

3. 대수련기(大修練期)

앞날의 포부를 실현하기 위하여 수련을 쌓고 계획을 세우는 때이다.

첫째, 국민으로서의 국방의 의무를 이행하는 군사훈련과 또는 노동훈련으로써 기질단련을 튼튼히 할 것이요. 둘째, 사농공상 간에 일생을 통해서 자기 생활을 개척해 나갈만한 한 가지 이상의 기술을 습득할 것이요. 셋째, 마음 개조를 하여 기질 변화를 하고 인도의 대의를 배워 실천하는 도덕훈련을 할 것이요. 넷째, 자기의 이상과 포부를 실현하기 위한 구체적인 계획을 작성할 것이다.

4. 대활동기(大活動期)

그간 배우고 수련한 바를 자신과 세계를 위하여 널리 베풀어 쓰고 지중하신 사은에 보은하여 인생의 가치를 실현하는 때이다.

첫째, 세계에 봉공하여 천지 만물의 전체은에 보답하고 인류의 의무를 다할 것이요. 둘째, 국가에 봉공하여 국가은에 보답하고 국민의 의무를 다할 것이요. 셋째, 사회에 봉공하여 사회은에 보답하고 사회에 대한 의무와 책임을 다할 것이요. 넷째, 가정에 봉공하여 부모 형제의 은혜에 보답하고 가정에 대한 의무와 책임을 다할 것이다.

5. 대준비기(大準備期)

일생을 결산하고 내생의 예산을 세우기 위해서 자연을 벗 삼아 「이 무삼 도리」로 참 나를 찾고 기르는 때이다.

첫째, 참회 반성으로써 선악 간 모든 인연 업보를 깨끗이 청산할 것이요. 둘째, 수양인으로서 영원한 세상에 새 생명의 종자를 충실히 기를 것이요. 셋째, 서원일념으로써 내생을 위한 새싹을 준비하는 것이다.

〈『대산종사수필법문집』 1. pp.706~707. 58년 3월 26일〉

| 배경 및 상황 |

대산 종사는 원기58년(1973) 3월 26일 대각개교절 경축사에서 밝힌 인생 도표이자 인생 5기 법문이다. 첫째, 대창시기. 둘째, 대학업기. 셋째, 대수련기. 넷째, 대활동기. 다섯째, 대준비기이다.

수많은 학자가 인간 발달이론을 말하고 있다. 대체로 보면 영아기, 유아기, 아동기, 청소년기, 성인기, 중년기, 노년기로 구분한다. 대산 종사의 인생오기는 공부인으로서 인생의 도표를 삼아 공부하고 수행하는 데 도움이 되고자 밝힌 것이다. 일반적인 인간 발달이론보다 인간이 몸을 받은 모태에서 출발하여 낳고, 삶을 살고, 생을 마감하고, 다시 태어나기까지의 과정을 순환적인 인과론에 근거하여 밝힌 법문이다.

| 용어 풀이 |

○ **모태(母胎)** 어미의 태 안.

○ **태모(胎母)** 태아를 를 가진 어머니라는 뜻으로, '임부'를 이르는 말.

○ **영식(靈識)** 신령스러운 의식. 신령스럽게 아는 마음 작용.

○ **태교(胎敎)** 임산부가 임신 중에 모든 일에 대해 거친 행동을 삼가고 말과 마음가짐을 조심하여 태아에게 정서적·신체적으로 좋은 영향을 주기 위한 태중교육(胎中敎育).

○ **경륜(經綸)** ① 일정한 포부를 가지고 일을 조직적으로 계획함. 또는 그 계획이나 포부. 경험과 능력을 의미하는 말. ② 천하를 다스리는 일처럼 중요하고 큰일에 쓰는 말. 천하 만생령을 두루 제도해 가는 일.

○ **성리(性理)** 〈적공편 46장〉 용어 풀이 참조.

68 대적공실 법문

대산 종사, 교단 창립 2대 말 총회를 마치고 '대적공실(大積功室)' 법문을 내리시니 "세존이 도솔천을 떠나지 아니하시고 이미 왕궁가에 내리시며 모태 중에서 중생제도하기를 마치셨다 하니 그것이 무슨 뜻인가. 세존이 열반에 드실 때 내가 녹야원으로부터 발제하에 이르기까지 이

중간에 일찍이 한 법도 설한 바가 없노라 하셨다 하니 그것이 무슨 뜻인가. 고불미생전 응연일상원 석가유미회 가섭기능전(古佛未生前 凝然一相圓 釋迦猶未會 迦葉豈能傳). 변산구곡로 석립청수성 무무역무무 비비역비비(邊山九曲路 石立聽水聲 無無亦無無 非非亦非非). 유위위무위 무상상고전 망아진아현 위공반자성(有爲爲無爲 無相相固全 忘我眞我現 爲公反自成). 대지허공심소현 시방제불수중주 두두물물개무애 법계모단자재유(大地虛空心所現 十方諸佛手中珠 頭頭物物皆無礙 法界毛端自在遊). 이 의두 성리로 교단 백 주년을 앞두고 대정진 대적공하자. 양계 인증과 더불어 음계 인증이 막 쏟아져야 한다." 〈적공편 68장〉

| 출처 |

나는 전 교도가 교단 2대 말과 3대 초를 계기로 교단 백주년까지 대적공하자고 유시를 내린 바 있습니다. 그때 밝힌 의두 성리 법문에 바탕을 둔 유무념 공부를 하고 대적공하여야 하겠습니다. 그리하여 영생영겁에 대불과를 성취하는 주인공이 되도록 합시다.

○ 세존(世尊)이 도솔천을 떠나지 아니하시고 이미 왕궁가에 내리시며, 모태중에서 중생 제도를 마치셨다 하니 그것이 무슨 뜻인가.

○ 세존이 열반(涅槃)에 드실 때 내가 녹야원(鹿野苑)으로부터 발제하(跋提河)에 이르기까지 이 중간에 일찍이 한 법도 설한 바가 없노라 하셨다 하니 그것이 무슨 뜻인가.

○ 고불미생전(古佛未生前)에 응연일상원(凝然一相圓) 석가유미회(釋迦猶未會) 가섭기능전(迦葉豈能傳) [자각 종색(慈覺宗賾)]

○ 유는 무로 무는 유로 돌고 돌아 지극하면 유와 무가 구공(俱空)이나 구공 역시 구족(具足)이라. [대종사]

○ 변산구곡로(邊山九曲路) 석립청수성(石立聽水聲) 무무역무무(無無亦無無)

비비역비비(非非亦非非) [대종사]

○ 유위위무위(有爲爲無爲) 무상상고전(無相相固全) 망아진아현(忘我眞我現) 위공반자성(爲公反自成) [정산 종사]

○ 대지허공심소현(大地虛空心所現) 시방제불수중주(十方諸佛手中珠) 두두물물개무애(頭頭物物皆無礙) 법계모단자재유(法界毛端自在遊) [대산 종사]

※ 이 의두 성리로 교단 백주년을 앞두고 대정진 대적공하자.

※ 양계(陽界) 인증(認證)과 더불어 음계(陰界)의 인증이 막 쏟아져야 한다.

〈『대산종사수필법문집』 2. pp.1610~1611. 78년 4월 7일〉

| 배경 및 상황 |

대산 종사는 원기75년(1990) 교단 총회를 마치고 인사차 온 중앙총부 간부들에게 '대종사탄생100주년과 교단100주년을 앞두고 대적공하자'며 친필을 나누어 주고 의두 성리 표준을 내렸다. 원불교100년기념성업 기원문과 함께 여섯 가지 의두 성리 조목을 매일 암송하였다. 이는 원불교100년기념성업 봉찬을 맞이하여 자신성업봉찬으로 대정진 대적공하기를 염원하고 내린 것으로 대산 종사의 유촉 법문이 됐다.

| 용어 풀이 |

○ **의두(疑頭)** 화두(話頭)·공안(公案)과 같은 뜻. 일원상의 진리를 깨치기 위해 갖는 큰 의심. 정기훈련 11과목의 하나로서, 대소유무의 이치나 시비이해의 일 또는 과거 불조의 화두 중에서 의심나는 제목을 선택하여 깊이 연구하는 것.

○ **성리(性理)** 〈적공편 46장〉 용어 풀이 참조.

○ **세존(世尊)** 석가모니 부처님의 다른 호칭. 여래 십호(如來十號)의 하나. 신성한, 성스러운, 존귀한 등을 의미하는 산스크리트 바가바트(bhagavat)를 세상에서 가장 존귀한 분이라는 뜻으로 의역한 것.

○ **도솔천(兜率天)** 불교에서 욕계 6천(六天) 중의 제 4천(四天). 도사다(覩史多)·투슬타(鬪瑟跢)라고도 한다. '만족시킨다'는 의미로 해석하여 지족(知足)·묘족(妙足)·희족(喜足)·희락(喜樂)이라 번역한다. 불교의 우주관에 따르면 세계의 중심은 수미산(須彌山)이며, 그 꼭대기에서 12만 유순[由旬, 고대 인도의 거리 단위로 소달구지가 하루에 갈 수 있는 거리. 11~15㎞라는 설이 있음] 위에 도솔천이 있다고 한다. 이곳은 내원(內院)과 외원(外院)으로 구별되어 있다. 내원은 미륵보살이 살며 석가모니불의 교화를 받지 못한 중생을 위해 설법하고, 외원은 천중(天衆)의 환락 장소라고 한다. 석가모니불도 인도에 태어나기 전에 이곳에서 머물며 수행했다고 한다.

○ **녹야원(鹿野苑)** 석가모니불이 성도 후 최초로 설법한 성지. 인도 베나레스시의 북쪽 사르나트에 있다. 중부 인도 파라나국(派羅奈國) 북쪽 성 밖에 있던 동산으로, 이때 교진여 등 5비구를 최초로 제도했다고 한다. 탄생·성도·입멸의 땅과 더불어 불교 4대성지의 하나. 다메크탑을 비롯한 많은 불교유적과 아쇼카왕의 돌기둥·사원·박물관 등이 여러 곳에 남아 있다. 선인론처(仙人論處)·선인주처(仙人住處)·선인원(仙人園)·녹원·녹림 등 여러 가지 이름이 있다.

○ **발제하(跋提河)** 인도의 강(江) 이름. 중인도 구시나게라국(拘尸那揭羅國)에 있는 아시다발제하(阿恃多跋提河)의 약칭. 석가모니불이 이 강의 연안에 있는 구시나게라성의 사라쌍수 아래에서 열반에 들었다고 한다.

○ **양계(陽界)** 사람이 사는 세상. 또는 이 세상.

○ **음계(陰界)** 귀신들이 사는 세계. 눈으로 볼 수 없는 진리 세계.

참고도서

『대산종사법어』, 원불교100년기념성업회, 원불교출판사, 2020.

『대산종사수필법문』 1. 2권, 증보판, 원불교출판사, 2020.

대산종사법문집 Ⅰ『정전대의』, 증보판, 원불교출판사, 2016.

『대산종법사법문집』 Ⅱ, 원불교출판사, 2006.

『대산종사법문집』 Ⅲ, 원불교출판사, 1994.

대산종법사법문집 Ⅳ『열반법문』, 원불교출판사, 1994.

대산종법사법문집 Ⅴ『여래장』, 원불교출판사, 2007.

『큰 산을 우러르며』, 개정판, 주성균, 원불교출판사, 2022.

『원불교용어사전』, 손정윤, 원불교출판사, 2000.

『불교사전』, 운허용하, 동국역경원, 1988.

『표준국어대사전』, 국립국어원, www.korean.go.kr.

『고려대 한국어대사전』, 고려대학교민족문화연구원, 2011.

『한국신종교대사전』, 김홍철, 도서출판 모시는 사람들, 2016.

『원불교대사전』, 원광대학교 원불교사상연구원 편, 원불교100년기념성업회, 원불교출판사, 2013.

대산종사 법어해의 1

제1 신심편 · 제2 교리편 · 제3 훈련편 · 제4 적공편

2024년 5월 10일 초판 1쇄 인쇄
2024년 5월 17일 초판 1쇄 발행

편저 주성균

펴낸이 주영삼
펴낸곳 원불교출판사
출판등록 1980년 4월 25일(제1980-000001호)
주소 54536 전북특별자치도 익산시 익산대로 501
전화 063)854-0784
팩스 063)852-0784
홈페이지 www.wonbook.co.kr
인쇄처 문덕인쇄

ISBN 978-89-8076-417-4(04200)
ISBN 978-89-8076-416-7(04200) (세트)

값 30,000원